HISTOIRE DE L'HÔPITAL NOTRE-DAME DE MONTRÉAL
(1880-1980)
de Denis Goulet, François Hudon et Othmar Keel
est le quatre cent quatre-vingtième ouvrage
publié chez
VLB ÉDITEUR
et le trente-deuxième de la collection
«Études québécoises».

HISTOIRE DE L'HÔPITAL NOTRE-DAME DE MONTRÉAL
(1880-1980)

Denis Goulet, François Hudon,
Othmar Keel

Histoire de
l'Hôpital Notre-Dame
de Montréal
1880-1980

vlb éditeur

VLB ÉDITEUR
Une division du groupe
Ville-Marie Littérature
1000, rue Amherst, bureau 102
Montréal, Québec
H2L 3K5
Tél.: (514) 523-1182
Télécopieur: (514) 282-7530

Maquette de la couverture:
Christiane Houle

Photo de la couverture:
Luc Lauzière, Façade du pavillon Deschamps.
Service de l'audio-visuel, HND.

Mise en pages:
Édiscript enr.

Distribution:
LES MESSAGERIES ADP
955, rue Amherst
Montréal, Québec
H2L 3K4
Tél.: (514) 523-1182
          interurbain sans frais: 1 800 361-4806

Dépôt légal: 4e trimestre 1993
Bibliothèque nationale du Québec
ISBN 2-89005-502-7

REMERCIEMENTS

Les auteurs remercient Marie-Josée Fleury, Céline Déziel, Yves Belzile et Guy Grenier, qui ont participé, de 1989 à 1991, aux travaux du Groupe de recherche sur l'histoire de l'Hôpital Notre-Dame. Les recherches de ce groupe ont mené à la publication de cet ouvrage. Les auteurs remercient également la direction de l'Hôpital Notre-Dame qui a tout mis en œuvre pour faciliter les travaux du groupe de recherche. Ils remercient enfin les personnes qui, notamment à l'Hôpital Notre-Dame et chez les sœurs grises, ont lu en tout ou en partie le manuscrit et qui leur ont fait de judicieux commentaires et suggestions.

LISTE DES ABRÉVIATIONS

AHND: Archives de l'Hôpital Notre-Dame

ASGM: Archives des sœurs grises de Montréal

PVBAHND: Procès-verbaux du bureau d'administration de l'Hôpital Notre-Dame

PVBMHND: Procès-verbaux du bureau médical de l'Hôpital Notre-Dame

PVCMHND: Procès-verbaux du conseil médical de l'Hôpital Notre-Dame

RAHND: Rapport annuel de l'Hôpital Notre-Dame

Remarques:

Les sources utilisées dans la préparation des tableaux et graphiques proviennent, sauf lorsque mentionné autrement, des archives de l'Hôpital Notre-Dame, principalement des rapports annuels et des procès-verbaux.

Les références bibliographiques dans les notes ont été réduites à l'essentiel. Le lecteur trouvera la référence complète dans la bibliographie.

La situation hospitalière à Montréal au XIXe siècle

Avant même que Montréal prenne de plus en plus les apparences d'une cité industrielle seront mises en place, tout au long du XIXe siècle, de nouvelles structures sanitaires et hospitalières, de nouvelles pratiques aussi, qui changeront sensiblement le paysage médical montréalais. Les rapports étroits qu'entretiennent les médecins britanniques avec la puissance coloniale, de même que les liens linguistiques et culturels qui unissent médecins français et médecins canadiens-français, ont permis à la médecine québécoise de suivre de près les développements de la science médicale et des structures sanitaires européennes[1].

Les fondements épistémologiques et les facteurs sociaux liés à ce développement sont nombreux. Mentionnons l'influence de la philosophie des Lumières, dérivant de Locke et de Newton et trouvant une de ses expressions les plus connues dans le sensualisme de Condillac[2]. Ces doctrines affirmaient le rôle prépondérant des sens et de l'observation des faits dans la connaissance des lois de la nature. Elles rejetaient ainsi une philosophie classique affirmant l'innéisme des idées et donnant une valeur prépondérante à la spéculation métaphysique et aux hypothèses ne reposant pas sur l'observation des faits. Le débat philosophique des Lumières, loin de se limiter à des enjeux abstraits, a permis l'élargissement de champs de connaissances concrètes et rendu possibles l'observation, l'analyse et la «saisie» des lois du monde naturel désormais entendu comme objet d'observation et non simplement de spéculation. Les grandes classifications élaborées alors en histoire naturelle en sont des résultats bien connus. De même a-t-on cherché de nouvelles voies d'investigation du corps humain et mis en place une méthodologie essentiellement basée sur une observation directe au lit du malade, susceptible de rendre compte des causes et des effets des maladies. Tout au long du XIXe siècle se consolideront les acquis du XVIIIe. Ainsi en est-il de la médecine préventive et sociale qui avait eu ses premiers théoriciens chez les tenants des conceptions mercantilistes et populationnistes, qui ont imposé à la fois aux gouvernements et à l'opinion éclairée la reconnaissance des rapports étroits existant entre, d'une part, la richesse et la puissance d'une nation et, d'autre part, la croissance et la santé de sa population[3]. Représentation fonctionnelle du corps, émergence du souci de la gestion de la santé de la population, et donc à la fois d'une politique de prévention et de «philanthropie» sociale, éloge de l'empirisme raisonné et essor de la technique constituent, entre autres, des axes fondamentaux sur lesquels a reposé la pratique médicale depuis le siècle des Lumières.

Si le développement des sciences médicales est considérable tout au long du XIXe siècle, l'impulsion en fut initialement donnée au siècle précédent par l'exercice d'une méthodologie anatomo-clinique qui conçoit et perfectionne les moyens d'investigation clinique en même temps que ses adeptes s'efforcent, par l'autopsie, de localiser la maladie sur les organes du patient décédé[4]. Une telle méthodologie — parallèlement à de nouvelles approches du vivant — connaîtra un essor immense tout au long du XIXe siècle. La physiologie expérimentale, notamment grâce aux recherches des Magendie, Müller, Bernard, Ludwig, Traube, Helmholtz, etc., a aussi joué un rôle fondamental dans la compréhension des fonctions de l'organisme. Les recherches en bactériologie inaugurées par Pasteur[5] au milieu du XIXe siècle et développées au dernier tiers du XIXe siècle, notamment par Koch, Eberth, Wassermann et Löffler, ont aussi considérablement modifié la représentation, l'étiologie et la prévention des maladies contagieuses[6]. Mais si les progrès scientifiques sont surtout accomplis en Europe, l'Amérique en est bien informée et importe rapidement les nouveaux savoirs et les nouvelles pratiques[7].

Les structures sanitaires et hospitalières — alors même qu'elles devaient tenir compte de nombreux facteurs sociaux tels que l'augmentation, l'urbanisation et, souvent, la paupérisation de la population, la modification des mentalités ou la fortune d'une idéologie mercantiliste ou populationniste — se sont conformées, plus ou moins adéquatement selon les cas, aux nouvelles bases techniques et cognitives qui modifient sensiblement la pratique clinique et chirurgicale ainsi que la prévention des grandes épidémies. L'expansion des structures hospitalières est fortement liée à la conjonction de ces divers facteurs qui déterminent les grandes transformations et les réformes importantes des institutions sanitaires depuis les dernières décennies du XVIIIe siècle.

Les fonctions traditionnelles des hôpitaux (1800-1870): soins du corps, soins de l'âme et prise en charge des contagieux

Dès la fin du XVIIe siècle, le Canada avait déjà mis en place un réseau hospitalier qu'il conservera pendant plus d'un siècle. Ces institutions avaient été établies d'après des modèles français offrant deux types d'institutions: d'une part, les hôtels-Dieu, réservés à l'accueil des malades pauvres, et, d'autre part, les hôpitaux généraux destinés initialement à l'enfermement des «pauvres mendiants, valides et invalides», qui étaient employés à certains «ouvrages et travaux[8]». Mais la clientèle ne tardera pas à s'élargir et comprendra bientôt «des invalides, des infirmes, des vieillards, des estropiés de l'un et l'autre sexe, des fous, des folles, des filles et des femmes de mauvaise vie[9]». L'Hôpital général de Québec et l'Hôpital général de Montréal, respectivement fondés en 1692 et 1694[10], remplissaient généralement des fonctions de répression et de préservation de l'ordre social en servant «de police de la société, en combattant l'oisiveté et l'errance, en développant le goût du travail, en freinant le libertinage[11]».

Quant aux hôtels-Dieu de Québec, de Montréal et de Trois-Rivières, fondés en 1639, 1642 et 1697, ils se caractérisaient par l'accueil d'une population composée de malades et conjuguaient des fonctions religieuses (salut de l'âme et conversion), des fonctions de charité et des fonctions de soins[12]. Contrairement à ce que laisse supposer une certaine historiographie traditionnelle et nonobstant l'importance des fonctions religieuses et de charité assumées par les hôtels-Dieu, ces institutions ont toujours joué un rôle médical important auprès de la population de la Nouvelle-France. Elles se sont toujours nettement différenciées du rôle d'enfermement et d'occupation sociale tenu, jusqu'au début du XIXe siècle, par les hôpitaux généraux.

En ce qui regarde l'Hôtel-Dieu de Québec, François Rousseau montre, dans une étude récente[13], que les fonctions de soins médicaux ont occupé une place importante dès les débuts de l'existence de cette institution. La présence du médecin auprès du malade était constante et la thérapeutique était en étroite relation avec les sœurs apothicaires qui connaissaient bien la pharmacopée traditionnelle[14]. C'étaient bien aux soins et aux traitements, comme le montre l'auteur, que se consacraient en grande partie les hospitalières de ces institutions. Les hôtels-Dieu, à partir du XVIIe siècle, se distinguent déjà de l'hôpital du Moyen Âge ou de la Renaissance, même s'ils en conservent certains traits :

> L'Hôtel-Dieu a toujours été une institution médicalisée et la présence du médecin y a toujours été importante, qu'il s'agisse des anciens chirurgiens majors du régime français ou des praticiens appelés au chevet des malades après la Conquête[15].

L'auteur insiste aussi sur le fait que, de 1639 à 1825, la fonction de soin des corps prend insensiblement, vu les besoins d'une colonie en expansion, une place prépondérante dans l'institution[16].

Autre point à souligner, la clientèle ne se compose pas que de pauvres. L'hôpital admet régulièrement les immigrants et les matelots arrivant de France — le plus souvent atteints de maladies contagieuses — de même qu'à l'occasion, il accueille les soldats de la colonie eux aussi fréquemment touchés par de telles maladies. La présence d'importantes troupes après 1745 «a conduit l'hôpital à accorder une plus grande place aux militaires et aux matelots, au détriment des malades pauvres qui font les frais de l'exiguïté des lieux[17]». L'Hôtel-Dieu possédait de surcroît une fonction prophylactique et une fonction militaire[18]. La population hospitalisée formait un groupe hétérogène parmi lequel l'état de maladie constituait le seul dénominateur commun: esclaves, domestiques, officiers, soldats, prêtres, matelots, manœuvres, gens de petits et de grands métiers, cultivateurs, fonctionnaires, etc. Il faut souligner aussi que tous les malades ne dépendent pas de la charité des religieuses. Les prêtres supportent les frais de leur séjour alors que les bourgeois paient pour leurs domestiques et leurs esclaves. De même, les capitaines de la marine marchande prennent à leur charge les frais d'hospitalisation de leurs matelots. Quant au roi, il paie l'hospitalisation des soldats, des matelots de la marine royale, des faux sauniers, des prisonniers de guerre ainsi que des ouvriers des chantiers royaux[19]. Rousseau note à ce propos que l'on voit poindre, dans un monde pour longtemps encore dominé par la charité, les premières relations entre travail, santé et responsabilité patronale[20]. En somme, les fonctions médicales des hôtels-Dieu et des nouvelles institutions hospitalières religieuses ou laïques s'affirmeront de façon importante au cours du XIXe siècle.

Dès le XVIIe siècle, l'État s'est beaucoup plus engagé dans la mise en place de certaines mesures sanitaires et préventives et dans le fonctionnement et le financement des hôpitaux que ne le laissent entendre certains historiens. Il est erroné aussi de croire que les communautés hospitalières ont toujours joui d'une autonomie complète dans la gestion des hôpitaux et qu'elles en assuraient le financement par leurs seules ressources[21]. Du début du XIXe siècle jusqu'à la crise politique de 1837-1840, l'État accorde des subventions «pour aider les communautés religieuses qui soutiennent les infirmes, les malades et les enfants[22]» de même que pour les travaux d'agrandissement ou le fonctionnement des hôpitaux. Il exige en retour qu'on lui rende compte de l'usage des subsides versés. Comme le souligne justement Rousseau, durant le premier tiers du XIXe siècle, il n'y a pas opposition, mais convergence ou complémentarité entre l'idéal de charité des religieuses et la politique de santé et d'assistance de l'État et des élites[23]. Par ailleurs, à partir des premières décennies du XIXe siècle, l'État intervient régulièrement dans la création de petits hôpitaux temporaires au moment de grandes épidémies, de même qu'il prend aussi en charge l'érection d'hôpitaux de la marine et d'hôpitaux pour les immigrants rendus nécessaires par le volume des troupes militaires et les afflux constants d'immigrants[24]. La direction de ces hôpitaux, financés et supervisés par l'État, était généralement confiée à des membres de la profession médicale.

Petites et grandes institutions constitueront des éléments essentiels dans la mise en place d'une structure sociosanitaire déjà amorcée durant les premières décennies du XIXe siècle. S'il est vrai qu'en général, l'institution hospitalière n'était alors que peu fréquentée par les populations aisées, elle n'en demeure pas moins un lieu où se poursuit, à un rythme inégal selon les établissements, un processus de médicalisation qui s'intensifiera considérablement tout au long du XIXe siècle.

Les hôpitaux à Montréal (1800-1870)

L'Hôtel-Dieu de Montréal (1642) ainsi que l'Hôpital général de Montréal (1819)[25] constituaient les seules ressources hospitalières permanentes de la ville de Montréal jusqu'aux années 1840. Ces deux institutions, qui accueillaient tous les malades indépendamment de leur religion ou de leur nationalité, répondaient en partie aux demandes d'aide médicale d'une population indigente incapable de s'offrir des soins à domicile, mais aussi, comme nous l'avons vu, aux besoins médicaux des autres groupes sociaux. L'Hôpital général de Montréal accueillait dès ses débuts un nombre limité de patients «privés» qui payaient leurs frais d'hébergement. Il autorisait aussi ses médecins qui y faisaient admettre leurs patients privés à se faire rémunérer directement par eux pour leurs services médicaux. De telles pratiques deviendront, comme nous le verrons, de plus en plus importantes au sein des institutions hospitalières. L'Hôtel-Dieu était dirigé par les sœurs hospitalières de Saint-Joseph alors que l'Hôpital général de Montréal, une institution protestante, était

dirigé par un conseil d'administration et un bureau médical laïques. Le service et les soins étaient assurés par un personnel et
un corps soignant également laïques.

S'ajouteront entre 1841 et 1845 quelques maternités laïques
ou confessionnelles — le Montreal Lying-in Hospital (1841), le
University Lying-in Hospital (1843) qui deviendra le Montreal
Maternity Hospital, la maternité Sainte-Pélagie (1845) appelé
par la suite Hôpital de la Miséricorde — ainsi que de petits dispensaires, sortes de cliniques externes, comme le Dispensaire de
Montréal (1843), qui offraient «des soins médicaux et chirurgicaux aux personnes pauvres et malades[26]». Médecins, religieuses et «infirmières» laïques assumaient alors la tâche de fournir
des services de maternité aux mères célibataires et aux femmes
les plus démunies, et des soins médicaux aux gens ayant de faibles ressources financières. Mis à part la fondation du Saint Pa-
trick's Hospital en 1852, bien peu d'institutions importantes
sont ouvertes à Montréal jusqu'aux années 1870. À noter, cependant, qu'en 1868, l'Hôpital général de Montréal a ouvert un hô-
pital-annexe pour les malades contagieux, qui fonctionnera
jusqu'en 1893, date à laquelle ses patients seront transférés à
l'hôpital civique d'isolement. L'Hôpital général de Montréal a
assuré ainsi une autre fonction de service de santé publique à la
communauté[27].

Le processus de médicalisation des hôpitaux, déjà bien
amorcé depuis la décennie 1820, particulièrement à Montréal et
à Québec, s'intensifie dans la deuxième moitié du siècle. De
plus en plus de médecins circulent dans les salles des hôpitaux;
certaines spécialités médicales telles que l'ophtalmologie, l'oto-
rhino-laryngologie et les «maladies des femmes» font peu à peu
leur apparition dans l'univers hospitalier. Les groupes d'étudiants accompagnés de leurs maîtres qui dispensent leurs leçons cliniques au lit du malade dans les grandes salles publiques deviennent une scène coutumière pour les hospitalières et
les employés. La médecine clinique est de plus en plus ponctuée de gestes encore familiers au lecteur d'aujourd'hui: interrogatoire, inspection, palpation, percussion et auscultation[28]. Les
médecins les plus au fait des développements de la science
médicale prennent quotidiennement la température et le pouls
du patient, poussent l'investigation clinique jusqu'à l'examen

des urines à l'aide de réactifs pour déceler la présence d'albumine. La dissection anatomique sur des patients décédés à l'hôpital devient peu à peu une pratique courante et nécessaire aux activités d'une véritable médecine hospitalière.

L'art chirurgical s'exerce encore dans les salles, mais les patients ont de moins en moins à subir les cris de douleur de l'opéré grâce aux premières anesthésies à l'éther, au chloroforme et au protoxyde d'azote[29]. Les opérations réalisées à l'Hôpital général de Montréal et à l'Hôtel-Dieu de Montréal relèvent surtout de la petite chirurgie (excision d'abcès, réduction de fractures, extraction de dents, saignées, etc.), mais il arrive parfois, nécessité oblige, que l'on tente quelques grandes opérations telles que les amputations, les excisions de grosses tumeurs ou la lithoritie. Le docteur Rottot qui se risque à pratiquer une néphrectomie (ablation du rein) à l'Hôtel-Dieu de Montréal en 1868 effectue vraisemblablement une première canadienne, mais cette grande opération se solde par le décès de sa patiente. En une période (1850-1870) où les précautions antiseptiques ne sont pas encore préconisées, les échecs causés par les infections sont fréquents. Tout de même, il faut se défaire de ces images d'Épinal qui nous présentent des médecins et chirurgiens de l'époque comme des ignorants, des obtus et des incompétents. Les médecins de l'Hôtel-Dieu et de l'Hôpital général de Montréal, en regard du contexte et du savoir médical de l'époque, soignent avec compétence et avec une relative efficacité. La plupart des praticiens de l'Hôpital général de Montréal et de l'Hôtel-Dieu, qui ont complété leur formation en Europe auprès des grands maîtres britanniques ou à l'École de médecine de Paris, font partie de l'élite médicale de la province. On les retrouve dans tous les postes de commande de la profession, que ce soit à la direction du Collège des médecins et chirurgiens de la province de Québec, en enseignement dans les facultés de médecine ou dans les sociétés médicales.

Une médicalisation accrue des hôpitaux (1870-1900)

De nouvelles institutions à vocation multiple qui dénotent l'évolution de la spécialisation des soins et des services offerts voient le jour à Montréal durant les trois dernières décennies du XIXe siècle. Mentionnons, à titre d'exemples, les maternités et les hôpitaux destinés aux «maladies des femmes» tels que le Women's Hospital (1873) qui comprend une maternité et un service de gynécologie, l'Hospice de la maternité (1875) voué «à la pratique de l'obstétrique et de la gynécologie[30]», les hôpitaux pour contagieux — l'Hôpital civique des variolés (1874[31]) —, la fondation d'hôpitaux pour enfants comme le Montreal Foundling and Baby Hospital (1891), la spécialisation de certaines institutions telles que l'Asile des aveugles de Nazareth (1861) auquel les sœurs grises qui géraient cet établissement ajouteront un institut ophtalmique en 1892 ou encore l'ouverture du Homeoepathic Hospital of Montreal en 1894[32].

Ces institutions, qui améliorent sensiblement l'offre de services «spécialisés», répondent à des impératifs sociaux et médicaux qui évoluent rapidement. Les problèmes liés à la maternité des femmes célibataires ou des veuves, le développement des connaissances et de l'intérêt en ce qui a trait aux pathologies gynécologiques[33], une forte incidence des maladies d'enfant et le taux de mortalité infantile extrêmement élevé, conjugués à la menace des épidémies, augmentent l'interventionnisme médical en ces domaines. Les nouveaux impératifs liés au progrès de l'enseignement clinique ont aussi constitué des facteurs importants de la mise sur pied de tels établissements. Cependant, ces nouvelles institutions de soins qui s'ajoutent aux deux grands hôpitaux généraux ne peuvent à elles seules combler tous les besoins créés par une ville et une profession médicale en pleine expansion. L'Hôpital général de Montréal a beau doubler ses admissions entre 1871 et 1891, qui passent de 1392 patients à 2329 patients, et l'Hôtel-Dieu de Montréal a beau s'efforcer d'accueillir annuellement au cours de la même période environ 2300 patients, ils restent insuffisants face aux besoins. Les quelques dispensaires de la ville, bien qu'ils jouent un rôle important, ne suffisent pas à la demande. C'est d'hôpitaux généraux pouvant recevoir les malades et les victimes d'accidents que Montréal a le plus besoin durant les dernières décennies du XIXe siècle.

Une demande accrue de soins hospitaliers (1870-1890)

Situation liée en grande partie à la croissance démographique de Montréal (voir le graphique 1), la demande de soins augmente considérablement entre 1871 et 1891. Montréal voit alors sa population doubler pour dépasser les 200 000 habitants. La vocation industrielle de la ville entraîne aussi une paupérisation grandissante, principalement dans les fameux *townships*, quartiers ouvriers particulièrement défavorisés. Les faibles salaires, le chômage et l'absence d'indemnisation en cas d'accident ou de maladie rendent des milliers d'individus dépendants des institutions hospitalières quand surviennent des problèmes sérieux de santé. Les accidents du travail se multiplient avec la mise en place d'une mécanisation certes de plus en plus efficace, mais qui ne tient guère compte de la protection des ouvriers. Milieux de travail mal aérés et bruyants, éclairage inadéquat, journées de travail très longues coupées de brèves périodes de repos, alimentation insuffisante et mal équilibrée, etc., constituent le lot quotidien de milliers de travailleurs. Ces différents facteurs sont susceptibles de miner la santé, d'affaiblir et de blesser le corps. Soulignons enfin qu'avec un salaire qui suffit à peine à nourrir et à loger sa famille, l'ouvrier moyen ne peut guère se payer des soins adéquats.

L'offre de soins devient géographiquement très inégale. De nouveaux quartiers sont créés, notamment par suite de l'amélioration des moyens de transport et de communication. Les quartiers de l'ouest de la ville et de la montagne — milieux neufs à vocation résidentielle et principalement réservés à une élite sociale privilégiée — ne souffrent guère de la situation. C'est surtout dans l'est de Montréal, qui fait l'objet d'un fort développement économique et démographique, que s'implantent les usines, manufactures et entrepôts. Cette région ne compte pourtant aucun hôpital général et doit s'en remettre à un hôtel-Dieu déjà débordé et à une institution anglophone, tous deux situés dans l'ouest de la ville.

GRAPHIQUE 1

Population de la ville de Montréal, 1851-1920

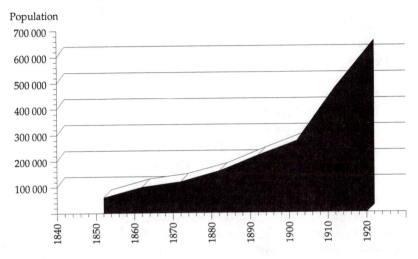

C'est dans l'est de la ville que les problèmes typiques liés à l'urbanisation et à l'industrialisation — entassement de la population, conditions de vie peu hygiéniques et pauvreté — sont concentrés. En effet, l'inégalité sociale devant la maladie et la mort est particulièrement criante pendant la période comprise entre 1877 et 1896. On enregistre dans le quartier ouvrier francophone de Sainte-Marie un taux de mortalité moyen de 36,7 pour 1000, soit le double de celui du quartier bourgeois et anglophone de Saint-Antoine où la mortalité est de 18,7 pour 1000. De même, «la mortalité infantile, très élevée à Montréal, frappe surtout les quartiers ouvriers de l'est[34]».

Trois facteurs déterminants ont donc favorisé les fondations successives de l'Hôpital Notre-Dame en 1880 et de l'Hôpital Royal Victoria en 1887. En premier lieu, si les maternités et les hôpitaux réservés aux femmes et aux enfants sont essentiels, ce sont surtout les hommes qui sont victimes d'accidents du travail et ces cas constituent de plus en plus la proportion la plus forte des admissions à l'Hôtel-Dieu, à l'Hôpital général de Montréal et dans les dispensaires. En second lieu, les progrès de la science clinique facilitant le diagnostic et la thérapeutique, conjugués à l'augmentation du nombre d'étudiants inscrits dans les facultés de médecine de Montréal, accroissent les besoins de l'enseignement clinique au sein des institutions hospitalières. Enfin, corrélativement à l'efficacité accrue des interventions thérapeutiques, la demande de soins hospitaliers des malades privés et semi-privés est en hausse en même temps qu'émerge l'habitude du praticien privé d'envoyer ses patients privés les plus sérieusement atteints dans une institution hospitalière mieux outillée que lui.

L'évolution de l'enseignement clinique à l'hôpital (1870-1900)

Au cours du dernier tiers du XIXe siècle, la pratique hospitalière dans les grands centres urbains québécois se conforme de plus en plus aux standards scientifiques et médicaux et à l'idéal d'une «bonne» gestion des ressources humaines sur le plan de la santé. La référence à la charité demeurera néanmoins présente, même si sa visibilité dans le discours des autorités dépendait des objectifs poursuivis. La recherche de fonds publics obligeait à mettre l'accent de manière bien légitime sur la fonction charitable ou sociale de l'institution. Un appel au développement scientifique des hôpitaux devant une assemblée de praticiens mettait plutôt en relief le rôle médical, scientifique et formateur de l'institution. Certes, les rapports entre la charité, le service à la communauté et les soins médicaux demeurent, mais le progrès scientifique, garant de la prise en charge effective de la santé de la collectivité, devient ouvertement l'un des objectifs principaux des grands hôpitaux urbains, objectif qui déterminera leurs orientations ultérieures. Peu à peu s'instaurera un double impératif de rationalisation technique et d'efficacité thérapeutique.

La laïcisation de l'institution hospitalière constitue aussi une autre transition fondamentale dans l'univers hospitalier francophone. Les institutions protestantes sont déjà laïques. Ce sont des autorités laïques qui gèrent l'Hôpital général de Montréal dès sa fondation. Il en sera de même pour la plupart des autres petites institutions hospitalières protestantes au Québec. Par contre, tradition oblige, les hôpitaux catholiques, qu'ils soient irlandais anglophones ou canadiens-français, sont, jusqu'à la fin du XIXe siècle, des institutions dirigées par les communautés religieuses, notamment par les sœurs hospitalières — sœurs grises, sœurs augustines, sœurs de la Providence, etc. —, même si celles-ci doivent rendre certains comptes aux pouvoirs publics. Ces communautés exerçaient généralement un contrôle administratif serré sur leurs institutions tout en laissant une assez grande marge de manœuvre au personnel médical. Les autorités cléricales ont généralement soutenu les développements de la pratique médicale et encouragé, par leur apport financier, l'acquisition des nouveautés techniques[35]. La vaccination, pratique préventive fort controversée au XIXe siècle, avait reçu l'appui de la hiérarchie du clergé[36]; en 1888, l'archevêque de Québec adressait une invitation aux hôpitaux de la ville à confier les cadavres non réclamés à l'École de médecine de l'Université Laval. L'introduction des mesures d'asepsie est encouragée par une hospitalière à l'Hôtel-Dieu de Québec alors même que bien des chirurgiens s'y opposaient. Mgr Laflamme devient un enthousiaste promoteur des rayons X et vulgarise cette découverte à la fin du XIXe siècle[37].

Plusieurs maternités et dispensaires relevaient aussi de l'autorité des sœurs hospitalières et non de celle des médecins en place. Mais dans le cas des grandes institutions hospitalières, la gestion par les religieuses d'activités médicales devenues de plus en plus complexes à la fin du XIXe siècle n'était pas sans occasionner certains problèmes liés notamment à des champs de compétence et à des approches idéologiques différents. Les praticiens francophones, à l'instar de leurs collègues de l'Hôpital général de Montréal, souhaitaient que l'hôpital devienne le lieu privilégié de la pratique et de la recherche médicales ainsi que de l'enseignement de la médecine.

À partir de la deuxième moitié du XIXe siècle, l'enseignement clinique prend de l'ampleur au Québec sous l'influence grandissante des écoles de médecine de Paris et de Londres qui accordaient depuis la fin du XVIIIe siècle, nous l'avons déjà souligné, une importance accrue à l'anatomie, à la pathologie et à la clinique. Les médecins québécois s'efforceront de satisfaire aux exigences d'un savoir médical sous-tendu par les modèles européens. L'une de ces exigences consistait à transmettre aux étudiants en médecine les acquis récents de la pathologie, de l'anatomie et de la clinique. La seule façon de présenter aux étudiants une variété importante de cas cliniques et de leur permettre d'observer les lésions pathologiques consistait à leur donner accès aux salles médicales et chirurgicales des grands hôpitaux. Jusqu'en 1880, le Québec n'en comptera que trois: les hôtels-Dieu de Montréal et de Québec et l'Hôpital général de Montréal.

La fondation de la succursale de l'Université Laval à Montréal en 1876, qui ouvrit une nouvelle faculté de médecine en 1879, est à l'origine d'un enjeu important quant à l'accessibilité des salles de ces hôpitaux, surtout, nous le verrons plus loin, en ce qui regarde l'Hôtel-Dieu de Montréal. Au moment où se dessine la fondation d'un nouvel hôpital général sur la rue Notre-Dame à Montréal, l'enseignement clinique est devenu une nécessité incontournable. L'évolution rapide des connaissances scientifiques et de la méthodologie médicale rendait obligatoires l'étude et la pratique de l'anatomie et dominant l'enseignement de la méthodologie anatomo-clinique et de la physiologie. Si l'université était alors devenue le lieu central de la formation théorique, l'hôpital était devenu un lieu privilégié de formation pratique.

Cependant, l'institution hospitalière, en se doublant peu à peu d'une fonction d'enseignement, modifie la structure et le type de soins offerts à l'hôpital[38]. En effet, la pratique croissante de l'anatomie pathologique et de l'investigation clinique sur une grande échelle devait permettre non seulement la transmission du savoir, mais aussi certains développements importants de la science médicale. L'accueil des indigents et des professeurs en ces grandes institutions de mieux en mieux organisées se doublait en retour d'une amélioration notable du savoir médical, qui pouvait ainsi profiter aux classes possédantes lesquelles, sous forme de dons ou de legs, contribuaient au financement de ces institutions. C'était le cas notamment de l'Hôpital général de Montréal dont la survie financière dépendait pour une large part de ces sources de revenus. Par contre, les hôtels-Dieu, suivant la grande tradition des institutions et fondations hospitalières catholiques, étaient en bonne partie financés par les revenus des propriétés et avoirs des communautés religieuses et, dans une moindre mesure, par des subventions de l'État. On peut noter aussi qu'une part mineure des revenus de l'Hôtel-Dieu de Québec provenait de malades qui payaient leur pension. Les patients (travailleurs, gens de métier, employés, indigents) accueillis gratuitement dans les hôpitaux et les dispensaires ont certes bénéficié des soins que pouvait leur offrir la médecine de l'époque, mais ce fut au prix d'une appropriation de leur corps à des fins d'enseignement et de recherche cliniques de façon à satisfaire aux besoins grandissants du savoir médical. L'étroite relation entre les institutions d'enseignement et les institutions de soins qui s'est consolidée durant la deuxième moitié du siècle dernier pèsera de plus en plus lourd sur les buts et les fonctions de l'hôpital, tout comme elle constituera, comme l'a bien montré K. M. Ludmerer[39], un puissant moyen de promotion de la profession médicale[40]. L'entente était généralement bonne entre les autorités religieuses et les médecins, mais il arrivait que les objectifs des seconds ne rencontrent pas toujours parfaitement les motivations des premières.

La meilleure voie pour éviter les conflits latents consistait à instaurer un bureau médical composé des médecins pratiquant au sein de l'hôpital, bureau qui aura pour fonction de contrôler les activités médicales dans l'institution. Les hospitalières, tout en tenant à leur prérogative en ce domaine, reconnaîtront peu à peu la nécessité de déléguer aux médecins une responsabilité dans la structuration des soins. Les autorités religieuses de l'Hôtel-Dieu de Montréal n'accepteront la mise en place d'un tel bureau qu'en 1899. La création de ces bureaux médicaux reflète aussi l'accroissement du pouvoir des médecins au sein de la structure hospitalière. Soulignons que, durant les premières décennies du XXe siècle, la plupart des grands hôpitaux nord-américains adopteront une structuration standardisée des soins sous les recommandations du tout-puissant American College of Surgeons qui dictera les conditions d'entrée dans la famille sélecte des hôpitaux «modernes». L'une des exigences fondamentales pour recevoir l'accréditation de cet organisme était la mise en place de bureaux médicaux. Tout au long du XXe siècle, ceux-ci deviendront au sein de l'institution hospitalière un instrument privilégié de la promotion de la profession médicale.

Lorsque l'Hôpital Notre-Dame ouvre ses portes en 1880, les médecins de la succursale de l'Université Laval à Montréal viennent de se doter du premier hôpital général francophone laïque dont la direction médicale relève entièrement de médecins[41]. Une organisation médicale bien structurée et possédant des pouvoirs très étendus permettra à l'hôpital d'orienter son développement vers une médicalisation et une spécialisation de ses fonctions qui en feront rapidement, comme nous allons le voir, l'un des grands hôpitaux québécois.

Notes

1. Sur les rapports entre la médecine québécoise et les modèles européens dans le premier tiers du XIXᵉ siècle, voir P. Keating et O. Keel, «Autour du *Journal de médecine de Québec*: programme scientifique et programme de médicalisation», dans R. A. Jarrell et A. E. Roos (dir.), *Critical Issues in the History of Canadian Science, Technology and Medicine*, p. 101-134, et, pour la deuxième moitié du XIXᵉ siècle, D. Goulet, *Des miasmes aux germes. L'impact de la bactériologie sur la pratique médicale au Québec (1870-1930); Histoire de la faculté de médecine de l'Université de Montréal, 1843-1993*.

2. John Locke, philosophe anglais, publie son *Essay on Human Understanding* en 1690. Condillac reprendra les thèses empiristes de Locke, mais en les radicalisant puisque, selon lui, l'homme trouve dans ses sensations l'origine non seulement de toutes ses connaissances, mais aussi de toutes ses facultés. Ainsi les diverses fonctions intellectuelles de l'homme comme l'attention, la réflexion, le jugement et le raisonnement ne résultent que de la transformation des différentes sensations. Il a publié notamment l'*Essai sur l'origine des connaissances humaines* en 1746 et le *Traité des sensations* en 1754. On comprend aisément qu'une telle doctrine appliquée au champ de la médecine ait conduit à mettre en valeur la connaissance médicale basée sur l'expérience sensorielle, soit la clinique comme méthode d'observation, et qu'elle ait promu un enseignement au lit du malade basé sur un tel type d'expérience. Sur les rapports en Europe entre les doctrines empiristes, newtoniennes et sensualistes, les nouvelles conceptions médicales et l'essor de la pratique et de l'enseignement cliniques à partir du XVIIIᵉ siècle, voir G. Gusdorf, *Dieu, la nature et l'homme au siècle des Lumières*, p. 424-491, et O. Keel, *Cabanis et la généalogie de la médecine clinique*.

3. Voir à ce propos G. Rosen, *From Medical Police to Social Medicine. Essays on the History of Health Care*, de même que O. Keel, «The politics of health and the institutionalization of clinical practices in Europe in the second half of the eighteenth century», dans W. Bynum et R. Porter (dir.), *William Hunter and the Eighteenth Century Medical World*, p. 207-256.

4. Voir O. Keel, «La place et la fonction des modèles étrangers dans la constitution de la problématique hospitalière de l'École de Paris», p. 41-73; *La généalogie de l'histopathologie*, et les travaux cités à la note précédente.

5. Pasteur présente en 1864 au Musée d'histoire naturelle de Paris le résultat de ses expériences qui réfutent la théorie de la génération spontanée. C'est le 6 juillet 1885 qu'il effectuera la première vaccination contre la rage.

6. Les années 1880 seront riches en découvertes étiologiques sur les maladies contagieuses: découvertes du bacille tuberculeux et du vibrion cholérique par Koch en 1882 et 1884, du bacille diphtérique par Klebs et Löffler en 1883-1884 et du bacille typhique par Eberth et Gaffky en 1879-1880. Sur l'introduction de la bactériologie au Québec, voir D. Goulet, *Des miasmes…*, *op. cit.*

7. Voir à ce propos D. Goulet, *ibid.* Les médecins francophones pouvaient consulter *L'Union médicale du Canada* depuis 1872; les médecins anglophones avaient à leur disposition, également depuis 1872, le *Canada Medical and Surgical Journal* et le *Canada Medical Record.*

8. D. Goulet et A. Paradis, *Trois siècles d'histoire médicale au Québec. Chronologie des institutions et des pratiques (1639-1939)*, p. 60. Voir aussi R. Lessard, *Se soigner au Canada aux XVIIe et XVIIIe siècles*. Sur la distinction entre ces deux types d'institutions hospitalières en France, voir M. Jeorger, «La structure hospitalière de la France à la fin de l'Ancien Régime, p. 1025-1051.

9. *Mémoire concernant le rétablissement de l'Hôtel-Dieu de Québec, c. 1775*, archives du monastère de l'Hôtel-Dieu, cité par R. Lessard, *op. cit.*, p. 50.

10. Sur la fondation des institutions hospitalières au Québec, voir D. Goulet et A. Paradis, *op. cit.*, p. 55-71.

11. F. Rousseau, *La croix et le scalpel. Histoire des Augustines et de l'Hôtel-Dieu de Québec (1639-1892)*, p. 60.

12. Lessard souligne très justement à propos de l'Hôtel-Dieu de Québec aux XVIIe et XVIIIe siècles que: «Bien avant la révolution pasteurienne, l'Hôpital se révèle comme un endroit sain» (*op. cit.*, p. 71). Plusieurs auteurs ont montré que, dès la fin du XVIIIe siècle, l'hôpital, en Europe, prend un virage décisif lorsque émerge une médecine clinique qui va lier désormais le destin de l'hôpital à celui de la médecine. Sur cette mutation fondamentale, voir M. Foucault, *Naissance de la clinique*; O. Keel, *Cabanis…*, *op. cit.* et «The politics…», *op. cit.*, p. 207-256.

13. F. Rousseau, *op. cit.*

14. Les sœurs de la Providence publieront en 1869 un traité intitulé *Traité élémentaire de matière médicale et guide pratique des sœurs de la Charité de l'Asile de la Providence*. Ce traité, qui sera réédité en 1870 et en 1890, restera longtemps un ouvrage de référence pour les hospitalières.

15. F. Rousseau, *op. cit.*, p. 203.

16. *Ibid.*, «Un Hôpital des corps et des âmes (1639-1825)», p. 31-188. Sur ces points et les suivants, voir aussi R. Lessard, *op. cit.*, p. 66 et suiv.

17. R. Lessard, *op. cit.*, p. 70.

18. *Ibid.*, p. 76.

19. Voir Rousseau, *op. cit.*, p. 81. On retrouve aussi ces différents groupes sociaux dans la clientèle de l'Hôtel-Dieu de Montréal qui présente de manière générale une structure assez semblable à celle de l'Hôtel-Dieu de Québec: il s'agit d'un lieu de soins et non pas d'un mouroir, ni d'un lieu de confinement des asociaux, ni encore d'un asile pour les miséreux et impotents. Ces

dernières catégories de pensionnaires se retrouvent, comme à Québec, à l'Hôpital général de Montréal fondé en 1694. (Voir G. Janson, «Joseph Benoît, chirurgien à l'Hôtel-Dieu (1711-1742)», dans M. Allard *et al.*, *L'Hôtel-Dieu de Montréal, 1642-1973*, p. 153-182; H. Gagnon, «Les hospitalières de Saint-Joseph et les premiers pas de Montréal: vie quotidienne et soins des malades au xviie siècle», p. 5-47.) Comme à Québec, les médecins ont depuis le début un rôle important à l'Hôtel-Dieu: les religieuses les accompagnent dans la visite, elles les informent des observations faites sur l'évolution des malades et se soumettent à leurs prescriptions pour le traitement et les soins.

20. F. Rousseau, *op. cit.*

21. À noter que l'État, sous la forme du pouvoir royal, participe déjà directement au financement des hôpitaux de la colonie comme les hôtels-Dieu. Les gratifications royales, par exemple, représentent en moyenne plus de 50 % des revenus d'une institution comme l'Hôtel-Dieu de Québec, ce qui fait dire à Rousseau que «l'État joue un rôle considérable dans le financement de l'Hôtel-Dieu» (*op. cit.*, p. 114). À noter aussi que les rois de France demandaient de temps à autre un état des finances des communautés religieuses hospitalières (*ibid.*, p. 198. Voir aussi R. Lessard, *op. cit.*, p. 66 et suiv.) Sur les subventions de l'État (environ 10 % des revenus en moyenne de 1714 à 1760) à la communauté des sœurs hospitalières de l'Hôtel-Dieu de Montréal et la surveillance exercée en retour par le pouvoir royal sur l'institution, voir J. Ducharme, «Les revenus des Hospitalières de Montréal au xviiie siècle, dans M. Allard *et al.*, *op. cit.*, p. 209-244. Voir aussi J.-M. Fecteau, *Un nouvel ordre des choses: la pauvreté, le crime, l'État au Québec, de la fin du xviiie à 1840.*

22. D. Goulet et A. Paradis, *op. cit.*, p. 192. En 1801, 1000 £ sont accordées à cet effet par le gouvernement du Bas-Canada. Mentionnons à titre d'exemple qu'en 1824, ce même gouvernement accorde une subvention de 250 £ à l'Hôtel-Dieu de Montréal. Sur les différents actes à cet effet, voir *ibid.*, p. 192-219.

23. Cette intervention de l'État dans le domaine de la santé s'inscrit dans la continuité des interventions du pouvoir royal dans ce domaine depuis la Nouvelle-France. Les conceptions socio-économiques populationnistes de l'époque ont conduit en Europe et dans les colonies à une ingérence croissante de l'État dans le champ de la santé, qui ira en s'accentuant au cours du xviiie et au début du xixe siècle. Comme le note justement Rousseau: «Si l'État considère le recours à la médecine comme relevant de la sphère privée, il a néanmoins le souci du bien public dans la mesure où la conservation et l'augmentation des sujets du roi constituent une préoccupation constante des monarques» (*op. cit.*, p. 258). Voir aussi Keel, travaux cités, qui traite amplement la question de la mise en place des politiques de santé et des transformations du champ hospitalier et clinique qu'elles induisent à partir du xviiie siècle.

24. Ces hôpitaux financés par le gouvernement ont été ouverts dans le cadre des initiatives de l'État pour mettre en place un système de protection face aux graves épidémies amenées par l'immigration. Citons, à titre d'exemples, l'Hôpital des émigrés, fondé en 1820, l'Hôpital temporaire des fébricitants créé par une loi en 1830 pour les marins et les immigrés et l'Hôpital de la

marine créé par une loi en 1830, mais qui n'ouvre ses portes qu'en 1834. (Voir D. Goulet et A. Paradis, *op. cit.*, p. 198, 203-204.) Simultanément, ces hôpitaux ont été les premiers terrains d'exercice de l'enseignement clinique. (Voir G. Janson et O. Keel, «La mise en place d'une organisation sanitaire face aux épidémies véhiculées par l'immigration au Québec de 1800 au choléra de 1832», communication à la Société canadienne d'histoire de la médecine, congrès des Sociétés savantes, Montréal, 1985, texte inédit. Voir aussi J. Bernier, *La médecine au Québec. Naissance et évolution d'une profession*, p. 106 et 183, et S. Leblond, «L'Hôpital de la marine de Québec», dans S. Leblond, *Médecine et médecins d'autrefois...*, p. 227-240.)

25. Nous avons francisé la dénomination initiale (Montreal General Hospital). L'Hôpital général de Montréal, hôpital protestant fondé en 1819, ne doit pas être confondu avec l'autre institution du même nom fondée en 1694. Cette dernière servait surtout de refuge aux indigents. Dans la suite de l'ouvrage, la dénomination Hôpital général de Montréal désignera l'institution anglophone bien connue des lecteurs du Québec.

26. Sur la fondation des institutions hospitalières et des dispensaires à Montréal, voir D. Goulet et A. Paradis, *op. cit.*, p. 55-171. Voir aussi J. Bernier, *op. cit.*, p. 183 et W. H. Atherton, *Montréal: 1535-1914*. Sur le Montreal Maternity Hospital, voir R. R. Kenneally, *The Montreal Maternity, 1843-1926: Evolution of a Hospital*.

27. Voir H. E. MacDermot, *An History of the Montreal General Hospital*, p. 58-59.

28. Les techniques de la palpation et de la percussion abdominale sont employées de façon assez régulière dans la pratique médico-chirurgicale à partir du XVIIIe siècle. C'est le médecin viennois L. Auenbrugger qui a inauguré la pratique de la percussion thoracique et qui l'a fait connaître dans un ouvrage publié en latin en 1761 (*Inventum novum ex percussione thoracis humani, ut signo abstrusos interni pectoris morbos detegendi*) et traduit en français en 1808 par le célèbre clinicien parisien Corvisart sous le titre de *Nouvelle méthode pour reconnaître les maladies internes de la poitrine par la percussion de cette cavité*. Cette traduction et les commentaires étendus du traducteur ont contribué à faire connaître très largement l'invention d'Auenbrugger. Cependant, la découverte d'Auenbrugger s'inscrivait dans le sillage de la pratique de la percussion abdominale par les cliniciens de Vienne du XVIIIe siècle et, à la suite d'Auenbrugger, la percussion abdominale était déjà pratiquée à Vienne et ailleurs en Europe. (Voir O. Keel, *Cabanis...*, *op. cit.*, et «Percussion et diagnostic physique en Grande-Bretagne au XVIIIe siècle: l'exemple d'Alexander Monro Secundus», dans R. Bernabeo (dir.), *Actes du XXXIe Congrès international d'histoire de la médecine*, p. 869-875.) L'auscultation médiate est proposée par le médecin français R. Laennec dans son *Traité de l'auscultation médiate* publié en 1819, ouvrage dans lequel il présente le premier stéthoscope. Sur l'introduction du stéthoscope au Québec, voir D. Goulet et A. Paradis, *op. cit.*, p. 450.

29. L'éther était connu depuis déjà le XVIe siècle pour ses propriétés médicinales et pour ses effets de somnolence. Mais la première opération effectuée sous anesthésie à l'éther est attribuée à C. W. Long, un chirurgien de Jefferson en Géorgie, le 30 mars 1842. Cependant, c'est l'opération sous anesthésie

effectuée par le docteur J. Collins Warren au Massachusetts Hospital le 16 octobre 1846 qui en répandit l'usage. Les premières utilisations anesthésiques du chloroforme sont attribuées au Britannique J. Y. Simpson en 1847. Quant à la première anesthésie au protoxyde d'azote, elle est effectuée en 1844 par le dentiste américain H. Wells. L'anesthésie endotrachéale par intubation sera proposée par F. Tredelenburg en 1869, mais ne s'imposera que plus tard. Sur les premières utilisations de l'éther et du chloroforme au Québec, voir D. Goulet et A. Paradis, *op. cit.*, p. 451-452.

30. *Ibid.*, p. 105.

31. Cet hôpital, administré et financé par la municipalité, avait été ouvert en période d'épidémie de variole et dans le cadre des mesures énergiques prises par le docteur Hingston, maire de la ville à l'époque, pour améliorer la situation sanitaire de Montréal par la mise en œuvre d'une politique municipale rigoureuse d'hygiène publique. En raison de diverses oppositions, l'hôpital fut fermé en 1881, et c'est seulement lors de l'épidémie de variole de 1885 qu'un nouvel hôpital pour les variolés sera ouvert. (Voir P. Keating et O. Keel, «La vaccination à Montréal dans la seconde moitié du XIXᵉ siècle, pratiques, obstacles et résistances», dans M. Fournier *et al.* (dir.), *Science et médecine au Québec: perspectives sociohistoriques*, p. 100 et suiv.

32. Sur ces diverses institutions, voir D. Goulet et A. Paradis, *op. cit.*, p. 98-125, et J. Bernier, *op. cit.*, p. 183.

33. Voir L. Brodeur, *Les débuts de la spécialisation de la gynécologie au Québec, 1880-1920. Médicalisation de la femme et consolidation de la profession médicale.*

34. P.-A. Linteau *et al.*, *Histoire du Québec contemporain: de la Confédération à la Crise, 1867-1929*, p. 189-190. Sur l'inégalité sociale devant la maladie et la mort à Montréal, et les besoins de la population dans le domaine de la santé à l'époque de l'ouverture de l'Hôpital Notre-Dame, voir M. Farley *et al.*, «Les commencements de l'administration montréalaise de la santé publique (1865-1885)», *HSTC Bulletin*, 1982, n° 20, p. 24-41, et n° 21, p. 85-109 et M. Tétrault, *L'état de santé des Montréalais, 1880-1914.*

35. Voir F. Rousseau, *op. cit.*, p. 204 et suiv.

36. P. Keating et O. Keel, *op. cit.*

37. Y. Gingras, «La réception des rayons X au Québec: radiographie des pratiques scientifiques», dans M. Fournier *et al.*, *op. cit.*, p. 69-86. Voir aussi ce dernier ouvrage pour la critique de la problématique évolutionniste du «retard» des sciences au Québec et pour une analyse des attitudes du clergé et des classes dirigeantes à l'endroit des sciences et de la médecine.

38. Comme le note Rousseau pour l'Hôtel-Dieu de Québec, c'est «l'insertion de l'hôpital dans les projets d'enseignement élaborés par les médecins qui va définitivement associer le monde de la charité à l'avenir de la médecine» (*op. cit.*, p. 261).

39. K. M. Ludmerer, *Learning to Heal. The Development of American Medical Education*, p. 102-122. Voir aussi D. Goulet, *Histoire de la faculté…, op. cit.*

40. Ce point a été souligné aussi pour les hôpitaux de l'époque au Canada par S. E. D. Shortt, «The hospital in the nineteenth century», p. 1-14.

41. Cela faisait évidemment de cet hôpital une institution très médicalisée dès le départ, où le pouvoir des médecins sur les patients et sur le personnel soignant était clairement reconnu. L'Hôpital Notre-Dame se distinguera d'un certain nombre d'hôpitaux au Canada, qui avaient été établis d'abord comme des *charities* ou des *custodial institutions*, où les médecins ont dû se battre dans les années 1870-1880, et parfois jusqu'au début du XXe siècle, pour faire reconnaître pleinement la fonction médicale (contrôle des patients et du personnel soignant, droit à l'observation clinique, aux interventions et à la dissection. droit d'utiliser l'institution pour l'enseignement clinique aux étudiants, autorité médicale pour tout ce qui touche aux soins). Une telle situation d'obstacle à la fonction médicale dans les hôpitaux canadiens-anglais est soulignée par Shortt, *op. cit.* Il faut noter cependant que certaines institutions anglophones, comme l'Hôpital général de Montréal (1819), ont eu, dès leur ouverture, un bureau médical et que les pouvoirs des médecins dans le domaine des soins et de la pratique médicale y étaient importants. Dès ses débuts, l'hôpital avait été défini dans les règlements régissant l'institution comme terrain d'expérience pour la pratique, l'enseignement et la recherche cliniques.

PREMIÈRE PARTIE

De la fondation au grand déménagement: 1880-1924

CHAPITRE PREMIER

Les débuts de l'Hôpital Notre-Dame

La fondation (1880-1881)

Le contexte socio-médical

Les raisons qui justifient la fondation des hôpitaux durant les dernières décennies du XIXe siècle sont loin d'être univoques. Certes, des impératifs sociosanitaires président au dévouement de leurs fondateurs en une période où les processus d'urbanisation et d'industrialisation entraînent une augmentation rapide de la population urbaine. L'hôpital général n'est plus depuis déjà un certain temps cantonné dans sa vocation traditionnelle de soins aux indigents malades. Une clientèle d'ouvriers et de travailleurs saisonniers en constante progression nécessite des lieux de soins centralisés à faible coût pour suppléer à une médecine privée onéreuse encore peu accessible. Ces institutions ont aussi l'avantage d'assurer au patient une convalescence bien encadrée. Au début des années 1880, l'hôpital général offre de surcroît à une clientèle privée qui manifeste de moins en moins de résistances à l'hospitalisation une large gamme de soins issus du rapide développement de la science médicale, notamment en ce qui concerne les petites et les grandes interventions chirurgicales. Un confort relatif et un rigoureux encadrement lui sont assurés à des coûts raisonnables. Des soins médicaux très larges peuvent donc être offerts à une clientèle diversifiée sur le plan économique et sur le plan ethnique. Pourtant, les besoins de soins médicaux publics et privés ne constituent pas les seuls motifs de fondation d'un grand hôpital général à Montréal ou à Québec. D'autres intérêts sont souvent en jeu, liés principalement à l'organisation structurelle du savoir médical tant au chapitre du processus de reproduction de ce savoir qu'au chapitre de son développement interne. À la philanthropie apparemment désintéressée des uns — souvent liée au souci de préserver les capacités productives des travailleurs — répondent les intérêts scientifiques et professionnels des autres. Cela n'exclut en rien que ceux-ci soient animés de motivations charitables. Il ne nous appartient cependant pas d'en juger. Ce qui nous intéresse ici, ce sont les communautés d'intérêt qui ont finalement présidé à la fondation de l'Hôpital Notre-Dame.

Or l'un des motifs importants dans la mise sur pied d'un grand hôpital général, au Québec comme d'ailleurs partout en Occident, réside dans les besoins grandissants de l'enseignement clinique dispensé aux nombreux étudiants des facultés de médecine. La profession médicale, en cette fin de XIXᵉ siècle, connaît un essor considérable, ce qui contribue à attirer bien des candidats des collèges classiques. En contrepartie, les installations cliniques de l'Hôpital général de Montréal et de l'Hôtel-Dieu ne suffisent plus à la demande. À l'offre de soins médicaux à une population nombreuse et aux besoins accrus de l'enseignement clinique s'ajouteront bientôt les pressions exercées par les associations médicales internationales ou nationales qui s'efforcent de standardiser le niveau scientifique des institutions hospitalières. S'affirmera donc de façon sensible, à partir des deux dernières décennies du XIXᵉ siècle, le souci de suivre les progrès scientifiques et même d'y contribuer.

La fondation de l'Hôpital Notre-Dame, qui traduit de façon remarquable, à notre avis, la synthèse de la problématique hospitalière de cette fin de siècle, relève de trois volontés: assistance médicale aux travailleurs et aux indigents, organisation d'un lieu d'enseignement clinique et développement de la science médicale. On ne saurait donc saisir le contexte inhérent à la création de cet hôpital général sans prendre en considération la problématique de l'enseignement médical à Montréal et les problèmes soulevés par la querelle universitaire qui fait alors rage dans la province.

Il existait à Montréal, au début des années 1880, deux écoles de médecine francophones concurrentes, l'École de médecine et de chirurgie de Montréal et la faculté de médecine de la succursale de l'Université Laval à Montréal récemment fondée. La querelle qui a opposé ces deux écoles a déjà été largement traitée[1]. Rappelons simplement qu'un décret du pape Pie IX en date du 1er février 1876 autorisait l'établissement d'une succursale de l'Université Laval à Montréal. Ce décret permettait de créer, outre les facultés de théologie, de droit, de sciences et d'arts, une nouvelle faculté de médecine dans la ville de Montréal. Or on ne pouvait ouvrir une telle faculté sans tenir compte de la présence d'une école de médecine canadienne-française bien implantée depuis des décennies en territoire montréalais. L'École de médecine et de chirurgie avait été fondée en 1843, et incorporée en 1845[2]. Sa charte lui permettait de décerner à ses diplômés un certificat qui donnait droit à la licence pour pratiquer la médecine. La législation qui instituait le Collège des médecins et chirurgiens de la province de Québec fit perdre à l'École le droit de donner elle-même la licence pour la pratique médicale. À la différence des finissants de McGill, les diplômés de l'École devaient dorénavant se soumettre à un examen devant des examinateurs nommés par le Collège. Une telle situation menaçait l'existence même de l'École de médecine puisque ses étudiants diplômés devaient passer un examen supplémentaire devant un bureau d'examinateurs composé principalement de médecins membres de la faculté rivale. Quelques tentatives d'affiliation avec les universités McGill et Laval se soldèrent par des échecs. Un concours de circonstances lui permit de sortir de cette impasse. L'École reçut une offre d'affiliation de la part d'une université protestante, l'université méthodiste Victoria de Cobourg, en Ontario, offre qu'elle ne pouvait, dans les circonstances, refuser. En s'affiliant à cette université en 1866, l'École obtint *de facto* l'autorisation de décerner des diplômes reconnus.

Dès la réception du décret qui autorisait la fondation d'une succursale universitaire à Montréal, l'Université Laval cherche à s'associer l'École de médecine. Un accord est conclu le 15 décembre 1877 qui érige en faculté l'École de médecine désormais affiliée à l'Université Laval. Mais des dissensions éclatent rapidement entre les dirigeants de l'École de médecine et ceux de l'Université Laval. La délimitation des droits et devoirs de chacune des parties demeure vague et certaines décisions prises unilatéralement par les autorités de Laval suscitent de vives protestations des membres de l'École. La situation s'envenime jusqu'à la rupture, qui survient en 1878[3]. L'École garde son statut de faculté affiliée à l'Université Cobourg. La succursale de l'Université Laval à Montréal se voit dès lors contrainte d'ouvrir une nouvelle faculté de médecine à Montréal. Elle bénéficie de subsides du Séminaire de Saint-Sulpice et du gouvernement provincial. Ce dernier met de plus à la disposition de la succursale l'édifice occupé par l'École normale situé sur la rue Notre-Dame en face de l'hôtel de ville de Montréal[4]. Le docteur Rottot démissionne de l'École de médecine et de chirurgie de Montréal et accepte le poste de doyen de la nouvelle succursale. Les docteurs Brosseau, E.-P. Lachapelle et certains autres collègues s'intègrent au nouveau corps professoral.

Le 1er octobre 1879, la nouvelle succursale installée au château Ramezay sur la rue Notre-Dame procède à l'ouverture de sa première session de cours. Jusqu'à la fusion des deux écoles en 1891, l'Université Laval s'acharnera à affaiblir sa rivale pour forcer son absorption et en retirer les avantages d'une augmentation importante de sa clientèle et de ses revenus[5]. Mais un autre enjeu important est en cause. Les lois de 1847 et de 1876 rendent obligatoire l'organisation par les facultés de médecine de deux cours de médecine clinique, deux cours de chirurgie clinique et d'un stage d'un an dans un établissement hospitalier «d'au moins cinquante lits[6]». Soulignons que c'est surtout à la suite de la loi de 1876, qui abolit la formation par l'apprentissage, que les universités, les hôpitaux et les dispensaires seront reconnus comme les seuls «lieux de formation» de l'étudiant en médecine.

La succursale de l'Université Laval à Montréal se voit donc forcée de trouver un établissement hospitalier qui réponde aux normes imposées par le Collège. Les autorités de la succursale de l'Université Laval à Montréal font des demandes pour avoir accès à l'Hôtel-Dieu, mais les religieuses refusent de leur accorder ce privilège[7]. Elles réservaient, depuis 1850, l'accès de leurs salles aux seuls professeurs et étudiants de l'École de médecine et de chirurgie. Lors de la rupture de 1878, l'École avait conservé l'exclusivité de l'enseignement clinique dans le seul hôpital général catholique francophone à Montréal. La décision des hospitalières s'explique par le fait que les membres de l'École leur assuraient depuis longtemps des soins gratuits et qu'elles étaient liées par des contrats engageant des sommes importantes[8]. Malgré les pressions exercées par Mgr Fabre, évêque de Montréal, et par les professeurs de la succursale de l'Université Laval à Montréal, les sœurs refusent d'admettre dans leurs salles les étudiants de la nouvelle faculté de Laval à Montréal. Celle-ci est donc obligée, durant l'année scolaire de 1879, d'envoyer ses 30 étudiants à l'Hôpital général de Montréal, institution protestante et anglophone où les cours cliniques se donnent évidemment dans la langue de Shakespeare. Situation pour le moins inconfortable pour Laval puisque ses attaques répétées contre l'École de médecine et de chirurgie dénonçaient surtout les liens qu'entretenait cette dernière avec l'université protestante de Cobourg. L'Hôpital général de Montréal constitue une solution qui ne peut être que temporaire. Il faut trouver ou fonder un établissement catholique.

Aussi est-ce face à cette nécessité que les professeurs de la succursale de l'Université Laval à Montréal s'engagent, le 15 avril 1880, à «sacrifier leur salaire pendant 4 ou 5 ans s'il le faut, pour monter un hôpital de 50 lits[9]». La décision prise par les autorités de la faculté de médecine de la succursale de l'Université Laval à Montréal de fonder un nouvel hôpital découle donc de l'impossibilité de disposer d'un établissement pouvant répondre à leurs besoins, c'est-à-dire un hôpital catholique d'au moins 50 lits.

Le docteur E.-P. Lachapelle se voit alors confier le mandat, en tant que secrétaire de la succursale de l'Université Laval à Montréal, d'organiser, dans les premiers mois de l'année 1880, le nouvel hôpital. Lachapelle, qui cumule déjà plusieurs fonctions, démissionne de son poste de vice-président de la Société

Saint-Jean Baptiste. Ses efforts, son influence déjà considérable et sa sagacité en font, sinon le fondateur, comme le prétend l'historiographie, du moins le personnage clé de la fondation de l'Hôpital Notre-Dame[10]. C'est lui qui sera le pivot des relations entre les professeurs de la succursale de l'Université Laval à Montréal et les autres intervenants qui ne tarderont pas à collaborer à la réalisation de ce projet.

Les besoins d'une nouvelle institution pour l'enseignement clinique engendrés par la nouvelle faculté de médecine sont certes déterminants, mais ils ne peuvent rendre compte à eux seuls, en cette fin de XIXᵉ siècle, du processus de fondation de l'Hôpital Notre-Dame[11]: d'autres impératifs et d'autres intérêts interviennent. Les démarches de Lachapelle s'adressent à un autre acteur essentiel, le clergé, qui a joué tout au long du XIXᵉ siècle, et jouera encore ici, un rôle essentiel.

Les principaux intervenants

Au moment où les autorités de la faculté de médecine de la succursale entreprennent leurs démarches pour fonder un nouvel hôpital général catholique à Montréal, la structure hospitalière catholique relève en majeure partie des congrégations religieuses. Sans l'existence des hôtels-Dieu de Québec et de Montréal gérés par les sœurs hospitalières, les médecins de la faculté de médecine de l'Université Laval et de l'École de médecine et de chirurgie de Montréal n'auraient guère pu profiter des avantages, tant sur le plan clinique que sur le plan chirurgical, qu'une grande institution est en mesure d'offrir. En outre, la succursale de l'Université Laval à Montréal n'aurait jamais vu le jour sans le rôle actif du clergé de Québec. On imagine mal dès lors comment les autorités de la succursale auraient pu mener à bien une telle entreprise sans son appui. La chronologie des événements de la fondation de l'Hôpital Notre-Dame révèle encore le rôle important que joueront les instances cléricales, notamment les sœurs grises, dans l'établissement de cette institution hospitalière.

Le docteur Lachapelle savait que, depuis quelques années déjà, le curé Rousselot, curé de la paroisse Notre-Dame particulièrement éprouvée par l'indigence et par les carences en secours médicaux, «désirait établir un hôpital dans sa paroisse, dont les résidents malades ou blessés devaient parcourir à pied des distances énormes pour recevoir des soins[12]». Lorsque Lachapelle lui fait part du projet de la succursale, il trouve en la personne de Rousselot une oreille plus qu'attentive. Il faut dire aussi que les deux hommes ont plusieurs idées en commun. Le choix de Lachapelle est d'autant plus judicieux que le curé Rousselot, fondateur du Jardin de l'enfance de Saint-Joseph en 1859 et de l'institut Nazareth pour les aveugles en 1861, possède une expérience appréciable des démarches entourant les levées de fonds, la recherche de locaux et le recrutement de collaborateurs. Ce dernier ne tarde pas à s'employer activement à la fondation d'un hôpital dans la paroisse Notre-Dame et s'engage, avec ses revenus personnels, à «subvenir au loyer et au chauffage de l'édifice ainsi qu'à la nourriture du personnel[13]».

L'appui du curé Rousselot s'avère d'autant plus important qu'il use de son influence auprès de la communauté des sœurs grises pour solliciter leur participation à la fondation de l'hôpital. Cette initiative fait suite à la convention signée le 15 avril 1880 par les professeurs de la faculté de médecine de la succursale de l'Université Laval à Montréal et le curé Rousselot par laquelle ils s'engageaient, nous l'avons déjà souligné, à sacrifier leur salaire mais aussi à «fournir les remèdes pendant 3 ans» à la condition expresse qu'une «des communautés religieuses de Montréal, déjà employée au soin des malades spéciaux, consent[e] à s'en charger[14]». Mais avant même d'avoir reçu la réponse officielle des sœurs grises, Rousselot loue, le 22 avril 1880, après un accord avec les professeurs de la succursale de l'Université Laval à Montréal, l'hôtel Donegana et toutes ses dépendances au tarif de 450 $ par année. Rousselot avait-il reçu une assurance verbale de la sœur supérieure Hainault Deschamps ou faisait-il preuve d'un optimisme débordant?

Le curé Rousselot est depuis déjà longtemps le confesseur de la communauté des sœurs grises à qui il avait confié la fondation de l'asile Saint-Joseph et la direction de l'institut Nazareth. En outre, la supérieure de la communauté, sœur Julie Hainault Deschamps, a toujours soutenu les projets du curé Rousselot et peut se révéler une alliée indispensable pour la fondation d'un établissement hospitalier. On ne pouvait en effet, à cette époque, envisager la fondation d'une telle institution sans l'appui des sœurs grises qui avaient acquis une longue expérience dans la gestion et l'administration et dont le travail, avantage non négligeable, permettait de réduire largement les frais d'exploitation puisqu'elles ne demandaient que des gages minimes. Du reste, la participation des sœurs grises ajoutait une forte légitimité à la vocation charitable d'un établissement qui allait devoir se financer au moyen de souscriptions, de legs testamentaires et de dons privés.

L'accord réalisé avec les sœurs grises constitue un précédent puisqu'elles acquéraient toujours la propriété des œuvres dont elles prenaient la charge. Elles acceptent donc pour la première fois d'administrer un hôpital laïque sans en avoir la propriété. Il faut dire qu'elles ne désirent guère, en cette fin de XIXe siècle, soutenir financièrement la construction et l'entretien d'un hôpital général. En revanche, elles reconnaissent que la population catholique de Montréal en a expressément besoin et qu'une telle œuvre correspond à leur mission. Les deux parties y trouvent donc des avantages mutuels.

L'entente conclue à la suite des démarches du curé Rousselot auprès de la sœur supérieure Hainault Deschamps est officialisée le 27 avril 1880, soit cinq jours après la location de l'hôtel Donegana. L'assemblée des sœurs grises, «considérant le bien qui résulterait de ce nouvel établissement pour la gloire de Dieu et le soulagement des malades pauvres[15]», accepte alors unanimement la proposition du curé Rousselot de prendre en charge certains aspects de l'organisation de l'Hôpital Notre-Dame. L'entente liant les parties établit que la communauté accepte d'assurer l'organisation et l'administration interne de l'hôpital, les soins aux malades et la préparation des médicaments à condition qu'elle n'en fasse pas les frais et qu'on subvienne aux besoins en vêtements, en logis et en nourriture des religieuses en poste à l'hôpital[16]. Elles reprennent là quelques-unes des fonctions qu'elles ont toujours assumées au sein de leurs œuvres.

L'entente globale conclue entre la succursale de l'Université Laval à Montréal, la paroisse Notre-Dame et la communauté des sœurs grises comporte aussi pour les professeurs de la succursale des avantages intéressants. Le rôle dévolu aux sœurs grises dans la prise en charge de l'hôpital et des soins aux malades permet aux autorités médicales de réduire au minimum les coûts et les responsabilités de gestion quotidienne de la nouvelle institution. Les médecins obtiennent de plus, en échange de soins gratuits pour les indigents et d'une présence non rémunérée à l'hôpital, l'occasion de pratiquer un enseignement clinique selon une organisation qu'ils peuvent eux-mêmes définir tout en se voyant accorder l'usage de certains privilèges médicaux et chirurgicaux à l'endroit de leurs clientèles privées.

Il faut aussi assurer la gestion des finances du nouvel hôpital. Lachapelle connaît bien le milieu des affaires montréalais et entretient de solides amitiés dans la bourgeoisie canadienne-française. Il sollicite l'appui de certains dirigeants de maisons de commerce, Hébert, Thibaudeau, ainsi que le gérant de la Banque d'épargne de la Cité et du District de Montréal. Ce groupe d'hommes d'affaires va s'occuper de la gestion des finances nécessaires à la mise sur pied et au fonctionnement de l'Hôpital Notre-Dame. Ce même petit groupe formé pour la circonstance sera encore présent quelque vingt ans plus tard[17].

Les détails de l'accord réalisé entre les parties — professeurs de la faculté, communauté des sœurs grises, paroisse Notre-Dame, hommes d'affaires — ne sont pas clairement établis. Nous savons toutefois que les professeurs de la faculté de médecine de l'Université Laval à Montréal acceptent de se charger des réparations et de l'ameublement de l'institution, du paiement du loyer, des médicaments, des instruments et des appareils de chirurgie. Le curé Rousselot paiera, nous l'avons vu, la nourriture des malades, le chauffage et l'éclairage de l'établissement. Les sœurs grises participeront à l'aménagement intérieur de l'hôtel récemment loué et s'occuperont de son administration interne. Les gens d'affaires associés à l'entreprise s'emploieront à recueillir des fonds ou des dons en matériel.

Les conditions nécessaires à l'ouverture d'un nouvel hôpital général ont été remplies avec une célérité qui indique l'urgence d'organiser un enseignement clinique pour les étudiants de la faculté de médecine de la succursale de l'Université Laval à Montréal et de fournir des soins aux malades et aux accidentés de l'est de Montréal[18].

La location et l'aménagement de l'édifice

On peut s'étonner du choix de l'ancien hôtel Donegana[19], abandonné depuis quelques années et laissé dans un état plutôt délabré, comme édifice d'accueil du nouvel hôpital. Néanmoins, cet hôtel, qui «servait de repaire à une partie de la plus fine crasse de la ville[20]», répondait aux besoins des parties intéressés. Situé sur la rue Notre-Dame, à proximité du château Ramezay occupé par la succursale de l'Université Laval à Montréal, l'hôpital deviendra en quelque sorte une annexe de la nouvelle faculté de médecine où les étudiants pourront aisément assister aux leçons cliniques de leurs maîtres. Du reste, le curé Rousselot voit avec satisfaction la fondation d'un établissement hospitalier dans sa paroisse, au centre de la ville, à proximité du port et du faubourg Québec, «le plus populeux et peut-être celui qui alimente le plus les hôpitaux[21]». L'*Union médicale du Canada* commente ainsi la nouvelle acquisition de la Fondation Notre-Dame:

> La bâtisse est très spacieuse… et sera très bien adaptée au but auquel on la destine, quand on y aura fait les améliorations nécessaires […]. Sa position au centre-ville offre aux malades et aux blessés l'avantage d'un transport très court et peu dispendieux[22].

L'emplacement de l'hôpital à proximité du port où se produisaient de nombreux accidents était donc considéré comme un avantage considérable. On avait par ailleurs choisi un édifice qui comblait, pour ce qui est de l'espace, les besoins temporaires d'un hôpital qui devait initialement contenir une cinquantaine de lits[23]. En contrepartie, l'édifice et son site n'étaient guère conformes aux normes naguère fixées pour une institution de ce genre. Le choix du site d'un hôpital relevait le plus souvent des possibilités d'aération du bâtiment, de tranquillité et d'évacuation des eaux usées. L'idée qu'une atmosphère stagnante et une mauvaise évacuation des déchets organiques et végétaux sont propices aux infections est largement partagée tout au long du XIXe siècle. Encore durant la décennie 1880, les miasmes et les exhalaisons morbides sont considérés par plusieurs médecins comme les causes de certaines maladies contagieuses[24]. Aussi s'empresse-t-on d'affirmer à la population que «l'élévation du terrain et la proximité du fleuve et du carré lui assurent l'avantage d'une ventilation facile et effective et lui offrent une garantie contre l'humidité et la stagnation des égouts[25]». Mais tous ne sont pas convaincus puisque certaines critiques se font entendre quant au choix de l'emplacement du nouvel hôpital.

> Quelques correspondants anonymes ont prétendu que le site du nouvel hôpital et son système de ventilation étaient défectueux [...] Quoi qu'il en soit, l'Hôpital est maintenant ouvert au public et sans prétendre être parfait est prêt à subir la critique des gens désintéressés[26].

Il faut dire que le docteur E.-P. Lachapelle se demande avec son collègue S. Lachapelle, l'année suivant la fondation de l'hôpital, si l'air de Montréal n'a pas les qualités de celui de la campagne:

> Notre ciel n'est-il pas pur, et les vapeurs qui enveloppent Londres comme dans un voile impénétrable sont-elles perceptibles au-dessus de notre ville? La brise fraîche que nos montagnes du nord bien disposées laissent venir jusqu'à nous, le souffle humide qui règne sur les bords de notre grand fleuve, ne nous mettent-ils pas dans une position géographiquement sanitaire d'une manière exceptionnelle[27]?

L'emplacement du nouvel hôpital peut donc à la rigueur très bien convenir au traitement des patients. D'ailleurs, ils ajoutent à ce propos, quelques mois après l'ouverture de l'hôpital:

> Les épidémies ont-elles pénétré souvent dans nos hôpitaux? Nos malades, nos opérés n'ont-ils pas la quantité d'air pur qui leur est nécessaire? Est-ce que nous ne leur en fournissons pas à chacun d'eux trente à quarante mètres cubes par heure[28]?

Le volume d'air pur respiré par les patients est ici protection contre les dangereuses infections qui préoccupaient tant les grands hôpitaux[29]. Mais le choix de l'hôtel Donegana reflétait davantage un souci d'ouvrir à court terme un petit hôpital général que de doter l'est de Montréal d'un grand établissement hospitalier. Il fallait parer au plus pressé. Bien des doléances sur la vétusté de l'établissement marqueront l'évolution de cette première institution.

Les réparations de l'hôtel débutent le 24 mai 1880, sous la supervision de sœur Perrin, supérieure du nouvel hôpital, et de sœur Hickey qui «se tenaient là du matin au soir pour conduire et surveiller les travaux» qui seront nombreux. «Imaginez-vous quel tintamarre! il y avait à l'œuvre maçons, plâtriers, peintres, menuisiers, plombiers, etc.[30]», commente une religieuse. Une somme de 4000 $ est dépensée en réparations avant que l'édifice devienne «un établissement des plus convenables, en rapport avec les exigences de son but, les progrès du jour et les besoins de la science[31]». Enfin, vers la fin de juillet 1880, «après deux longs mois de travaux, de peines et de fatigues, les choses se trouvèrent assez avancées pour songer à ouvrir l'hôpital[32]». Afin d'accélérer l'ouverture de l'hôpital, les réparations ne sont effectuées que dans un «nombre précis d'appartements nécessaires au service hospitalier[33]». Les coûts des réparations sont en grande partie payés par des souscriptions publiques et privées ainsi que par des fonds versés par le Séminaire de Québec, le Séminaire de Saint-Sulpice et le gouvernement du Québec. Certains citoyens acceptent aussi de «parrainer» des lits, c'est-à-dire de verser une souscription correspondant au prix d'acquisition et d'entretien d'un lit. Le nombre de lits ainsi «parrainés» atteint bientôt la cinquantaine.

Les dons publics et privés en «nature» contribuent aussi à combler certains besoins immédiats: boîtes de produits chimiques, appareils de petite chirurgie, produits pharmaceutiques, appareils ou instruments chirurgicaux[34], laine pour confectionner des matelas, pièces de caoutchouc, poêle à charbon, béquilles et cannes, machine à coudre, etc. Sont aussi offerts de nombreux produits alimentaires: moutons, porcs, jambons, poissons frais, pommes de terre, vermicelle, etc. Mis à part les contributions des membres fondateurs déjà mentionnées, ajoutons l'ameublement de l'institution et le paiement du loyer pris en charge par les professeurs de la faculté de médecine de la succursale de l'Université Laval à Montréal. Quant au curé Rousselot, il offre l'autel de la chapelle, la balustrade, un bénitier argenté, quatre chasubles, un confessionnal, un tabernacle, des cierges, etc. Les sœurs donnent des équipements de pharmacie, des médicaments, etc.

Le 24 juillet, les membres de la presse sont invités «cet après-midi par M. le docteur Lachapelle, à aller visiter l'établissement[35]». Le compte rendu de *La Minerve* est élogieux:

> La Faculté de médecine, comme celle du droit, est fréquentée par un grand nombre d'élèves et les professeurs désirant en faire des médecins qui soient à la hauteur de ceux des autres universités, ont compris qu'il leur fallait un hôpital, et ils ont résolu d'en fonder un qui, certes, sous le rapport du lieu où il est situé, de l'extérieur et ses dispositions des appartements de l'intérieur, ne le cède en rien aux institutions fondées à Montréal. L'ancien Hôtel «Donegana» a été acheté et transformé en hôpital. Ceux qui ont visité auparavant cet établissement, ne le reconnaîtraient indubitablement plus. M.M. Pépin et Lesage qui en ont refait la menuiserie et M.-F. Drapeau qui a été chargé du plombage [*sic*], se sont montrés des maîtres dans leur métier, et rien ne laisse à désirer au dedans. Tout a été exécuté d'une manière admirable: peinture, crépissage, menuiserie, etc.; et nous ne pouvons qu'offrir nos félicitations à ceux que nous venons de nommer et qui ont si bien su accomplir les vœux de ceux qui les ont engagés. L'Hôpital a trois étages qui donnent sur la rue Notre-Dame, et quatre qui font face à la rue du Champ-de-Mars, et chacun d'eux offre le plus grand confort à ceux qui les habitent[36].

Le 25 juillet, Mgr Fabre, évêque du diocèse de Montréal, «entouré d'un public choisi, peut-être sceptique[37]» procède à la bénédiction du nouvel hôpital général. La cérémonie est suivie d'une fête à laquelle participent les professeurs de la faculté de médecine de l'Université Laval à Montréal et les sœurs grises en service à l'hôpital. Le lendemain, le curé Rousselot y célèbre la première messe. Le 27 juillet, l'Hôpital Notre-Dame ouvre officiellement ses portes et accueille ses premiers patients.

Il ne s'est donc écoulé que quatre mois entre la première convention des professeurs de la faculté et l'inauguration du nouvel hôpital. L'ouverture a eu lieu à la hâte et l'hôpital ne peut alors accueillir, «dû à l'exiguïté des ressources», que de 25 à 30 patients, soit la moitié du nombre prévu. Il faudra attendre encore plusieurs mois avant que le nombre de lits destinés aux cliniques atteigne le minimum prévu de 50. Cette précipitation visait surtout à répondre au plus tôt aux besoins de la faculté.

La consolidation de la fondation de l'Hôpital Notre-Dame a été acquise par l'acte d'incorporation passé à la législature provinciale le 30 juin 1881. L'Hôpital Notre-Dame obtenait ainsi un statut juridique qui confirmait sa situation de troisième hôpital général de Montréal et qui lui assurait du même coup une légitimation accrue pour obtenir les souscriptions sollicitées auprès des hommes d'affaires de la ville. L'acte reflète aussi la structure organisationnelle de l'établissement et le rôle joué par ses fondateurs, en stipulant que le bureau d'administration chargé «du contrôle et de la régie de la corporation[38]» sera composé du curé de la paroisse Notre-Dame, de trois membres du bureau médical provenant de la succursale de l'Université Laval à Montréal et de trois membres du bureau des gouverneurs lesquels seront généralement recrutés parmi les hommes d'affaires ayant contribué financièrement à l'œuvre de l'hôpital. L'acte d'incorporation confirme le statut de corporation civile du premier hôpital général laïque canadien-français du Québec.

Fait rare à l'époque pour une institution canadienne-française catholique, les sœurs hospitalières sont absentes de la structure administrative. Toutefois, le rôle qu'elles joueront dans l'expansion de l'hôpital sera suffisamment important pour qu'elles obtiennent des garanties quant à leurs privilèges et aux droits qu'elles détiennent au sein de l'institution. Le 15 septembre 1881, soit deux mois après la passation de l'acte d'incorporation, les sœurs grises, considérant que «l'établissement [est] aujourd'hui suffisamment assis», jugent opportun de «passer un concordat entre l'administration et la communauté[39]». Ce ne sera toutefois que l'année suivante, soit le 25 septembre 1882, qu'un tel concordat sera paraphé par les deux parties. Il stipule que:

> Les Sœurs de la Charité de l'Hôpital général de Montréal, nommées par la supérieure générale pour faire le service

interne du dit hôpital, auront le contrôle entier et absolu du service du dit hôpital Notre-Dame quant aux employés, engagés et domestiques du dit hôpital Notre-Dame. Les dites Sœurs pourront engager elles-mêmes, et en aussi grand nombre qu'elles jugeront à propos, les employés et domestiques pour les services de la dite maison. Elles pourront les renvoyer et elles pourront acheter les provisions et les comestibles pour les malades et les autres personnes habitant le dit hôpital, quand et comme elles jugeront à propos. Elles pourront aussi, mais avec l'agrément du bureau d'administration, acheter les meubles et les effets nécessaires au dit hôpital.

Les dites Sœurs seront nourries, blanchies et soignées en maladie durant leur séjour au dit hôpital, aux frais du dit Hôpital Notre-Dame qui en outre, paiera annuellement trente-deux piastres à ou pour chaque sœur nommée pour faire le service au dit hôpital Notre-Dame, pour être employées à son habillement (vestiaire) [...]

La Supérieure Générale des Sœurs de la Charité de l'Hôpital Général de Montréal aura le droit de fixer elle-même le nombre de sœurs nécessaires pour faire le service dudit Hôpital Notre-Dame, et de changer ce nombre quand bon lui semblera.

Il s'agit là d'une consolidation des prérogatives des sœurs grises sur l'administration interne et quotidienne de l'hôpital. Le pouvoir des sœurs hospitalières découle plus de leur rôle considérable en ce qui a trait aux soins prodigués et à l'organisation quotidienne de l'hôpital que de leur position dans la structure administrative. Le texte du concordat souligne aussi le fait que les sœurs soignent les malades depuis 1880 «d'après le meilleur de leur connaissance et jugement sous la direction des médecins de service[40]».

La dernière étape dans la consolidation de l'institution Notre-Dame est franchie le 11 mai 1882, lorsque les autorités font l'acquisition de l'hôtel Donegana[41]. L'Hôpital Notre-Dame peut désormais organiser librement ses locaux, acquérir de nouvelles dépendances et planifier une certaine expansion de façon à répondre à des demandes de soins qui ne manqueront pas d'augmenter considérablement dans les années à venir.

Les nombreuses réparations et les nouveaux aménagements font probablement de l'Hôpital Notre-Dame en 1880 «un établissement des plus convenables, en rapport avec les exigences de son but, les progrès du jour et les besoins de la science[42]». L'édifice est alors composé de trois corps de logis avec une façade en pierre de taille. Le premier corps comprend un bâtiment de trois étages avec sous-sol et mansarde, le deuxième, haut de quatre étages, se rattache au premier par un chemin couvert et le troisième, composé de cinq étages, fait face à la rue du Champ-de-Mars. L'entrée principale donne accès à un vaste vestibule où se trouve le grand escalier qui permet d'accéder aux trois étages de l'édifice. À gauche de ce vestibule se trouvent la salle d'attente des étudiants en médecine ainsi que la pharmacie. À l'arrière sont installés le laboratoire et une petite salle destinée aux analyses chimiques et microscopiques. Deux salles communes ont été aménagées, une pour les hommes et une les femmes: la salle Saint-Joseph est située dans l'ancienne salle à dîner au rez-de-chaussée et la salle Sainte-Marie, au deuxième étage. Toutes deux contiennent, à l'ouverture de l'hôpital, une vingtaine de lits. En un temps où la pipe et le cigare sont fort populaires, les autorités ont cru bon d'installer la tabagie en arrière de la salle des hommes. S'y trouvent aussi quelques appartements pour «les malades dangereux ou bruyants». Des chambres privées pour les hommes et les femmes plus fortunés sont aménagées au deuxième et au troisième étage. Les grands salons du rez-de-chaussée et du deuxième étage sont transformés en chapelle, parloir, pharmacie et en dortoirs pour les religieuses.

L'organisation des locaux a sans aucun doute été l'œuvre des professeurs de la faculté de médecine de Laval à Montréal. Ils avaient carte blanche en tant que membres du bureau médical pour diriger l'installation médicale du nouvel hôpital. La salle d'opération, installée dans l'ancienne salle de bal de l'hôtel, pièce la mieux éclairée de l'édifice, reflète bien le souci de disposer d'un local adéquat pour les interventions chirurgicales. Cependant, il ne s'agit là que d'une occupation partielle des locaux disponibles: «Il reste encore un étage dans la bâtisse principale et une partie de la bâtisse qui fait face sur la rue Champ-de-Mars, [...] et dont quelques appartements à peine sont occupés[43].» De fait, on procédera à de nombreux autres aménagements au cours des années suivantes.

Peu après son ouverture, l'Hôpital Notre-Dame dispose de 50 lits pour les «malades pauvres» et compte entre 15 et 20 lits pour les malades qui paient leurs frais d'hospitalisation. Les salles communes pour les hommes et pour les femmes comprennent chacune 20 lits de fer sur lesquels repose un sommier à ressorts; une paillasse en varech ou «crin marin» ainsi que des couvertures et des oreillers[44]» complètent l'ensemble. Chaque lit de l'Hôpital Notre-Dame possède une «petite table armoire» servant aussi de table à manger et qui, selon un journaliste enthousiaste, «offre de grands avantages aux patients[45]».

Les installations sanitaires sont rudimentaires mais adéquates. Aux deux grandes salles publiques, Saint-Joseph et Sainte-Marie, sont annexés deux cabinets d'aisance, des chambres de bains et un lavabo. Les patients de chambres privées ont accès, en plus du cabinet d'aisance, à un bain privé situé à proximité de leurs locaux. C'est d'ailleurs le deuxième étage de l'hôpital qui est le mieux pourvu en installations d'hygiène corporelle puisqu'on y retrouve six des huit bains répartis dans les différents services. Deux bains sont réservés aux sœurs hospitalières qui logent au second étage. Ces dernières couchent dans des lits à six pattes garnis de paillasses de blé d'Inde[46].

L'hôpital est relié au système d'égout et d'aqueduc de la ville de Montréal. On ne sait que peu de chose du système d'aération sinon qu'il devait surtout consister en l'ouverture des fenêtres en saison estivale. Un journaliste rapporte que la salle Saint-Joseph, avec ses 12 mètres de plafond, «est parfaitement éclairée et aérée» et que la salle Sainte-Marie possède deux ventilateurs et quatre cheminées «qui seront constamment ouvertes[47]». Toutefois, l'aération de l'hôpital sera l'objet de certaines remarques de contemporains qui se plaindront des odeurs émanant de l'hôpital.

Le sous-sol de l'hôpital renferme naturellement les éléments lourds nécessaires à un établissement de cette dimension, tels que les appareils de chauffage, de lavage et de réfrigération. Le système de chauffage a nécessité, selon un témoignage de l'époque, «une amélioration très dispendieuse». C'est que l'ancien système de l'hôtel Donegana fonctionnait à la vapeur et était très bruyant ce qui, de l'avis de certains professeurs de la faculté rattachés à l'Hôpital Notre-Dame, «est peu en rapport avec l'idée qu'on se fait d'un hôpital bien tenu[48]». On décida donc, «afin d'assurer le repos et le confort des malades» de le remplacer par un système de chauffage à l'eau constitué de «deux splendides machines neuves» et de multiplier dans l'hôpital le nombre de tuyaux calorifères. Les autres équipements techniques correspondent à la technologie de l'époque: à proximité de la salle de couture, une buanderie contenant des laveuses et des «tordeuses»; des glacières servant à l'entreposage des aliments congelés; un grand poêle à gaz pour les cuisines; un élévateur facilitant la distribution des aliments et des médicaments; etc.

Les objectifs et le rôle social de l'Hôpital Notre-Dame

Tout au long de la période de fondation et de consolidation de l'Hôpital Notre-Dame, les dirigeants ne manqueront pas de rappeler les buts fixés par l'institution et le rôle qu'elle entend jouer sur la scène montréalaise.

> Cet hôpital aura pour but, comme tous les autres, l'assistance publique sans distinction de sexe, religion ou nationalité mais aura aussi des appartements privés où les malades possédant quelques moyens et qui ne tiennent pas maison ou qui ne trouvent pas chez eux l'assistance nécessaire, pourront se procurer pour une somme modique tout le confort et le soin désirables. Ces malades auront parfaite liberté de choisir leur médecin, même en dehors du personnel de l'établissement. Tout donne à espérer que l'Hôpital Notre-Dame sera organisé et administré de manière à ce que le public, la profession et les étudiants en médecine y trouvent également leur profit[49].

La vocation de l'hôpital répondra donc à trois besoins qui se recoupent de plusieurs façons: pourvoir aux besoins grandissants de soins de la population canadienne-française de Montréal et plus particulièrement de l'est de la ville, fournir aux élèves de la nouvelle succursale de l'Université Laval à Montréal un enseignement clinique adéquat et permettre à la profession médicale d'exploiter les nouveaux acquis de la science médicale. Mais la priorité donnée à ces besoins varie selon les intervenants. Nous y reviendrons.

Si la réponse en ce qui concerne les cours cliniques est relativement adéquate dans les quelques mois qui suivent la fondation de l'hôpital, les besoins liés à la carence de soins d'une population ouvrière et indigente en forte croissance s'avèrent nettement plus difficiles à combler. Cela constituera tout au long de la première phase de l'évolution de l'hôpital un problème de plus en plus aigu. Beaucoup d'observateurs s'en font l'écho et ne manquent pas de souligner que les hôpitaux de Montréal «se voient forcés de refuser asile à des centaines de malheureux[50]». Déjà, à l'ouverture de l'hôpital, les malades affluent, comme en témoigne la correspondance d'une sœur hospitalière présente aux premiers jours de l'hôpital:

> Du moment que la presse annonça au public l'ouverture du nouvel hôpital, les malades et les blessés affluèrent de tous les côtés, de sorte qu'en quelques jours les salles furent remplies de patients[51].

La plupart de ces patients, nous le verrons plus loin, sont dans l'impossibilité de couvrir leurs frais d'hospitalisation. Nombreux seront donc les indigents à recourir aux services offerts par une institution qui garantit l'accès «à tous les malades pauvres, sans distinction de nationalité ou de religion[52]».

Cependant, les professeurs de la succursale de l'Université Laval à Montréal, tout en se ralliant aux objectifs d'assistance médicale aux indigents, ne ratent pas une occasion de rappeler la vocation médicale de l'institution et de souligner les progrès scientifiques futurs auxquels celle-ci contribuera. Le désintéressement n'est certes pas total. En accueillant librement un grand nombre de patients indigents, les médecins s'offrent un champ d'observations qui deviendra au fil des années considérable. Or celui-ci leur permettra, en plus d'améliorer la transmission des connaissances acquises, de répondre aux besoins de la recherche clinique et thérapeutique et de participer de fait à l'avancement de la science médicale. Bref, dès la fondation de l'Hôpital Notre-Dame, les deux grandes vocations de l'institution se rejoignent harmonieusement — mais cette harmonie sera temporaire —; un tel rapprochement se reflète notamment dans le discours tenu par les principaux intervenants. Aussi, les docteurs E.-P. Lachapelle et S. Lachapelle ainsi que le docteur Lamarche font-ils remarquer, en parlant des indigents:

> C'est pour eux qu'est fondé l'Hôpital Notre-Dame, qui arrive comme un renfort de troupes fraîches au secours de l'héroïque armée de la science et de la charité, pour continuer avec elle une lutte jusqu'ici disproportionnée contre la maladie et la pauvreté[53].

Science et charité, maladie et pauvreté se réunissent en un même lieu pour soutenir des objectifs qui auront une histoire passablement mouvementée. Les dimensions caritatives et cliniques chevaucheront les dimensions charitables et communautaires tout au long de la première période d'existence de l'hôpital. L'une ou l'autre de ces fonctions sera mise en évidence selon les intervenants, selon les auditoires et selon les objectifs de chacun. Une demande de souscription ou de subvention fera ressortir davantage le rôle communautaire ou charitable de l'Hôpital Notre-Dame, alors qu'une allocution du surintendant à ses collègues médecins soulignera le rôle de l'Hôpital Notre-Dame dans l'avancement de la science médicale.

L'organisation structurelle du premier hôpital

La structure administrative

LE BUREAU D'ADMINISTRATION

L'Hôpital Notre-Dame est consacré corporation autonome par le parlement provincial en vertu d'une loi sanctionnée le 30 juin 1881; sa direction se compose alors de trois structures distinctes dont les buts et objectifs diffèrent. L'article 7 de cette loi précise que «l'administration directe, le contrôle et la régie de la corporation[54]» de l'hôpital relèvent du bureau d'administration. La loi fixe également sa composition, la fréquence de ses réunions, les fonctions spécifiques de chacun de ses membres. Quoiqu'ils soient tenus de rendre compte aux gouverneurs de leurs activités dans un rapport annuel, les membres du bureau d'administration jouissent de pouvoirs considérables.

Le bureau d'administration[55] est formé de médecins, de prêtres et de laïcs choisis parmi les gouverneurs. Composé de 8 membres en 1880 et de 14 en 1924, il en comptait 17 en 1907, ce qui constituera durant les premières décennies de l'hôpital le nombre maximal de membres nommés au bureau. Cette augmentation du nombre des administrateurs a eu lieu durant la décennie 1880. Alors que la présence des médecins parmi les administrateurs est à la baisse, celle des laïcs (commerçants, membres des professions libérales, industriels) est à la hausse. L'inévitable partage des tâches s'accentuera entre le bureau d'administration et le bureau médical, chacun respectant de plus en plus son champ de compétence[56]. Par ailleurs, les besoins accrus, l'ampleur des sommes exigées pour y répondre et la complexité des solutions à envisager poussent l'administration de l'hôpital à chercher dans les milieux financiers et politiques les fonds nécessaires et les personnes aptes à les gérer. Le cas de l'Hôpital Notre-Dame n'est pas unique. D'autres hôpitaux laïques de Montréal, tels que l'Hôpital général de Montréal et le Royal Victoria, comptent également un grand nombre d'hommes d'affaires parmi leurs administrateurs[57].

Entre 1880 et 1924, la structure de ce bureau sera modifiée à deux reprises. En 1898, conséquence de l'abolition du bureau des gouverneurs, le bureau d'administration devient l'unique responsable de la gestion des affaires courantes de l'hôpital. Des modifications sont alors apportées au nombre de ses membres ainsi qu'aux dates de réunion et de dépôt de ses rapports. Deux vice-présidents viennent désormais compléter la direction de ce bureau, initialement à la charge d'un président, d'un trésorier et d'un secrétaire. En 1924, des changements de même nature seront à nouveau effectués. Généralement, la présidence est assumée par un gouverneur qui n'est pas médecin, alors que la surintendance revient à un membre de la profession médicale. Certains administrateurs demeureront fort longtemps en poste:

22 ans pour le commerçant E.-A. Généreux; 25 pour le commerçant C.-P. Hébert[58]; 23 pour le docteur J.-P. Rottot et 37 pour le docteur E.-P. Lachapelle.

Fort diversifiées, les activités des membres du bureau d'administration obéissent à quatre impératifs: recherche de fonds, embauche du personnel, recherche d'appuis financiers et politiques, et gestion quotidienne. Pour rencontrer ces objectifs précis, les administrateurs ne ménagent ni leurs efforts ni leur temps. Mais devant l'accroissement des services hospitaliers et la recherche constante de sources de financement, il leur devient difficile de cumuler ces tâches. Aussi les administrateurs de l'hôpital s'adjoindront-ils certains professionnels susceptibles d'améliorer la gestion de l'hôpital. Ainsi en 1885 est créé le poste de surintendant dont la tâche consiste à superviser l'administration et la gestion de l'hôpital. En 1892, on recourt à un conseiller juridique, c'est-à-dire un avocat-conseil auquel on se refère lorsque des problèmes délicats ou des conflits épineux se présentent: plaintes des patients, poursuites contre l'institution ou conflits d'intérêts de la part des médecins. En 1899, les services d'un notaire sont retenus afin de renseigner et d'aider les membres du bureau lorsqu'ils entreprennent des procédures telles que les modifications à la charte, les demandes de subventions gouvernementales et la gestion des legs.

L'embauche du personnel et la nomination des gouverneurs de l'hôpital est la responsabilité du bureau d'administration. Mais si c'est à lui que revient la tâche d'approuver l'engagement des nouveaux médecins, de fixer leur rémunération et de décider de les remplacer, les recommandations du bureau médical, de même que l'opinion exprimée par les religieuses de l'hôpital, influent fortement sur les décisions prises en ces circonstances. Le bureau d'administration procède également à l'élection de ses nouveaux membres au début de chaque nouvelle année fiscale et voit à leur remplacement. Il entérine les nominations et les démissions de sœurs grises œuvrant à l'hôpital. Très attentif aux besoins des religieuses, il collabore étroitement avec elles, répond à leurs demandes et leur confie régulièrement la résolution des problèmes quotidiens de gestion interne. Tous les employés de l'hôpital — concierges, menuisiers, ambulanciers, secrétaires, portiers, cuisiniers, etc. — sont sous sa responsabilité. Après avoir recueilli l'avis des sœurs et des médecins, c'est lui qui, en définitive, engage, fixe le salaire et licencie au besoin. Enfin, il intervient lorsque des conflits surgissent entre ses propres membres ou entre les membres du corps médical.

Conçu et utilisé dans le but de constituer un réseau de «contacts» ou de ressources proches des intérêts de l'hôpital, un système de relations publiques est bientôt mis en place par les administrateurs. Grâce à ces relations, l'appui et la collaboration d'individus liés au monde des affaires ou de la politique peuvent s'avérer précieux, notamment en facilitant l'obtention de souscriptions et de certains privilèges. De fait, la nécessité d'établir et d'entretenir ce réseau de relations est perçue, par certains membres du bureau, comme l'une de leurs tâches essentielles. La nature de ces interventions varie selon les besoins: requête faite à l'évêque de Montréal pour qu'il entérine une demande d'augmentation du subside annuel gouvernemental; adresses aux notaires afin qu'ils sollicitent leurs clients en faveur d'un legs à l'hôpital au moment de la rédaction des testaments.

Au fil des ans, l'accumulation de valeurs, de biens et de propriétés de l'hôpital contraint les administrateurs à consacrer plus de temps à sa gestion. L'acquisition, la vente, l'entretien et la protection des immeubles et des biens mobiliers, l'administration des dons, des legs et des intérêts réalisés, de même que la gestion des emprunts contractés exigent une attention constante de leur part. La gestion quotidienne, de style plutôt paternaliste, recouvre par ailleurs une multitude de tâches souvent fastidieuses et répétitives incluant la correspondance, les bilans, les voyages de représentation et les consultations diverses.

Durant la période couverte par la première charte, soit jusqu'en 1898, la présidence du bureau d'administration est assumée par le curé de la paroisse Notre-Dame, V. Rousselot. Par la suite, L.-A. Sentenne et N.-A. Troie occuperont successivement cette fonction. Alors qu'au début de l'existence de l'hôpital, la nomination d'un ecclésiastique à ce poste important permet de mettre en valeur auprès du public et des souscripteurs éventuels la fonction charitable de l'institution, cette représentation perdra progressivement de son importance.

LE RÔLE EFFECTIF DU BUREAU DES GOUVERNEURS

L'article 5 de la charte de 1881 précise que:

Pour surveiller les affaires générales de la corporation, il y aura un bureau appelé: «Le bureau des gouverneurs», composé de tous les gouverneurs à vie et de pas plus de douze gouverneurs élus annuellement par les membres de la corporation. Ce bureau s'assemblera à l'hôpital de temps à autre pour prendre connaissance de l'état général des affaires et pour toutes autres fins à être définies par règles et règlements à cet effet[59].

Était ainsi dévolu au bureau des gouverneurs un rôle de gardien et d'observateur discret de la situation générale de l'hôpital. Il faudra toutefois attendre jusqu'au 22 mars 1882 pour que soit tenue sa première réunion. Ce bureau des gouverneurs comprend alors L.-J. Forget, président, J. Skelly et H.-R. Gray, vice-présidents, I.-A. Beauvais (remplacé quelques mois plus tard par le docteur H.-E. Desrosiers), trésorier, de même que 11 gouverneurs élus et 19 gouverneurs à vie. Au cours de ses 16 ans d'existence, ce bureau aura une composition relativement stable et comprendra peu de médecins, quoique le secrétaire soit invariablement choisi parmi ces derniers. J.-R. Thibaudeau en sera le second président, de 1882 à 1895. Puis C.-P. Hébert, jusqu'alors vice-président, lui succédera. Certaines années, le bureau comptera plus de 30 % de membres issus de milieux anglophones, proportion étonnante pour un hôpital catholique et francophone[60]. Certains membres du bureau des gouverneurs siègent également au bureau d'administration.

Bien qu'officiellement le bureau des gouverneurs possède un pouvoir décisionnel, il n'en fera guère usage et préférera déléguer ce pouvoir aux membres du bureau d'administration. Durant les premières années d'existence de l'hôpital, le poste de gouverneur à vie sera surtout un poste de prestige. Aussi décide-t-on d'abolir le bureau des gouverneurs lors de l'adoption de la charte de 1898. L'accroissement régulier du nombre de gouverneurs nous porte d'ailleurs à croire que cette fonction jouissait de la considération des différentes classes aisées de la société. Un grand nombre d'entre eux provenaient du monde des affaires et du commerce. Les membres de professions libérales (avocats, ingénieurs et médecins, évidemment) étaient aussi bien représentés. Certains hommes politiques et quelques ecclésiastiques ont également figuré comme membres de ce bureau. Toutefois, le privilège de porter le titre de gouverneur à vie et de participer aux affaires internes de la corporation s'accompagnait de l'obligation de verser en droit d'entrée la somme de 100 $. Un montant annuel de 10 $ était par la suite exigé. En 1882, dix-neuf gouverneurs à vie sont membres du bureau alors que, dix années plus tard, leur nombre grimpe à 100. Première infiltration féminine dans ce bastion d'hommes, deux femmes sont désignées gouverneurs à vie en 1887. Réalisant le besoin d'accroître davantage le nombre de gouverneurs, les administrateurs dressent en 1893 une liste de personnes susceptibles d'accepter une offre en ce sens. Cette mesure semble avoir porté fruit puiqu'en 1898, au moment de l'entrée en vigueur de la nouvelle charte, l'hôpital en compte déjà 182.

La crise financière de 1909 donne lieu à la création d'un fonds de secours dont les souscripteurs ayant versé 100 $ et plus se voient nommés gouverneurs par les administrateurs. La réponse est bonne puisque le nombre de gouverneurs passe alors de 272 à 623. De toute évidence, la nomination des gouverneurs sert à alléger les difficultés financières de l'hôpital. Certains créanciers se sont même vu attribuer le titre de gouverneur à vie par la simple remise de leur créance. En 1918, lors de la construction du nouvel immeuble, l'hôpital compte 795 gouverneurs, soit 262 de plus que l'année précédente. Le surintendant général apprécie grandement cette augmentation: «Qu'ils soient les bienvenus, ceux qui ont bien voulu se joindre à nous pour nous aider de leurs deniers, de leur influence et de leurs sages conseils[61].» Diverses stratégies sont alors employées pour inciter les gens à devenir gouverneur: visite du chantier de construction en avril 1917, intervention des gouverneurs auprès de leurs collègues, etc. Le recrutement s'avère plutôt efficace: en 1924, l'Hôpital Notre-Dame compte 1170 gouverneurs. La contribution minimale, toujours fixée à 100 $, malgré l'inflation des quatre dernières décennies et les deux modifications apportées à la charte, permet à un plus grand nombre de personnes d'accéder à ce titre.

LES DAMES PATRONNESSES

Groupe important au sein de l'Hôpital Notre-Dame, les dames patronnesses lui seront dévouées tout au long de son histoire. Dès la fondation de ce comité au mois de novembre 1881, de nombreuses femmes joignent l'association à la grande satisfaction des autorités.

> Plusieurs dames, animées du désir de faire leur part dans le soutien d'une institution qui rend de si grands services à notre ville, et encore plus de profiter de toutes les occasions de faire le bien, répondirent-elles à cet appel avec le plus grand empressement[62].

Lors de leur première réunion, tenue chez Mme J.-R. Thibaudeau[63], elles s'engagent à verser une contribution annuelle à l'hôpital et à se réunir mensuellement. Leur travail consistera surtout à populariser l'hôpital, à rechercher les fonds et les biens nécessaires au confort et au bien-être des patients et à administrer les sommes d'argent et les dons recueillis. Pour atteindre leurs fins, elles organisent sur les places publiques, avec l'assistance du bureau d'administration, des bazars, kermesses, gymkhanas et fêtes foraines. À ces occasions, les commerçants et les marchands sont largement sollicités. Tous les profits, qu'ils soient en argent, en biens ou en victuailles, sont versés à l'hôpital. D'autres activités, beaucoup plus discrètes, mais dont les retombées sont importantes pour la qualité de vie des patients, sont également le fruit de leurs initiatives: soirées de thé, parties de cartes, conférences, collectes diverses, dîners et cadeaux de Noël, œuvre du pain[64], visites hebdomadaires aux patients, préparation des repas, achat de matériel[65], etc.

Épouses de médecins ou de gouverneurs à vie de l'hôpital, la plupart des dames patronnesses bénéficiaient d'une situation financière privilégiée ou d'un statut social reconnu, ce qui facilitait leurs interventions philanthropiques. L'augmentation du nombre de dames patronnesses s'échelonne comme suit: 85 en 1881; 183 en 1892; 198 en 1901; 206 en 1912 et 363 en 1924.

L'ÉVOLUTION DE LA CHARTE

L'acte d'incorporation de l'Hôpital Notre-Dame adopté par la législature provinciale le 30 juin 1881 définissait les droits et privilèges des administrateurs[66]. Lors de la première réunion du bureau d'administration en juillet 1881[67], l'assemblée décide de rédiger les règlements[68] de l'hôpital. Dans ce but, un comité comprenant les docteurs A. Dagenais, E.-P. Lachapelle et E. Desrosiers est constitué. Bien que distincts, la charte et les règlements sont complémentaires. D'ailleurs, le texte de la charte figure en première partie du livret des règlements de 1881. Cette charte donne une description étendue, mais générale, des pouvoirs et des devoirs attachés aux trois bureaux de l'hôpital. Elle mentionne notamment le pouvoir de la «corporation» d'acheter, d'emprunter, de vendre ou d'hypothéquer des immeubles.

La première charte ne subira, jusqu'au début du XXe siècle, que des amendements mineurs. Le premier amendement, adopté l'année même de l'entrée en vigueur de la charte, corrige une erreur grammaticale, tandis que le deuxième, en 1883, permet d'augmenter le nombre de membres du bureau d'administration. En 1897, le bureau d'administration et le bureau médical conviennent conjointement de refondre la charte de l'hôpital et créent un comité à cet effet. Le texte de la nouvelle charte sera adopté par les administrateurs et sanctionné sans modification par le gouvernement provincial en janvier 1898. Cette nouvelle charte, mis à part la suppression du bureau des gouverneurs et le retrait des gouverneurs élus, diffère assez peu de la précédente et n'aura somme toute que peu de répercussion sur l'administration.

Les autorités de l'hôpital ont parfois recours à des voies législatives pour consolider la situation financière de l'hôpital. Au début du XXe siècle, à la suite de la construction du nouvel immeuble et de l'Hôpital Saint-Paul pour les contagieux, la corporation éprouve le besoin de faire légaliser une entente conclue avec la Ville de Montréal. Ce contrat porte sur les soins et l'entretien des patients atteints de maladies contagieuses. Les autorités hospitalières se savent alors dans une situation financière précaire et entrevoient des dépenses considérables. Aussi ne veulent-elles pas s'engager dans cette nouvelle voie sans un appui gouvernemental. En 1903, le gouvernement provincial adopte une loi confirmant la légalité du contrat passé entre les deux parties. L'hôpital est alors autorisé à émettre immédiatement des débentures, sorte d'obligations non garanties sur le crédit de l'institution et sur ses immeubles. Il pourra par la suite en émettre de nouvelles jusqu'à concurrence de 50 000 $. Certains mesures financières ont un effet direct sur la structure administrative. Par exemple, en raison de l'importance des montants engagés par le contrat signé avec la Ville de Montréal, son maire est nommé membre d'office de ce bureau. Autre exemple, quelques années plus tard, alors que l'hôpital traverse une crise financière très grave, les autorités se retrouvent dans l'obligation de contracter un important emprunt de 800 000 $[69]. Le gouvernement provincial adopte alors, en 1907, une nouvelle loi autorisant l'hôpital à emprunter la somme demandée; le bureau d'administration décide, à cette occasion, d'augmenter le nombre de ses membres en prévision d'une hausse du nombre de gouverneurs à vie.

Adoptées à la suite de problèmes ponctuels, les lois de 1903 et de 1907 sont indépendantes de la charte octroyée en 1898. Amendée pour la première fois en 1909, la charte de 1898 le sera à nouveau en 1923. Ces derniers amendements portent principalement sur le pouvoir d'emprunt et les droits de propriété de l'hôpital, ainsi que sur l'autorité et le nombre des membres du conseil médical et des bureaux administratif et médical. De plus, les membres du bureau d'administration devaient être désormais obligatoirement gouverneurs à vie.

La structure médicale

Dès la fondation de l'hôpital, les médecins ont veillé à ce que l'organisation de la structure médicale relève strictement de leur responsabilité, laissant aux administrateurs le financement de l'institution et aux religieuses le contrôle de l'administration journalière de l'hôpital. Cette structure, loin d'être figée pendant la période 1880-1924, sera modifiée en fonction de trois objectifs précis: structurer la pratique médicale pour répondre aux besoins grandissants, assurer un enseignement clinique aux étudiants de la faculté et contrôler les faits et gestes d'un personnel médical dont les habitudes individualistes s'accordent mal avec le fonctionnement de l'institution. L'Hôpital Notre-Dame est probablement le premier hôpital général canadien-français à se doter d'un bureau médical[70]. Devant la croissance et la complexification des activités médicales, l'Hôtel-Dieu de Montréal décidera en 1899 de mettre sur pied un tel bureau. Les hôpitaux protestants avaient aussi adopté une telle structure de fonctionnement. L'Hôpital général de Montréal possédait depuis sa fondation un bureau médical doté d'un pouvoir de contrôle sur les activités médicales de l'institution. L'Hôpital Royal Victoria instaure un tel bureau en 1893. Les hôpitaux laïques francophones fondés après l'Hôpital Notre-Dame suivront son exemple et s'organiseront selon une structure médicale similaire. Tel est le cas, par exemple, de l'Hôpital Sainte-Justine qui met sur pied dès sa fondation en 1907 un bureau médical présidé par le docteur J.-E. Dubé[71].

LA PREMIÈRE CHARTE ET LE PREMIER BUREAU MÉDICAL

Le bureau médical de l'Hôpital Notre-Dame constitue la première et l'unique instance administrative médicale mise en place par les professeurs de la succursale de l'Université Laval à Montréal entre les années 1880 et 1898. Le bureau médical est initialement composé des 14 médecins fondateurs de l'hôpital: J.-P. Rottot, E.-P. Lachapelle, A. Dagenais, A.-T. Brosseau, J.-A. Laramée, A.-E. Berthelot, S. Lachapelle, H.-E. Desrosiers, N. Fafard, G.-A. Ricard, A. Lamarche, E.-M. Filiatrault, S. Duval et A.-A. Foucher. C'est parmi eux que sont élus annuellement un président et un secrétaire. La faculté de médecine de Laval à Montréal ainsi représentée pouvait assurer un contrôle exclusif à la fois sur l'enseignement clinique et sur la pratique médicale dans l'hôpital. Tous les membres du bureau sont par ailleurs médecins visiteurs ou médecins consultants. En sont exclus les médecins internes et les médecins des dispensaires. Jusqu'à la réforme du bureau en 1898, sa composition variera peu et les quelques remplacements viseront surtout à combler les vacances occasionnées par les décès. Le nombre de membres oscillera entre 13 et 14. Dès la fondation de l'hôpital, le docteur

Rottot assume la présidence du bureau médical, et ce jusqu'en 1890, année où il est remplacé par le docteur E.-P. Lachapelle qui remplira cette fonction jusqu'à son décès en 1918.

Le bureau médical est tenu de convoquer des assemblées mensuelles. Ses pouvoirs, confirmés par l'acte d'incorporation de 1881, sont considérables. C'est à lui que revient «l'administration directe, le contrôle et la régie du service médical et chirurgical et de la pharmacie[72]». Il surveille les installations sanitaires, recommande l'achat des instruments et des remèdes, nomme les médecins visiteurs, les médecins internes, les assistants internes ainsi que les médecins des dispensaires attachés à l'établissement, fixe l'heure des visites des médecins de service, voit à l'application des règles d'admission des malades et organise les consultations aux dispensaires. Il a, en outre, la possibilité «d'autoriser les autopsies de tous les malades qui meurent dans les salles de l'Hôpital[73]». C'est le bureau médical qui détermine les règlements pour la conduite des étudiants et des visiteurs et qui règle d'une manière générale la diète des malades. Il peut en outre, en tout temps, visiter et examiner la pharmacie et suggérer les modifications qu'il juge nécessaires. Il possède aussi les pouvoirs de réprimander, suspendre ou congédier tout médecin qui déroge aux règlements de l'hôpital. Il peut aussi, quand bon lui semble, former des comités d'enquête sur les différents services. En somme, le bureau possède les prérogatives nécessaires pour exercer un contrôle très serré sur la pratique médicale à l'Hôpital Notre-Dame.

Pourtant, l'autorité exercée par le bureau médical est loin d'être proportionnelle à l'étendue de ses pouvoirs. S'il y a bien un contrôle de la structure générale du secteur médical de l'hôpital, peu de décisions importantes sont prises jusqu'à la modification de la charte de l'hôpital en 1898. Les membres sont loin d'être assidus, et ceux qui assistent aux réunions n'appliquent guère de sanctions contre les contrevenants aux règlements. En fait, la structure première du bureau médical laissera vite paraître des lacunes importantes. Les médecins qui travaillent le plus régulièrement à l'hôpital, par exemple les médecins du dispensaire, sont sous-représentés. Les nouveaux services qui se développent n'ont pas de représentants et les décisions à leur égard ne s'avèrent pas toujours judicieuses.

Le contrôle médical exercé par la succursale de l'Université Laval à Montréal par l'intermédiaire des membres fondateurs apparaîtra de plus en plus à l'aube du xxᵉ siècle impropre au bon fonctionnement d'un hôpital en voie d'expansion. Les membres du bureau en conviennent eux-mêmes puisque leur porte-parole, le docteur E.-P. Lachapelle, mentionne qu'un tel bureau «composé au début comme mesure de protection des médecins fondateurs seulement[74]» pour «assurer l'avenir de l'institution» n'est plus guère représentatif des médecins pratiquant à l'hôpital et qu'il doit «faire place à un bureau composé de tous les médecins attachés aux différents services de l'institution[75]». La résolution initiale adoptée par l'assemblée du bureau médical du 24 mars 1897 propose la formation d'un conseil médical composé des membres du bureau médical, de tous les médecins attachés aux différents services de l'hôpital et des médecins internes. Les modifications des statuts de l'Hôpital Notre-Dame en 1898 exauceront ce vœu, mais selon une structure différente.

Entre-temps, les membres du bureau avaient décidé en 1885 de confirmer le rôle dirigeant du docteur E.-P. Lachapelle depuis la fondation de l'hôpital en créant officiellement le poste de surintendant général. Celui-ci sera responsable de l'application des règlements de l'hôpital et de l'exécution des décisions respectives du bureau d'administration et du bureau médical. Il aura de plus la tâche d'exercer une surveillance générale sur l'administration interne de l'hôpital et de prendre les mesures propres à en assurer le bon fonctionnement. Le rôle joué par Lachapelle en tant que surintendant général dépassera ces attributions dans la mesure où il sera, pendant les quatre premières décennies d'existence de l'hôpital, la véritable âme dirigeante de l'institution. La position du surintendant médical dans la structure organisationnelle de l'hôpital et la susceptibilité des autorités médicales en ce qui touche le fonctionnement de l'hôpital ne manquent pas, comme l'illustrent les événements qui suivent, de provoquer certaines frictions entre les membres du bureau d'administration, les médecins du bureau médical et les sœurs hospitalières

À la veille de l'adoption de la nouvelle charte, un conflit lié aux compétences respectives du bureau d'administration et du bureau médical éclate au sein de l'administration de l'hôpital. Un mémoire rédigé par MM. Barbeau et Hébert et présenté au bureau d'administration est à l'origine de ce conflit. Le mémoire, au ton plutôt incisif, contient des plaintes sur l'administration médicale de l'hôpital et met en évidence les différends survenus entre l'interne en chef Derome et la sœur supérieure. En guise de protestation contre ce qu'il considère comme un empiétement inacceptable du bureau d'administration sur «les droits du bureau médical[76]» le surintendant général Lachapelle, dans un coup d'éclat, démissionne de son poste, abandonne la présidence du bureau médical et se retire du bureau d'administration. Sa démission constitue un geste d'opposition à «la direction que l'on veut donner à l'administration de l'Hôpital Notre-Dame [qui] est contraire à la raison d'être de l'hôpital et à son progrès» et souligne la nécessité, pour le bon fonctionnement de l'hôpital, «que le surintendant médical et le bureau médical conservent tous les deux leur autorité entière[77]». La réaction du bureau médical contraste avec celle de Lachapelle. Il refuse la démission de Lachapelle et adopte une attitude conciliante. Désireux d'agir de concert avec le bureau d'administration «pour le plus grand bien de l'hôpital», les membres du bureau médical «demande[nt] aux administrateurs de leur soumettre les griefs qu'ils pourraient avoir contre les médecins internes[78]» et convoquent une assemblée conjointe du bureau médical et du bureau d'administration pour trouver une solution au litige. La crise se dénoue finalement grâce à l'intercession du supérieur de Saint-Sulpice qui convainc Lachapelle de retirer ses démissions.

Ce premier conflit éclaire l'attitude ambivalente du bureau médical qui, tout en demeurant soucieux de préserver ses pouvoirs au sein de l'hôpital, se voit néanmoins contraint d'agir prudemment avec un bureau d'administration qui veille à obtenir les fonds nécessaires au fonctionnement de l'hôpital. Les membres du bureau médical n'ont guère le choix et doivent composer avec les volontés du bureau d'administration et à l'occasion s'y soumettre. Illustration éloquente, une résolution du bureau médical adoptée peu de temps après le conflit demande une révision de la charte «pour donner aux administrateurs quelque autorité dans l'organisation médicale de l'hôpital». Un comité formé des docteurs E.-P. Lachapelle et G. Villeneuve est alors chargé d'étudier la question. Le 13 novembre 1897, le docteur Lachapelle propose six amendements à la charte qui, en un miracle de diplomatie, satisfont à la fois les administrateurs et les médecins de l'hôpital. Mais il semble bien que ce soient les représentants médicaux qui y gagnent. Rusé, Lachapelle a réussi à prévenir l'érosion du pouvoir médical sur l'organisation interne de l'hôpital en augmentant la représentation des médecins de l'hôpital tout en conservant intactes certaines prérogatives des professeurs de la succursale de l'Université Laval à Montréal. En contrepartie, il répond partiellement aux demandes du bureau d'administration en lui concédant la régie des nominations médicales.

UNE NOUVELLE CHARTE: TRANSFORMATION DU BUREAU MÉDICAL ET FONDATION DU CONSEIL MÉDICAL

La nouvelle charte de l'hôpital, adoptée le 15 janvier 1898, reprend presque intégralement les amendements proposés par le docteur E.-P. Lachapelle. Elle modifie la structure du bureau médical pour faire place à une nouvelle représentativité souhaitée par les dirigeants. Le bureau médical sera désormais composé des médecins de tous les services et dispensaires de l'Hôpital Notre-Dame ainsi que des médecins visiteurs, internes, consultants et spécialistes attachés à l'hôpital. Le nombre de membres, à partir de 1898, grimpe de 14 à 39. L'ensemble des médecins de l'Hôpital Notre-Dame obtient donc, par cette représentativité accrue, un pouvoir décisionnel sur les destinées de chacun des services ainsi que sur l'administration médicale de l'hôpital. L'amendement stipule que le doyen de la faculté de médecine de l'Université Laval à Montréal fait partie *de facto* du bureau médical et que quatre autres membres seront élus par lui. Cette mesure accorde une représentation minimale à la faculté. La loi prévoit aussi la durée du mandat des membres du bureau médical et les modalités de leur destitution. Ce bureau continuera à se faire représenter par trois de ses membres au bureau d'administration.

Trois autres modifications importantes sont apportées à la constitution du pouvoir médical. Il y aura désormais une nouvelle structure administrative, le conseil médical. Celui-ci sera composé du doyen de l'École de médecine et de chirurgie/Faculté de médecine de l'Université Laval à Montréal «qui sera de droit président du conseil[79]» et de quatre membres du bureau médical dont deux doivent être titulaires d'une chaire à la faculté. Ce n'est plus le bureau médical qui nommera ou révoquera les médecins des différents services médicaux et chirurgicaux de l'hôpital mais le bureau d'administration, selon les recommandations expresses du nouveau conseil médical[80]. C'est en effet au nouveau conseil médical qu'incombera le choix des candidats à nommer aux postes vacants.

Cette nouvelle structure d'administration médicale vise, d'une part, à accroître le rôle des médecins de chaque service dans l'organisation des différents services médicaux et, d'autre part, à élargir leur représentation au sein du bureau d'administration. La présidence du nouveau conseil médical est attribuée au docteur Rottot, membre fondateur de l'hôpital et premier président du bureau médical. Il était alors d'usage courant dans le milieu médical de nommer le doyen des médecins au poste le plus élevé de la hiérarchie. Occuperont cette fonction le docteur E.-P. Lachapelle en 1907 jusqu'à son décès en 1918 et le docteur L. de Lotbinière-Harwood qui prendra la relève jusqu'en 1929. Mais l'un des aspects déterminants de cette réforme qui marqua les années 1898-1924 est la présence, dans le comité, de jeunes médecins soucieux de mettre en pratique les acquis les plus récents d'une science médicale en plein développement. Les Mercier, Brennan, Parizeau et Bourgeois auront tour à tour des rôles de direction au sein de l'équipe médicale de l'Hôpital Notre-Dame.

Le nouveau bureau médical remplira son rôle d'organisation et de contrôle des soins hospitaliers avec une vigueur accrue. Loin de se limiter à l'élaboration de nouveaux règlements, il devient en quelque sorte l'âme dirigeante des activités médicales, scientifiques et techniques de l'hôpital. En plus de la mise sur pied de comités d'étude visant à régler les nombreux problèmes des différents services, il assure la promotion des activités scientifiques et veille à la protection des intérêts professionnels de ses membres. Aussi met-il sur pied un comité d'étude scientifique et favorise-t-il le compte rendu des cas cliniques lors des assemblées du bureau. Cependant, les problèmes d'organisation qui s'additionnent avec la multiplication des services, l'exiguïté des locaux, l'organisation des laboratoires, l'introduction des nouvelles techniques thérapeutiques et l'accroissement de la clientèle ont tôt fait de provoquer de nouveaux heurts entre les différents niveaux de pouvoir, heurts qui bientôt dégénéreront en querelle ouverte entre le bureau médical, le conseil médical et le bureau d'administration.

La structure financière

LES REVENUS

Les revenus nécessaires au fonctionnenent et au développement de l'Hôpital Notre-Dame ont été pendant fort longtemps une préoccupation majeure des administrateurs. Les acquisitions et améliorations immobilières requises pour accommoder une clientèle de plus en plus nombreuse entraînaient des déboursés considérables. Le capital initial dont disposait l'hôpital au moment de sa fondation ne lui permettait guère de faire face aux dépenses les plus urgentes[81]. De fait, les frais de réparation et d'installation de l'hôpital en 1880 furent couverts par la faculté de médecine, le curé de la paroisse Notre-Dame et l'argent recueilli grâce à la générosité du public.

Impérieuse pour la survie de l'hôpital, la recherche de fonds est une préoccupation constante des membres du bureau d'administration. Elle oblige les administrateurs à recourir à des méthodes variées pour obtenir des ressources financières, dont la plupart proviendront de dons publics et privés, ainsi que de souscriptions institutionnelles et gouvernementales. L'accroissement du nombre des gouverneurs est l'une des voies empruntées. D'après la charte de 1881, toute personne désirant devenir gouverneur devait débourser une somme de 25 $. Par contre, les personnes désireuses d'obtenir le titre, surtout honorifique, de gouverneur à vie devaient à cette fin verser initialement 100 $ en plus de s'engager à remettre une cotisation annuelle d'au moins 10 $. Au fil des ans, l'augmentation du nombre des gouverneurs constituera un apport concret au financement de l'hôpital.

La sollicitation auprès des entreprises, des maisons d'affaires et des différents paliers de gouvernement, de plus en plus privilégiée par les administrateurs, devient par ailleurs une source appréciable de revenus. On recourt également à «la collecte annuelle», mode de financement qui mise sur la générosité du grand public. Les administrateurs, après s'être au préalable partagé les rues environnant l'hôpital, font eux-mêmes du porte-à-porte dans les maisons privées et les commerces; dons en argent, nourriture et objets les plus variés sont ainsi amassés au profit de l'hôpital. Les noms des donateurs sont généralement mentionnés dans le rapport annuel. Pendant les premières années d'existence de l'hôpital, les dons d'objets côtoient les dons en argent. Les premiers s'avèrent certes fort utiles mais généralement les autorités préfèrent les seconds. La facilité d'en disposer à leur guise permet d'en tirer un meilleur parti. Variant de quelques sous à quelques milliers de dollars, ils proviennent de personnes sensibles à la mission de l'hôpital ou encore d'anciens patients qui, satisfaits des soins reçus, matérialisent ainsi leurs remerciements. Quant aux objets donnés, ils sont fort variés: objets de culte, poêle à charbon, rouleaux de tapis, machine à coudre usagée, boîtes de vermicelle, minots de patates, gallons de vinaigre, etc.[82]. Les legs testamentaires en argent, en propriétés ou en biens permettent aussi à l'Hôpital Notre-Dame d'accroître ses revenus[83].

Outre ces formules de financement, les administrateurs font également appel à des souscriptions publiques. De fait, jusqu'en 1910, elles constituent entre le tiers et la moitié des revenus de l'hôpital. Dès le premier rapport annuel de l'hôpital, la population est invitée à contribuer à son financement:

> Les directeurs de l'hôpital ont l'intention de solliciter auprès des citoyens de la ville de Montréal des souscriptions en faveur de l'institution, tout comme elle [sic] se pratique pour l'Hôpital Général anglais [...] Ces souscriptions, on a lieu d'y compter, ne seront pas limitées à cette année[84].

Inlassablement, les rapports annuels rappelleront l'importance de ces dons pour la survie de l'hôpital. Des campagnes de souscription, plus communément appelées «collecte annuelle», seront organisées annuellement. Le tableau suivant illustre l'importance des souscriptions par rapport aux revenus totaux:

Tableau I

Années	Souscriptions ($)	Revenus totaux ($)
1881-1882	5 400	10 829
1891-1892	12 097	39 133
1901-1902	10 181	30 800
1911	12 824	65 343
1924	29 386	200 588

Initialement couvertes par les souscriptions, désormais affectées à la construction du nouvel hôpital ou à la réduction de la dette, les activités ordinaires de l'hôpital seront progressivement financées par les revenus provenant des services aux malades. La location des chambres aux patients, la vente des médicaments, les frais d'inscription des étudiants pour l'accès aux cliniques, les sommes demandées pour les interventions chirurgicales, les tarifs d'ambulances et enfin les sommes reçues de la Ville de Montréal pour l'hospitalisation des contagieux constituent des sources importantes de revenus. Évidemment, les sommes ainsi perçues varient avec les années. En conséquence, l'impossibilité d'en prévoir le montant exact, notamment en raison des fluctuations de clientèle, rend difficile l'administration financière. Progressivement, l'hôpital augmentera le prix des médicaments et des chambres, mais les revenus ainsi réalisés ne lui permettront pas de compenser les dépenses occasionnées par l'accroissement de sa clientèle. Une telle situation affecte la plupart des institutions hospitalières québécoises.

Des activités sociales ou culturelles au profit de l'hôpital sont aussi organisées. Fêtes foraines, bazars, pièces de théâtre ou concerts, journées de villégiature à l'île Sainte-Hélène rapportent des crédits intéressants. Le bureau d'administration étudie sérieusement chaque projet afin de ne pas compromettre la réputation de l'hôpital. Ainsi, les loteries et les courses, jugées préjudiciables à la réputation de l'hôpital, sont systématiquement refusées. Les entrepreneurs ou les commerces engagés dans ces activités acceptent volontiers de réduire leurs tarifs pour contribuer au soutien de l'hôpital. La kermesse du mois de juin 1884, qui dure huit jours sur la place d'Armes non loin de l'hôpital, permet d'amasser une somme de 12 000 $, laquelle sert à payer une partie de l'hypothèque de l'hôpital.

Les legs — argent, propriétés, terrains, actions de capital, rentes ou autres — constituent parfois une importante contribution au développement de l'hôpital. Entre 1880 et 1924, celui-ci hérite de quelques terrains et de propriétés, dont certaines ont une grande valeur. Ainsi, en 1899, la propriété Roy léguée à l'hôpital est évaluée approximativement à 50 000 $. Conjointement avec l'Hôpital général de Montréal, l'Hôpital Notre-Dame hérite d'une ferme sur le chemin de Liesse, près de Dorval. Certaines propriétés ainsi acquises produisent, par la location de logements et de bureaux, des revenus supplémentaires. Cependant, le plus souvent ce sont des legs en argent qui sont faits en faveur l'hôpital. Certains sont minimes: 7,38 $ sont légués par Mme J.-B. Duquesne en 1904; d'autres sont importants, par exemple 27 500 $ laissés en 1910 par F.-X. Saint-Charles. Entre 1880 et 1924, les administrateurs de l'hôpital ont accepté 109 legs pour un total d'environ 120 000 $[85]. Les deux tiers de ces legs ont été reçus après 1900, soit au début du projet de construction d'un nouvel immeuble pour l'hôpital.

Les subsides versés par divers organismes publics ou privés sont aussi une source de revenus non négligeables. Il s'agit de sommes d'argent remises à l'hôpital sur une base régulière et généralement annuelle. Certaines sont données suivant un taux fixe, alors que d'autres le sont au prorata du nombre de patients traités à l'hôpital. Le Séminaire de Saint-Sulpice verse annuellement à l'hôpital une somme de 800 $. Entre 1881 et 1889, le gouvernement provincial alloue à l'hôpital une somme annuelle qui varie entre 1400 $ et 3000 $, et qui, à partir de 1890, se stabilise à 5000 $ annuellement. Depuis 1886-1887, le gouvernement fédéral paie l'hospitalisation des matelots du port de Montréal. La Ville de Montréal octroie, à partir de 1896-1897, un montant annuel de 500 $ pour le service d'ambulance de l'hôpital. Il sera haussé à 1500 $ dix ans plus tard. L'Hôtel de Ville accorde également une subvention annuelle à l'Hôpital Saint-Paul pour l'hospitalisation des patients contagieux indigents. À la suite de la signature du premier contrat avec les autorités municipales, l'Hôpital Notre-Dame recevra 15 000 $ par année. Avec l'entrée en vigueur de la loi sur l'assistance publique[86] en 1921, la subvention provinciale quintuple dès l'année suivante tout en restant encore inférieure au revenu provenant de l'entente réalisée avec la Ville de Montréal[87]. En 1924, les revenus totaux de l'hôpital provenant des subsides accordés pour l'hospitalisation des indigents s'élèvent à 36 475 $.

LES DÉPENSES

De 1881 à 1924, les dépenses de l'hôpital passent de 12 876 $ à 147 595 $. En 44 ans, les dépenses ont plus que décuplé. Si les frais liés à l'augmentation du nombre de patients sont en partie responsables de cette hausse, les principales causes demeurent les réparations et les modifications apportées aux vieux bâtiments de l'hôpital, ainsi que l'achat et la construction de nouveaux immeubles. S'ajoute aussi le paiement des intérêts sur les emprunts qu'avaient nécessités les travaux.

Les dépenses sont très stables durant les trois premières années d'existence de l'hôpital, oscillant entre 12 000 $ et 13 000 $. En 1883-1884, à la suite de l'acquisition de l'hôtel Donegana et de la propriété Masson, elles dépassent 29 000 $. De 1884 à 1886, elles diminuent à 14 700 $ pour remonter à 17 000 $ en 1886-1887, puis à 61 000 $ en 1887-1888. Cette dernière hausse fait suite à la mise en chantier de nombreux travaux de rénovation. Les dépenses de l'année suivante seront de 33 000 $. Pendant plusieurs années, elles croissent sans variation brusque. En 1905, année de l'ouverture de l'Hôpital Saint-Paul, elles atteignent 61 000 $. Elles oscilleront entre 50 000 $ et 60 000 $ jusqu'en 1916. Les deux années suivantes, les dépenses se chiffrent à 84 716 $ et à 100 540 $. Elles atteindront 147 595 $ en 1924 alors que le projet de construction du nouvel Hôpital Notre-Dame sur la rue Sherbrooke est réalisé.

L'augmentation du nombre de patients à l'hôpital donne évidemment lieu à un accroissement régulier des dépenses, conséquence des achats accrus de produits comestibles et de médicaments ainsi que de la croissance du nombre d'employés.

À ces dépenses s'ajoutent évidemment les paiements de la taxe d'eau, du chauffage et du gaz, etc. Par ailleurs, certains types de dépenses fluctuent considérablement au fil des années. L'ensemble des coûts auxquels doit faire face l'hôpital s'avère difficile à analyser, car la comptabilité n'a pas toujours été tenue d'une façon régulière. Il nous est donc difficile d'expliquer certaines bizarreries comptables telles que les dépenses d'électricité qui, pour l'année 1890-1891, se chiffrent à 2044 $, alors qu'elles se situeront à 75 $ l'année suivante et à 27 $ en 1892-1893. L'achat des médicaments et des instruments médicaux offre un second exemple. Le montant affecté aux médicaments atteint 1241 $ en 1881-1882, chute à 322 $ en 1882-1883, puis grimpe à 1379 $ en 1883-1884. Par la suite, ce type de dépenses croît progressivement, tout en demeurant inférieur à 3000 $ jusqu'en 1895-1896. En 1905-1906, probablement en raison de l'ouverture de l'Hôpital Saint-Paul, il atteint un sommet de 5701 $. Durant les années suivantes, la diminution sera constante. En 1915, les dépenses en médicaments ne sont plus que de 883 $ alors qu'elles grimpent à 1764 $ en 1924[88]. L'irrégularité de ces dépenses s'explique en partie par certains dons qui allégeaient pour un temps le fardeau des dépenses. En effet, il était fréquent, à cette époque, qu'une compagnie de produits pharmaceutiques fasse don de certaines quantités de médicaments.

Tout au long de la période 1880-1924, la situation financière de l'Hôpital Notre-Dame est demeurée précaire. Les déficits ne sont pas annuels, mais l'hôpital réussit mal à s'assurer une stabilité financière suffisante pour développer à son gré l'institution. Les autorités s'en inquiètent: «Dès le début, [l'institution] a eu à compter avec une dette qui n'a cessé [de s'accroître[89]].» Les dépenses énormes liées à la réparation et à la construction ont largement contribué à cette situation. Il ne peut être question de mettre ici en cause la gestion financière de l'hôpital: les trésoriers et les administrateurs de l'hôpital, homme d'affaires prospères, sont généralement honnêtes et compétents. En réalité, le problème principal provient de l'insuffisance des revenus.

Notes

1. Voir à ce propos A. Lavallée, *Québec contre Montréal. La querelle universitaire 1876-1891*; D. Goulet, *Histoire de la faculté de médecine de l'Université de Montréal, 1843-1993* et L. D. Mignault, «Histoire de l'École de médecine et de chirurgie de Montréal», *L'Union médicale du Canada*, p. 596-622.

2. Sur l'histoire de l'École de médecine et de chirurgie, voir D. Goulet, *Histoire de la faculté...*, *op. cit.*

3. *Ibid.*, p. 74. La fusion entre les deux écoles s'effectuera, après bien des péripéties, en 1891.

4. *Ibid.*, p. 77.

5. Le docteur L.-D. Mignault, témoin des événements, affirme que les membres de la succursale de l'Université Laval «avaient la perspective de sextupler le nombre de leurs élèves, d'augmenter leurs revenus, enfin d'entrer à l'Hôtel-Dieu» (*op. cit.*). La succursale de l'Université Laval à Montréal n'avait, durant sa première année d'existence, que 30 étudiants alors que l'École de médecine et de chirurgie de Montréal en comptait plus de 130.

6. Voir *Statuts du Canada*, 1847, chap. 26 et *Statuts de la Province de Québec*, 1876, chap. 26.

7. Mis à part l'Hôtel-Dieu, des «arrangements [avaient] été pris [...] pour assurer aux élèves de la nouvelle faculté tous les avantages de la visite des hôpitaux, maternités et dispensaires» (*L'Union médicale du Canada*, 1879, p. 384). Par exemple, la Maternité des sœurs de la Miséricorde offrit aux deux écoles d'alterner les cours. Chaque faculté aura sa semaine d'enseignement obstétrique (D. Goulet, *Histoire de la faculté...*, *op. cit.*, p. 75-76).

8. Par exemple, l'achat à crédit par l'École d'un terrain appartenant aux religieuses d'une valeur de 25 000 $ en 1878. (Voir A. Lavallée, *op. cit.*, p. 55.)

9. *Bulletin de l'exécutif du conseil des médecins et dentistes de l'Hôpital Notre-Dame*, vol. I, n° 1, 1978, p. 4.

10. L'historiographie souligne, non sans raison, le rôle essentiel du docteur E.-P. Lachapelle dans la fondation de l'Hôpital Notre-Dame. Cependant, il nous apparaît imprudent d'affirmer qu'il fut le fondateur de cette institution. Les démarches entourant la fondation de l'hôpital sont, faute de documents précis, mal connues. Il est certain toutefois que Lachapelle n'agissait pas à titre personnel, mais plutôt en tant que secrétaire de la succursale de l'Université Laval à Montréal. En ce sens, il représentait ses confrères de la succursale. En outre, dans le premier rapport annuel de l'Hôpital Notre-Dame publié en 1881, il est fait mention des «fondateurs» de l'Hôpital Notre-Dame. Il ne faut pas non plus minimiser le rôle du curé Rousselot sans qui l'hôpital aurait difficilement pu voir le jour.

11. Il n'est pas certain d'ailleurs que la fondation de l'Hôpital Notre-Dame ait répondu à toutes les attentes de la nouvelle succursale puisqu'en 1883, elle adopte certaines résolutions visant à obtenir le droit d'entrer à l'Hôtel-Dieu de Montréal: «Si nous acceptons dans notre faculté les docteurs Trudel, d'Orsonnens, Hingston, Desjardins, Mignault et Beaudry, nos difficultés avec Victoria vont cesser de suite et nous allons entrer à l'Hôtel-Dieu.» Les médecins

mentionnés sont tous membres de l'École de médecine et de chirurgie de Montréal. (Voir *L'Union médicale du Canada*, 1926, p. 656.)

12. ASGM, Fonds Hôpital Notre-Dame, lettre de l'abbé Thomas Hamel, recteur de l'Université Laval à Montréal, au cardinal Siméoni, 15 avril 1880.

13. ASGM, Fonds Hôpital Notre-Dame, lettre de sœur Olier à sœur Charlebois, 20 décembre 1880.

14. ASGM, Fonds Hôpital Notre-Dame, «M. l'abbé Thomas Hamel, recteur de l'Université Laval à Montréal à son Éminence le cardinal Siméoni, préfet de la Congrégation de la Propagande», le 15 avril 1880. Soulignons que cette entente sera légalisée «par acte sous seing privé daté du 30 avril 1880, en faveur de M. Rousselot, et par acte notarié en date du 20 juillet 1880 en faveur du Séminaire de Québec, les susdits professeurs, quoique peu fortunés, sacrifiaient leurs émoluments de professeurs» (*Bulletin de l'exécutif du conseil des médecins et dentistes de l'Hôpital Notre-Dame*, vol. I, n° 1, 1978, p. 4).

15. ASGM, Cahier d'administration temporelle, vol. II, 1853-1895, assemblée du 27 avril 1880.

16. *Ibid.*

17. L. Deslauriers, *Histoire de l'Hôpital Notre-Dame, 1880-1924*, p. 26.

18. Sur l'importance de la fondation de cette institution pour les soins aux malades et accidentés de l'est de Montréal, voir D. Goulet et O. Keel, «Santé publique, histoire des travailleurs et histoire hospitalière: sources et méthodologie», p. 67-80.

19. L'hôtel Donegana, dirigé par Jean-Marie Donegana, fut inauguré vers 1846 et devint l'un des hôtels les plus chics de Montréal: «Très richement meublé, éclairé au gaz, cette hôtellerie fut sans contredit l'une des plus belles du Canada» (E.-Z. Massicotte, «Les mutations d'un coin de rue», *Le Devoir*, 30 octobre 1939, p. 2). Il est tombé en désuétude à la suite d'un incendie, en 1849, et de la concurrence entraînée par l'expansion du chemin de fer qui donna lieu à l'ouverture de nombreux hôtels. Il fut finalement mis en vente en 1879.

20. ASGM, lettre de la révérende sœur Olier à la révérende mère Charlebois, Montréal, 20 décembre 1880.

21. *L'Union médicale du Canada*, 1880, p. 370.

22. *Ibid.*

23. «L'Hôtel Donegana contenait 100 chambres privées, de grands salons, de grandes salles à dîner, une cuisine et des appartements des engagés» (ASGM, Fonds Hôpital Notre-Dame, 1905).

24. Sur ce point et les suivants, voir D. Goulet et O. Keel, «Généalogie des représentations et attitudes face aux épidémies au Québec depuis le XIXe siècle», p. 205-228.

25. *L'Union médicale du Canada*, 1880, p. 226.

26. *Ibid.*, p. 370.

27. *Ibid.*, 1881, p. 236-237.

28. *Ibid.*

29. Sur les théories étiologiques concernant les infections des plaies au Québec, voir D. Goulet, *Des miasmes aux germes. L'impact de la bactériologie sur*

la pratique médicale au Québec (1870-1930); D. Goulet et O. Keel, «L'introduction du listérisme au Québec: entre les miasmes et les germes», p. 397-405.

30. D'abord nommée supérieure du nouvel hôpital, Sœur [Eulalie] Perrin se rendit sur les lieux, dès le 24 mai, pour inspecter son nouveau domaine. «Grand Dieu, quel spectacle! Il y avait de quoi décourager les plus intrépides. Vous connaissez peut-être l'ancien hôtel Donegana lequel dans les beaux jours était le "Windsor" d'aujourd'hui, mais qui depuis quelques années était abandonné et servait de repaire à une partie de la plus fine crasse de la ville; eh bien, c'est le bâtiment qu'il a fallu convertir en hôpital. Dieu seul sait ce qu'il en a coûté à nos Sœurs — que les bonnes gens ont surnommées "Les Sœurs de l'Université Laval" — pour faire déblayer le repaire. Pendant deux grands mois, mademoiselle Sœur Perrin accompagnée de mademoiselle Sœur Hickey se tenaient là du matin au soir pour conduire et surveiller les travaux. Imaginez-vous quel tintamarre! il y avait à l'œuvre maçons, plâtriers, peintres, menuisiers, plombiers, etc. Enfin, après deux longs mois de travaux, de peines et de fatigues, les choses se trouvèrent assez avancées pour songer à ouvrir l'hôpital» (ASGM, lettre de la révérende sœur Olier à la révérende mère Charlebois, Montréal, 20 décembre 1880).

31. *L'Union médicale du Canada*, 1880, p. 370.

32. ASGM, lettre de la révérende sœur Olier à la révérende mère Charlebois, Montréal, 20 décembre 1880.

33. RAHND, 1881, p. 6.

34. *L'Union médicale du Canada*, 1880, p. 373.

35. *La Minerve*, 24 juillet 1880, p. 2.

36. *Ibid.*, 26 juillet 1880, p. 2.

37. *Bulletin de l'exécutif du conseil des médecins et dentistes de l'Hôpital Notre-Dame*, vol. I, n° 1, 1978, p. 51.

38. *Statuts de la Province de Québec*, 1881, chap. 48.

39. ASGM, Fonds Hôpital Notre-Dame, «Sœur Julie Hainault-Deschamps, supérieure générale au docteur H.-E. Desrosiers, secrétaire du Bureau d'administration de l'Hôpital Notre-Dame», 15 septembre 1881; L. Deslauriers, *op. cit.*, p. 23.

40. ASGM, Cahier d'administration temporelle, vol. II, 1853-1899, 25 septembre 1882.

41. PVBAHND, 22 mars 1882.

42. *L'Union médicale du Canada*, 1880, p. 369.

43. *Ibid.*

44. *Ibid.*, p. 371.

45. *La Minerve*, 26 juillet 1880, p. 2.

46. A. Ferland-Angers, *L'École d'infirmières de l'Hôpital Notre-Dame, 1898-1948*, p. 9.

47. *Ibid.*

48. *L'Union médicale du Canada*, 1880, p. 369.

49. *Ibid.*, p. 226.

50. *Ibid.*, p. 369.

51. ASGM, 20 décembre 1880.

52. RAHND, 1881, p. 7.

53. *L'Union médicale du Canada*, 1880, p. 369.

54. *Acte pour incorporer l'Hôpital Notre-Dame*, Montréal, 1881, art. 7.

55. Nous conserverons le terme «bureau d'administration» invariablement, même si au cours de son histoire cette unité administrative a parfois également porté le nom de «conseil d'administration».

56. Voir infra dans le présent chapitre.

57. H. E. MacDermot, *An History of the Montreal General Hospital*; D. Sclater Lewis, *History of the Royal Victoria Hospital, 1887-1947*.

58. Outre la famille Forget qui a été très généreuse envers l'Hôpital Notre-Dame de même que la famille Dufresne de Maisonneuve, la famille Hébert contribuera pendant des générations à promouvoir l'œuvre de l'Hôpital Notre-Dame.

59. *Acte pour incorporer l'Hôpital Notre-Dame*, Montréal, 1881, art. 5.

60. Aucun hôpital anglophone ne comptait parmi ses gouverneurs semblable proportion de francophones.

61. RAHND, 1918, p. 33.

62. RAHND, 1882-1883, p. 14.

63. Son mari sera vice-président du bureau d'administration de l'hôpital.

64. On demandait à des familles et à des commerçants de donner un pain, à intervalles réguliers, parce qu'il s'en consommait beaucoup à l'hôpital.

65. Le plus important fut l'achat de l'ameublement du nouvel hôpital en 1924.

66. *Loi 44-45 Victoria*, chap. 48, votée le 30 juin 1881. La plupart des institutions hospitalières religieuses et laïques sont dotées de constitutions semblables à celle de Notre-Dame, mais souvent leur adoption précède la fondation de l'hôpital concerné. Le préambule de la charte énumère le nom de 67 personnes qui l'ont appuyée. Parmi celles-ci se retrouvent 4 ecclésiastiques, 9 anglophones, 15 médecins, incluant ceux de l'hôpital, des commerçants et petits propriétaires de Montréal et des environs.

67. Parmi les membres présents à cette réunion, on retrouve le curé Rousselot, E.-A. Généreux, R.-J. Devins, C.-P. Hébert, E.-P. Lachapelle et A. Dagenais.

68. Les règlements, adoptés la même année, portent sur l'admission des malades de même que sur celle des étudiants en médecine fréquentant l'hôpital dans le cadre de leurs études. Le rapport annuel de l'hôpital publie pendant un certain temps le texte de ces deux derniers règlements, ce qui indique l'importance que l'hôpital leur accorde au début.

69. «À première vue, rien ne ressemble plus à un emprunt effectué au XIXe siècle qu'un emprunt au XXe siècle. Cependant, des distinctions notables les séparent, ce sont les motifs et l'importance des dettes contractées. Jusqu'aux années 1910-1920, l'emprunt se présente comme un moyen accessoire de compléter l'autofinancement. C'est un moyen d'obtenir, par un crédit, ce que l'autofinancement n'aurait pas permis de réaliser dans l'immédiat. La mesure a un caractère d'exception» (N. Perron, *Un siècle de vie hospitalière au Québec. Les Augustines et l'Hôtel-Dieu de Chicoutimi, 1884-1984*, p. 208-209).

70. Les actes d'incorporation de l'Hôpital général de Trois-Rivières (1858) et de l'Hôpital général du district de Richelieu (1860) stipulaient que le conseil

d'administration pouvait nommer un bureau médical composé «de pas plus de trois médecins ou chirurgiens». Mais il semble que l'on n'ait jamais mis sur pied de tels bureaux. (Voir D. Goulet et A. Paradis, *Trois siècles d'histoire médicale au Québec. Chronologie des institutions et des pratiques au Québec (1639-1939)*, p. 93-94.)

71. *Ibid.*, p. 137. Il est à noter qu'Irma Levasseur devient alors la première femme à être membre d'un bureau médical dans une institution francophone.

72. *Charte de l'Hôpital Notre-Dame*, 30 juin 1881, art. 6.

73. RAHND, 1883-1884, p. 10.

74. RAHND, 1897-1898, p. 7.

75. *Ibid.*

76. PVBMHND, 13 avril 1897.

77. *Ibid.*, 4 mai 1897.

78. *Ibid.*, 14 avril 1897

79. *Statuts et règlements de l'Hôpital Notre-Dame*, Montréal, Eusèbe Sénécal, 1899, p. 16.

80. *Ibid.*, p. 8.

81. Les hôpitaux appartenant aux communautés religieuses pouvaient compter sur le secours de leur communauté au besoin. Pour les hôpitaux anglophones, la situation variait. Au moment de sa création en 1887, l'Hôpital Royal Victoria était doté d'un fonds d'un million de dollars versé par les magnats du chemin de fer G. Stephen et D. Smith. La situation de l'Hôpital général de Montréal ressemblait davantage à celle de l'Hôpital Notre-Dame. Toutefois, régulièrement, un des administrateurs de l'hôpital, constatant un déficit, donnait une somme substantielle et épongeait ainsi le déficit temporairement.

82. RAHND, 1880-1881, p. 15. On y lit également que les sœurs grises de l'Hôpital général donnèrent un «assortiment considérable d'herbes médicinales».

83. En 1882, Auguste Demers lègue 2000 $; Edmond-J. Barbeau, 5000 $ en 1889; Adolphe Roy donne sa propriété évaluée à 48 000 $ en 1899; James McCready, 5000 $ en 1891; le docteur E.-P. Lachapelle lègue 5000 $ en 1919.

84. *Ibid.*, p. 7.

85. Rappelons à titre de comparaison le don d'un million fait à l'Hôpital Royal Victoria en 1887. Toujours à cet hôpital, J. Ross lègue, en 1913, une somme de 50 000 $. En 1914, son fils, J.-K.-L. Ross, offre 250 000 $ au même hôpital pour l'érection d'un pavillon à la mémoire de son père. Voilà un exemple de l'ampleur des moyens dont disposaient les anglophones à l'époque, malgré leur infériorité numérique à Montréal.

86. La loi sur l'assistance publique stipulait que le coût des patients indigents devait être partagé également entre l'hôpital, les autorités du lieu de résidence de l'indigent et le gouvernement.

87. Notons par contre que l'aide financière de l'État accordée aux institutions hospitalières va s'accroître avant même l'adoption de cette loi, passant de 321 979 $ en 1901 à 988 993 $ en 1931. (Voir N. Voisine [dir.], *Histoire du catholicisme québécois. Le XXe siècle, t. I: 1898-1940*, p. 266.)

88. Autre exemple: l'achat d'instruments. En 1881-1882, ces dépenses totalisent 70 $. En 1888-1889, 404 $; l'année suivante, 268 $. En 1896-1897, 1073 $, contre 429 $ pour 1897-1898. En 1908, seulement 16 $ sont dépensés pour les instruments.

89. RAHND, 1895-1896, p. 9. À ce sujet, François Rousseau mentionne: «La mémoire collective conserve cependant des institutions hospitalières d'avant les réformes sociales de la Révolution tranquille l'idée d'une gestion équilibrée, efficace et indépendante. Image que les communautés contribuaient d'ailleurs à répandre. Pourtant les déficits et l'endettement apparaissent comme des traits structurels permanents de la gestion des finances hospitalières, tout au moins de l'Hôtel-Dieu de Québec» (F. Rousseau, *La croix et le scalpel. Histoire des Augustines et de l'Hôtel-Dieu de Québec*, p. 108).

CHAPITRE II

L'expansion immobilière de l'hôpital

Mutations immobilières: la quête d'espace

Rénovation et achat de nouveaux édifices

La location de l'ancien hôtel Donegana représente certes une solution à la nécessité immédiate d'un petit hôpital de 50 lits destiné à combler les besoins cliniques de la succursale de l'Université Laval à Montréal. Mais cette location ne peut être que temporaire. S'offrent aux administrateurs de l'hôpital deux possibilités: la relocalisation de l'hôpital ou l'achat de la propriété louée. À la suite de consultations avec le Séminaire de Saint-Sulpice, de même qu'avec des personnalités politiques et du monde des affaires, les autorités de l'hôpital étudient la possibilité d'un nouvel emplacement pour l'hôpital. Mais en raison des coûts importants qu'entraînerait l'éventuelle construction d'un nouvel immeuble, la perspective de l'acquisition définitive et permanente de l'hôtel Donegana apparaît de plus en plus comme la solution la plus logique. Du reste, les sommes investies dans les réparations de la bâtisse justifient cette décision.

C'est à l'occasion du décès de la propriétaire de l'immeuble loué par l'hôpital, Mme Furniss, que décision est finalement prise de négocier la transaction avec les héritiers. Au printemps 1882, une entente est conclue. Les administrateurs achètent cette propriété pour la somme de 30 000 $. Le tiers de ce montant sera payé comptant, le solde devenant exigible dans un délai de dix ans, et ce à un taux d'intérêt fixé à 6 %. C'est un des membres du bureau d'administration, R.-J. Devins, qui avance la somme nécessaire.

Nouveaux propriétaires de l'immeuble, les administrateurs ne tardent pas à envisager l'acquisition de bâtisses supplémentaires. Dès la mi-septembre 1884, le bureau d'administration songe à louer ou à acquérir la propriété Masson située sur la rue Notre-Dame et contiguë à l'hôpital. Cet immeuble est beaucoup plus petit que l'hôtel Donegana, mais sa proximité et le besoin d'accroître l'espace disponible en font une occasion de choix pour agrandir l'hôpital. À la suite de rumeurs qui laissaient entendre qu'elle serait bientôt vendue au prix coûtant, des pourparlers sont entrepris entre le propriétaire et les autorités de l'hôpital. Comme lors de leur première acquisition, les administrateurs tirent profit du décès du locateur et prennent possession, le 1er mai 1885, de cette maison moyennant la somme de 10 200 $. Ils versent 2200 $ en acompte et misent sur la générosité publique pour combler le reste. L'année suivante, un autre immeuble, connu sous le nom de pension Béliveau, s'ajoute à l'hôpital. Situé sur la même rue, mais de l'autre côté de la propriété Masson, il est lui aussi adjacent à l'Hôpital Notre-Dame. Ces nouvelles acquisitions nécessitent des aménagements importants alors qu'au même moment des travaux s'avèrent nécessaires à l'immeuble principal de l'hôpital. Les dépenses occasionnées par ces travaux de rénovation et de construction seront considérables entre 1885 et 1890.

Qu'à cela ne tienne, on songe bientôt à augmenter encore la superficie de l'hôpital. En mars 1890, on étudie la possibilité d'acquérir la maison Barré, adjacente à la maison Masson occupée par l'Hôpital Notre-Dame. Cependant, le projet est temporairement mis en veilleuse lorsque l'on apprend que cette propriété est grevée d'une lourde hypothèque. Peu de temps après, le juge Berthelot, membre du bureau des gouverneurs, s'en porte acquéreur, ce qui permet à l'hôpital d'en prendre possession, le 3 juin 1891, au coût de 20 000 $. La corporation Notre-Dame dispose de 20 ans pour rembourser l'honorable juge.

L'importance de cette acquisition sur l'évolution future de l'hôpital est incontestable. Cette propriété avoisine la partie de l'hôpital donnant accès sur la rue du Champ-de-Mars. Les administrateurs de l'hôpital doivent trouver les 2300 $ nécessaires à son réaménagement. Cela se fait sans peine. Une somme de 1500 $ est versée par le trésorier de l'hôpital, E.-J. Barbeau, et les revenus de deux concerts organisés à cette fin permettent la réalisation des travaux afin d'aménager une salle clinique. En 1899, cette salle sera dénommée amphithéâtre de clinique Adolphe-Roy. L'honneur rendu à cet homme d'affaires montre la reconnaissance des administrateurs de l'hôpital devant l'importance du don que l'hôpital a reçu. En effet, lors de son décès survenu la même année, les héritiers, respectueux du vœu formulé par le défunt de léguer à une œuvre charitable la moitié de sa richesse, portent leur choix sur l'Hôpital Notre-Dame. Ce dernier hérite donc d'une propriété à logements évaluée à environ 48 000 $ située sur les rues Notre-Dame et Saint-Jacques. Pour la première fois, l'hôpital n'utilise pas pour lui-même ses nouveaux locaux, mais se contente de toucher les revenus provenant de leur location. Quelques années plus tard, pour surmonter la crise financière et poursuivre la construction du nouvel hôpital, les administrateurs hypothéqueront cette propriété.

Dès l'instant où est lancé le projet de construction du nouvel immeuble de la rue Sherbrooke en 1900, la générosité du public est intensément sollicitée. Plusieurs y répondent en désignant l'hôpital comme bénéficiaire en totalité ou en partie de leurs biens. Ainsi, en 1909, l'hôpital hérite, conjointement avec l'Hôpital des incurables, de la propriété d'une dame Leduc. Cette propriété est immédiatement mise en vente. De même, en 1923, après un accord passé entre l'hôpital et deux autres légataires, une propriété située sur la rue Sainte-Catherine est vendue. La propriété Rasconi reste le seul autre local qui fut d'abord loué, puis ultérieurement acheté par les administrateurs de l'hôpital. Celle-ci, située à l'angle nord des rues Berri et Notre-Dame, est acquise en 1912 à des fins d'agrandissement. Dès lors, les projets d'expansion seront inclus dans le plan global de construction du nouvel hôpital et de l'Hôpital Saint-Paul.

Réorganisation des locaux

Si les ajouts de nouvelles surfaces nécessitent parfois de légers travaux avant leur utilisation, d'autres, par contre, exigent des mises en chantier considérables. À compter de 1885, et ce pour une période d'environ cinq ans, la superficie plus grande dont bénéficie l'hôpital oblige les administrateurs à réorganiser la disposition des locaux et des différentes salles. Les grandes manœuvres débutent en septembre par une redistribution des salles et des chambres, une réorganisation des dispensaires et des modifications apportées à la pharmacie. L'année suivante, les travaux les plus importants concernent l'installation d'un «éléva-teur» ou d'un escalier convenable, l'aménagement d'une chapelle mortuaire et d'une salle d'autopsie, ainsi que la réfection de la toiture du principal immeuble de l'hôpital. Il s'agissait dans ce dernier cas de transformer la toiture en un toit français à man-sardes, afin d'augmenter le nombre de lits sous les combles. L'en-semble de ces travaux est évalué à 10 000 $, soit à peu près l'équivalent du coût d'achat de la propriété Masson en 1885. Sans avoir l'ampleur des précédents, les travaux se poursuivent néan-moins pendant quelques années: construction de galeries pour hommes et pour femmes; pose d'escaliers de secours et d'extinc-teurs pour incendies; agrandissement de la cuisine; construction de vestiaires et de latrines (pour remplacer les lieux d'aisance situés dans la cour extérieure); réparations au grenier; etc.

L'année 1892 marque l'amorce d'importants travaux qui s'échelonneront sur une dizaine d'années: pose de planchers en érable dans les chambres privées (salles Sainte-Marie et Saint-Joseph) et d'un trottoir face à l'entrée de l'hôpital; réparations au coût de 1000 $ au service de chirurgie; construction d'une galerie pour les étudiants dans les salles d'autopsie; aména-gement d'une nouvelle salle de clinique, réparations majeures à la toiture et ajout d'un étage à l'immeuble de l'aile droite sur la rue Berri; réparations au dispensaire général et à certaines chambres privées; rénovations à la salle de clinique; construc-tion d'une glacière pour conserver les aliments et désinfection de l'étable sous l'amphithéâtre de clinique. Enfin, en 1902, sont entrepris des travaux de réparation aux fondations de la bâtisse de la rue du Champ-de-Mars.

L'entretien du bâtiment du «vieil» Hôpital Notre-Dame devient bientôt une impérieuse nécessité. Le 12 septembre 1906, lors d'une réunion du bureau d'administration, lecture est faite d'une lettre de la sœur supérieure qui se plaint du délabrement des locaux. Le 19 octobre, à la suite de cette lettre, un rapport est demandé à l'inspecteur des bâtiments de la ville de Montréal au sujet de l'état physique de l'hôpital. L'inspecteur avise le bureau d'administration que l'immeuble est encore bon pour un an ou deux, à condition d'y effectuer des travaux. Ceux-ci sont aussitôt entrepris. En 1909, d'autres réparations urgentes sont autorisées. Il ne s'agit pourtant que de mesures temporaires. Après avoir paré au plus urgent, les administrateurs porteront désormais leur attention sur la construction du nouvel hôpital.

La construction du nouvel hôpital

L'élaboration du projet (1900-1905)

Devant les possibilités restreintes d'expansion de l'hôpital qui ne peut contenir que 120 lits et en raison de l'accroissement continu de la population montréalaise et de la fréquentation assidue des diverses cliniques et dispensaires de l'hôpital, les autorités de l'Hôpital Notre-Dame, à compter de 1900, se lancent dans un immense projet qui s'étendra sur un quart de siècle: la construction d'un nouvel hôpital. Jugés inadéquats et vétustes[1], les locaux de l'ancien hôtel Donegana et de ses dépendances ne répondaient plus, au début du XXe siècle, aux visées expansionnistes des autorités:

> La bâtisse de l'hôpital Notre-Dame devient de plus en plus impropre à l'usage que nous en faisons. C'est une bâtisse beaucoup trop vieille, mal ventilée, qui nous gêne dans nos installations, et qui, surtout par les énormes dépenses de réparations qu'elle exige chaque année, devient un fardeau pesant qui gêne la marche de notre institution[2].

Or, insiste le surintendant, «n'est-il pas temps pour nous de nous installer d'une manière définitive et convenable[3]»? Un projet de construction est soumis dès le 12 janvier 1900 au bureau d'administration. Il connaît une telle popularité au sein de l'institution que le surintendant en fait une annonce publique lors de l'assemblée annuelle de 1900. Peu après, le surintendant rencontre à ce propos Mgr Bruchési, archevêque de Montréal. Ce dernier «approuve entièrement le projet de reconstruction de l'Hôpital tel qu'exposé à l'assemblée générale de la corporation et promet son entier concours[4]».

L'opportunité de mettre en branle un tel projet tient principalement à la situation financière de l'hôpital. En effet, entre 1898 et 1900, les administrateurs font état d'une stagnation des dépenses et, en conséquence, d'un solde favorable des recettes. Ainsi l'exercice financier 1898-1899 est qualifié dans le rapport annuel de «remarquablement prospère». De plus, l'hôpital a bénéficié d'importants legs (argent, actions, propriétés) qui se chiffrent à plus de 120 000 $. Les circonstances sont donc propices à des projets d'envergure. Fournissant un appui de taille, le richissime et influent Rodolphe Forget[5], gouverneur à vie de l'hôpital, décide en 1901 d'intervenir personnellement dans la concrétisation du projet.

Le 1er octobre 1901, lors d'une réunion du bureau d'administration, Rodolphe Forget annonce qu'il «se met à la disposition du bureau pour recueillir les fonds nécessaires à la reconstruction de l'Hôpital Notre-Dame[6]». Cette proposition est accueillie «avec enthousiasme» et on charge le surintendant «de localiser un terrain propre au site du nouvel hôpital». Sans en modifier le sens, le rapport annuel de cette année-là en donne toutefois une version un peu différente. Ainsi, M. Forget aurait «demandé au bureau de choisir un terrain convenable, de préparer le plan d'une bâtisse nouvelle, et de vouloir bien lui dire combien le tout coûterait». Il s'engage aussi «avec les amis de l'institution, [à] trouver l'argent nécessaire[7]». Selon cette seconde version, le rôle de Rodolphe Forget a été déterminant dans la réalisation du projet[8].

La fin de l'année 1901 sera consacrée à repérer les terrains propices à la construction d'un grand hôpital. À la réunion du bureau d'administration tenue le 11 octobre 1901, le surintendant soumet des propositions d'emplacement et le choix se porte sur un terrain situé au coin des rues Saint-André et Sherbrooke en face du parc Lafontaine. Il est alors résolu d'y faire pratiquer des sondages «afin de s'assurer de la nature du sol[9]». Un comité, composé de R. Forget, G. DeSerres, A. Turcotte, E.-P. Lachapelle et O. Loranger, est formé pour étudier cette question. À la séance du 4 novembre, on confie au comité de construction le mandat de s'occuper de l'achat du terrain convoité. On prévoit un coût d'achat de 24 000 $ pour 8175 mètres carrés (88 000 pieds carrés) et on estime que les travaux de préparation du sous-sol coûteront entre 15 000 $ et 20 000$[10]. À partir de ce moment, les choses évoluent rapidement.

Dès la fin de février, Rodolphe Forget annonce au bureau d'administration «qu'il s'est rendu acquéreur pour l'hôpital du terrain [de la rue Sherbrooke], lequel lui a coûté la rondelette somme de 28 000 $[11]». Celui-ci offre aux autorités de le leur revendre au même prix. L'année 1902 sera consacrée à l'étude des plans du futur hôpital. Médecins et administrateurs vont tenir ensemble ou séparément plusieurs réunions à ce sujet. Entre-temps, on confie à l'architecte M. Perrault le soin d'esquisser des plans préliminaires. Différentes esquisses sont élaborées au cours de l'année, sans qu'aucune décision ne soit toutefois prise: «Sur ce point le bureau de direction et le comité nommé par les médecins n'ont pas voulu brusquer les choses; ils ont préféré aller lentement, mais sûrement[12].» La situation semble favorable à la réalisation du projet.

Toutefois, un événement imprévu survenu la même année bouleversera considérablement le déroulement du programme. À la suite de démarches de l'Hôtel de Ville de Montréal auprès des administrateurs de l'hôpital, ces derniers s'engagent à collaborer avec la Ville afin de construire un hôpital civique pour les malades contagieux. Or le projet intéresse à un point tel les autorités de l'hôpital qu'elles se montrent même disposées à modifier en conséquence les plans du nouvel Hôpital Notre-Dame[13]. Une entente est conclue entre les deux parties au début de 1903. L'hôpital forme un comité composé de R. Forget, G. DeSerres et du docteur E.-P. Lachapelle pour choisir le terrain approprié, superviser la construction de cet hôpital et contracter les emprunts à cette fin. Adoptés le 13 juin 1903, les plans du nouvel hôpital sont considérés «dans leur ensemble comme répondant aux exigences du programme donné aux architectes par le bureau médical[14]». Étant donné l'urgence d'en terminer la construction afin de ne pas trop dépasser le délai convenu avec la Ville de Montréal, les travaux de construction du nouvel Hôpital Notre-Dame doivent être retardés:

> Vu l'urgence de mettre en opération le plus tôt possible l'hôpital St-Paul, le bureau décide de placer un toit temporaire sur la bâtisse en construction [...] pour [aménager] l'hôpital des contagieux[15].

Le 22 mars 1904, afin d'alléger le surcroît des dépenses, R. Forget fait don à l'hôpital du terrain de la rue Sherbrooke qu'il avait acheté en 1901. L'ouverture de l'Hôpital Saint-Paul a finalement lieu le 1er décembre 1905. Les autorités de l'hôpital sont certes ravies, mais elles s'inquiètent néanmoins du projet de construction de l'hôpital central.

Devant l'impossibilité financière de mener de front les deux projets compte tenu de l'accroissement considérable des coûts, les autorités de l'hôpital se voient contraintes de modifier les plans de construction des immeubles. Comme les deux nouveaux hôpitaux doivent comporter chacun une chambre des fournaises et des locaux pour l'administration générale, on choisit de réduire les coûts en centralisant à l'intérieur du nouvel Hôpital Notre-Dame tout ce qui se rapporte au chauffage, au «pouvoir électrique» et à l'administration générale. On construit donc cette partie de l'édifice en tenant compte des besoins des deux hôpitaux[16]. On bâtit un tunnel qui relie les deux bâtisses de l'intérieur. Faute de mieux, cette solution constitue un compromis satisfaisant afin d'éviter une multiplication démesurée des coûts. Mais les travaux au nouvel Hôpital Notre-Dame ne peuvent débuter qu'au mois d'octobre 1904. On entreprend alors la construction de l'aile sud, soit la plus imposante des sections prévues. Ces travaux représentent alors des déboursés de près de 250 000 $ pour une aile de quatre étages.

Selon les plans d'ensemble du complexe hospitalier, l'immeuble principal de l'Hôpital Notre-Dame devait comprendre huit étages, dont trois sous-sols (à cause de la dénivellation du terrain au sud de la rue Sherbrooke), et son coût était estimé à 600 000 $. On prévoyait la construction d'un immeuble de

30 mètres (100 pieds) de long sur 22,5 mètres (75 pieds) de large et d'une hauteur de 37,5 mètres (125 pieds). Les cinq étages supérieurs étaient réservés aux chambres privées et à la chapelle, alors que les trois sous-sols regroupaient les services généraux, le chauffage et le «pouvoir électrique[17]». Dans ce nouvel hôpital, on projetait d'aménager 60 chambres privées «munies de tout ce que la science moderne met à la disposition des hôpitaux pour le confort et le soulagement des malades[18]». Projet ambitieux qui ne se réalisera pas dans les délais prévus.

Les contraintes financières (1905-1918)

Dès le 30 janvier 1905, le comité de construction fait le rapport suivant:

> L'Hôpital des contagieux dépendant pour ses services généraux du grand hôpital, votre comité s'est trouvé forcément obligé de procéder à la construction des quatre premiers étages du corps principal de celui-ci [...] votre comité tient à répéter ici qu'il n'eût pas songé à commencer maintenant la construction du grand hôpital s'il ne se fut trouvé dans l'impossibilité d'ouvrir l'hôpital des Contagieux à moins de construire cette partie du grand hôpital devant fournir les services généraux; cette construction s'imposait donc pour permettre le fonctionnement de l'hôpital des Contagieux[19].

Nous avons déjà souligné qu'au moment où tout est prêt pour la mise en chantier des travaux, une entente conclue avec la Ville de Montréal incite les autorités de l'hôpital à construire prioritairement l'Hôpital Saint-Paul. Or, peu après le début des travaux, les coûts de construction dépassent du double la somme prévue en raison de défauts dans la structure des fondations et d'augmentations de salaires inattendues.

Bien sûr, la Ville de Montréal verse 15 000 $ par année pour la construction et l'entretien de l'Hôpital Saint-Paul, mais cela ne peut suffire à absorber l'augmentation des coûts. Le 16 janvier 1905, l'Hôpital Notre-Dame emprunte au Crédit Foncier franco-canadien[20] une somme de 200 000 $ et hypothèque l'Hôpital Saint-Paul[21]. Une semaine plus tard, l'hôpital effectue un nouvel emprunt de 100 000 $ pour la construction du nouvel Hôpital Notre-Dame, emprunt endossé par R. Forget. Des réparations imprévues aux fondations des deux nouveaux immeubles, de même que celles exigées par une mauvaise étanchéité du toit temporaire, s'ajouteront à la liste des dépenses. Par ailleurs, des frais plus élevés demandés par les architectes et ingénieurs de l'hôpital et le coût des assurances sur les nouveaux bâtiments alourdissent le bilan financier des travaux. Des mesures énergiques s'imposent pour remédier à la détérioration financière de l'hôpital.

En 1906 est créé un comité des finances dans le but de «contrôler toutes les dépenses relatives à la reconstruction du nouvel hôpital» ainsi qu'un sous-comité pour «étudier les comptes extras de construction[22]». De plus, au début du mois de décembre est mis sur pied un comité de souscriptions pour la construction de l'hôpital. En un mois, celui-ci collecte près de 93 000 $, dont 50 000 $ sont donnés par R. Forget[23]. Enfin, le bureau d'administration décide de s'adresser «à la législature du Québec afin que celle-ci accorde à l'Hôpital Notre-Dame le pouvoir d'émettre des débentures jusqu'à la somme de 625 000 $[24]». À ce moment, l'hôpital, qui a déjà déboursé plus de 240 000 $, évalue à 500 000 $ la somme nécessaire pour compléter la construction du nouvel immeuble.

En avril 1907, le gouvernement provincial accepte, à la suite de pressions de l'hôpital, de voter une loi permettant à ce dernier d'emprunter

> une somme de 800 000 $ par le moyen de débentures ou bons garantis par hypothèque ou autrement, de la manière et aux termes et conditions qu'il jugera convenables; le dit emprunt devant servir à la construction et à l'aménagement des nouveaux édifices pour services d'hôpitaux[25].

En octobre, R. Forget propose, pour assurer l'émission de ces débentures, d'en augmenter le montant jusqu'à un million. À peu près au même moment, les autorités de la ville de Montréal acceptent, après des pourparlers, de porter la subvention municipale pour l'Hôpital Saint-Paul de 15 000 $ à 25 000 $ pour trois ans. Le maire et le président du comité des finances de la ville deviennent par le fait même membres d'office du bureau d'administration de l'hôpital pour ce qui regarde les affaires de l'Hôpital Saint-Paul. Tout en appréciant cette augmentation, le président de l'hôpital, L.-O. Loranger, la juge insuffisante, invoquant le fait «qu'un hôpital des contagieux est encore plus dispendieux à administrer qu'un hôpital public[26]». Par contre, les administrateurs ne réussissent pas à convaincre le gouvernement provincial de porter sa subvention annuelle de 5000 $ à 10 000 $. Or, se plaignent les autorités de l'hôpital,

> lorsque, en 1890, le gouvernement nous octroya 5000 $ par année, nous traitions 1600 malades et donnions 9000 consultations aux dispensaires. Ces chiffres ont augmenté avec l'hôpital agrandi; ils ont atteint cette année, 2366 patients traités à l'hôpital et 23 000 consultations aux dispensaires[27].

Malgré tout, la subvention provinciale sera maintenue à 5000 $ jusqu'en 1924.

Entre-temps, les travaux de construction du nouvel hôpital ne progressent guère. Le coût des travaux déjà effectués atteint la somme de 311 762 $; l'hôpital doit 15 000 $ pour les travaux à l'Hôpital Saint-Paul et 37 000 $ pour ceux du nouvel immeuble. A. Hébert, trésorier de l'hôpital, émet l'avertissement suivant: «Il ne pourrait être question de continuer les travaux du nouvel hôpital avant que nous ayons liquidé ces deux dettes, et nous espérons pouvoir le faire bientôt[28].» Le ralentissement des travaux est également la conséquence du climat économique instable de l'époque. Malgré la prospérité assez généralisée au Québec entre 1896 et 1913, l'économie connaît deux dépressions de courte durée en 1904 et en 1907[29]. Du reste, les coûts de la main-d'œuvre ont beaucoup augmenté depuis 1900. Il faut dire que le territoire canadien est alors fortement agité par des mouvements ouvriers et nationalistes de toutes tendances. Ainsi, entre 1901 et 1912, le Canada connaît 1319 grèves, soit 110 par année en moyenne[30]. En 1903, la *Gazette du travail* recense 23 grèves touchant 7318 travailleurs[31]. Montréal n'est pas épargnée et l'Hôpital Notre-Dame n'est pas le seul édifice en construction à affronter un contexte aussi incertain.

Entre 1908 et 1909, les travaux sur le nouvel immeuble de l'Hôpital Notre-Dame se limitent à des réparations mineures. Le bureau d'administration tente sans succès de faire augmenter le subside provincial. Lors de son allocution de 1908, le président, L.-O. Loranger, rend la mauvaise situation économique mondiale responsable du retard dans les travaux[32]. Faute d'argent, les travaux de construction de l'hôpital ne peuvent pour l'instant reprendre. L'année suivante, R. Forget, devenu vice-président de l'hôpital, est autorisé à

> demander à des institutions financières, soit des compagnies de trust, soit des banques, des soumissions pour se charger du remboursement, en quarante ans, à l'aide d'un fonds d'amortissement d'un million de dollars des débentures que l'hôpital Notre-Dame se propose d'émettre, pour terminer la contruction du nouvel hôpital[33].

L'entente conclue entre Forget et l'hôpital le 15 juin prévoit que le vice-président couvrira les frais d'émission de ces débentures de même que ceux de placement des intérêts. L'hôpital s'engage par ailleurs à ne pas émettre les débentures avant qu'une somme de 200 000 $ ait été souscrite. En septembre, constatant «l'urgence absolue de régler le plus tôt possible certaines dettes criantes, dont le règlement ne saurait être différé davantage[34]», Forget offre d'avancer 15 000 $ à condition que les administrateurs s'engagent à lui transférer certaines créances dues à l'hôpital.

L'année 1910 ne s'annonce guère plus encourageante que les précédentes. L'architecte de l'hôpital qui réclame à juste titre une somme de 10 000 $ fait saisir à cette fin la subvention versée par la ville, saisie, note laconiquement le secrétaire, «qui va provoquer un embarras considérable dans le budget de l'institution[35]». Face à la situation financière précaire de l'hôpital, les administrateurs se résignent à une solution ultime: vendre l'hôpital à l'archevêché de Montréal ou encore aux sœurs grises[36]. Mais faute d'avoir trouvé une institution intéressée à prendre possession de l'Hôpital Notre-Dame, le bureau d'administration adopte la résolution suivante:

Après l'exposé complet fait par M. Hébert de la situation financière de la corporation de l'hôp. [sic] Notre-Dame, et le compte rendu fait par le président des démarches tentées sans succès auprès des différents établissements religieux hospitaliers de la province de Québec, en vue de la rétrocession de l'actif de la corporation de l'hôpital Notre-Dame, à charge d'en assumer le passif; Attendu qu'il est devenu impossible pour l'administration actuelle de continuer à assurer le fonctionnement des différents services relevant de la corporation de l'hôpital Notre-Dame avec les moyens pécuniaires dont elle dispose; Attendu que cette administration a employé tous les moyens et mis en œuvre toutes les ressources susceptibles d'améliorer la situation sans y parvenir; Attendu que si, jusqu'à présent, le devoir sacré de soulager les malheureux blessés ou malades a primé aux yeux de l'administration de l'Hôpital Notre-Dame toutes autres considérations, la situation de plus en plus précaire de cette corporation lui impose maintenant le devoir de ne pas persévérer plus longtemps dans cette voie sous peine de léser gravement les intérêts des nombreux créanciers ou fournisseurs de cette corporation; Attendu qu'il convient de prendre sans délai des mesures radicales pour sauvegarder dans la mesure du possible les intérêts en cours; Il est unanimement résolu: Qu'un comité composé de l'honorable juge Loranger [président], du docteur Harwood [surintendant], de MM. Rodolphe Forget [vice-président] et Albert Hébert [trésorier], soit et il est par les présentes constitué, avec pleins et irrévocables pouvoirs de liquider les affaires de la corporation de l'Hôpital Notre-Dame soit par vente, cession, location, abandon, ou transfert, avec ou sans considération, de tout ou partie de l'actif de ladite corporation, ou de toute manière, et à cet effet, de prendre tous arrangements, passer tous contrats, signer tous actes et généralement faire le nécessaire, le tout sujet à ratification suivant la loi[37].

L'importance de cette résolution, le ton particulièrement défaitiste et l'impression d'échec qui s'en dégagent reflètent bien l'état d'esprit qui règne chez les membres de l'hôpital.

Au début de l'été, une campagne de presse organisée par l'hôpital, laissant clairement entendre que l'hôpital allait devoir fermer ses portes, est accompagnée d'un appel au public. La réponse est rapide et positive, grâce notamment à l'appui de l'archevêque de Montréal, Mgr Bruchési: «L'Hôpital Notre-Dame doit être sauvé!» clame-t-il bien haut. Durant tout l'été 1910, les souscriptions en faveur de l'hôpital affluent avec une surprenante régularité. Des sommes de 3000 $, 5000 $ et même 25 000 $ sont données pour la sauvegarde de l'hôpital, de sorte que, le 22 septembre, le président de l'hôpital annonce fièrement qu'un «fonds de secours de 200 000 $ a été souscrit en faveur de l'hôpital Notre-Dame[38]». De fait, au 31 décembre 1910, une somme de 208 000 $ a été amassée, somme qui servira en premier lieu à rembourser les dettes courantes de l'hôpital. De plus, alors qu'on avait songé à vendre l'ancien Hôpital Notre-Dame un peu plus tôt, on décide au contraire d'y effectuer des réparations urgentes. Une somme importante est alors utilisée à cette fin. L'institution est certes sauvée, mais l'achèvement du nouvel immeuble est loin d'être assuré.

En fait, la souscription de 1910 a surtout permis de payer les dettes accumulées. En ce qui concerne l'Hôpital Saint-Paul, la situation financière est plutôt stabilisée. L'entente conclue avec la Ville de Montréal et les administrateurs est renouvelée pour cinq ans, le subside augmentant de 25 000 $ à 30 000 $ par année. Le bureau d'administration de l'hôpital, malgré la volonté de ses membres qui souhaitent reprendre les travaux de l'immeuble principal, se retrouve cependant sans moyens financiers. Heureusement, la dette hypothécaire du nouvel hôpital est réduite à 220 462 $, en baisse de 100 000 $, grâce à l'intervention de R. Forget qui prend la différence à sa charge[39].

Malgré leur temporaire impuissance à achever la construction du nouvel immeuble, les administrateurs ne désarment pas. Au cours de pourparlers et de réunions spéciales, diverses solutions sont envisagées. L'une d'entre elles ne manque pas d'étonner. À la fin de 1912, les administrateurs suggèrent de demander aux sœurs grises de prendre à leur charge le parachèvement des travaux de construction de l'hôpital[40]. La communauté se montre alors intéressée à reprendre la construction de l'Hôpital Notre-Dame, mais sur un terrain qu'elle possède dans l'ouest de Montréal. Elle ne désire conserver dans l'est, donc à l'immeuble de l'hôpital, «qu'un petit hôpital d'urgence avec les ambulances et les services des dispensaires[41]». Cependant

Mgr Bruchési se montre peu favorable à une telle réorientation de l'hôpital et convainc les autorités de délaisser ce genre de solution pour se consacrer à l'achèvement des travaux sur la rue Sherbrooke.

L'intervention de l'archevêque fouette la direction de l'hôpital. Le vice-président Forget fait reporter de quelques semaines la date de l'assemblée annuelle générale afin qu'un comité spécial soit formé dans le but d'établir un programme pour la suite des travaux de construction. Dès lors, les événements se précipitent. Le comité spécial travaille rapidement et présente son rapport le 27 mars 1913 à l'assemblée annuelle:

> Le comité nommé par l'assemblée, concluait dans son rapport: 1. Que l'état financier de l'Hôpital Notre-Dame était redevenu prospère, et qu'il n'y avait pas lieu, par conséquent, d'abandonner l'œuvre; 2. Que la reconstruction et l'agrandissement de l'Hôpital Notre-Dame étaient désirables, et qu'il y avait tout lieu de croire que le parachèvement d'une œuvre qui nous est chère rendrait cette œuvre plus prospère encore, plus utile à un plus grand nombre de malades, plus efficace pour compléter notre enseignement universitaire, et enfin plus digne des efforts désintéressés de tous les amis, bienfaiteurs et collaborateurs de notre hôpital[42].

Le comité a évalué les revenus et les dépenses que le nouvel hôpital, une fois achevé, était susceptible de générer. Ainsi, l'hôpital

> pouvait compter sur une recette de 177 000 $, alors que les dépenses probables seront de 148 000 $, sans compter les legs qui, durant les dix dernières années rapportèrent 10 000 $; ce qui laisse un écart, à l'avantage de l'Hôpital, d'environ 40 000 $, disponibles pour le paiement des intérêts sur l'émission des débentures projetées. Ces chiffres démontrent, de toute évidence, que l'agrandissement de l'Hôpital Notre-Dame aurait pour effet, non seulement de répondre mieux aux besoins de plus en plus pressants de notre population, mais encore d'augmenter ses revenus et de lui permettre d'équilibrer ses finances, même avec les déboursés considérables auxquels il serait appelé à faire face[43].

L'essentiel du projet que le comité propose est donc l'émission d'une série de débentures pour une valeur de 750 000 $. S'agit-il des mêmes débentures que celles proposées quelques années plus tôt? Tout porte à le croire, puisque celles-ci n'ont jamais été rapportées ni mises sur le marché. En avril 1913 paraît dans les journaux le texte du rapport du comité spécial, lequel veut le porter à la connaissance du public[44]. De plus, trois nouveaux comités sont formés pour la mise à exécution du projet élaboré dans le rapport: comité de régie interne; comité des finances et des souscriptions et comité d'étude des plans et de construction[45]. La situation semble apparemment de plus en plus favorable à la concrétisation du projet.

Le Québec avait connu un cycle économique de prospérité. Mais déjà en 1912 l'inflation se fait sentir et, en 1913, à la suite d'une crise économique internationale, le Québec entre dans une période de récession sérieuse, que la déclaration de guerre va accentuer. La situation de l'hôpital s'en ressent directement. Par ailleurs, des problèmes graves surviennent à l'Hôpital Saint-Paul. Une lettre de la révérende mère supérieure des sœurs grises attire «l'attention des autorités sur les conditions hygiéniques déplorables dans lesquelles se trouve l'Hôpital Saint-Paul, par suite de l'envahissement à l'étage inférieur [au sous-sol] par les eaux de drainage[46]». Les dommages doivent être sérieux puisqu'on met sur pied un comité spécial chargé d'étudier

> la question de savoir s'il est opportun de construire l'hô-
> pital sur la rue Sherbrooke ou s'il ne serait pas utile de
> consacrer les bâtiments déjà érigés sur ce terrain à l'agran-
> dissement de l'hôpital Saint-Paul et à la création d'un
> service pour les tuberculeux et à acheter ailleurs un terrain
> où bâtir l'Hôpital général de Notre-Dame[47].

Ce projet demeurera lettre morte. Des travaux de réparations sont finalement entrepris au sous-sol de l'Hôpital Saint-Paul.

Jusqu'à la fin de la Première Guerre mondiale, le projet ne connaîtra aucun nouveau développement. Il ne sera plus guère question de l'achèvement du nouvel hôpital. Le contexte économique et financier lié à la guerre empêche la reprise des travaux. Seules des réparations mineures sont effectuées afin de limiter la dégradation de l'aile déjà construite. À la séance du bureau d'administration du 14 mai 1918, le trésorier Tancrède Bienvenu expose en détail la situation financière de l'hôpital. Une somme de 18 000 $ doit être trouvée pour le 1er juillet. On décide de faire appel au public pour venir à nouveau en aide à l'hôpital. «Il est même étonnant que l'institution n'ait pas crié famine plus tôt[48]», mentionne le secrétaire. Les membres du bureau sont sollicités afin qu'ils donnent une somme de 1000 $. Ces contributions pourraient alors inciter le public à faire plus volontiers sa part. Tous acceptent. Cette campagne pour le fonds de secours de l'hôpital se tient du 10 au 17 juillet 1918 et rapporte 170 000 $, dont 65 000 $ sont déjà remis aux administrateurs. De plus, R. Forget[49] s'était engagé à libérer l'hôpital de l'hypothèque de 100 000 $ accordée en 1911 sur le nouvel immeuble, à condition que le montant total du fonds de secours atteigne 150 000 $. La générosité du public, compte tenu du contexte de vie chère, est particulièrement appréciée par les administrateurs qui font publier des remerciements publics dans les journaux[50].

La fin des travaux et le déménagement tant attendu (1919-1924)

L'année 1919 marque le début de la dernière période de l'interminable projet de construction. Conséquemment aux bons résultats obtenus par le fonds de secours de 1918 et à la fin de la guerre, la situation paraît propice au parachèvement du nouvel immeuble. Mais après tant de déboires, les administrateurs ne manifestent guère d'excès d'optimisme:

> À tout événement, il ne faudrait pas, cette fois, s'embarquer dans cette entreprise sans être assuré, de la façon la plus scientifique et la plus certaine, de la réalisation complète et avantageuse de notre projet[51].

Du reste, en raison du ralentissement de l'économie d'après-guerre, certains s'interrogent encore sur le besoin d'un nouvel immeuble. Au début de 1919, contre toute attente, les administrateurs pensent qu'il serait moins coûteux de reconstruire l'hôpital actuel que de parachever l'immeuble déjà construit. Mais finalement, le 3 avril 1919, décision est prise par le bureau d'administration de poursuivre la construction de l'immeuble sur la rue Sherbrooke, «et cela nonobstant toute résolution prise antérieurement par le conseil [le bureau[52]]». Après des tractations dont on ne connaît pas la teneur, la Corporation des obligations municipales limitée offre d'acheter l'émission complète des débentures au nom de l'hôpital[53]. Quelques mois plus tard, l'hôpital procède à une émission supplémentaire d'obligations au montant de 250 000 $.

Les travaux pour parachever la construction du nouvel immeuble de l'Hôpital Notre-Dame ont définitivement repris:

> Nous sommes heureux de pouvoir vous apprendre que la reconstruction de l'hôpital, dont on parle depuis tant d'années, peut être considérée enfin comme en pleine opération [...] en prévision des besoins futurs nécessités par l'agrandissement continuel de notre ville ainsi que par l'augmentation de sa population, nous avons pensé qu'il était sage de pourvoir à l'érection d'un hôpital pouvant hospitaliser cinq cents malades; mais d'un autre côté, il n'eût pas été prudent de s'embarquer immédiatement dans une entreprise aussi considérable, et ce, pour deux raisons: d'abord, l'énorme somme d'argent qu'il aurait fallu y dépenser, et ensuite l'augmentation considérable de notre personnel médical et chirurgical qu'aurait nécessité le fonctionnement d'une aussi grande institution. C'est pourquoi, nous nous sommes arrêtés au nombre de 250 lits, qui est au-delà de 100 lits de plus que l'hôpital actuel[54].

Durant les années 1919 et 1920, l'attention des administrateurs se concentrera désormais sur les corrections à apporter aux plans et devis des architectes et sur la progression des travaux. Les choses vont tellement bon train que le président de l'hôpital s'autorise à prévoir, lors de l'assemblée annuelle de 1921, l'achèvement des travaux pour la fin de l'année 1923. Prédiction un peu hâtive, puisque de nouveaux ennuis pécuniaires retarderont l'échéancier. Les besoins de fonds sont tels que, le 4 janvier 1923, les autorités de l'hôpital doivent procéder à l'émission d'une nouvelle série de débentures d'une valeur de 250 000 $. Une autre émission de 200 000 $ s'ajoute l'année suivante. De plus, le gouvernement provincial accorde 200 000 $ à l'hôpital. Les administrateurs sont décidés à en finir coûte que coûte. Heureusement, la situation économique plus favorable du Québec permet d'espérer un redressement des finances de l'hôpital.

Alors que les travaux du nouvel immeuble progressent, les administrateurs de l'hôpital tergiversent sur l'avenir de l'ancien édifice de la rue Notre-Dame. Doit-on le vendre, le démolir ou le rénover? Finalement, on décide de l'utiliser pour les «services généraux» de l'hôpital. Certaines pièces sont réaménagées à cette fin et de nombreux travaux de réparations y sont entrepris.

Au début de septembre 1924, le nouvel immeuble de l'Hôpital Notre-Dame est pour ainsi dire achevé et les préparatifs du déménagement sont entrepris. Vingt-cinq ans après les débuts des travaux, qui auront coûté plus de un million et demi de dollars, les autorités de l'hôpital s'affairent à planifier l'inauguration officielle de leur nouvel immeuble.

Notes

1. Lors de l'assemblée annuelle du 30 octobre 1900, le surintendant Lachapelle mentionne que les dames patronnesses sont «impressionnées par l'état de vétusté de notre logis et songent en ce moment à créer un fonds de reconstruction pour la bâtisse de l'Hôpital Notre-Dame» (RAHND, 1899-1900, p. 12). Le projet de ces dames consiste surtout à recueillir des dons en argent qu'elles déposeraient à la banque jusqu'à ce que la somme nécessaire pour la reconstruction soit obtenue.

2. *Ibid.*, p. 13.

3. *Ibid.*

4. PVBAHND, 14 décembre 1900.

5. Comme son oncle Louis-Joseph Forget, courtier, financier, président de la Bourse de Montréal et sénateur, Rodolphe Forget a lui aussi présidé la Bourse de Montréal et a été longtemps député du comté de Charlevoix. Il a, avec plus ou moins de succès, dirigé les secteurs clés de l'économie de la région de Québec. Par ailleurs, sa participation dans l'économie montréalaise a été très importante.

6. PVBAHND, 1er octobre 1901.

7. RAHND, 1900-1901, p. 21.

8. Les dames patronnesses avaient aussi offert leur aide pour trouver les fonds nécessaires. Mais malgré leur bonne volonté pour amasser l'argent nécessaire, l'ampleur des sommes à réunir était disproportionnée à leur seul effort.

9. PVBAHND, 11 octobre 1901.

10. PVBAHND, 4 novembre 1901.

11. RAHND, 1901-1902, p. 22. «Ce terrain est situé sur la rue Sherbrooke en face du parc Lafontaine, et borné à l'est par la rue Champlain, à l'ouest par la rue Maisonneuve, et au sud par une rue non homologuée [...] d'une superficie de plus de 88 000 pieds carrés, et formant une partie de l'extrémité sud du plateau de la rue Sherbrooke, il domine entièrement la ville, et l'hôpital que nous y construirons s'y trouvera entièrement dégagé, ayant en face de lui l'immense étendue du parc Lafontaine, et en arrière le libre-espace, par dessus [sic] les habitations, jusqu'au fleuve Saint-Laurent. De plus la poussée de la population canadienne-française qui s'accentue de plus en plus vers la région choisie, fait que notre hôpital se trouvera situé au centre d'un quartier excessivement populeux, qui alimentera plus que suffisamment ses salles et ses dispensaires; quant à nos chambres privées, le confort que nous y mettrons leur assure une clientèle nombreuse et constante» (ibid.). Il faut dire que les locaux originaux étaient situés en plein cœur du Vieux-Montréal actuel, dans un secteur déjà encombré et fort peuplé.

12. Ibid., p. 23.

13. PVBAHND, 3 décembre 1902.

14. Ibid., 13 juin 1903.

15. Ibid., 20 septembre 1905. Sur l'ouverture de l'Hôpital Saint-Paul et son histoire, voir aussi M.-J. Fleury, L'Hôpital Saint-Paul et sa contribution à la prévention et à la lutte contre les maladies contagieuses.

16. L'hôtel Windsor, terminus montréalais du Canadien Pacifique érigé en 1878, avait innové à Montréal en utilisant cette même technique: «A unique feature of the station is its heating system. The power-house, from which the steam for heating is obtained, is situated at some distance from the main building, the steam being carried to the station through a tunnel, under the main viaduct on which the trains run» (L. Prince [dir.]), Montreal, Old and New, p. 136). En 1913, faute de fonds, le Montreal Children's Hospital recourra à la même solution. (Voir J.-B. Scriver, The Montreal Children's Hospital: Years of Growth, p. 47.)

17. RAHND, 1904-1905, p. 25.

18. Ibid.

19. PVBAHND, 30 janvier 1905.

20. Le docteur E.-P. Lachapelle, avec quelques autres gouverneurs de l'hôpital, était membre du bureau de direction de cette banque (L. Prince, op. cit., p. 154).

21. PVBAHND, 16 juin 1905.

22. Ibid., 10 avril 1906.

23. RAHND, 1905-1906, p. 43-44.

24. PVBAHND, 20 décembre 1906.

25. *Ibid.*, 10 janvier 1907.

26. RAHND, 1907, p. 23.

27. *Ibid.*

28. *Ibid.*, p. 32.

29. P.-A. Linteau, R. Durocher et J.-C. Robert, *Histoire du Québec contemporain: de la Confédération à la crise, 1867-1929*, p. 352.

30. H. Pelletier-Baillargeon, *Marie Gérin-Lajoie. De mère en fille, la cause des femmes*, p. 256.

31. Mentionnons entre autres, à Montréal, la grève des 1200 employés de tramways de Montréal, affectant 2000 autres employés, de même que celles des 2200 débardeurs quelques mois plus tard, des 1500 camionneurs pour les appuyer, des 600 ouvriers de la construction et des électriciens. (Voir J. T. Copp, *Classe ouvrière et pauvreté, les conditions de vie des travailleurs montréalais, 1897-1929*, p. 141-142.)

32. RAHND, 1908, p. 21.

33. PVBAHND, 5 mars 1909.

34. *Ibid.*, 17 mars 1909.

35. *Ibid.*, 8 avril 1910.

36. Un dilemme semblable se posait alors à la même époque à l'Hôpital général de Montréal qui songeait à fusionner avec le Western Hospital à Montréal ou à s'y intégrer. Comme pour Notre-Dame, ce projet ne se matérialisera pas. (Voir H. E. MacDermot, *An History of the Montreal General Hospital*, p. 101.)

37. PVBAHND, 13 juin 1910.

38. *Ibid.*, 22 septembre 1910.

39. RAHND, 1911, p. 34.

40. PVBAHND, 20 décembre 1912.

41. *Ibid.*, 31 janvier 1913.

42. RAHND, 1913, p. 24-25.

43. *Ibid.*, p. 29.

44. Ce recours à l'avis officiel du public par les administrateurs, commencé en 1910, se répandra durant les années 1950 et se généralisera à d'autres institutions hospitalières.

45. PVBAHND, 8 avril 1913.

46. *Ibid.*, 19 mars 1913.

47. *Ibid.*, 16 mai 1913.

48. *Ibid.*, 14 mai 1918.

49. Rodolphe Forget décédera au début de 1919.

50. PVBAHND, 10 juillet 1918.

51. RAHND, 1918, p. 40.

52. PVBAHND, 20 mars 1919.

53. *Ibid.*, 3 avril 1919.

54. RAHND, 1919, p. 40.

CHAPITRE III

La pratique médicale
et les soins hospitaliers

La structure des soins hospitaliers

Les services internes de l'Hôpital Notre-Dame seront l'objet, durant les quatre premières décennies, de modifications qui s'adapteront tant bien que mal à l'évolution quantitative des admissions et à l'évolution qualitative du savoir et des techniques médicales. Le surintendant Mercier met en évidence dans le rapport annuel de 1922 les progrès accomplis:

> Il est incontestable [...] que notre hôpital progresse continuellement. Il progresse non seulement quant aux nombres de malades traités, mais il progresse aussi de pair quant à son développement scientifique[1].

La demande accrue de soins est telle qu'elle nécessite un constant réaménagement de la structure physique de l'hôpital. Le graphique 2 nous indique l'importance de l'augmentation des admissions. Le nombre des patients admis (772) au service interne de l'hôpital en 1880 a déjà doublé seulement six ans après l'ouverture de l'hôpital avec 1547 admissions, triplé en 1900 avec 2200 admissions et quadruplé en 1920 avec 3011 admissions[2]. La poussée de la demande de soins dans les

GRAPHIQUE 2

Admissions générales, 1880-1924

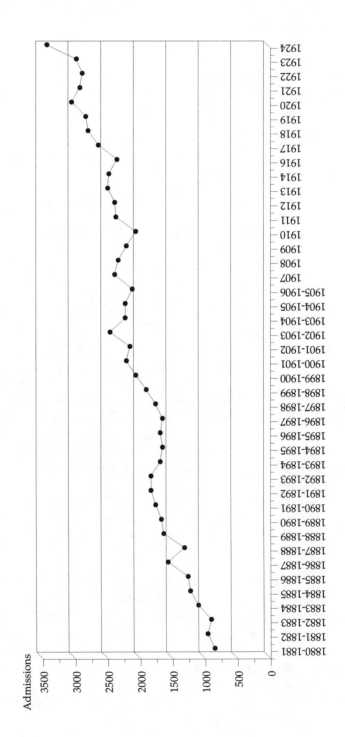

dispensaires est foudroyante: de 3872 consultations en 1881-1882, le nombre grimpe à 31 606 en 1888-1889 pour ensuite se stabiliser autour de 20 000 jusqu'en 1920 (voir le graphique 3). En huit ans, les consultations font un bond de 800 %. On imagine les difficultés reliées à un tel accroissement des soins.

Cependant, cette réadaptation constante ponctuée de relocalisations des services et d'aménagements de nouveaux services tout au long de la période 1880-1924 ne peut être attribuée seulement à l'accroissement de la demande de soins par la population indigente et ouvrière. D'autres facteurs ont aussi joué. L'étude du développement de la structure des soins à l'Hôpital Notre-Dame montre bien que l'évolution rapide de l'hôpital n'est pas une réponse passive aux nouveaux besoins, mais provient plutôt d'une volonté d'intervention directe de la part de médecins et de professeurs qui ont le souci d'étendre leur champ respectif. L'ajout de nouveaux services n'est donc pas simplement la conséquence de la hausse de la demande de soins, mais répond aussi aux nouveaux impératifs de la science médicale. Certes, l'accueil et l'hospitalisation des patients indigents ne manquent pas de causer certains problèmes qui persisteront de 1880 à 1924: insuffisance de ressources, carence de lits et d'instruments, hétérogénéité des cas à soigner, etc. Il fallait, pour pallier ces problèmes récurrents, mettre en place une structure souple qui puisse s'adapter relativement rapidement. Mais si les dirigeants médicaux ont surmonté les difficultés en permettant, avec une grande libéralité, la modification des services existants et l'ouverture de nouveaux services médicaux, c'est qu'ils y trouvaient aussi un intérêt pratique considérable tant sur le plan de l'avancement professionnel et de la qualité de l'enseignement que sur celui du développement des spécialités médicales et chirurgicales.

Dès l'ouverture de l'hôpital, l'organisation des soins est divisée en deux grandes sections indépendantes: les services internes et les services externes. La première comprend les différents services d'hospitalisation des patients indigents, semi-payants et payants tels que les services de médecine clinique, de chirurgie opératoire ou d'oto-rhino-laryngologie. La seconde comprend les soins donnés au dispensaire de l'hôpital aux seuls «malades pauvres et incapables de payer les soins

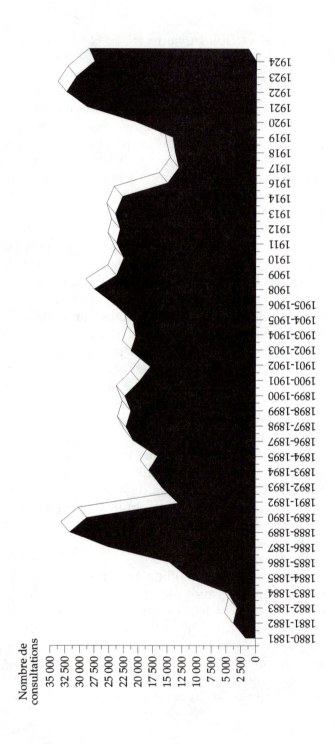

GRAPHIQUE 3

Fréquentation des dispensaires, 1880-1924

d'un médecin» et dont le traitement ne nécessite pas une hospitalisation. Il s'agit en quelque sorte d'un service de consultation externe. La mise en œuvre de ces deux sections parallèles constitue une réponse aux deux grands objectifs initiaux de l'Hôpital Notre-Dame: les services internes correspondent davantage aux exigences de l'enseignement clinique alors que les services externes, même s'ils constituent un terrain clinique complémentaire appréciable[3], sont davantage liés à l'assistance d'un grand nombre d'indigents malades ou blessés.

L'organisation des services internes

Durant sa première année de fonctionnement, l'Hôpital Notre-Dame ne compte que deux services internes: le service de médecine et le service de chirurgie. S'ajoute, en mars 1881, le service des maladies des yeux et des oreilles sous la direction du docteur A.-A. Foucher. Jusqu'en 1891, les deux grands services de médecine et de chirurgie se partageront plus de 80 % des lits de l'Hôpital Notre-Dame[4]. Mis à part l'ophtalmologie, l'otologie, l'obstétrique et la gynécologie, bien peu de spécialités sont alors reconnues et pratiquées dans les institutions hospitalières. Dans tous les grands hôpitaux généraux d'Europe et d'Amérique, les services de médecine et de chirurgie se partagent alors la plus grande part des patients hospitalisés. Cependant, l'accroissement des admissions entre 1895 et 1920 profite surtout aux services de chirurgie, d'ophtalmologie et de gynécologie (graphique 4). En effet, la clientèle du service de médecine demeure, à partir de 1895, après une hausse importante des admissions dans les premières années de l'hôpital, relativement stable avec une moyenne annuelle de plus de 750 patients, alors que, entre 1895 et 1918, le service de chirurgie double ses admissions. Nous analyserons plus loin l'essor considérable de ce service au début du xxe siècle. L'ascension des services d'ophtalmologie et de gynécologie est moins rapide quoique assez constante.

Le service de médecine, pris en charge dès 1880 par le docteur J.-P. Rottot, compte déjà en 1891 trois médecins visiteurs et cinq médecins consultants. Ceux-ci ont principalement pour tâche de diagnostiquer et soigner les maladies «zymotiques», expression vieillotte qui sera remplacée dans les années 1890

GRAPHIQUE 4

Admissions aux services internes, 1895-1924

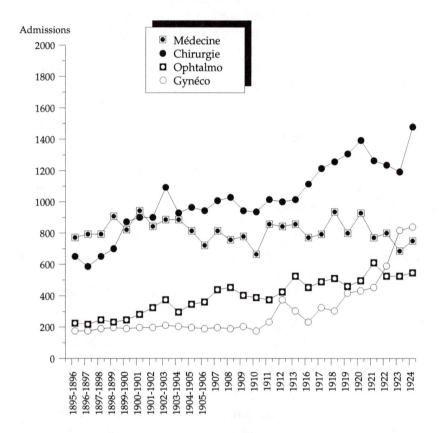

par l'appellation «maladies contagieuses». Nombre de cas de maladies constitutionnelles ou «de la nutrition» — anémie, rhumatisme, goutte, diabète — sont envoyés au service de médecine. Les dispepsies, les gastrites, les entérites, les bronchites, les pneumonies, les névroses ou encore les intoxications de toutes sortes — alcool, arsenic, morphine, plomb — relèvent aussi de ce service. La séparation entre l'exercice de la petite chirurgie et l'exercice de la médecine n'est pas très nette et plusieurs cas acheminés durant les premières années vers le service de médecine sont peu à peu dirigés vers le service de chirurgie. Il en est ainsi des cas d'urologie, qui seront différenciés et envoyés au service de chirurgie, et des cas de gynécologie qui, avant la création d'un service spécialisé, relevait de la médecine.

Le service chirurgical demeurera sous la gouverne du chirurgien A.-T. Brosseau jusqu'à son décès en 1899. Brosseau était aussi professeur de chirurgie externe à la faculté de médecine de Laval à Montréal. Il sera remplacé par son assistant, le docteur O.-F. Mercier, qui, nous le verrons, jouera un rôle considérable dans l'expansion de l'hôpital. Dès sa nomination comme chirurgien en chef, il s'associe le docteur T. Parizeau qui demeurera son assistant pendant plus de 25 ans. Le service de chirurgie est alors divisé en deux sections pratiques: la petite et la grande chirurgie. Dans la première, on pratique des interventions mineures qui ne nécessitent pas d'anesthésie: incision des abcès, extraction des dents ou injections. La seconde, qui ne prendra sa véritable dimension qu'au début du siècle, accueille les cas plus graves: appendicite, hernie étranglée, calculs rénaux, etc. De nombreuses victimes d'accidents dont les soins nécessitent une anesthésie générale et une opération de longue durée relèvent aussi de cette section.

Le service des maladies des yeux et des oreilles est fondé à l'instigation du premier spécialiste de l'Hôpital Notre-Dame, le chirurgien-oculiste et auriste A.-A. Foucher[5]. Après des études spécialisées à Paris, il est nommé professeur titulaire d'ophtalmologie, d'otologie et de rhinologie à la faculté de médecine de la succursale de l'Université Laval à Montréal. Le docteur Foucher, considéré à juste titre comme l'un des pionniers de l'oto-rhino-laryngologie, dispensera à l'Hôpital Notre-Dame un enseignement clinique qui correspond aux connaissances les plus avancées de l'époque. Il conservera son poste de chef de service et de professeur jusqu'en 1926. Un tel service ne constitue en rien un luxe pour un hôpital général situé en milieu ouvrier et à proximité du port de Montréal. Les maladies et les accidents oculaires, tout comme les problèmes reliés aux organes auditifs, sont alors très fréquents, liés en partie à l'insuffisance voire à l'absence de mesures de prévention dans certains milieux de travail tels que les usines, manufactures, chantiers de construction, etc. L'extirpation de corps étrangers dans les yeux est une activité quasi quotidienne de ce service. Pour la seule année 1909 seront pratiquées 104 opérations liées à la présence d'un corps étranger dans la cornée[6]. Les opérations de cataracte sont moins fréquentes: 14 cas en 1902-1903, 16 en 1909 et 21 en 1916[7]. Pour l'ensemble du service, de 150 à 200 cas sont traités annuellement entre 1895 et 1910. De 1911 à 1923, l'accroissement du nombre de patients est considérable: on passe de 211 à 788 malades traités. L'expansion du service est telle, au début des années 1920, que le bureau médical se voit dans l'obligation de recommander l'ouverture d'un service séparé d'ophtalmologie et d'oto-rhino-laryngologie.

Face aux nombreux cas de gynécologie qui étaient envoyés au service de médecine[8], le docteur M.-T. Brennan se voit confier en 1891, à sa demande, la direction du nouveau service des «maladies des femmes». Certes, l'Hôpital général de Montréal a été, en 1883, le premier hôpital général à offrir un tel service à sa clientèle[9], mais au moment où l'Hôpital Notre-Dame y consacre 15 de ses 135 lits, ni l'Hôtel-Dieu ni le Royal Victoria ne disposent encore d'un semblable service. Le besoin est réel. Dès la première année d'activité du nouveau service, soit du 30 juin 1891 au 1er juillet 1892, y sont accueillies 134 patientes pour des cas de métrite (23), de fibrome utérin (11), de cancer utérin (5), de rétroversion utérine (7), d'avortement (8), etc. En 1900, près de 250 patientes y sont admises, 344 en 1910 et 458 en 1920. Le service est exclusivement réservé à la gynécologie et exclut tous les cas relevant de l'obstétrique. Avant la fondation d'un tel service en 1924, les femmes enceintes n'étaient pas admises à l'hôpital «à moins qu'elles ne soient atteintes d'une maladie grave qui mettrait leur vie en danger[10]». Sont donc traités à l'hôpital les cas de grossesse extra-utérine, d'avortement ou de septicémie puerpérale. Par exemple, en 1899-1900, trente femmes dont 11 pour grossesse extra-utérine, 11 pour septicémie puerpérale et 8 pour avortement y sont hospitalisées. Le docteur Brennan, qui a occupé le poste d'interne en chef de 1884 à 1888, deviendra, avec les docteurs Trenholme, Gardner et Lapthorn-Smith[11], l'un des pionniers de la gynécologie au Québec. Partisan convaincu des méthodes antiseptiques et aseptiques dans les interventions gynécologiques, il publiera de nombreux articles pour sensibiliser les praticiens québécois à l'utilisation de ces procédés prophylactiques appliqués à la gynécologie et à l'obstétrique. Encore durant les décennies 1880 et 1890, bien des médecins, surtout en mileu rural, négligent de telles précautions ou les emploient de façon telle que les infections demeurent la suite «normale» d'une hystérectomie, d'une ovariotomie ou d'un simple accouchement. Les efforts de Brennan ne furent pas vains puisqu'au début du siècle, l'Hôpital Notre-Dame était déjà renommé pour la qualité de son service de gynécologie. En 1900, on y pratique avec succès 13 laparotomies, 13 ovariotomies, 10 hystérectomies, 10 «ablations de fibromes utérins» et 19 «ophorectomies abdominales et vaginales». Les infections sont rares et la guérison rapide. Directeur du service jusqu'à son décès en 1904, Brennan est alors remplacé par le futur doyen de la faculté de médecine, le docteur L. de Lotbinière-Harwood, qui en assumera la direction pendant une trentaine d'années.

Les activités internes de l'hôpital durant les quatre premières décennies se concentrent donc principalement sur ces quatre grands services. Ceux-ci répondent pour le moment aux attentes de la faculté de médecine qui veille à ce que les cas cliniques exposés aux étudiants soient suffisamment variés pour leur assurer une formation adéquate. Chaque service réclame donc une augmentation des ressources pour répondre à la hausse du nombre d'étudiants. Mais le bureau médical et la faculté sont portés à favoriser les services de médecine et de chirurgie qui répondent, d'une part, à des exigences qualitatives en offrant les cas les plus variés et, d'autre part, aux exigences quantitatives de l'enseignement clinique. On comprend que, dans un tel contexte, la répartition des lits ne se soit pas faite sans provoquer des tensions entre les services concernés. Le bureau médical, qui se retrouve régulièrement face à des demandes d'augmentation de lits, doit continuellement temporiser. Étant donné la faible augmentation du nombre de lits destinés aux indigents, seuls patients disponibles pour les cours cliniques, l'obtention de chaque lit par un directeur de service se fait au détriment d'un collègue. Sur les 135 lits que compte l'hôpital en 1891, le service de chirurgie en monopolise près de la moitié avec 45, suivi immédiatement par le service de médecine qui en utilise 36 contre 17 pour le service des maladies des yeux et des oreilles. Après quelques accrochages avec les services de médecine et de chirurgie, le docteur Brennan obtient finalement 15 lits à l'ouverture de son service. Les services de médecine et de chirurgie conserveront jusqu'aux années 1920 plus des deux tiers des lits convoités.

Néanmoins, la progression des disciplines médicales durant les décennies suivantes, analysée de brillante façon par Rosenberg[12], qui s'autonomisent au point de constituer des champs d'études et de pratiques distincts, exerce une pression accrue tant sur les institutions d'enseignement que sur les institutions hospitalières. L'Hôpital Notre-Dame n'en est pas exempt, mais l'exiguïté des locaux et le manque de ressources financières contribuent à freiner le développement de nouveaux services durant les premières décennies du XXe siècle. Aussi les autorités médicales devront-elles patienter jusqu'à l'ouverture du nouvel hôpital pour que soient mis sur pied les nouveaux services d'obstétrique, de dermatologie, d'urologie, de syphiligraphie, d'anesthésie, etc.

Un certain nombre de services auxiliaires viendront soutenir les services existants. En mai 1887, le surintendant Lachapelle rencontre l'Association des dentistes de la province de Québec pour organiser un service «efficace» de chirurgie dentaire à l'hôpital. Antérieurement, un dentiste nommé par l'hôpital venait y pratiquer au moins deux fois par semaine, les mardi et vendredi. Mais l'on se plaignait de l'irrégularité de ses visites. Désormais, le service quotidien sera assuré à heure fixe par un ou plusieurs dentistes. En 1891, un chirurgien-dentiste est engagé par l'hôpital.

D'autres services, surtout liés à des fonctions diagnostiques et thérapeutiques auprès des services de médecine, de chirurgie et de gynécologie, sont peu à peu mis sur pied au sein de l'hôpital. Des laboratoires de bactériologie et de pathologie et des services «d'électricité médicale» et de radiologie viennent s'ajouter aux formes traditionnelles d'investigation clinique et apportent leur concours aux procédés classiques de traitement. Initialement attachés aux services de médecine, de chirurgie et d'ophtalmo-oto-rhino-laryngologie, ils deviendront progressivement autonomes jusqu'à former des entités indépendantes et essentielles de l'univers hospitalier.

L'intérêt pour les vertus thérapeutiques de l'électricité s'était manifesté très tôt au XIXe siècle au sein de la profession médicale européenne. Mais la piètre efficacité des appareils, alors difficiles à manipuler et généralement peu fiables, retarde l'expansion de cette nouvelle avenue thérapeutique. Au début des années 1890, la vogue pour l'électrothérapie se répand d'une façon telle que bien des marchands peu scrupuleux offrent toute une gamme de «panacées». Mentionnons à titre d'exemple, les «merveilleuses» ceintures électriques des «docteurs» Sanden et McLaughlin[13]. Cependant, les progrès conjoints de la technologie électrique dans les dernières décennies du XIXe siècle, qui permettent la mise au point d'un appareillage plus précis et plus souple quant aux possibilités d'utilisation médicale, ainsi que les expérimentations électro-médicales de certains membres de la profession médicale — D'Arsonval et Apostoli — rendent plus accessibles ces nouveaux procédés d'intervention. Des expérimentations plus sérieuses sur les propriétés thérapeutiques de différents courants électriques permettent finalement la mise au point d'appareils qui deviendront des équipements standard des institutions hospitalières.

Dès 1885, l'Hôpital Notre-Dame, par l'intermédiaire du docteur Aubry, participe à l'engouement croissant pour l'électrothérapie en ouvrant l'un des premiers, sinon le premier, dispensaire d'électricité médicale au Québec[14]. Celui-ci est pourvu «des appareils les mieux faits, qui permettent de traiter les maladies nerveuses et autres requiérant [sic] l'usage de l'électricité, par les procédés les plus nouveaux et les plus efficaces[15]».

Cependant, ce service est le seul à exiger des malades indigents «une légère rémunération» pour payer les coûts élevés de l'entretien de l'équipement[16]. Les appareils utilisés fournissent une diversité de courants électriques: faradiques, galvaniques, à haute fréquence, etc. Les débuts de ce nouveau service externe apparaissent prometteurs: 1305 consultations «électriques» effectuées lors de la première année d'activité du dispensaire, 2549 l'année suivante et 2783 en 1888-1889. Toutefois, ces consultations ne concernent respectivement que 65, 96 et 78 patients. Les traitements électrothérapiques nécessitaient alors de nombreuses séances. Pour ces trois premières années, le nombre moyen de séances par patient est respectivement de 20, 26 et 31.

Mais le service n'a probablement pas tenu ses promesses puisque le nombre de consultations chute de 1220 à 62 entre 1890 et 1900. Est-ce en partie à cause des coûts des consultations ou à cause de l'inefficacité des procédés employés? Probablement l'un et l'autre. Soulignons aussi que le service a fait face à de nombreuses difficultés techniques et organisationnelles: équipements et locaux inadéquats, bris prolongés d'appareils, etc.

En 1899, J.-B. Larue, administrateur du legs testamentaire de feu Prisque Gravel, décide d'associer le nom du défunt «au progrès scientifique moderne» en prenant à sa charge les frais d'achat et d'installation à l'Hôpital Notre-Dame d'un appareil à rayons X, appelé encore appareil de Röntgen[17]. Une condition est cependant exigée. C'est l'abbé Larue, fils du donateur et directeur du laboratoire de physique au Petit Séminaire de Montréal, qui assurera conjointement avec le docteur Foucher la surveillance de l'instrument. L'abbé Larue offrait déjà, depuis quelques années, des services de radiographie pour les malades de l'Hôpital Notre-Dame, dans son laboratoire. Cette précieuses acquisition suit une découverte scientifique faite en Allemagne, le 8 novembre 1895, qui a modifié considérablement les possibilités d'investigation clinique de même que le traitement de certaines tumeurs. Ce jour-là, le physicien allemand W. C. Röntgen avait découvert les propriétés remarquables des rayons X. Il avait observé que ces rayons avaient la propriété de reproduire certaines parties intérieures du corps humain sur une plaque photographique[18]. La fonction diagnostique de ces rayons fut d'emblée évidente et le monde médical s'en empara rapidement. On ne manqua pas cependant de s'interroger sur ses fonctions thérapeutiques, fonctions qui prirent, au début du XXᵉ siècle, une importance grandissante.

L'appareil, de type Radiguet, est installé dans une chambre de l'Hôpital Notre-Dame. Le fonctionnement de l'appareil est cependant mis temporairement sous la direction du docteur Parizeau. Les autorités sont enthousiastes:

> Cet appareil, mis en activité par un dynamo fabriqué spécialement pour nous aux États-Unis, a fonctionné jusqu'ici avec une régularité et une efficacité parfaites, et nous rend tous les jours [...] les plus précieux services, en permettant de localiser les corps étrangers et les lésions

pathologiques ainsi que de vérifier la réduction des fractures. Mr J. B. Larue avait donné aux autorités de l'Hôpital carte blanche dans l'installation de cet appareil, l'un des plus beaux qui existent en Amérique, et dont le coût a dépassé 700 $. Aussi s'est-il attiré la reconnaissance non seulement des directeurs et des chirurgiens de l'institution, mais encore celles des chirurgiens et de leurs nombreux patients pour qui la radiographie est un moyen de diagnostic sûr et de traitement efficace[19].

Jusqu'à la fondation en 1903 d'un dispensaire de radiologie, l'appareil à rayons X servira surtout à des fins diagnostiques sous la surveillance du docteur Aldège Éthier, gynécologue. Durant les deux premières décennies du xxe siècle, l'intérêt pour la radiologie et les différents traitements électriques (faradique, galvanique, haute fréquence, etc.) s'accroît considérablement et nombreux sont les médecins qui entrevoient la guérison prochaine des cancers et de la tuberculose[20]. Les frontières thérapeutiques semblent reculer de jour en jour. Mais si les résultats ne sont pas toujours à la hauteur des attentes, l'impulsion demeure irrésistible. Comme la plupart des hôpitaux occidentaux, les grands hôpitaux montréalais se dotent d'un tel appareillage.

En 1909, le bureau médical, en attendant le retour du docteur E. Panneton qui étudie la radiologie et l'électrothérapie à Paris, décide de doter l'hôpital d'un service «d'électricité médicale». Mais selon une version donnée par le docteur Panneton[21], les autorités auraient pris une telle décision à la suite d'un grave accident de chemin de fer après lequel les blessés furent transportés en grand nombre à l'Hôpital Notre-Dame. Pour établir le diagnostic de ces blessés, les médecins utilisèrent un appareil à rayons X prêté par un médecin anglophone. Ce serait suite à cet incident que les autorités auraient décidé de créer un service de radiologie et proposé au docteur Panneton d'effectuer un stage de spécialisation en Europe. De retour en 1911 et fort du consentement de l'hôpital, ce dernier organise à ses frais le nouveau service de radiologie et d'électrothérapie et y effectue le premier traitement de radiothérapie en procédant à l'irradiation d'un fibrome utérin. Le contrat passé entre l'Hôpital Notre-Dame et le docteur Panneton stipule que l'hôpital lui fournit le local, paie la pension des gardes-malades du service — leur salaire étant à la charge de Panneton —, lui accorde des honoraires de 600 $ par année pour les examens et le traitement des indigents et lui donne le droit de conserver les honoraires provenant de patients privés et semi-privés[22]. Panneton deviendra en 1914 le premier titulaire de la chaire de radiologie et d'électrologie à l'École de médecine et de chirurgie/Faculté de médecine de l'Université Laval à Montréal[23].

Le développement des activités radiologiques et électro-thérapiques est rapide. En 1916, le docteur Panneton effectue, à des fins diagnostiques, 976 radiographies et 280 radioscopies et, à des fins thérapeutiques, 986 radiothérapies intensives. Il procède de plus à 1894 applications «de courants galvaniques, faradiques, haute fréquence, ionisation, chaleur et massage[24]» chez 151 patients. Mais encore une fois, le nombre de traitements électrothérapiques décline sérieusement entre 1916 et 1924, passant de 1894 à 537 séances alors que le nombre de patients diminue de moitié, passant de 151 à 67. On peut remarquer cependant que la moyenne des séances par patient diminue de façon significative, chutant de 12 à 8.

L'augmentation du nombre d'examens radiographiques qui est dès le départ fulgurante — ils passent de 976 en 1916 à 1930 en 1918 — avec une croissance de 97,7 %, se stabilise ensuite autour de 1500 examens annuels entre 1919 et 1924[25]. Contrairement aux examens d'aujourd'hui qui ne nécessitent guère plus que deux plaques radiographiques par patient, l'examen d'un seul patient pouvait alors nécessiter une dizaine de radiographies.

Dès 1911, le docteur Panneton introduit à l'hôpital une technique nouvelle d'investigation du système digestif en associant aux rayons X l'ingurgitation de bismuth, sorte de sel métallique permettant d'observer par un effet de fluorescence la configuration interne des organes[26]. Avant l'introduction de cette technique, la radiologie des organes se limitait à la détection des calculs rénaux et biliaires. La radioscopie est largement utilisée, entre 1918 et 1924, avec plus de 450 examens annuels.

La radiologie deviendra un secteur essentiel de la pratique hospitalière et nombreuses seront les institutions qui se doteront d'un tel service à partir des années 1920. Quelques centres antituberculeux — institut Bruchési (1911), dispensaire de la Ligue antituberculeuse de Québec (1922), Hôpital Laval de Québec (1923), etc. — procèdent à l'organisation d'un tel service[27]. Les techniques radiographiques comportent toutefois certains risques. On connaît encore mal les effets d'une exposition répétée aux radiations, et les précautions minimales ne sont pas toujours observées. Il faut aussi souligner que la puissance des appareils radiologiques augmentera sensiblement et qu'en l'absence de connaissances précises sur l'effet de ces radiations, nombreux seront les radiologistes qui subiront les funestes conséquences d'une exposition fréquente. Le docteur Panneton, qui demeurera en service jusqu'en 1931, devait, selon certains témoignages recueillis par L. Deslauriers[28], porter des gants pour protéger ses mains et ses bras déjà largement brûlés par les radiations[29]. De même, l'un des assistants radiologistes de l'Hôpital Royal Victoria, le fils du docteur Girdwood, fut atteint d'un grave eczéma des mains et dut être amputé de quelques doigts[30].

L'organisation des services externes

Durant les premiers mois d'existence de l'hôpital, de nombreux patients indigents se présentaient pour des soins liés à des affections qui, selon les autorités médicales, «pouvaient se traiter à domicile[31]». Le médecin de service se bornait alors à distribuer «gratuitement les remèdes dont ils avaient besoin». L'affluence grandissante de ce type de patients nécessite bientôt l'ouverture, en décembre 1880, d'un dispensaire général pour les consultations externes et la prescription des médicaments. On inaugure là un service qui connaîtra une popularité considérable. Le dispensaire général, nous l'avons déjà souligné, est réservé aux seuls «malades pauvres et incapables de payer les soins d'un médecin». Les consultations leur sont données gratuitement sur présentation d'un certificat d'indigence.

Il y avait déjà à Montréal un certain nombre de dispensaires privés qui remplissaient sensiblement le même rôle que celui joué par l'Hôpital Notre-Dame. Durant les années 1870, le Dispensaire de Montréal, le Dispensaire des sœurs de la Providence et le dispensaire de l'Hôpital général de Montréal — le plus important[32] — desservent la population de la ville de

Montréal[33]. En 1878, le Dispensaire du Sacré-Cœur destiné aux pauvres est créé par les docteurs S. Gauthier et E. Plante. L'Hôpital général de Montréal n'ouvre le University Dispensary qu'un an avant la fondation de Notre-Dame. Dès sa première année d'activité, le dispensaire, financé par la faculté de médecine de l'Université McGill, éprouve déjà des difficultés à recevoir tous les malades indigents. Manifestement, ces dispensaires ne comblent pas tous les besoins, surtout en ce qui a trait à la population de l'est de Montréal. Soulignons d'ailleurs que l'Hôtel-Dieu de Montréal n'ouvrira ses premiers dispensaires qu'en 1896[34].

L'ouverture du dispensaire de l'Hôpital Notre-Dame arrive à point si l'on considère l'importance de la demande dès les débuts de l'hôpital et la croissance continue du nombre de patients indigents qui s'y présentent au cours de la période 1880-1924. Dès la troisième année de fonctionnement de l'hôpital, le nombre de consultations données au dispensaire général et au dispensaire des maladies des yeux et des oreilles s'élève à 11 029, soit une augmentation considérable, depuis leur ouverture, de 587 %. De tels chiffres sont éloquents et confirment la nécessité d'offrir ce type de service aux malades indigents. À partir de 1887-1888, et ce jusqu'en 1914, le nombre de visites aux services externes plafonne, faute de moyens, à 21 000. Les besoins en soins de santé des Montréalais sont tels que le service externe de l'Hôpital Royal Victoria reçoit à lui seul près de 32 000 patients[35]. Le cap des 30 000 consultations à l'Hôpital Notre-Dame ne sera franchi qu'en 1922. Plusieurs facteurs, sur lesquels nous reviendrons, expliquent l'accroissement des consultations externes durant les dix premières années et leur stabilisation subite durant les trois décennies subséquentes.

Au dispensaire général — qui s'était scindé en 1885 en services externes distincts de médecine et de chirurgie — s'ajoutent bientôt des dispensaires spécialisés tel le dispensaire d'électricité médicale ouvert en 1885 sous la direction du docteur Aubry. La même année, le bureau médical décide d'accorder les locaux nécessaires à la fondation d'un dispensaire pour les maladies des enfants, sous la direction de S. Lachapelle[36]; il n'ouvrira toutefois officiellement que le 1er juin 1887. Celui-ci aurait dû répondre à une demande très forte si l'on considère le taux très élevé de mortalité infantile à Montréal. Pourtant, en 1888, le nombre de consultations est si faible — seulement 165 sur les 20 577 consultations externes — que le docteur S. Lachapelle sollicite la permission d'en faire la promotion dans les journaux. On ne sait si la demande de Lachapelle a été acceptée, mais, l'année suivante, le nombre d'enfants aux consultations externes diminue à 159. La situation s'améliore sensiblement par la suite puisque, entre 1895 et 1913, le nombre de consultations tourne autour de 1300 avec une pointe de 1896 en 1911. Amélioration temporaire puisque de sérieux problèmes d'organisation et de disponibilité affectent les relations entre le bureau médical et le docteur S. Lachapelle. Celui-ci, trop occupé à ses nombreuses activités extérieures, néglige le service qui se retrouve bientôt dans un état précaire. Cette situation se traduit par une nouvelle diminution des consultations — 494 en 1916 et 333 en 1918 — qui entraîne, en 1919, la fermeture du service. Il ne sera rouvert qu'en 1924.

Le dispensaire des maladies des femmes, créé en 1889 sous la direction du docteur Brennan, précède de peu la mise en œuvre d'un tel service interne. Le nombre de visites annuelles à ce dispensaire connaîtra de nombreuses fluctuations malgré une progression générale constante des consultations qui passent de 639 en 1900 à 1706 en 1924.

Au cours de la décennie 1890, de nouveaux services externes voient le jour à la suite de pressions exercées par certains médecins spécialisés dans de nouveaux secteurs médicaux. En 1891, les autorités médicales décident d'ouvrir, à la demande du docteur G. Villeneuve, un dispensaire des maladies de la peau et lui en confient la direction; l'année suivante est mis sur pied un dispensaire des «affections dentaires» qui sera placé en 1904 «sous la direction des professeurs de l'École de chirurgie dentaire récemment organisée[37]». En 1896, le même docteur Villeneuve propose au bureau médical la création d'un service de consultation externe pour les maladies nerveuses et mentales. Le bureau médical accède à sa demande et procède à l'ouverture de ce service le 29 avril. On y accueille 3 patients le premier jour et 10 le second. En l'espace d'une décennie, le service augmente de 298 à 1071 le nombre de consultations annuelles qui, ensuite, se stabilise autour de 1100 jusqu'en 1923. Plusieurs personnes atteintes d'épilepsie, parfois recueillies par le service ambulancier, sont traitées en clinique externe. Au cours des deux décennies suivantes, faute d'espace et de moyens financiers, seulement deux nouveaux dispensaires seront créés.

Dix-sept ans séparent la fondation du dispensaire de radiologie, en 1903, à la suite des récents acquis de la technologie médicale, de la création du nouveau service des maladies vénériennes mis sur pied en 1920. La démobilisation consécutive à la fin de la Première Guerre mondiale a considérablement augmenté l'incidence de la syphilis en sol québécois. Dès le retour des soldats, la maladie se répand comme une traînée de poudre. Le problème est suffisamment grave pour que les autorités politiques interviennent. À la demande du gouvernement provincial qui offre une subvention de «plus ou moins 10 000 $[38]», l'Hôpital Notre-Dame décide de construire un édifice pouvant loger un dispensaire pour les maladies vénériennes. Le gouvernement, par l'intermédiaire du comité de la lutte antivénérienne[39], s'engage en outre à supporter tous les frais d'organisation. Cela permettra la rémunération des médecins attachés au dispensaire: 100 $ par mois pour le directeur et 50 $ par mois pour ses assistants. Ce dispensaire, réservé aux indigents, est mis sous la direction du docteur H. Desloges, puis, en 1922, sous celle du docteur G. Archambault. Ouvert de 10 heures à 13 heures les lundis, mercredis et vendredis, ce service externe répondra à une forte demande comme en témoignent les 37 476 consultations réparties comme suit entre 1921 et 1923: 11 815 consultations en 1921, 14 636 en 1922 et 11 025 en 1923.

Généralement, l'ouverture de dispensaires spécialisés devançait la mise en œuvre d'un service interne semblable. Les dispensaires ont constitué d'ailleurs au sein des hôpitaux généraux d'Amérique les premières structures de spécialisation de la pratique médicale[40]. L'Hôpital Notre-Dame ne fait pas exception. Outre leur fonction d'assistance, les dispensaires servaient aussi à l'enseignement clinique: les étudiants pouvaient observer certaines maladies spécifiques au sein de dispensaires spécialisés. Le University Dispensary de la faculté de médecine de l'Université McGill a été fondé principalement pour remplir cette fonction. Il est certain que l'ouverture des 11 dispensaires de l'Hôpital Notre-Dame entre 1880 et 1900, en plus d'être une solution au manque d'espace et de moyens financiers, répondaient à de telles motivations.

Les médecins pratiquant dans les dispensaires doivent satisfaire à peu de chose près aux mêmes exigences que les médecins des services internes. Cependant, avant la réforme de 1897, ils sont exclus du bureau médical. Le dispensaire général qui comprend les services de chirurgie et de médecine est sous la direction respective d'un chirurgien «visiteur» et d'un médecin «visiteur» qui doivent s'y présenter à heures fixes pour recevoir les malades. Il en est de même des autres dispensaires de taille plus restreinte. Des assistants seront graduellement nommés en fonction de la croissance des clientèles. La période de consultation est brève, se limitant généralement à une heure ou deux. En 1900, le dispensaire de médecine générale est ouvert pour consultation «tous les jours de la semaine» de 11 heures à 13 heures. Le dispensaire des maladies des enfants est ouvert les lundis, mercredis et vendredis de 15 h 30 à 16 h 30, sauf «les jours de fête et le Vendredi saint[41]». Généralement, l'inscription des patients s'effectue une demi-heure avant les périodes de consultation.

De nombreux problèmes affectent périodiquement la qualité des services externes. On se plaint que beaucoup trop de médecins s'absentent sans raison, arrivent en retard, repartent avant l'heure prévue, négligent de se faire remplacer ou visitent irrégulièrement leur service. À ces problèmes disciplinaires s'ajoute une pénurie de médecins que le bureau médical cherche à résoudre en publiant des avis dans les périodiques médicaux pour recruter des remplaçants. Mentionnons enfin les irrégularités reliées à la perception des paiements des malades qui obligent le bureau médical à réitérer l'obligation de remettre à la caisse de l'hôpital les sommes d'argent collectées. Mais de tels problèmes sont liés aux difficultés d'adaptation de médecins trop enclins à fonctionner selon des habitudes acquises en cabinet privé. Ces problèmes tendront néanmoins, durant les premières décennies du XXe siècle, à se résorber.

Les fonctions remplies par ces dispensaires dans leur champ propre sont à peu de chose près les mêmes: traitements et examens gratuits, opérations bénignes, pansements et prescription des médicaments. Jusqu'en 1900, les consultations et les remèdes dans ces dispensaires sont gratuits pour tous les malades qui ont en main un certificat d'indigence. Mais face à l'augmentation considérable du nombre de consultations et soupçonnant certains patients de commettre des fraudes, le bureau médical décide de réduire l'accessibilité aux soins gratuits. Une telle initiative se préparait depuis déjà un certain temps. En effet, dès 1896, le bureau médical priait les médecins d'éviter «de prescrire, quand l'intérêt du malade le permet, des remèdes trop dispendieux» et suggérait au bureau d'administration «de percevoir des malades une légère somme sur toutes les prescriptions remplies», mais à la condition expresse que «la chose ne soit pas en contradiction avec la conduite tenue par les autres hôpitaux publics[42]». Il semble bien qu'une telle mesure n'était pas conforme aux politiques des autres hôpitaux puisque l'Hôpital Notre-Dame n'appliqua pas immédiatement ladite recommandation. Cependant, un certain consensus à ce propos parmi les autorités hospitalières commençait à poindre.

Un mouvement de pression se développa à l'intérieur des bureaux de direction des hôpitaux de Montréal ainsi que parmi certains organismes médico-professionnels. Ce mouvement visait à renforcer les contrôles et ainsi à limiter l'accessibilité aux soins gratuits d'une catégorie de patients qui, selon les autorités médicales, abusaient d'un système trop libéral. En 1898, la Société médico-chirurgicale de Montréal, constatant «les abus qui ont lieu dans les dispensaires des hôpitaux», formule une demande pour que «chaque hôpital nomme des représentants pour former un comité chargé d'étudier les moyens à prendre pour mettre fin au traitement gratuit des malades riches dans les dispensaires et les hôpitaux de Montréal[43]».

L'Hôpital Notre-Dame délègue à ce comité le président Rottot, le surintendant Lachapelle et le docteur Marsolais. Nous ignorons ce qu'il est advenu de ces réunions, mais nous pouvons présumer qu'elles ont contribué plus ou moins directement aux mesures prises par l'Hôpital Notre-Dame en 1900. En effet, cette année-là, le bureau médical demande aux médecins et aux hospitalières de faire preuve d'une plus grande sévérité dans l'acceptation des certificats, d'exiger désormais cinq «centins» par prescription remplie et de faire preuve «d'une économie plus grande dans la dispensation des remèdes[44]».

L'initiative semble avoir donné les résultats escomptés puisque Lachapelle annonce dans le rapport annuel de l'année d'activité 1900-1901 une diminution sensible du nombre des consultations qui fléchissent de 21 818 à 20 078. Or, selon le surintendant, cette diminution «est due à ce que nous apportons une sévérité plus grande dans l'acceptation des certificats de pauvreté[45]». La restriction s'appliquant aux remèdes donne aussi les résultats attendus puisqu'on enregistre une diminution par rapport à l'année précédente de 3621 prescriptions en 1900 pour une économie de 373,75 $ et une nouvelle baisse l'année suivante de 3746 prescriptions. Ce sont là les premières mesures de restriction des soins aux malades indigents à l'Hôpital Notre-Dame. D'autres suivront peu après. En 1925, un comité est mis sur pied par le bureau médical pour faire rapport sur les moyens «pour combattre l'abus de la charité par les faux pauvres». Il est alors suggéré que le président du bureau médical rencontre les membres des bureaux médicaux de l'Hôtel-Dieu et de l'Hôpital Sainte-Justine «afin d'obtenir une action conjointe dans la lutte contre ces abus[46]».

Le service ambulancier

La réponse positive des indigents en regard des soins offerts par l'Hôpital Notre-Dame oblige ses dirigeants à repenser constamment les moyens d'intervention médicale et à rechercher des solutions susceptibles de se révéler originales et novatrices dans le champ médical québécois. L'une de ces innovations est la mise sur pied d'un service d'ambulance en 1885 «pour faciliter le transport rapide des blessés et pour hâter l'institution des soins[47]». La décision de doter l'hôpital d'une ambulance a été prise lors de la réunion du bureau d'administration du 29 septembre 1884. L'Hôpital Notre-Dame se procure un cheval et décide, pour réduire les coûts, de commander la construction de l'ambulance à un charpentier au prix de 200 $. Le service est mis en activité dès que la voiture est livrée en 1885[48]. Le mode de fonctionnement du service est simple:

> L'appel en est fait par le téléphone; en moins de 2 minutes, la voiture est en route vers le lieu de l'accident avec le

médecin interne de l'hôpital. Depuis 3 mois, il ne s'est guère passé une journée sans que l'ambulance n'ait été appelée quelque part[49].

En fait, le nombre total de sorties pour l'année 1886 est de 206 et, si l'on considère que certains jours sont plus occupés avec quatre ou cinq appels, bien des journées sont libres de toute sortie. Six ans plus tard, le nombre de sorties aura triplé avec 642 parmi lesquelles 413 sont requises pour des accidents survenus dans l'est de Montréal[50]. Comme le montre le graphique 5, la croissance sera continue jusqu'en 1913 avec un plafond de 1524 appels pour une moyenne quotidienne de 4 appels. Les accidents du travail constituent la majorité des recours au service ambulancier. Les accidents graves survenus dans les scieries, les manufactures ou les industries tels que doigts coupés, mains broyées ou pieds écrasés ponctuent le registre des ambulances. Ces cas nécessitent souvent l'amputation au service chirurgical de l'hôpital[51]. Soulignons que plusieurs jeunes employés, âgés de 12 à 14 ans, sont victimes de ces accidents graves.

Les fractures et contusions graves sont fréquentes parmi les employés de la Canadian Pacific Station, rue Hochelaga, de même que sur les quais de l'est de Montréal lors de déchargements de bateaux, à cause de nombreuses chutes de charge. L'un est frappé mortellement à la tête par des rails, un autre reçoit un sac de sel sur la jambe, un troisième est frappé par une pièce de bois et doit subir l'amputation d'un pied. Nombreux sont aussi les patients qui, en sautant des trains ou des tramways en marche, se retrouvent avec une jambe broyée ou fracturée. De nombreuses chutes de voiture occasionnées par un conducteur imprudent, par des chevaux trop nerveux ou encore par les facéties de jeunes adolescents ont des conséquences fâcheuses et requièrent les services de l'ambulance.

Il arrive aussi que l'on fasse appel à l'ambulance pour des blessures causées par des armes à feu, souvent accidentellement — un père tire une balle dans l'œil de son fils de 12 ans alors qu'il nettoie son arme — et quelquefois intentionnellement, parfois dignes des westerns américains: le 4 novembre 1888, le jeune A. Trudeau, 13 ans, s'amusait avec un de ses amis

GRAPHIQUE 5

Service ambulancier, 1886-1924

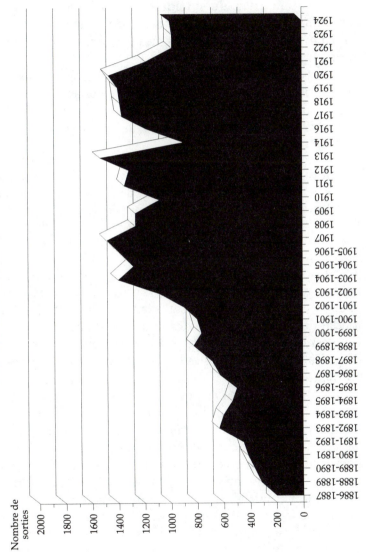

«lorsque deux individus armés l'un d'un pistolet, l'autre d'une petite carabine passant près d'eux, déchargent leurs armes[52]». Le jeune Trudeau s'en tire avec une blessure grave à la jambe pendant que l'autre réussit à s'enfuir. Des cas d'épilepsie et certaines tentatives de suicide demandent aussi le recours à l'ambulance. Quelquefois aussi, les ambulanciers sont appelés pour porter secours à des femmes gravement battues par leur mari.

Cependant, il n'est pas certain que la population de Montréal ait bien saisi la fonction exacte de cette ambulance. La proportion des appels classés inutiles par les autorités de l'hôpital, entre 1892 et 1913, tourne autour de 20 %, ce qui justifie cette mise au point des autorités:

> Il y aurait une suggestion importante à faire au public au sujet de ce service. On le prierait de ne demander l'ambulance que pour des cas qui en ont véritablement besoin et de veiller à ce que *la demande au téléphone soit faite par une personne compétente et responsable et non par le premier venu*[53].

Trop de gens, semble-t-il, appellent l'ambulance pour «des personnes ivres», des «chicanes conjugales», des «femmes apeurées» ou des «chutes insignifiantes». Près de 30 ans après la fondation du service, 24 % des appels sont encore jugés inutiles. Ce n'est qu'à partir de 1918, avec une faible proportion de 3 % d'appels jugés inutiles, que le service acquiert une plus grande efficacité.

Malgré quelques critiques formulées çà et là, notamment celles de certaines associations qui, soucieuses du bien-être des animaux, se plaignent du traitement infligé aux chevaux tirant les ambulances par des conducteurs jugés un peu trop fougueux, le service n'en est pas moins appelé à un bel avenir. Déjà en 1894, une autre ambulance est mise à la disposition de l'hôpital civique pour les maladies contagieuses grâce à un subside annuel de la Ville de Montréal «d'au moins 500 $ […] afin d'aider à payer une partie des dépenses qu'impose ce service d'ambulances tenu au bénéfice de la municipalité[54]». Ce service était offert de concert avec l'Hôpital général de Montréal. Au début de la décennie, ce dernier et l'Hôpital Notre-Dame fournissent «pratiquement à eux seuls le service des accidents dans la ville de Montréal[55]». Durant l'année d'activité 1902-1903, la demande est suffisamment importante — avec plus de 1000 appels — pour que l'Hôpital Notre-Dame acquière deux nouvelles voitures et quatre nouveaux chevaux. Quatre ans plus tard, l'hôpital donne à la firme Halpin et Vincent le contrat pour le service d'ambulance[56]. L'ère des ambulances à chevaux n'aura duré qu'une trentaine d'années puisque l'Hôpital Notre-Dame se dote en 1917 d'une «ambulance automobile[57]». À partir de 1926, l'hôpital — qui possède déjà trois ambulances automobiles offertes par la compagnie Monty, Lefils et Tanguay — offrira un service ambulancier plus rapide et plus efficace.

La mise en place du service ambulancier vise aussi à encourager la fréquentation de l'hôpital chez les patients en mesure de payer leur hospitalisation. Aussi souligne-t-on que l'ambulance sert également à transporter «aux taux ordinaires» les malades privés. Les débuts d'un tel service sont prometteurs avec un peu plus d'une centaine d'appels entre 1892 et 1897, ce qui constitue près de 20 % de la demande. Jusqu'en 1914, les voyages privés constituent plus du tiers des sorties. Mais après la Première Guerre mondiale, une telle demande augmente considérablement au détriment des appels pour les accidents. Déjà en 1920, les sorties pour accidents ne constituent plus que 39 % des appels totaux contre 60 % pour les voyages privés. En 1923 la tendance s'accentue: les accidents ne comptent plus que pour 21 % des appels contre 72 % pour les demandes privées. Cette tendance fait suite, en partie, à la nouvelle loi sur l'assistance publique de 1921. Il est probable aussi que l'acquisition d'une ambulance automobile plus confortable ait favorisée la demande de la part des gens en mesure de payer le service.

Le personnel médical et infirmier

Les catégories d'intervenants

LES MÉDECINS

Les services médicaux de l'Hôpital Notre-Dame sont organisés, durant les premières années, selon une hiérarchie assez simple. Cette organisation vise surtout à délimiter une responsabilité partagée des tâches pratiques effectuées par les différents médecins présents sur la scène hospitalière. Les postes de médecin ou chirurgien «consultant», «visiteur» ou «interne» sont attribués selon des critères de compétence ou d'ancienneté[58]. Chapeautés par le bureau médical, ceux-ci veillaient à assurer les soins nécessaires aux différents types de malades hospitalisés.

La principale catégorie est formée des médecins et chirurgiens visiteurs. Tous membres du bureau médical, ceux-ci sont en fait les chefs des différents services de l'hôpital et «en [ont] le contrôle absolu». C'est à eux qu'incombe la visite, aux heures prescrites par le bureau médical, des patients indigents des salles communes. Ils doivent alors établir le diagnostic et le pronostic, effectuer les opérations nécessaires, prescrire les soins ultérieurs, s'assurer «du bon ordre de leurs services respectifs» — propreté, température et ventilation des salles — et «faire rapport de toute négligence au surintendant[59]». Les chefs de service doivent cependant rendre compte au bureau médical des changements apportés à leurs services. Mais si leurs responsabilités sont importantes, leur pouvoir ne l'est pas moins. Ils peuvent suspendre «toute personne attachée à leur service qui ne remplit pas son devoir d'une manière satisfaisante[60]». Ils ont aussi la possibilité de se choisir autant d'aides qu'ils le jugent nécessaire parmi les étudiants en médecine de la succursale de l'Université Laval à Montréal et «leur assigner les devoirs qu'ils jugent à propos, sous la direction des assistants médecins visiteurs». Ces derniers, sous l'autorité du chef de service, participent aux tâches énumérées ci-dessus. Cependant, en l'absence du chef de service, c'est l'assistant du médecin visiteur qui prend la direction du service. Le nombre des assistants croîtra de façon importante au début des années 1900.

Le médecin «interne» ou «résident» et ses assistants constituent en quelque sorte le pivot des activités médicales quotidiennes et assument en conséquence des responsabilités passablement lourdes. Désignés annuellement par le bureau médical, les candidats doivent être diplômés universitaires et licenciés du Collège des médecins et chirurgiens de la province de Québec. Ils sont tenus, comme cela se faisait encore fréquemment au début du siècle selon les règles éthiques de la profession, de «présenter au bureau médical des certificats de bonne mœurs et de bonne conduite». Astreints à résider à l'hôpital et rétribués selon un salaire annuel fixe, ils ne peuvent en aucun cas exercer en dehors de l'hôpital ni percevoir quelque honoraire que ce soit dans l'exercice de leurs fonctions. Le médecin interne et l'assistant interne ne peuvent non plus «s'absenter en même temps», de façon que les malades soient «toujours sûrs de recevoir des secours immédiats, jour et nuit en cas d'urgence[61]». Cette assignation à résidence, relativement récente dans l'histoire hospitalière, vise à assurer un service médical interne continu de jour et de nuit. On le comprend puisque c'est d'eux que dépendent toutes les admissions des patients indigents et payants. Ils sont aussi tenus de visiter les salles «au moins deux fois par jour, le matin et le soir[62]». Ils ont en outre, sous l'autorité du bureau médical, «le contrôle exclusif de l'administration interne de l'hôpital[63]». Ils doivent aussi s'assurer que toutes les prescriptions et ordonnances établies par les médecins de service soient «fidèlement remplies et exécutées». Aucun malade ne quitte l'hôpital sans que le médecin interne ou son assistant en soit averti. C'est aussi à lui qu'incombe la responsabilité de veiller à ce que les ordres ou prescriptions des chefs de service soient rigoureusement observés. Le médecin interne et les assistants servent d'une certaine manière d'intermédiaires entre les chefs de service et les hospitalières.

À partir des années 1890, les services médicaux internes de l'Hôpital Notre-Dame ne peuvent être assurés par les seuls médecins visiteurs, consultants ou internes[64]. L'augmentation des admissions, qui ont déjà doublé en une décennie appelle chez les dirigeants médicaux certains ajustements. Certes, s'ajoutent bientôt quelques nouveaux chefs de service et de nouveaux assistants internes pour répondre à l'accroissement de la clientèle et à la création des nouveaux services. Mais cela ne suffira pas à combler tous les besoins. Doit-on engager de nouveaux spécialistes? Peut-être, mais qui pourrait en supporter les coûts? Il faudra attendre une réorganisation structurelle de l'hôpital et de son mode de financement pour que l'on envisage l'engagement à grands frais de nouveaux spécialistes. En attendant, l'on se contentera de solutions modestes mais qui ont le mérite de s'avérer fort peu dispendieuses pour la trésorerie de l'hôpital.

Ainsi, dès 1890, le bureau médical décide de créer un service d'externat pour alléger la tâche des médecins de service et des internes de l'hôpital. Il s'agit de recruter des finissants des écoles de médecine intéressés à faire un stage de deux mois sous la direction des chefs des service de chirurgie, de médecine, de gynécologie et autres. Les stages peuvent aussi être effectués dans les dispensaires. Chacun des étudiants se voit décerner à la fin du stage un certificat d'externat. La création d'un tel service a le double avantage de procurer aux médecins une aide peu onéreuse et de fournir aux étudiants une expérience pertinente en milieu hospitalier. Une telle initiative est reprise en 1899 lorsque l'École des infirmières, fondée en 1897, ouvre ses portes aux étudiantes laïques. Celles-ci, tenues de faire un apprentissage bénévole au sein des différents services de l'hôpital, contribueront à alléger la tâche des hospitalières et le fardeau financier de l'institution. En 1910, treize étudiantes infirmières touchent un salaire mensuel de 5 $, «leur éducation étant [encore] considérée comme leur salaire[65]». Le service de chirurgie palliera aussi le manque de personnel en créant en 1905 deux nouvelles catégories d'intervenants, les «chirurgiens-internes-résidents» et les «chirurgiens-internes-non résidents». Cette initiative permet de faire face, à peu de frais, à la croissance des cas chirurgicaux dans la première décennie du siècle[66]. De telles pratiques montrent aussi l'attrait qu'exerce de plus en plus l'hôpital chez les étudiants en médecine, en chirurgie et en technique infirmière.

LES SŒURS GRISES ET LES INFIRMIÈRES LAÏQUES

Les sœurs grises constituent le noyau central de l'assistance médicale au sein de l'hôpital. Œuvrant tantôt comme infirmières, tantôt comme pharmaciennes, elles possèdent une solide expérience hospitalière acquise à l'Hôpital de la Charité. Bien préparées à assurer les soins aux malades[67], les religieuses ont aussi pour rôle de réconforter les âmes. S'il n'y a pas toujours conflit entre les deux objectifs, elles doivent néanmoins «pour arriver au salut des âmes, [...] se résigner à satisfaire aux exigences de la science[68]».

Jusqu'au début du XXe siècle, une quinzaine de religieuses résident à l'hôpital. C'est à elles que reviennent la gestion interne de l'institution, les soins donnés aux malades et l'engagement du personnel. Les principales activités de soins se répartissent entre la distribution des repas aux malades, la distribution des médicaments et l'application des traitements. Elles assurent les soins courants avec une relative autonomie sauf en ce qui a trait aux actes médicaux qui sont contrôlés de près par les médecins. Elles sont en contact étroit avec les patients, les médecins et les employés, voient à «l'administration intime» de l'hôpital, remplissent les fonctions d'infirmières, de ménagères, d'éducatrices, de cuisinières. Elles veillent au bon fonctionnement des différents services et dispensaires, s'occupent du «nursing», embauchent et licencient le personnel, tiennent les registres d'admission des patients, pourvoient aux achats de toutes sortes, etc. Dès la fondation de l'hôpital, la congrégation affecte au soin des patients de la nouvelle institution 14 sœurs dont une supérieure et une assistante. Elles ont la confiance du bureau d'administration. D'ailleurs, elles collaborent étroitement avec ce dernier. Celui-ci sollicite souvent leur aide lorsque des problèmes se présentent au sujet du matériel à acheter et du personnel à engager. Malgré la liberté dont disposent les sœurs en ce qui concerne l'administration journalière de l'hôpital, le bureau d'administration doit être consulté lorsque d'importantes dépenses ou des modifications à l'équipement utilisé s'imposent. Lors de ces consultations, la déférence marquée par les administrateurs à leur égard est manifeste.

Avant l'ouverture de la première école d'infirmières canadienne-française à l'Hôpital Notre-Dame en 1898, la formation des infirmières relevait à la fois d'un savoir acquis par l'expérience et de quelques cours médicaux dispensés par les médecins. De 1898 à 1903, les sœurs grises constitueront les seules infirmières diplômées de l'institution[69]. Quelques-unes d'entre elles ont par ailleurs reçu un tel diplôme à l'étranger. Soucieuses de parfaire leurs connaissances, plusieurs d'entre elles participent à certaines réunions regroupant des sœurs hospitalières de plusieurs communautés. Ces réunions ont généralement pour objectif d'assurer aux différentes intervenantes du milieu hospitalier les moyens de s'adapter à la «vogue académique» et d'uniformiser leurs savoirs et leurs techniques[70].

Plusieurs écoles d'infirmières attachées à des institutions hospitalières anglophones ont été fondées durant la décennie 1890 — Hôpital général de Montréal (1890), Hôpital Royal Victoria (1893), Homoeopathic Hospital (1895[71]) — mais il n'existe aucune école semblable pour les francophones. À l'automne 1897, la supérieure générale des sœurs grises rappelle à Montréal sœur Élodie Mailloux, infirmière diplômée de l'Hôpital Saint-Vincent de Toledo aux États-Unis, afin de lui confier la tâche de mettre sur pied une école d'infirmières à l'hôpital. Avec l'évolution des techniques médicales, la complexification des soins et l'augmentation de la clientèle hospitalière, la présence d'une telle institution s'impose depuis déjà un certain temps. Mais il semble que le manque d'argent et de logements propices pour loger les élèves infirmières ait retardé la réalisation d'un tel projet[72]. Sœur Mailloux met rapidement en place, avec la collaboration des médecins de l'hôpital, le programme d'enseignement, et l'école ouvre ses cours en 1898 aux sœurs hospitalières. L'année suivante seront accueillies les premières candidates laïques.

Les postulantes, qui ont généralement entre 17 et 19 ans, sont acceptées en fonction de leur bonne éducation, de leur santé[73], de leur goût du dévouement, de «l'amour raisonnable de l'étude», de leur maturité et doivent enfin savoir bien lire et écrire. Les élèves infirmières sélectionnées sont d'abord admises à une période de probation d'une durée de quatre mois durant laquelle elles apprennent les rudiments des soins aux malades. Elles ne seront acceptées définitivement qu'après avoir reçu la sanction des sœurs si celles-ci jugent leurs aptitudes adéquates. Le cycle des cours pour l'obtention du diplôme d'infirmière s'échelonne sur trois ans. La première année comprend surtout des cours théoriques alors que les deux années suivantes sont dans l'ensemble consacrées aux soins pratiques. Les abandons des élèves durant la première année ne sont guère prisés des hospitalières, car c'est la période où l'hôpital «retire le moins de services de la part de l'étudiante[74]». Avec le développement des spécialités au sein de l'hôpital, l'enseignement théorique aux étudiantes tendra à s'accroître sensiblement. L'École continuera de progresser sous la direction de sœur Albertine Duckett à qui reviendra le mérite d'avoir écrit, en 1905, le premier manuel d'études en français, à l'usage des étudiantes.

En plus d'un apprentissage technique et scientifique, le programme des études intègre des dimensions humanitaires, chrétiennes et morales. Non seulement faut-il former de bonnes techniciennes, mais il faut aussi leur inculquer un esprit de dévouement, de discrétion et, qualité jugée essentielle, de soumission: «Nous devons être [envers les médecins] prudentes, discrètes, réservées. Ne rien dire qui pourrait être l'ombre d'une critique de quoi que ce soit[75].»

Les élèves sont tenues de loger dans une résidence qui leur est assignée près de l'hôpital. Au début des années 1920, une soixantaine d'étudiantes sont logées dans une maison plutôt délabrée constituée de petits dortoirs de deux, quatre ou six lits. Elles ne disposent que de peu de matériel d'études et les locaux réservés aux cours s'avèrent plutôt inadéquats. Ni salle d'étude, ni laboratoire, ni salle de démonstration n'est à leur disposition. Quant à la bibliothèque, les ressources documentaires y sont minces.

En 1922, l'École, qui doit l'organisation de l'enseignement supérieur qui y est dispensé aux sœurs Albertine Duckett et Mathilde Fafard, s'affilie à l'Université de Montréal. Cette dernière délègue à la faculté de médecine la responsabilité de l'élaboration des programmes de cours donnés aux élèves infirmières. Cette affiliation faisait suite à un amendement à la loi créant l'Association des gardes-malades enregistrées de la province de Québec votée en 1920 qui confie à ses soins l'enregistrement officiel des infirmières au sein de la profession. Or l'amendement permet aux élèves infirmières des écoles affiliées à une université qui établissent un programme conforme à celui désiré par l'Association d'être reconnues automatiquement par l'Association, sans examen préalable d'admission.

D'une façon générale, à partir des années 1920, les infirmières laïques s'approprieront peu à peu le contrôle de leur profession. Leurs rôles et leurs fonctions d'assistance médicale seront de moins en moins subordonnés aux sœurs hospitalières

et davantage liés au pouvoir médical de l'institution hospitalière jusqu'à ce qu'elles élaborent elles-mêmes leurs programmes de cours et forment leurs propres cadres et enseignantes. Bien sûr, ce processus s'étend sur une longue période
et n'en est qu'à ses débuts au cours de la première phase de
l'histoire de l'Hôpital Notre-Dame. Entre-temps, une étroite
collaboration, bien que ponctuée de frictions, s'instaurera entre
les sœurs hospitalières et les infirmières laïques pour assurer
aux malades les meilleurs soins possible.

Évolution du rôle et du pouvoir du personnel médical

La structure hiérarchique de la profession médicale variera
peu jusqu'en 1924. L'augmentation du nombre de chirurgiens,
médecins et étudiants dans les salles de l'hôpital ne modifie en
rien le partage des responsabilités. À peine suscite-t-elle le
besoin de revoir la représentation des médecins au sein du
bureau médical. Il faut cependant se garder d'exagérer la
stabilité et la qualité des services médicaux. Les problèmes sont
nombreux et les ajustements constants. L'encadrement des praticiens de l'hôpital par le bureau médical se fera de plus en plus
insistant et modifiera peu à peu le rôle et la fonction des médecins dans l'institution. Des débuts de l'hôpital au grand
déménagement de 1924 s'effectue progressivement la transition
d'un contrôle de l'hôpital par un groupe de médecins vers un
contrôle des médecins par l'hôpital. Le renversement est important. Les contingences institutionnelles prendront progressivement le pas sur les intérêts, les habitudes et les objectifs
individuels des médecins de l'hôpital.

Durant les deux premières décennies, les plaintes et les
incidents concernant la pratique médicale au sein de l'hôpital
ponctuent les procès-verbaux du bureau médical. Les critiques
sont surtout adressées aux internes à qui l'on reproche de ne
pas respecter les règlements. À partir de 1885, il est décidé que
deux membres du bureau médical feront mensuellement la
visite de l'Hôpital Notre-Dame et rédigeront un rapport de
leurs observations. Les mandataires ne manquent pas de
souligner les nombreuses «irrégularités» dans les services internes et de formuler de sévères critiques à l'endroit des

internes: absences non motivées, remplacements non autorisés, perception illégale de revenus, inscriptions négligées et incomplètes des patients, etc. Mais ces reproches peuvent tout aussi bien s'appliquer aux médecins résidents qu'aux chefs de service[76]. Le bureau médical décide, devant de telles irrégularités, d'imposer au personnel médical de nouvelles contraintes. Les médecins devront signer un livre d'assiduité et d'enregistrement, lequel est déposé au bureau des médecins; de plus, chaque service devra dorénavant afficher les règlements de l'hôpital et les chefs de service devront donner un avertissement aux fautifs.

Mais ce ne sont là que des mesures fort timides qui n'améliorent guère la situation. En 1896, le docteur Brosseau rapporte au bureau médical que, faute de personnel, les «pansements sont mal faits et les malades négligés[77]». Malgré la plainte de Brosseau, aucune véritable mesure de correction n'est adoptée. Ce sont de tels problèmes qui entraînent la formation en 1896 d'un comité pour étudier la refonte des règlements de l'hôpital. En fait, le problème prend sa source dans l'individualisme de certains médecins qui pratiquent à l'hôpital comme ils l'ont toujours fait à leur bureau privé. Respectant peu les horaires, peu soucieux de bien rédiger les rapports d'observation des patients, rébarbatifs à toute autorité, ne prisant guère les collaborations et souvent peu réceptifs aux nouveautés médicales, ces médecins considèrent souvent l'hôpital comme une extension de leur clinique privée ou une simple salle de classe pour l'enseignement clinique. Il faut donc que le bureau médical, pour resserrer l'encadrement des praticiens, adopte une réglementation plus stricte et fasse montre d'une plus grande rigueur dans le respects desdits règlements.

La réforme des statuts et règlements de 1897 répondra partiellement à ces nécessités. D'innombrables mesures de correction doivent être prises en vue d'améliorer l'organisation interne des soins: formation de comités d'enquête, modifications de règlements, adoption de mesures disciplinaires, mise en vigueur d'un code d'éthique défraient la chronique mensuelle des procès-verbaux du bureau médical. Un comité, mis sur pied en 1899, fait état au bureau médical de l'insalubrité des chambres du service de gynécologie. Un règlement adopté en 1897 oblige les médecins de service à partager «les honoraires qu'ils reçoivent des malades capables de payer, afin d'indemniser l'hôpital pour le local, les instruments et les médicaments que l'institution fournit trop souvent gratuitement». Il est aussi décidé:

> que le médecin-interne et ses assistants, vu qu'ils sont rémunérés, le premier par un traitement et tous par la pension et le logement, doivent et devront à l'avenir transmettre à la prieure tous les honoraires, dons ou gratifications qu'ils recevront; qu'ils ne devront pas prescrire en dehors des heures de dispensaires; qu'ils ne devront pas traiter des malades en dehors de l'Hôpital et qu'ils devront fournir, sur une formule à cet usage, un bulletin quotidien de tous les argents qu'ils recevront [...]. Que les honoraires reçus pour les certificats de mortalité doivent revenir à l'Hôpital. Une infraction à cette résolution de la part du Médecin ou de ses assistants sera un motif suffisant de démission[78].

Un tel exemple illustre le resserrement de l'organisation interne de l'hôpital. La structure des soins obéira de plus en plus à des normes institutionnelles qui heurtent les habitudes et les représentations de plusieurs médecins de l'hôpital. En 1902, des patients font part de leur mécontentement à l'endroit du docteur Curran «qui ne parle pas français et ne peut se faire comprendre par les malades et qui refuse l'aide d'un assistant au dispensaire tel que prévu dans les règlements». Les membres du bureau médical font comparaître Curran et lui font savoir qu'il est de l'intérêt de l'hôpital, des malades, des étudiants et des médecins eux-mêmes d'avoir recours aux assistants. La note au procès-verbal sur les résultats de la discussion est laconique: «Curran se plie à la décision du bureau médical[79].» En 1908, l'admission des patients dans les dispensaires cause un problème délicat. C'est que, selon le note du secrétaire, «la Sœur collecte à l'entrée des pauvres et d'autres les collectent à leur sortie[80]». Cette situation, ajoute-t-on, «est un abus et un ennui à la fois[81]». Un comité formé d'un médecin de chaque dispensaire est alors chargé de trouver une solution.

Les exemples précédents illustrent le conflit latent entre les nouvelles exigences administratives et organisationnelles engendrées par la médicalisation accrue d'un hôpital et les pratiques usuelles de certains de ses membres. Le bureau médical, tout en se montrant plus ferme et plus déterminé à régir la pratique médicale au sein de l'hôpital, doit néanmoins prendre garde de heurter les susceptibilités de praticiens qui, somme toute, travaillent la plupart du temps bénévolement à l'hôpital. Subtilement, les membres du bureau médical font reposer sur les praticiens de l'hôpital le choix des solutions aux problèmes qui les concernent tout en se gardant le droit de sévir avec vigueur. En 1922, le docteur E.-P. Benoit déclarait que l'hôpital a surtout besoin d'hommes

> compétents, honnêtes, résolus à travailler en collaboration, décidés à tenir l'intérêt général au-dessus de l'intérêt particulier, s'appliquant à assurer l'efficacité des services et sachant respecter l'honneur d'une institution, ambitieux également d'agrandir le champ d'action et d'augmenter le prestige de l'hôpital[82].

Les relations entre les diverses catégories de médecins et l'institution hospitalière se modifient sensiblement au profit d'un pouvoir moral et administatif accru des directeurs du bureau d'administration, du bureau médical et du conseil médical.

C'est que l'institution hospitalière, désireuse de s'adapter au progrès de la science médicale et à l'augmentation de la clientèle, définit des exigences qui obligent ses dirigeants à encadrer davantage la pratique médicale. Une telle attitude rencontrait les aspirations professionnelles d'un groupe de praticiens qui s'efforçaient de transformer l'hôpital selon leurs besoins[83]. Mais, nous le verrons, quoique les structures et les savoirs se transforment, nombreux sont les médecins qui auront du mal à se défaire d'une pratique traditionnelle et à se conformer mentalement aux nouvelles exigences médicales. À bien des égards, le partage entre l'ancien et le moderne n'est pas encore consommé. Au moment même où la création de services correspond au désir de jeunes médecins, fraîchement spécialisés, de promouvoir un nouveau champ médical[84], d'autres voient d'un mauvais œil la diminution, durant les deux premières décennies du XXᵉ siècle, du nombre d'omnipraticiens au sein de l'hôpital. Néanmoins, l'idée exprimée par Brosseau en 1880 selon laquelle «la médecine est une seulement[85]» s'affaiblira à partir du moment où l'interaction réciproque entre la demande croissante de soins de la population et l'ouverture de nouveaux services internes et externes de l'hôpital s'inscrivent dans la logique même d'un hôpital qui a pour double fonction de soigner les malades et de servir la science médicale.

Notes

1. RAHND, 1922, p. 40.

2. L'accroissement des admissions est beaucoup plus important à l'Hôpital Royal Victoria qu'à l'Hôpital Notre-Dame. Soulignons que le premier possédait des moyens financiers supérieurs au second.

3. Cela n'est pas particulier à l'Hôpital Notre-Dame. Depuis le XVIIIᵉ siècle, les dispensaires ont constitué dans la plupart des pays occidentaux un terrain complémentaire très important pour l'observation et l'expérience cliniques ainsi que pour la formation. (Voir O. Keel, *Cabanis et la généalogie de la médecine clinique*.)

4. Les services de médecine et de chirurgie de l'Hôpital Notre-Dame monopoliseront, jusqu'à la fondation du nouvel hôpital, plus de 70 % des lits.

5. La fondation de ce service suit de peu la mise sur pied à l'Hôpital général de Montréal du *eye and ear department* sous la direction du premier spécialiste en ce domaine, le docteur F. Buller. (Voir D. S. Lewis, *History of the Royal Victoria Hospital, 1887-1947*, p. 39.)

6. RAHND, 1909, p. 104.

7. RAHND, 1902-1903, p. 83; 1909, p. 102; 1916, p. 111.

8. En 1889-1890, on compte 111 cas de gynécologie qui occupent les lits du service de médecine.

9. C'est le docteur W. Gardner, professeur de gynécologie à l'Université McGill, qui en assume la direction. En 1885, il devient le premier médecin à abdiquer la pratique de la médecine générale pour s'adonner entièrement à la gynécologie. (Voir D. S. Lewis, *op. cit.*, p. 39.) Pour une histoire détaillée du service de gynécologie à l'Hôpital Notre-Dame et du développement de cette spécialité à Montréal, voir L. Brodeur, *Les débuts de la spécialisation de la gynécologie au Québec: 1880-1920. Médicalisation de la femme et consolidation de la profession médicale*.

10. *Statuts et règlements de l'Hôpital Notre-Dame*, 1899, p. 30.

11. Voués au développement de la gynécologie, tous trois seront associés à la fondation de certains hôpitaux privés spécialisés dans les «maladies des femmes». (Voir L. Brodeur, *op. cit.*, p. 172 et 187.)

12. C. Rosenberg, *The Care of Strangers. The Rise of America's Hospital System.*

13. Voir D. Goulet et G. Rousseau, «L'émergence de l'électrothérapie au Québec, 1890-1910», p. 155-172.

14. Ce n'est, semble-t-il, qu'en 1901 que le docteur Girdwood revient d'Angleterre avec un équipement électrothérapeutique et qu'est fondé un service d'électrothérapie à l'Hôpital Royal Victoria. Ce service sera surtout consacré au traitement des maladies de la peau. (Voir D. S. Lewis, *op. cit.,* p. 156.)

15. RAHND, 1887-1888, p. 15.

16. *Ibid.*

17. L'année précédente l'Hôpital général de Montréal avait créé un service de radiologie. D. S. Lewis fait état de l'ouverture d'un service d'électroradiologie à l'Hôpital Royal Victoria en 1901. Il mentionne que les examens diagnostiques aux rayons X étaient confiés entre 1896 et 1901 au docteur Girdwood qui possédait un tel appareil dans son laboratoire. (Voir D. S. Lewis, *op. cit.,* p. 155-156.) Le service d'électroradiologie de l'Hôtel-Dieu de Montréal n'est mis sur pied qu'en 1919. L'Hôtel-Dieu de Chicoutimi n'ouvre son service de radiologie qu'en 1922.

18. La première utilisation des rayons X comme procédé diagnostique à l'aide d'une plaque photographique suit de peu la découverte de Röntgen. En 1896, M. I. Pupin est le premier Américain à utiliser un tel procédé diagnostique. La première utilisation diagnostique des rayons X en territoire québécois a eu lieu à l'Hôpital général de Montréal en février 1896 pour la localisation d'une balle logée dans une jambe. L'investigation radiologique est faite conjointement par le physicien J. Cox et le surintendant de l'hôpital, le docteur R. C. Kirkpatrick. Un article paraît dans le *Montreal Medical Journal* en mars 1896, intitulé «A new photography with report of a case in which a bullet was photographed in a leg». (Voir D. S. Lewis, *op. cit.,* p. 155, et Y. Gingras, «La réception des rayons X au Québec: radiographie des pratiques scientifiques», dans M. Fournier *et al.* [dir.], *Science et médecine au Québec: perspectives sociohistoriques,* p. 72 et suiv.)

19. RAHND, 1898-1899, p. 8.

20. Voir à ce propos D. Goulet et G. Rousseau, *op. cit.*

21. PVCMHND, 9 février 1931.

22. *Ibid.*

23. *Annuaire de l'École de médecine et chirurgie de Montréal. Faculté de médecine de l'Université Laval à Montréal,* 1914.

24. RAHND, 1916, p. 27.

25. Le procédé radiologique est beaucoup plus largement utilisé au Royal Victoria puisque déjà en 1912 on enregistre plus de 3700 examens radiographiques comme le rapporte Lewis. En 1924, le nombre d'examens se chiffre à 19 204 (D. S. Lewis, *op. cit.,* p. 63). Il faut cependant souligner que le nombre des admissions de cet hôpital est alors plus du double de celui de l'Hôpital Notre-Dame. L'Hôpital général de Montréal n'engage son premier véritable radiologiste qu'en 1908 et ce dernier effectue durant sa première année d'exercice 578 examens. (Voir H. E. MacDermott, *An History of the Montreal General Hospital,* p. 96.)

26. C'est vers 1910 que débute à l'Hôpital Royal Victoria l'utilisation du bismuth et du baryum mais à une échelle plus petite puisque seulement 72 examens sont rapportés pour l'année 1911. (Voir D. S. Lewis, *op. cit.*, p. 157.)

27. D. Goulet et A. Paradis, *Trois siècles d'histoire médicale au Québec...*, p. 477 et 479.

28. L. Deslauriers, *Histoire de l'Hôpital Notre-Dame*, p. 176, note 78.

29. D. S. Lewis, *op. cit.*, p. 156.

30. *Ibid.*

31. RAHND, 1881, p. 6.

32. H. E. MacDermott, *op. cit.*, p. 5, 83, 114.

33. D. Goulet et A. Paradis, *op cit.*, et W. H. Atherton, *Montréal, 1535-1914*.

34. En 1873, un dispensaire pour les maladies des yeux est ouvert à l'asile Nazareth de Montréal sous la direction du docteur E. Desjardins. Le University Dispensary est ouvert en 1879 par l'Hopital général de Montréal. Le West and Free Dispensary, sur la rue Wellington à Pointe-Saint-Charles, est fondé en 1880. En 1888, les sœurs de la Miséricorde ouvriront à l'Hôpital de la Miséricorde un dispensaire de gynécologie. Ce dispensaire offre des soins gratuits aux malades indigentes. En novembre 1896, une nouvelle aile sera construite pour abriter le dispensaire des maladies des yeux et le dispensaire de gynécologie. (Voir D. Goulet et A. Paradis, *op cit.*, p. 87, 103 et 107.)

35. En 1924, les admissions aux dispensaires du Royal Victoria se chiffrent à 85 128. (Voir D. S. Lewis, *op. cit.*, 1969, p. 62.)

36. Le docteur S. Lachapelle s'occupait depuis déjà un certain temps d'hygiène infantile et de pédiatrie.

37. RAHND, 1904-1905, p. 19.

38. PVBMHND, 7 mai 1920.

39. La Commission provinciale antivénérienne est formée en 1920 à la suite de l'adoption de la loi intitulée Loi modifiant les Statuts refondus, 1909, relativement aux maladies vénériennes. (Voir *Statuts de la province de Québec*, 1920, chap. 56.)

40. «*The original development of specialities in the general hospital was as out patient departments. These were established at Boston City Hospital, for example, in dermatology (1868), otology (1869), gynecology (1873), neurology (1877), and laryngology (1877). At Massachusetts General, laryngology and neurology were established as outpatient departements in 1872, ophtalmology in 1873, and otology in 1884*» (M. J. Vogel, *The Invention of the Modern Hospital: Boston 1870-1930*, p. 88).

41. PVBMHND, 1er avril 1891.

42. PVBMHND, 24 septembre 1896.

43. PVBMHND, 9 décembre1898.

44. RAHND, 1900-1901, p. 15.

45. *Ibid.*

46. PVBMHND, 15 janvier 1925.

47. RAHND, 1885-1886. La première initiative de ce genre au Canada est l'œuvre de l'Hôpital général de Montréal qui, en août 1883, crée son service ambulancier. En 1884, l'hôpital reçoit 108 appels. Dès son ouverture en 1894,

l'Hôpital Royal Victoria se dote d'une ambulance tirée par deux chevaux (D. S. Lewis, *op. cit.*, p. 112). L'Hôtel-Dieu de Montréal n'acquiert sa première ambulance à traction animale qu'en 1903 (M. Allard *et al.*, *L'Hôtel-Dieu de Montréal, 1642-1973*, p. 63).

48. Mentionnons que le service est confié à V. Thériault. C'est ce même Thériault qui fournissait gratuitement les cercueils aux personnes indigentes décédées à l'hôpital.

49. RAHND, 1885-1886, p. 15. Voir aussi D. Goulet et O Keel, «Santé publique...», p. 76 et suiv.

50. L'hôpital Notre-Dame effectue 583 sorties en 1893 comparativement à 350 pour l'Hôpital général de Montréal. Cette différence traduit une demande plus forte dans l'est de Montréal, notamment en ce qui a trait aux accidents de travail. En effet, alors que le nombre des appels à l'Hôpital Notre-Dame pour les accidents diminue considérablement en 1924 avec seulement 201 appels contre 718 appels pour des voyages privés, l'Hôpital général de Montréal dépasse de beaucoup la demande de l'Hôpital Notre-Dame avec plus de 2000 appels contre seulement 970. Soulignons qu'en 1913, l'Hôpital Notre-Dame répond à 1524 appels dont plus de 40 % concernent des cas d'accidents.

51. Sur ces points, voir aussi D. Goulet et O. Keel, «Santé publique...».

52. *Registre des ambulances de l'Hôpital Notre-Dame*, 1888.

53. *Ibid.*, 1891-1892, p. 15.

54. RAHND, 1894-95, p. 6. En 1898, les subsides accordés par la Ville de Montréal se chiffrent à 16 240 $.

55. *Ibid.*, 1904-1905, p. 29.

56. *Ibid.*, 1906-1907, p. 23.

57. C'est en 1912 que l'Hôpital général de Montréal acquiert la première ambulance automobile au Québec.

58. Au sein des institutions anglophones — Hôpital général de Montréal, Royal Victoria, etc. — le personnel médical au dernier tiers du XIXe siècle se compose des catégories suivantes: *consulting physician, attending physician* et *resident physician*.

59. *Statuts et règlements de l'Hôpital Notre-Dame*, 1899, p. 18-19.

60. *Ibid.*, p. 20.

61. RAHND, 1881, p. 7.

62. *Ibid.*, 1885-1886, p. 13.

63. *Statuts et règlements de l'Hôpital Notre-Dame*, 1899, p. 23.

64. Soulignons qu'il n'y a encore en 1897 que cinq médecins internes dont deux sont attachés au laboratoire. En 1920, on n'en dénombre que 10.

65. *Statuts et règlements de l'Hôpital Notre-Dame*, 1899, p. 30.

66. RAHND, 1905-1906, p. 28. Sur le développement de la formation clinique, de l'internat et de l'externat à l'Hôpital Notre-Dame, voir C. Déziel, *L'enseignement clinique à l'Hôpital Notre-Dame de 1880 à 1924*.

67. L. Deslauriers, *Histoire de...*, *op. cit.*, p. 76.

68. ASGM, *Chronique*, vol. II, p. 59.

69. La première infirmière laïque de l'Hôpital Notre-Dame, Hélène Routh, n'est diplômée qu'en 1903.

70. AHND, *Réunion des sœurs de la Charité, sœurs grises, missionnaires dans les hôpitaux (pour les sœurs de l'Ouest)*, document non daté.

71. D. Goulet et A. Paradis, *op. cit.*, p. 423, 425 et 427.

72. AHND, *L'École d'infirmières de l'Hôpital Notre-Dame, 1898-1968*, p. 14.

73. AHND, *Le livre de l'Hospitalière en chef*, Hôpital Notre-Dame, 1914, p. 25.

74. RAHND, 1964, p. 137.

75. AHND, *Le livre de l'Hospitalière en chef*, Hôpital Notre-Dame, 1914, p. 172.

76. De telles attitudes ne sont pas le fait des seuls praticiens de l'Hôpital Notre-Dame. Les bureaux médicaux du Royal Victoria et de l'Hôpital général de Montréal ont aussi à reprocher l'insouciance et l'irrégularité de certains praticiens qui reproduisent au sein de l'hôpital des attitudes acquises en pratique privée. (Voir H. E. MacDermott, *op. cit.*, et D. S. Lewis, *op. cit.*)

77. PVBMHND, 5 janvier 1893. On propose alors la formation d'un comité pour «étudier le fonctionnement de l'hôpital et faire rapport».

78. PVBMHND, 24 mars 1897.

79. *Ibid.*, 13 septembre 1902.

80. *Ibid.*, 20 avril 1908.

81. *Ibid.*

82. *L'Union médicale du Canada*, 1922, p. 370-371.

83. M. J. Vogel dans son étude sur l'évolution du Massachusetts General Hospital montre bien les liens qui unissent l'enseignement, la spécialisation des fonctions médicales et les motivations professionnelles des praticiens hospitaliers. Plusieurs de ses assertions à cet égard rencontrent nos analyses. (Voir M. J. Vogel, *op. cit.* Voir aussi G. Rosen, *The Specialization of Medicine*.

84. On l'a vu dans le cas du dispensaire des maladies des enfants et dans ceux des maladies nerveuses et de la dermatologie.

85. A.-T. Brosseau, «Ce que doit être la clinique», p. 562.

CHAPITRE IV

Médecine clinique et pratique chirurgicale

Les premiers développements de la médecine clinique à l'Hôpital Notre-Dame

Les répercussions de la méthodologie anatomo-clinique

Le développement de la médecine clinique au XIXᵉ siècle est la conséquence d'un énorme effort d'investigation du corps humain entrepris dès la Renaissance mais qui s'intensifie au siècle des Lumières. Par leur influence, de nouveaux courants philosophiques tels l'empirisme rationnel et le phénoménisme[1] qui mettent l'accent sur le rôle de la raison et de l'observation dans la connaissance de la nature et des lois naturelles, fournissent un contexte favorable à de nouvelles recherches sur le corps humain, sur son organisation, son fonctionnement, mais aussi sur ses dérèglements. L'organisme humain devient non seulement un objet de spéculations mais aussi un objet d'observation, que l'esprit humain est peu à peu en mesure de déchiffrer. Un tel renversement des représentations ne survient pas d'un coup, car, déjà au XVIIIᵉ siècle, s'était amorcée une tout autre approche du vivant qui définira une nouvelle conception de la maladie. S'affirme alors l'idée que la maladie, loin d'être la simple résultante d'un dérèglement général de l'organisme humain ou d'un déséquilibre de l'un de ses fluides vitaux, peut être l'effet d'une altération des organes. L'approche organique de la maladie constitue l'une des conditions d'apparition de la médecine clinique moderne. Grâce notamment aux travaux anatomopathologiques entrepris par les écoles médicales et chirurgicales italiennes, autrichiennes, britanniques et françaises à partir du milieu du XVIIIe siècle se développe la recherche des altérations macroscopiques des organes et des tissus par la dissection anatomique du patient décédé[2]. Une telle pratique se répand rapidement dans certains centres hospitaliers civils et militaires de Vienne, Londres, Paris et d'autres villes européennes[3].

De nouveaux moyens d'exploration de plus en plus précis du corps vivant conjugués à l'observation systématique des lésions pathologiques macroscopiques et microscopiques sur le cadavre permettent de saisir avec plus de précision la signification nosologique des signes de la maladie observés chez le patient. En effet, la corrélation étroite qui sera établie au fil des recherches entre les signes cliniques et les lésions organiques permettra de réunir les matériaux nécessaires à la constitution de tableaux nosologiques basés désormais sur les altérations anatomiques. Un nouveau système de classification des maladies fondé sur une constellation distinctive de signes cliniques facilitera la reconnaissance d'une maladie spécifique et permettra d'en établir le diagnostic, le pronostic et, éventuellement, la thérapeutique.

Le progrès considérable de cette méthodologie anatomoclinique, notamment dans les premières décennies du XIXe siècle, représente une étape fondamentale dans la constitution d'une médecine clinique moderne. À partir de ses foyers fondateurs (Angleterre, Autriche, France, Italie et Allemagne), elle se répand rapidement dans l'ensemble du monde occidental et devient un élément essentiel de la science et de la pratique médicales. Les praticiens nord-américains, et notamment les médecins québécois, en reconnaissent l'efficacité dès la première moitié du XIXe siècle. Ainsi, dès sa fondation en 1819, par des médecins d'origine britannique, l'Hôpital général de Montréal prend modèle sur les grands hôpitaux généraux d'Édimbourg et de Londres qui appliquent depuis déjà quelques décennies la nouvelle méthodologie anatomo-clinique. De même, des étudiants de Québec suivent les leçons cliniques dispensées à l'Hôpital de la marine et ont l'occasion d'assister aux autopsies des patients décédés à l'hôpital. Cependant, cette pratique ne se généralise pas uniformément à l'ensemble du territoire nord-américain. Les résistances de la population à l'endroit de la dissection anatomique sont parfois fortes et il est souvent difficile pour les praticiens et les étudiants de s'approvisionner en cadavres[4]. La formation médicale au Canada dans les premières décennies du XIXe siècle n'est pas encore standardisée et les institutions hospitalières définissent des objectifs qui ne sont pas tous axés sur les besoins d'une médecine clinique. Néanmoins, à partir des années 1820, les hôpitaux serviront de plus en plus de champ d'observation clinique et de centres de formation, attachés parfois à une école de médecine[5]. Même dans le cadre informel de l'apprentissage, les étudiants des médecins et des chirurgiens qui occupent des postes hospitaliers peuvent suivre ces derniers dans leurs visites cliniques et assister aux opérations et aux autopsies[6].

À partir des années 1850, l'efficacité théorique et pratique de la nouvelle médecine clinique exerce des pressions accrues sur tous les praticiens et entraîne une modification des études médicales. Une telle méthodologie ne pouvait porter fruit, théoriquement au chapitre du développement scientifique et pratiquement au chapitre de l'enseignement clinique que dans la mesure où les médecins en milieu hospitalier avaient à leur disposition des cas cliniques nombreux et variés. Cette double exigence — qualitative et quantitative — constituera l'un des axes majeurs de l'essor de l'institution hospitalière et de la progression de la médicalisation et, conséquemment, de l'évolution même l'enseignement clinique.

La loi québécoise de 1847 impose donc aux étudiants en médecine des leçons cliniques pendant une année dans un hôpital d'au moins 50 lits afin qu'ils acquièrent, sous la gouverne de leurs maîtres, les connaissances les plus récentes de la médecine clinique toujours dominée par deux principes directeurs: la spécificité étiologique et la recherche du siège de la maladie. La loi de 1876 renforce celle de 1847 et porte à un an et demi la durée du stage dans un hôpital pour la formation clinique[7]. Mais la précision du diagnostic dépend surtout de la reconnaissance des signes cliniques par le médecin. Cette reconnaissance liée à des procédés certes en constante évolution repose sur des principes de base posés au cours du dernier tiers du XVIIIe siècle. L'interrogation, l'inspection, la palpation, la percussion et l'auscultation[8] constituent les façons d'identifier la maladie. Tout au long du XIXe siècle seront mis au point des techniques et des instruments reliés à ces principes. Chacun connaît aujourd'hui le stéthoscope, inventé par Laennec en 1819, utilisé pour l'auscultation[9]. Mentionnons aussi le plessimètre, instrument de percussion médiate mis en usage par Piorry en 1828, le laryngoscope[10] et l'ophtalmoscope[11] dont les premières utilisations méthodiques remontent au milieu du XIXe siècle. L'usage du thermomètre clinique s'étend aussi vers la même période[12], de même que l'usage du spiromètre qui sert à mesurer la capacité respiratoire des poumons[13]. D'autres instruments et procédés s'ajoutent peu à peu, comme l'uréthroscope (1879), le cytoscope (1879[14]) et la radiologie (1896). Le sphygmomanomètre, appareil destiné à mesurer la pression artérielle, fait son apparition en 1881 lorsque S. S. von Bach en construit le premier prototype[15]. Les instruments sensoriels fondamentaux de l'observation clinique — la vue, l'ouïe et le toucher — explorent toujours plus en profondeur des zones organiques jusque-là invisibles ou inaudibles. Les praticiens québécois qui se tiennent au courant des progrès de la médecine clinique européenne soit par des séjours dans les principales écoles, soit par l'intermédiaire des revues médicales étrangères et locales, introduisent de nouveaux procédés d'investigation clinique et en répandent l'usage.

À ces nouveautés instrumentales se superposeront bientôt, au début du XXe siècle, des moyens d'investigation d'une tout autre dimension, issus de nouvelles découvertes scientifiques et techniques qui ont pour théâtre le laboratoire. Ce que certains historiens dénommeront la «médecine de laboratoire» constitue un stade ultérieur de développement de la médecine moderne par rapport à la médecine anatomo-clinique. Là encore, l'Hôpital Notre-Dame, à l'instar des autres institutions hospitalières, devra modifier sa structure d'intervention médicale et développer les procédés d'analyse en laboratoire. L'organisation de laboratoires à l'hôpital se fera lentement, ralentie par un constant manque de ressources jusqu'en 1924. Dans ce qui suit, nous montrons les différents aspects d'une pratique médicale hospitalière qui, en un premier temps, s'efforce de s'adapter aux critères de la méthodologie anatomo-clinique et qui, en un second temps, met en place les prémisses d'une médecine de laboratoire.

L'investigation clinique à l'Hôpital Notre-Dame

Même s'il nous est difficile de retracer précisément les composantes quotidiennes des services médicaux offerts à l'Hôpital Notre-Dame, nous en savons suffisamment pour brosser un tableau représentatif de la pratique médicale entre 1880 et 1924. Les praticiens de l'hôpital, dans les deux premières décennies d'activité de l'hôpital, sont soumis à un certain nombre d'impératifs fonctionnels et méthodologiques qui répondent à la fois aux exigences d'une médecine clinique hospitalière (*hospital medicine*) et au développement d'un grand établissement hospitalier. Toutefois, les pratiques, du moins jusqu'au début du XXe siècle, ne sont pas toujours homogènes. Elles dépendent de l'éclectisme dont fait preuve le praticien ainsi que de sa curiosité scientifique. Il n'en demeure pas moins que tout un ensemble de procédures bien définies, fixées par le bureau médical, régit le cadre de la pratique clinique quotidienne.

Les patients qui se présentent au service d'admission interne de l'hôpital font l'objet d'une investigation clinique de base de la part du médecin interne ou de ses assistants: interrogatoire pour préciser l'histoire de la maladie et les antécédents familiaux, observations cliniques et diagnostic. Si le cas du patient est jugé suffisamment grave pour une hospitalisation, ses nom, prénom et profession doivent être inscrits dans le registre des admissions. Chaque patient admis à l'hôpital fait l'objet d'observations quotidiennes notées sur des feuillets; y sont rapportés les particularités de chaque cas, les symptômes ainsi que l'évolution de la maladie. Doivent aussi être notés à chaque visite faite aux malades par le médecin de service la température prise à l'aide d'un thermomètre clinique, les aspects quantitatifs et qualitatifs du pouls ainsi que les traitements prescrits. Chaque feuille d'observations cliniques doit être transmise hebdomadairement au secrétaire du bureau médical. Toute indication thérapeutique donnée par le médecin de service doit être rigoureusement observée par le médecin interne ou ses assistants. Ces prescriptions méthodologiques de base imposées par le bureau médical répondent aux exigences du modèle classique de la pratique médicale hospitalière du XIXe siècle.

La tournée clinique du docteur Brosseau, chef du service de chirurgie et professeur de clinique chirurgicale à la succursale de l'Université Laval à Montréal, illustre de façon générale une pratique clinique dominante à l'Hôpital Notre-Dame durant les deux premières décennies de son fonctionnement. Dès le premier contact avec un patient, Brosseau procède à l'interrogation parce que, explique-t-il,

> pour arriver à faire un diagnostic correct, il est de la plus haute importance de se bien faire raconter l'histoire du cas. En questionnant ainsi méthodiquement le malade sur l'origine, les causes, la marche de l'affection du testicule, il est possible, sinon facile, d'arriver à un diagnostic probable[16].

Aussi le praticien s'informe-t-il, tout au long de sa visite, des antécédents médicaux, sociaux, familiaux et héréditaires des malades, de leur régime de vie, de leur alimentation, etc. Il procède ensuite à l'inspection minutieuse des malades, observe, selon les cas, la langue, les yeux ou les oreilles, prend le pouls et en vérifie les qualités — petit, rapide, faible, accéléré —, prend la température, percute la cage thoracique ou certaines parties du dos, tâte l'abdomen ou toute autre partie qu'il juge nécessaire de palper et exerce une pression en des endroits déterminés. La palpation, méthode essentielle de l'investigation clinique, est jugée fort délicate. Le docteur Brosseau en précise le long et délicat apprentissage:

> Je vous recommande continuellement d'exercer votre toucher, d'instruire un ou deux de vos doigts puisque la vie humaine n'est pas assez longue pour que vous ayez le

temps de donner une instruction parfaite à plusieurs de vos doigts[17].

L'exploration clinique est ici calquée sur le modèle de la grande tradition anatomo-clinique européenne qui relève à la fois de l'art et de la science. Face à un autre malade, Brosseau recommande l'examen des «sécrétions» qui consistera ici en une analyse, selon la méthode classique de Bright, de la présence de l'albumine dans l'urine pour détecter une éventuelle néphrite. La visite terminée, le docteur Brosseau résume sa méthodologie: «Les moyens de diagnostic sont les questions orales, l'observation visuelle, l'exploration manuelle et instrumentale et l'examen des sécrétions[18].»

Le docteur S. Lachapelle, un des principaux fondateurs de l'Hôpital Notre-Dame, brosse un beau tableau des paramètres «sensualistes» de la méthode anatomo-clinique.

> Ce qui fait le médecin expert, c'est le coup d'œil qui lui fait découvrir une maladie promptement et prévoir la marche qu'elle doit suivre et la terminaison qu'elle doit subir [...] C'est avec le malade que l'oreille s'instruit par l'auscultation et la percussion, que le toucher se perfectionne par la palpation et l'examen, que l'œil devient loupe, que l'odorat lui-même acquiert cette habileté qui a été poussée chez quelques médecins à un degré si élevé qu'on a vu diagnostiquer nombre de maladies à l'odeur seulement[19].

Si de tels exemples ont le mérite d'illustrer une pratique clinique traditionnelle à laquelle adhère l'Hôpital Notre-Dame, comme d'ailleurs la plupart des hôpitaux en Occident jusque dans les années 1870, il faut se garder de conclure qu'ils en résument tous les aspects. Quelques confrères des docteurs Brosseau et Lachapelle insistent plus que ces derniers sur l'utilité de l'examen du sang et des urines et sur la nécessité des analyses de laboratoire, et ce dès la décennie 1880. Déjà en 1883, le docteur Filiatrault recommande l'examen microscopique du sang pour vérifier l'état des globules rouges. Le docteur Desroches en 1884 préconise l'analyse des urines qui «nous rend tous les jours des services signalés dans la recherche des maladies» et qui «permet de suivre pas à pas l'action des médicaments dans l'organisme[20]». Le gynécologue Brennan présente en 1889 à l'Association des internes de l'Hôpital Notre-Dame quelques moyens d'investigation clinique parmi lesquels il recommande en certains cas l'analyse des urines (sucre et albumine) et l'analyse microscopique de l'épiderme. Le docteur Foucher, préoccupé par les maladies ophtalmiques, recommande les analyses histologiques et cellulaires.

Les médecins de l'Hôpital Notre-Dame, dans les premières décennies d'activité de l'hôpital, pratiquent et défendent une même approche clinique de base, mais l'exercice de leur art varie selon la formation théorique, l'expérience et les intérêts de chacun. S'il y a consensus sur la méthodologie clinique générale, il ne peut être question ici de standardisation des approches[21]. L'exemple du docteur Mercier, assistant du docteur Brosseau au service de chirurgie pendant près de huit ans, nous permet de mesurer le chemin parcouru. Tout en appliquant les procédés classiques d'interrogation, d'auscultation, de percussion, de palpation et d'analyse des urines à l'aide de réactifs, Mercier ajoute à ceux-ci une série d'examens «nouveaux» issus du développement de la technologie médicale: examens radioscopiques, analyses microscopiques du sang et des urines, analyses bactériologiques des crachats, ponction exploratrice à l'aide d'une seringue à des fins d'analyse en laboratoire, etc. Entre un Brosseau et un Mercier, entre le maître et l'assistant, se creuse rapidement un nouvel espace médical qui orientera bientôt l'Hôpital Notre-Dame sur la voie définitive d'une médecine liée au laboratoire de manière de plus en plus systématique. Les pressions en ce sens s'accentuent au début du XXe siècle.

Il est indéniable que la plupart des médecins attachés aux différents services de l'Hôpital Notre-Dame connaissent les nouvelles méthodes cliniques européennes et américaines. Ces médecins font partie de l'élite médicale de la province de Québec, enseignent à la succursale de l'Université Laval à Montréal, sont membres de la Société médicale de Montréal (Rottot, Lachapelle, Lamarche, Foucher) ou écrivent régulièrement dans *L'Union médicale du Canada*[22]. Est-ce à dire que, dès les premières décennies d'existence de l'Hôpital Notre-Dame, les médecins utilisent déjà l'ensemble des ressources du savoir médical de l'époque? Là comme ailleurs, la compétence et les savoirs des médecins sont loin d'être uniformes et la distance entre les générations de médecins s'agrandira à mesure que s'accumuleront les acquis techniques et scientifiques de la médecine bactériologique. Au début du siècle, de plus en plus de jeunes médecins associés à l'Hôpital Notre-Dame iront étudier dans les grandes écoles européennes ou américaines et importeront des pratiques inconnues de leurs aînés. Aussi l'écart entre les Rottot, Brosseau, Laramée, Lachapelle et les Parizeau, Mercier, Bernier ou Derome, représentants d'une nouvelle génération de médecins convertis aux méthodes de laboratoire et au développement technique, s'accentue-t-il dans les premières décennies du xxe siècle. Il faut compter aussi, là comme ailleurs, avec la résistance de certains praticiens qui se méfient des techniques et des théories nouvelles et qui préfèrent une pratique clinique traditionnelle qui n'est pas dénuée de bases expérimentales et scientifiques, mais qui comporte ses limites théoriques et techniques, comme toute configuration positive du savoir. Mais d'autres facteurs jouent également.

La nécessité de trouver rapidement des solutions aux graves problèmes immobiliers auxquels les autorités consacrent une grande partie de leurs énergies et de leurs ressources freine le développement scientifique et clinique de l'Hôpital Notre-Dame. Le problème est suffisamment grave pour que les médecins de service envoient une note au bureau médical en 1891 pour faire état de leurs griefs:

> Les médecins de service voyant que jusqu'à présent les autorités de l'hôpital ont dirigé la plus grande partie de leurs efforts vers l'agrandissement de l'institution et son embellissement extra-médical, croient qu'il est d'urgence maintenant que l'établissement est sur de bonnes bases que tous les efforts se réunissent pour améliorer l'état médical et chirurgical de l'hôpital afin de mettre celui-ci sur un pied scientifique égal à celui des autres institutions de la ville et de faire bénéficier les malades de tous les avantages de la science moderne et d'attirer des élèves vers l'institution. Ils prient donc instamment le Bureau médical de les supporter dans leurs demandes auprès de l'administration et de discuter les mesures qu'ils croient urgent d'adopter[23].

Les contingences matérielles et financières ont sans doute, comme ailleurs, imprimé un rythme irrégulier à l'évolution scientifique de l'hôpital. Par exemple, le grand déménagement de 1924 dans les nouveaux locaux de la rue Sherbrooke donnera un élan irrépressible au progrès de la science médicale au sein de l'institution. Les demandes répétées d'achat d'instruments de la part des médecins ou chirurgiens des services internes et externes témoignent aussi de l'insuffisance initiale des ressources scientifiques et techniques durant les premières décennies d'existence de l'hôpital. Cependant, entre 1900 et 1920, l'hôpital fait un effort considérable pour se doter des équipements nécessaires: instruments médicaux et chirurgicaux, «appareil faradique de Kidler», urinoirs gradués, appareil à rayons X, autoclave, etc. Ces acquisitions ne répondent toutefois que partiellement aux demandes réitérées des médecins. Encore faut-il souligner que les besoins en instrumentation sont fortement ressentis en raison des cours cliniques donnés à l'Hôpital Notre-Dame. La faculté de médecine de l'Université de Montréal apportera un soutien financier et matériel. Ainsi, en 1921, une somme de 1000 $ allouée par la faculté de médecine doit être répartie entre les quatre services de l'hôpital. Chaque chef de service est alors prié de dresser une liste des appareils dont il a besoin.

Ce soutien financier qui ne comblera qu'une partie des lacunes sera accueilli avec satisfaction par le bureau médical. Les besoins dans les années 1920 se font de plus en plus pressants avec les nouveaux progrès de la technologie médicale et la sophistication des appareils. Par exemple, en 1921, le bureau médical recommande l'achat d'un appareil à métabolisme et d'un électrocardiographe[24]. L'acquisition de ce genre d'appareils constitue un déboursé très important pour un hôpital financé en partie par des souscriptions publiques. Mais en se dotant des outils les plus perfectionnés de la science médicale, l'Hôpital Notre-Dame bénéficiera en retour d'un accroissement de crédibilité. Un tel investissement représente un placement rentable à long terme.

Une pratique irrégulière des autopsies

L'instauration d'une pratique systématique de l'anatomie pathologique et l'organisation rigoureuse des laboratoires ne se sont pas faites rapidement. Les péripéties entourant la création d'une salle d'autopsie en témoignent. La première mention date de 1885 alors que l'on annonce la construction «d'une salle spécialement destinée aux autopsies[25]». Celle-ci, au sous-sol de la pension Béliveau sur la rue du Champ-de-Mars, est aménagée juste à côté de la salle de lavage et communique avec la nouvelle chapelle mortuaire. Des gradins ont été construits près de la table centrale pour permettre aux étudiants d'assister aux séances de dissection. Ces séances présentent deux objectifs principaux: d'une part, familiariser les étudiants avec les localisations pathologiques des maladies et, d'autre part, permettre au pathologiste d'établir la cause des décès survenus dans l'hôpital. Le pathologiste a pour tâche de noter les altérations des organes ou des tissus résultant d'une maladie et d'établir une corrélation avec les signes cliniques notifiés par les médecins de service ou les médecins internes. Mais, jusqu'à l'arrivée de Masson en 1926, il n'y aura pas une pratique systématique des autopsies à l'hôpital comme cela se fait sous Osler à l'Hôpital général de Montréal à partir de 1876[26].

En 1904, le docteur Mercier insiste sur l'importance d'établir une corrélation entre l'examen clinique au lit du malade et l'examen anatomopathologique:

> Les constatations nécropsiques, pour être vraiment instructives, doivent être mises en regard du tableau symptomatique offert par le malade; séparées des données de l'examen clinique, elles rentrent dans la catégorie banale des «trouvailles d'autopsie» parfois intéressantes mais rarement utiles à la clinique[27].

La refonte des statuts et règlements de l'hôpital en 1898 permet l'autopsie des patients non payants décédés à l'hôpital dans les cas où le médecin «considère cette autopsie désirable au point de vue de la science et pour établir la cause réelle du décès[28]». Le bureau médical doit constamment rappeler aux médecins de l'hôpital que tout patient indigent décédé doit, «pour l'avancement de la science médicale», être envoyé «chez Morgagni[29]», c'est-à-dire à la salle d'autopsie: «Il est réitéré que le médecin de service soit averti promptement de tout décès dans sa section afin que dans tous les cas possibles une autopsie soit faite[30].»

L'année suivante, on rappelle que l'autopsie est une pratique autorisée, voire recommandée par l'hôpital: «Dans l'intérêt de la science, les médecins de service ou en leur absence les médecins internes ont le droit de faire l'autopsie de tous les malades qui meurent dans des salles de l'hôpital[31].»

Mais la pratique des autopsies ne relève pas seulement de la responsabilité des médecins de l'hôpital. Les membres du bureau médical en posant une telle exigence outrepassaient leurs droits. En effet, l'Acte pour amender et refondre les divers actes concernant l'étude de l'anatomie[32] de 1883 ordonnait «à toutes les institutions de remettre aux salles de dissection des universités et des écoles de médecine les corps non réclamés et cela sous peine d'amende». Seuls les médecins attachés à la faculté ont en principe le droit, à des fins d'enseignement clinique, de pratiquer de telles autopsies. Aux yeux des autorités médicales, l'affiliation de l'hôpital avec la faculté rendait une telle pratique acceptable. En 1891, le docteur Lamirande, inspecteur d'anatomie de la ville de Montréal, se plaint auprès des autorités de l'hôpital que des autopsies y sont pratiquées au détriment de la faculté. Mais une entente est conclue quelques semaines plus tard qui stipule que les médecins feront à l'avenir des injections «préservatrices du cadavre non réclamé» avant de procéder à l'autopsie. Le sujet pourra ensuite être utilisé par l'université. Le litige n'est que temporairement réglé puisque, deux ans plus tard, le coroner oblige les autorités médicales à lui donner avis de tout décès par quelque cause que ce soit dans les salles publiques de l'hôpital[33]. En 1896, le bureau médical est tenu de réviser sa position et confirme que l'Hôpital Notre-Dame «ne peut pratiquer les autopsies que sur les sujets réclamés[34]» pour lesquels un consentement a été obtenu des proches, les cadavres non réclamés étant réservés aux universités.

L'attitude générale du bureau médical, son insistance à réclamer des autopsies, traduit un mouvement d'impatience devant le peu d'intérêt manifesté par certains confrères pour les analyses *post mortem*. En revanche, certains médecins favorables à la dissection se plaignent au surintendant «de la malpropreté et du mauvais état hygiénique de la salle d'autopsie[35]». Il faut dire qu'à cette époque, la pratique de la dissection n'est pas sans danger. En 1898, l'hôpital déplore le décès de son interne en chef, le docteur A. Lamarche, victime d'une fièvre typhoïde contractée vraisemblablement au laboratoire de pathologie ou à la salle d'autopsie[36]. Deux autres internes sont aussi affectés de la même maladie, mais sous une forme bénigne. «Il n'en reste pas moins avéré que le personnel d'un hôpital occupe un poste qui n'est pas exempt de péril, et que [...] nos internes et nos religieuses sont exposés à mourir au champ d'honneur[37]», note le surintendant Lachapelle.

Encore en 1914, la pratique des autopsies sur les patients des salles communes est si peu fréquente qu'elle ne nécessite pas la nomination d'un chef spécialement attaché à ce service. Le docteur Derome, qui en est le responsable en tant que chef des laboratoires, s'occupe simultanément de chimie, de bactériologie, de sérologie, d'hématologie tout en continuant à assumer la direction du laboratoire médico-légal de la province de Québec. Les premières données fiables quant au nombre d'autopsies pratiquées à l'hôpital remontent à 1918 et indiquent un total de 33 autopsies sur 284 décès, soit 11,6 %. Deux ans plus tard, 25 autopsies sont pratiquées sur un total de 232 décès pour une proportion de 10,7 %. En 1920, on enregistre une baisse des autopsies avec 21 sur 244 décès, soit seulement 8,6 %. La moyenne annuelle des autopsies pratiquées à l'Hôpital Notre-Dame entre 1918 et 1923 s'élève à 25. C'est relativement peu si l'on considère l'importance que revêt la pathologie pour l'avancement scientifique d'un hôpital.

De l'analyse des urines aux analyses de laboratoire

Au moment où l'hôpital voit le jour, la science médicale commence à reconnaître l'efficacité et la pertinence des recherches bactériologiques entreprises dans les laboratoires français et allemands. Les travaux de Pasteur, de Koch et de leurs disciples sont suffisamment connus pour qu'il ne soit pas nécessaire d'en faire ici mention. Soulignons néanmoins que c'est surtout à partir de la décennie 1880 que les recherches sur les micro-organismes pathologiques s'avéreront véritablement fructueuses sur le plan du diagnostic et de la pratique médicale. Le vibrion cholérique (Koch) et le bacille du tétanos (Nicolaier) sont découverts respectivement en 1883 et en 1884. Pasteur vaccine Joseph Meister contre la rage en 1885, Chantemesse et Vidal proposent la vaccination antityphoïdique en 1887 et l'Institut Pasteur est inauguré en 1888. Néanmoins, c'est surtout à partir de la décennie 1890 que de tels travaux s'imposent aux praticiens grâce surtout à la découverte de nouvelles thérapeutiques. Behring et Kitasato proposent en 1890 le traitement sérothérapique du tétanos, Roux met au point en 1894 le sérum antidiphtérique, Widal et Gruber proposent le sérodiagnostic de la fièvre typoïde en 1897, etc. Soulignons aussi que, grâce aux recherches menées à l'Institut sérothérapique de Paris entre 1894 et 1900, «les sérums antitétaniques, antistreptococciques, antipesteux sont entrés dans la pratique, distribués ou vendus[38]». En 1906 est mis au point le test Bordet-Wassermann qui permet le dépistage de la syphilis.

De telles découvertes en laboratoires profitent largement aux médecins de même qu'elles apportent des instruments essentiels à la lutte contre les maladies contagieuses[39]. Créé en 1894, le laboratoire provincial de bactériologie dirigé par Wyatt Johnston sera mis, deux ans plus tard, à la disposition des médecins[40]. Des analyses bactériologiques et cliniques y seront alors effectuées. Les hôpitaux n'hésiteront pas eux non plus à mettre à profit la possibilité d'accroître la précision diagnostique. À partir de 1900, tous les hôpitaux généraux dignes de ce nom auront aussi leur laboratoire[41]. Certaines analyses étaient déjà faites durant les décennies précédentes, mais elles se bornaient le plus souvent à un examen, à l'aide de réactifs, du taux d'albumine dans les urines ou encore à quelques analyses sanguines[42] sommaires. L'hémoculture, culture microbienne à partir d'un échantillon de sang, n'est proposée qu'en 1893 par le bactériologiste allemand J. Petruschky. Quant aux études cytologiques appliquées au diagnostic des pleurésies, elles ne débutent qu'au début du XXe siècle[43]. En 1910, L. Ambard conçoit un test de mesure de l'urée qui portera son nom. Le laboratoire médical en milieu hospitalier deviendra à plus ou moins long terme un outil essentiel pour assister les praticiens dans l'établissement du diagnostic, préciser les observations du pathologiste et initier les étudiants aux nouveaux paramètres de la pratique clinique.

Les premiers usages du laboratoire

Dès son ouverture en 1880, l'Hôpital Notre-Dame se dote d'un laboratoire, ce qui en fera l'un des premiers hôpitaux canadiens à disposer d'un tel soutien. Ses débuts seront cependant modestes avec quelques analyses effectuées plus ou moins régulièrement. Nous avons déjà souligné que certains médecins ne voient guère l'utilité de ces analyses quelque peu sommaires auxquelles correspond une installation rudimentaire. On se contente alors d'un petit laboratoire et d'une petite salle destinée aux recherches chimiques et microscopiques «appliquées au diagnostic[44]».

Durant les années 1880, ce sont surtout de jeunes médecins initiés aux techniques bactériologiques qui réorganisent les petits laboratoires déjà présents. Le gynécologue M.-T. Brennan est l'un de ceux-là. Très au fait des récentes notions théoriques et pratiques de la bactériologie et des nouvelles techniques antiseptiques dans les opérations chirurgicales, c'est à lui qu'est confiée la tâche d'aménager en 1887 un nouveau laboratoire de microscopie, de pathologie, de chimie et de bactériologie «muni de tous les appareils nécessaires», au septième étage de la pension Béliveau récemment acquise par l'Hôpital Notre-Dame[45]. La création de ce nouveau laboratoire découle en grande partie des besoins engendrés par l'enseignement clinique au sein de l'hôpital. En effet, le but avoué de cette nouvelle installation est de «procurer aux élèves des études cliniques pratiques en rapport avec les malades qu'ils voient journellement[46]». D'ailleurs, les instruments utilisés dans le laboratoire sont fournis par la faculté de médecine de la succursale de l'Université Laval. Les cliniques servent en quelque sorte de catalyseur au développement de la science médicale au sein de l'hôpital. La mise en œuvre de ce laboratoire en constitue une illustration.

L'utilisation du laboratoire demeurera relativement marginale et se limitera dans bien des cas à une brève initiation des étudiants aux études histologiques, bactériologiques et chimiques. Cette situation s'explique par deux causes principales. Premièrement, les procédés d'analyses bactériologique et biochimique à des fins diagnostiques ne seront vraiment efficaces qu'à partir de la première décennie du XXe siècle. Deuxièmement, la plupart des aînés de l'Hôpital Notre-Dame n'avaient reçu aucune véritable formation aux pratiques de laboratoire et, nous l'avons déjà souligné, la pratique irrégulière des autopsies ne permettait de cultiver qu'en partie les études histologiques. En attendant que les analyses de laboratoire soient valorisées et de plus en plus étroitement associées aux soins des patients, au cours des premières décennies du XXe siècle, le rôle du laboratoire dirigé par Brennan demeurera surtout confiné, hormis l'enseignement qui y est donné, à quelques analyses sommaires et seuls quelques médecins y auront recours pour des besoins très spécifiques.

L'attribution d'espace et de facilités à un service n'est pas toujours le reflet exact de son statut au sein de la structure médicale de l'hôpital[47], mais il n'en demeure pas moins un indicateur utile. Lorsque, vers 1893-1894, le laboratoire doit quitter ses locaux de la pension Béliveau en raison de la démolition de la partie supérieure de l'édifice qui risquait de s'écrouler, les autorités décident de le relocaliser, faute d'espace, dans un grenier à foin au-dessus de l'écurie des ambulances située sur la rue du Champ-de-Mars. On imagine facilement la vétusté des locaux.

Le docteur Brennan assumera la direction de ce laboratoire avec l'assistance de deux internes jusqu'en 1896, année où la faculté décide de transporter son laboratoire dans ses propres locaux. Peu de temps auparavant, le docteur T. Parizeau, de retour d'un stage à l'Institut Pasteur de Paris, avait offert ses services comme pathologiste et chirurgien consultant à l'hôpital. Le bureau médical de l'Hôpital Notre-Dame, considérant «que le service d'anatomie pathologique tient maintenant une place importante dans les hôpitaux[48]», décide d'accepter, en remplacement de

Brennan, l'offre de Parizeau. Ce dernier possède les compétences requises pour occuper un tel poste[49], mais il prend la direction d'un laboratoire de pathologie et de bactériologie dépouillé de ses instruments. L'Hôpital Notre-Dame se voit donc contrainte de «recommencer à neuf l'organisation[50]».

La première tâche de Parizeau consiste donc à réorganiser un nouveau laboratoire de bactériologie et de pathologie. L'administration lui accorde un montant de 1000 $ pour l'achat de nouveaux instruments[51]. Si ce montant peut combler les besoins les plus urgents, l'organisation demeure néanmoins lacunaire. Malgré tout, les médecins de l'hôpital utilisent davantage le laboratoire. Assisté des docteurs N. Fournier et A. Derome, Parizeau occupe le poste de chef de laboratoire jusqu'en 1899, année où il décide, de façon temporaire, de se consacrer exclusivement à la chirurgie. L'année suivante, il est nommé professeur de clinique chirurgicale à l'Hôpital Notre-Dame et professeur de bactériologie et d'anatomie pathologique à l'École de médecine et de chirurgie/Faculté de médecine de l'Université Laval à Montréal. Il était tout à fait habituel à l'époque qu'un médecin cumule différents postes hospitaliers et occupe plusieurs chaires professorales.

La réorganisation du laboratoire: des analyses plus diversifiées

La compétence de Parizeau a des effets bénéfiques sur l'organisation des laboratoires de l'Hôpital Notre-Dame. Des changements importants sont apportés dès l'entrée en fonction du nouveau chef de service. Il est alors décidé de créer deux sections distinctes au sein du laboratoire: l'une chargée des analyses bactériologiques et l'autre se consacrant aux analyses anatomopathologiques. La création de ces sections répond à des exigences nouvelles engendrées par le développement des méthodes d'analyses bactériologiques, biochimiques et histologiques. Au tournant du XXe siècle, la pratique clinique et chirurgicale amorce un tournant méthodologique qui affectera profondément l'organisation interne de l'hôpital. Les nouvelles pratiques ne peuvent toutefois se substituer spontanément à des pratiques depuis longtemps implantées.

Les intentions à cet égard des autorités médicales de l'Hôpital Notre-Dame et des professeurs de la succursale de l'Université Laval à Montréal sont clairement exposées dans l'allocution prononcée par le surintendant Lachapelle lors de l'assemblée annuelle de 1897-1898 de l'hôpital:

> Par la création d'un laboratoire de pathologie, l'enseignement médical, à l'Hôpital, devient démonstratif. C'est-à-dire que tout service de chirurgie sera soumis à un critérium qui en fera connaître la valeur et en établira l'exactitude. L'étudiant en médecine, après avoir suivi les leçons du maître au lit du malade, pourra, au laboratoire, interroger les sécrétions et les tissus pathologiques et constater *de visu* que les lésions signalées étaient bien exactes, cultiver des microbes et se convaincre par des ino-culations aux animaux, que les germes incriminés pro-duisaient bien les symptômes décrits et observés. Le méde-cin lui-même pourra se livrer à des recherches spéciales qui très souvent éclaireront son diagnostic, très souvent aussi dirigeront son traitement. Les résultats obtenus, conservés dans nos archives ou publiés, personne n'en pourra discu-ter la valeur ou contester l'authenticité. L'Hôpital Notre-Dame est en état de prendre son rang dans le monde scien-tifique; il n'en dépendra que du travail de ses médecins[52].

La réforme proposée affecte certains objectifs initiaux de l'hôpital et oriente ses activités vers un développement accru des sciences médicales. Du reste, elle se veut en quelque sorte une rupture avec les pratiques antérieures. Désormais, l'ensei-gnement dispensé à l'hôpital tout comme la pratique médicale doivent se tourner davantage vers une médecine de laboratoire. Est-ce que ce ne sont là que vœux pieux? En partie. La méde-cine hospitalière telle qu'elle se pratiquera désormais à l'Hôpi-tal Notre-Dame se situera à mi-chemin entre une médecine anatomo-clinique qui conserve une grande importance et une médecine de laboratoire qui tarde à se développer. Les examens de laboratoire se feront sur une base plus régulière dans le cas des malades privés mais demeurera une pratique plutôt margi-nale dans le cas des patients des salles communes[53]. Tout de même, en regard des moyens financiers et des techniques disponibles, les autorités de l'hôpital n'ont pas ménagé leurs efforts.

En 1901, il est décidé «que les examens élémentaires des urines seront faits par chaque externe de service sous la surveillance de l'interne en chef[54]». En 1907, le bureau médical cherche à financer en partie les frais de laboratoire en faisant payer les analyses par les patients des chambres privées et en demandant 0,50 $ par analyse aux patients des salles semi-payantes[55]. On décide aussi de promouvoir les examens de laboratoire auprès des médecins de service et dans le nouveau service des maladies contagieuses. De nouveaux types d'analyses feront leur apparition au gré des découvertes: sérodiagnostic, test de Wassermann, constante d'Ambard, etc.

Les analyses de laboratoire se révèlent plus urgentes lorsqu'elles concernent des enfants atteints de maladies contagieuses hospitalisés à l'Hôpital Saint-Paul. Le docteur Leduc, de retour d'une visite des centres pour contagieux aux États-Unis, en dirige les opérations. Peu après l'ouverture de cet hôpital, en 1909, quelque 378 examens microscopiques sont effectués sur un nombre total de 645 patients hospitalisés. Deux ans plus tard, le nombre d'examens grimpe à 934 parmi les 685 hospitalisations. En 1916, le nombre d'examens microscopiques et d'analyses de laboratoire a triplé, atteignant 2775 sur un total de 887 patients. Six ans plus tard, l'accroissement est considérable avec 9117 analyses pour 1436 patients.

La direction du laboratoire de l'Hôpital Notre-Dame est confiée en 1900 au docteur A. Bernier. C'est là un choix judicieux puisque Bernier est l'un des premiers véritables bactériologistes dans la province de Québec. Dix ans plus tard, il deviendra le premier titulaire de la chaire de bactériologie nouvellement fondée à l'École de médecine et de chirurgie/Faculté de médecine de l'Université Laval à Montréal, chaire qu'il conservera jusqu'à son décès en 1928. Tout au long de son mandat, Bernier sera assisté des docteurs A. Mercier et A. Derome. Cependant, les besoins accrus des services de bactériologie et de pathologie incitent les autorités médicales à créer en 1907, sous la direction du docteur W. Derome, un laboratoire d'anatomie pathologique distinct du laboratoire de bactériologie et d'histologie. Soucieux de posséder les compétences suffisantes pour remplir une telle tâche, W. Derome se rend à Paris[56]. De retour en 1910, il se voit confier la tâche de constituer «une collection de spécimens pathologiques». Les pièces anatomiques préparées par Derome et ses assistants sont jugées «intéressantes tant au point de vue scientifique que pour l'enseignement[57]». Les fonctions proprement scientifiques et didactiques du laboratoire de pathologie sont ici clairement mises en évidence.

Le laboratoire de bactériologie possède en 1909 une instrumentation plutôt rudimentaire, mais qui s'avère néanmoins suffisante pour des analyses encore peu diversifiées. L'équipement se réduit principalement à 2 microscopes, 1 bouilloire, 1 autoclave à vapeur, 1 four de Pasteur, 2 étuves, 1 centrifugeuse, 1 filtre de Chamberland, 20 ballons pour les sérums, 1 balance, 4 cylindres gradués, 2 mortiers en pierre, 1 urinomètre et 1 armoire «pour les cultures bactériologiques[58]»; quant à la salle d'autopsie, elle contient 2 tables pour les autopsies, 1 table pour les instruments, 1 tableau noir, 1 balance pour les pièces anatomiques, 3 bols en granit pour les pièces anatomiques, 2 tabliers en caoutchouc, 1 tube pour irrigation et 1 chaudière[59].

L'importance que prennent désormais les laboratoires dans la structure de la pratique médicale est illustrée par la décision du bureau médical de nommer au laboratoire un «assistant expert» qui verra à assister et à suppléer en tout temps le chef du service. Le docteur A. Mercier, chargé en 1908, à la suite de la démission de Bernier, de diriger les laboratoires décide, deux ans plus tard, de se retirer de cette charge parce que, d'une part, «l'organisation moderne des divers services et les progrès de l'enseignement exigent beaucoup plus de travaux de laboratoire dans les hôpitaux» et que, d'autre part, il est «très pris par ses consultations du dehors» et par son désir de «se consacrer davantage à l'enseignement clinique[60]». La tâche du chef de laboratoire exige une disponibilité qui rend plus difficile le cumul des fonctions. Mais cela n'empêche pas le docteur W. Derome d'assumer seul, encore pour quelque temps, les multiples fonctions qui lui sont dévolues. Le docteur H. Aubry ne tardera pas, devant l'ampleur de la tâche, à venir le seconder.

En 1911, les autorités médicales, satisfaites de l'organisation des laboratoire de chimie biologique, de bactériologie et d'anatomie pathologique dirigés par le docteur W. Derome, déclarent que «le contrôle scientifique de l'observation des malades est devenu complet à l'Hôpital Notre-Dame[61]». Tout en manifestant un enthousiasme un peu excessif, elles expriment une satisfaction compréhensible face à une organisation clinique qui tente de répondre tant bien que mal aux nouveaux standards hospitaliers du monde occidental: laboratoires bien organisés, service de pathologie bien alimenté en pièces anatomiques, enseignement clinique axé en partie sur des méthodes de laboratoire, etc. Le nombre de certains types d'analyses, entre 1919 et 1923, subit des fluctuations intéressantes qui révèlent une modification des pratiques de laboratoire. Alors que le nombre des analyses d'urine demeure stable — 2220 en 1919 contre 2412 en 1923 — et que les tests de Bordet-Wassermann pour dépister la syphilis subissent une légère baisse imputable à la démobilisation des soldats — 476 en 1919 contre 315 en 1923 —, le nombre des analyses du sang augmente de façon considérable, passant de 76 analyses à 221, les tests bactériologiques passent de 418 à 833, les tests de la constante d'Ambard grimpent de 269 à 1061 en 1922, les sérodiagnostics doublent de 90 à 178 et les analyses classées sous la rubrique «autres» s'accroisssent de 75 à 576.

Les réorganisations des laboratoires de l'Hôpital Notre-Dame, nécessitées par une constante réévaluation des besoins, suffisent à peine à répondre aux nouvelles exigences diagnostiques. Une suite de mesures ponctuelles, telles que l'imposition des feuilles de rapports standard pour noter les résultats d'analyse (1919) et l'achat de nouveaux appareils (1920), comblent en partie les lacunes. La venue de nouveaux assistants qui, sans être des spécialistes au sens actuel du terme, consacrent au laboratoire une grande part de leur temps est une mesure devenue essentielle pour répondre aux besoins. De même, la nomination en 1921 du docteur A. Bertrand comme interne à temps plein au laboratoire constitue une amélioration importante qui trace la voie à une spécialisation ultérieure de la fonction. Pour le docteur Bertrand, ce poste sera le premier jalon d'une carrière qui marquera le développement de la bactériologie au Québec.

Mais encore faut-il rappeler que, suivant le témoignage même du docteur Bertrand, l'installation et l'instrumentation des laboratoires demeurent encore, au début des années 1920, largement inadéquates:

> Le matériel était réduit à sa plus simple expression: deux anciens microscopes, une centrifugeuse à eau, remplacée plus tard par un appareil électrique, une étuve à gaz qui avait la mauvaise habitude de s'éteindre toutes les nuits, un autoclave vertical, type Chamberland, d'une capacité d'un pied cube et un ancien réfrigérateur à glace dont personne ne voulait plus. Ajouter à cela des cobayes qu'on gardait sous l'escalier. On pouvait se consoler de cette pénurie de moyens en pensant que Pasteur avait connu des débuts encore plus pénibles et en espérant des jours meilleurs sous peu[62].

En attendant ces «jours meilleurs» qu'inaugurera le grand déménagement en 1924, les laboratoires de l'Hôpital Notre-Dame servent surtout comme «vaste champ d'observation» aux médecins désireux d'y «entreprendre des recherches[63]».

Essentiellement axés sur un mode d'investigation classique au lit du malade, encore aux prises avec des problèmes d'organisation interne, les praticiens de l'Hôpital Notre-Dame, dans la période 1880-1900, appliquent néanmoins assez bien les nouveaux modes d'investigation s'appuyant sur le laboratoire et ne tardent pas dans l'exercice quotidien de leur profession à introduire de nouveaux savoirs et de nouvelles techniques venus de leurs homologues européens. À partir de 1900, une nouvelle génération de praticiens formés ou sensibilisés aux dernières activités de laboratoire impriment une tout autre direction à la pratique clinique[64]. Mais tous les praticiens de Montréal — et plus généralement du Québec — n'ont pas suivi avec enthousiasme cette orientation prise par l'élite hospitalière. Ainsi lorsque, dans les premières années de la décennie 1900, le laboratoire de bactériologie du bureau de santé de la ville de Montréal offre le sérodiagnostic de la fièvre typhoïde, certains médecins s'en prennent à la fiabilité du procédé: «On s'en prend à la méthode alors que c'est l'analyse qui manque de précision ou le médecin qui manque de persévérance[65]», note le docteur Lesage en 1902.

Au début de 1910, le test de Bordet-Wassermann pour le dépistage de la syphilis est introduit, mais la réponse des médecins reste lente. Encore en 1918, le docteur Foucher se plaint des résistances face à la réaction de Wassermann:

> À ceux qui doutent encore de la valeur de cette réaction, je dirai que je la crois l'égale de la séro-réaction de Widal dans la fièvre typhoïde. Plus je m'en sers, plus je constate ce fait tous les jours. Elle est d'un usage courant dans tous les hôpitaux modernes et dans toutes les branches de la médecine. Bien entendu, pour qu'on puisse s'y fier, il faut qu'elle soit faite par un homme compétent, digne de foi et muni d'un bon outillage[66].

Le médecin de pratique privée ne remplit certes pas ces trois conditions. Aussi les analyses bactériologiques sont la plupart du temps effectuées par les hôpitaux, les facultés de médecine et les laboratoires des services de prévention de l'administration sanitaire au niveau de la province (Conseil d'hygiène) ou des villes (les bureaux de santé[67]). Avant que le bureau de santé de la ville de Québec se dote d'un laboratoire de bactériologie en 1911 sous la direction du docteur C.-O. Guimont, les analyses demandées par les médecins sont confiées au laboratoire de l'Université Laval[68]. La complexification des techniques et la sophistication des équipements rendront nécessaire l'organisation de centres de diagnostic, établis la plupart du temps au sein des institutions hospitalières[69]. Cette transition s'effectue à petits pas, tout comme la progression des modes d'interventions cliniques dans l'ensemble des hôpitaux européens ou nord-américains. Là aussi, l'utilisation des procédés de laboratoire s'implante lentement. C'est à partir de la décennie 1920 que le laboratoire deviendra un recours diagnostique de plus en plus routinier pour les praticiens privés. Or une telle transformation de la pratique clinique modifiera en profondeur durant les trois décennies qui suivent la relation entre le praticien privé et le spécialiste en milieu hospitalier. Les transformations de la pratique chirurgicale auront des effets tout aussi fondamentaux.

Une pratique chirurgicale qui se transforme

Longtemps maintenue dans un rôle subalterne par rapport à la médecine, la chirurgie s'étend considérablement à partir du XVIIIe siècle et ne tarde pas à prendre la place qui lui revient au sein de la pratique médicale. Les réformes de l'enseignement médical, l'évolution de la pratique hospitalière et les nouveaux acquis de la science médicale favorisent son essor et accroissent l'importance de son rôle dans la pratique hospitalière. Dès les dernières décennies du XVIIIe siècle, la pratique de plus en plus systématique de la méthode anatomo-clinique renforce les liens de la chirurgie avec la médecine clinique et en fait une discipline essentielle au sein des institutions hospitalières. Mais, paradoxalement, malgré les nombreuses connaissances anatomiques acquises, malgré la mise au point d'instruments chirurgicaux, malgré aussi la connaissance et l'emploi des anesthésiques généraux, les possibilités de recours à la chirurgie au début des années 1870 restent très limitées. C'est que l'intensification de la pratique chirurgicale en un milieu hospitalier où s'entassent des centaines de patients et où l'on pratique des autopsies non loin de la salle d'opération augmente les risques d'infections postopératoires. Les interventions chirurgicales comportant des risques importants d'infection, les chirurgiens limitent autant que possible les grandes post-opérations.

Nul chirurgien ne porte alors le masque chirurgical, les gants de caoutchouc et le vêtement aseptisé. Si la plupart des chirurgiens prônent certaines mesures strictes de propreté, bien peu admettent avant 1880 le rôle majeur joué par les germes dans la suppuration des plaies et les infections postopératoires. Pourtant, les procédés antiseptiques proposés par le chirurgien écossais Lister au début des années 1870 — désinfection de la plaie, désinfection des instruments et des mains du chirurgien, vaporisation d'antiseptiques autour du champ opératoire — ont été assez bien accueillis au Québec, notamment par les praticiens de l'Hôpital général de Montréal qui adoptent déjà en 1870 les antiseptiques dans le traitement des plaies[70]. Cependant, l'application pratique des procédés antiseptiques précède chez beaucoup de chirurgiens la connaissance de la théorie pasteurienne qui les sous-tend. L'art chirurgical acquis au fil de nombreuses années de pratique ne peut se plier aussi facilement à quelques considérations abstraites sur le rôle des germes dans la suppuration. Tout au long de la décennie 1880, un certain nombre de chirurgiens préfèrent encore expliquer l'infection purulente par la constitution idiosyncrasique du patient ou par les variations atmosphériques plutôt que par l'introduction de germes pathogènes. Miasmes, effluves, air malsain constituent des représentations issues des postulats aéristes ou environnementaux. Ils demeurent pour certains des éléments étroitement liés au processus de contagion et d'infection[71].

La plupart des chirurgiens qui défendent la thèse des facteurs environnementaux dans l'étiologie des infections postopératoires mettent l'accent sur le rôle essentiel de la ventilation dans la prévention des infections: «Il faut entretenir la meilleure aération possible dans la salle opératoire», préviennent de nombreux médecins. Toute la conception architecturale des hôpitaux du XIXe siècle, nous l'avons déjà souligné, tournera autour de cette prescription. Plusieurs croient que l'air est susceptible de se corrompre au contact de certains éléments putrides. De fait, les thèses aéristes ou miasmatiques, qui ont tenu une grande place dans le discours étiologique des maladies contagieuses au siècle dernier, façonnent largement les représentations pré-bactériologiques de l'infection des plaies. Les topographies médicales ou descriptions systématiques de la situation sanitaire d'une région donnée, établissant souvent des oppositions entre l'environnement malsain du monde urbain et l'environnement pur du monde rural, sont fréquentes[72]. De nombreux médecins partagent l'idée que l'air sain de la campagne demeure une garantie contre l'infection alors que l'air vicié de la ville exige une intervention antiseptique. Ainsi, le docteur Laramée, médecin de l'Hôpital Notre-Dame, défend l'idée, fort répandue d'ailleurs tout au long du XIXe siècle, que le pus «louable» peut être de bonne nature et sans odeur s'il n'est pas mis en contact avec l'air malsain des grandes villes.

Mais si, jusqu'en 1890, rares sont les chirurgiens qui osent s'aventurer dans de grandes opérations, quelques audacieux en expérimentent de nouvelles. Le docteur W. Hingston, chirurgien de l'Hôtel-Dieu de Montréal, pratique en 1868 l'une des premières néphrectomies de l'histoire de la chirurgie[73]. Les premières hystérectomies au Québec sont effectuées en 1874 par les docteurs Trenholme de l'Hôpital général de Montréal et Rottot de l'Hôtel-Dieu de Montréal[74]. La première herniotomie à l'Hôpital général de Montréal est pratiquée en 1884. Néanmoins, ces grandes opérations demeurent encore des exceptions.

Une pratique chirurgicale traditionnelle

Lorsque le chirurgien Brosseau pratique en juin 1881 la première opération majeure de la jeune histoire de l'Hôpital Notre-Dame, celle-ci se solde par le décès de la patiente. «D'autres opérations suivirent sans succès. Ou les cas étaient trop graves ou la chirurgie n'était pas assez avancée», note laconiquement une sœur hospitalière. Pourtant, à l'ouverture de l'Hôpital Notre-Dame, la pratique chirurgicale au Québec s'était déjà enrichie de la découverte de certaines méthodes anesthésiques, du développement de la bactériologie et de l'établissement de procédés antiseptiques[75]. Cependant, loin d'être encore des pratiques standardisées, ces nouveaux acquis de la science médicale et des sciences de laboratoire sont mis en œuvre selon les humeurs et les habitudes méthodologiques des acteurs. Les chirurgiens québécois francophones et anglophones n'ont pas tous compris avec la même acuité l'importance d'aseptiser le champ opératoire ni la nécessité de confier l'anesthésie à un spécialiste. Du reste, la reconnaissance et la mise en pratique des nouvelles possibilités d'interventions chirurgicales dépendent souvent de la formation du chirurgien, de sa curiosité scientifique et de ses possibilités d'adaptation face à une pratique qui est appelée à de spectaculaires transformations tout au long du XXᵉ siècle. Ainsi, pendant que le docteur Roddick instaure à l'Hôpital général de Montréal en 1877 une pratique chirurgicale axée sur le rituel listérien, le docteur Hingston de l'Hôtel-Dieu de Montréal effectue ses interventions chirurgicales selon une procédure éclectique combinant prophylaxie traditionnelle et mesures antiseptiques.

La chirurgie pratiquée à l'Hôpital Notre-Dame sous la direction du docteur Brosseau oscillera elle aussi entre les procédés classiques d'interventions et les nouvelles mesures antiseptiques. Lorsque sont réalisées les premières opérations chirurgicales à l'Hôpital Notre-Dame, le chloroforme constitue le procédé d'anesthésie le plus employé avec l'éther, les mesures antiseptiques sont généralement limitées au traitement des plaies, la pratique chirurgicale quotidienne est surtout caractérisée par de petites interventions. Les quelques grandes opérations se bornent aux amputations, aux ovariotomies, aux lithotrities, aux amygdalectomies ou encore aux herniotomies. Une pratique chirurgicale somme toute semblable à celle qui prévaut dans la majorité des hôpitaux occidentaux.

La salle d'opération de l'Hôpital Notre-Dame est d'une facture classique et ressemble aux salles opératoires européennes. Située dans l'ancienne salle de bal de l'hôtel, haute de six mètres, elle possède de grandes fenêtres qui, avant l'installation de l'électricité, constituent une source de lumière abondante pour le champ opératoire. Au centre de la salle se trouve une table sur laquelle l'on dépose le patient. Des gradins sont distribués en demi-cercle autour de la salle pour les cliniques chirurgicales. Ce type d'installation est appelé «l'amphithéâtre chirurgical». Deux autres pièces lui sont annexées: la salle de consultation pour les chirurgiens, où sont rangés les instruments chirurgicaux d'urgence, et la salle destinée à la chloroformisation des malades avant leur installation sur la table d'opération[76]. Immédiatement à gauche de la salle d'opération se trouve la salle d'autopsie éclairée par six grandes fenêtres[77]. Or la proximité de ces deux salles augmente considérablement les risques d'infection opératoire. Aussi, en 1891, décide-t-on de relocaliser la salle d'autopsie au sous-sol de l'hôpital.

S'il arrive occasionnellement que les opérations soient importantes, la plupart des cas relèvent de la petite chirurgie et ne nécessitent que des interventions mineures. Les ouvertures d'abcès, les extractions de dents, les sutures, les injections, les cathétérismes ou les ablations constituent plus de 85 % des interventions pratiquées entre 1880 et 1883, le reste comprenant surtout des amputations ou des réductions de fractures. Au cours des deux premières décennies d'existence de l'Hôpital Notre-Dame, la proportion des opérations de grande chirurgie n'augmente que de 2 % à 10 %. Parmi celles-ci dominent les ovariotomies, les laparotomies, les hystérectomies, les urétrotomies et les amygdalectomies. Durant l'année d'activité 1894-1895, le service n'effectue que 9 laparotomies, 3 ovariotomies, 4 hystérectomies et 15 urétrotomies. Au cours des décennies 1880 et 1890, les procédures chirurgicales sont relativement simples: purgation du patient, prescription de cognac, anesthésie au chloroforme ou à l'éther, pansement antiseptique et drainage de la plaie si nécessaire, prescription routinière de toniques (thé de bœuf et brandy ou vin), prescription si nécessaire d'opium ou de morphine, diète à base de viande, etc.

Les besoins chirurgicaux reliés aux accidents du travail sont pressants et définis par une clientèle en majorité masculine. En 1891, sur les 45 lits disponibles, 34 sont réservés aux hommes contre 11 seulement pour les femmes. L'emplacement de l'hôpital à proximité des installations portuaires et sa présence au sein d'une population ouvrière alimentent l'institution en cas de toutes sortes (fractures, coupures, brûlures, membres broyés, etc.). Ceux-ci nécessitent des interventions d'urgence: pansements, sutures, réductions de fractures, amputations, etc. Les accidentés du port de Montréal grossissent les rangs des travailleurs des usines et des manufactures que l'on achemine de plus en plus, dans la mesure des moyens disponibles, vers l'Hôpital Notre-Dame[78]. Les cas sont si nombreux que l'Hôpital Notre-Dame ne tardera pas à se faire une réputation enviable en ce qui a trait aux soins d'urgence et particulièrement en ce qui concerne la réduction des fractures, l'amputation et la ligature des artères et des veines. Les registres des opérations chirurgicales sont en ce sens révélateurs. En 1889-1890, par exemple, 358 des 1067 opérations de petite chirurgie se rapportent à des réductions de fractures, des amputations, des luxations ou des traumatismes variés pour un pourcentage de 36,2 %. L'année suivante, 292 des 834 opérations, soit un taux de 35 %, ont trait à des opérations d'extraction de corps étrangers, à des amputations, à des réductions de fractures ou à des traitements de blessures graves.

La fonction d'assistance aux victimes d'accidents est exprimée de façon plus ou moins manifeste dans les rapports ou les conférences publiques des autorités de l'hôpital. La réglementation concernant le travail des internes stipule dès 1880 que ceux-ci doivent voir «à ce que tous les cas d'accidents soient soignés». En 1898, le docteur E.-P. Lachapelle justifie le taux élevé de mortalité en invoquant le fait que l'Hôpital Notre-Dame est un «hôpital des maladies aiguës et des accidents[79]», explication qui est reprise en 1909: «Il n'est pas possible d'obtenir de meilleurs résultats, surtout dans un hôpital que l'on considère comme un hôpital d'urgence, où sont admis de préférence les cas aigus[80].» Le rôle d'assistance aux accidentés est encore une fois mis en évidence en 1910: l'Hôpital Notre-Dame est «un hôpital d'urgence pour les travailleurs de notre Port dont le nombre s'accroît d'été en été de gens venus de toutes les parties de la province[81]». En 1921, le surintendant Mercier insiste sur la fonction manifeste de l'Hôpital Notre-Dame: «Notre hôpital est plutôt un hôpital d'urgence, situé dans un milieu où il est appelé à soigner beaucoup d'accidents et beaucoup de miséreux[82].»

Les moyens employés par le chirurgien Brosseau durant la décennie 1880 pour la réduction des fractures les plus graves sont conformes aux pratiques chirurgicales en milieu hospitalier: anesthésie au chloroforme, tube à drainage introduit dans la plaie pour favoriser l'évacuation du pus, points de suture, appareil de réduction des fractures, injection antiseptique d'acide phénique, suspension et plâtrage des membres, utilisation des attelles, etc.[83].

Les délais sont parfois très longs entre le moment de l'accident et l'arrivée à l'hôpital. Un employé de chemin de fer qui a subi une fracture du tibia à la gare de l'Est ne se présente à l'Hôpital Notre-Dame que plusieurs jours après l'accident. Il avait préféré les soins d'un rebouteur. Mal lui en a pris puisque le chirurgien Brosseau ne pourra réduire que partiellement cette mauvaise fracture. Le cas n'est pas isolé et plusieurs médecins de l'Hôpital Notre-Dame maugréent contre ces «ramancheux» encore très populaires. Un ouvrier est «envoyé des Townships de l'Est à l'Hôpital Notre-Dame, le 14 février 1889, dix semaines après l'accident[84]». Il avait consulté quatre des meilleurs rebouteurs des environs. De tels délais montrent les résistances à l'hospitalisation chez certains travailleurs[85] ainsi que de façon générale une résistance à la médicalisation. On préfère les rebouteurs alors même que le médecin dispose de l'avantage d'une infrastructure technique et instrumentale importante.

Mais le docteur Brosseau ne manque pas d'optimisme lorsqu'il espère anéantir, avec l'anesthésie au chloroforme et le plâtre de Paris, «tous ces rebouteurs qui torturent les pauvres innocents[86]».

Mais si les traitements des réductions de fractures sont généralement efficaces, certaines interventions du chirurgien peuvent aussi avoir des suites fâcheuses. Il n'est pas rare en effet que, par suite de négligence face à certaines précautions antiseptiques, l'intervention du scalpel provoque des infections difficiles à contrôler dont la plupart n'ont peut-être pas de suites mortelles, mais qui nécessitent trop souvent des séjours prolongés à l'hôpital. À partir de 1880, la fréquence de telles infections dépend en grande partie du chirurgien. Les moyens de prévention des infections purulentes, loin d'être standardisés, varient de la plus stricte antisepsie à la négligence la plus totale. Or, à part quelques exceptions, la plupart des chirurgiens font preuve d'un certain éclectisme en adoptant certaines mesures antiseptiques dans une pratique encore largement traditionnelle. La chirurgie pratiquée à l'Hôpital Notre-Dame sous la direction du docteur Brosseau en constitue un exemple éloquent.

A.-T. Brosseau (1880-1898): les prémisses d'une chirurgie antiseptique

Peu après l'obtention de son diplôme à l'École de médecine et de chirurgie de Montréal, le docteur Brosseau s'embarque pour l'Europe où il poursuit des études chirurgicales à Paris et à Londres de mai 1872 à mars 1873. Dès son retour, il est nommé assistant chirurgien à l'Hôtel-Dieu de Montréal et se joint en 1879 à la succursale de l'Université Laval à Montréal comme professeur de clinique chirurgicale. Il dirigera le service de chirurgie de l'Hôpital Notre-Dame de 1880 à 1898. Il sera secondé par les docteurs H.-E. Desrosiers et E.-P. Benoit ainsi que par son futur remplaçant, le docteur O.-F. Mercier.

Brosseau, comme la plupart des chirurgiens formés durant la décennie 1870, défend les prescriptions de propreté et perçoit l'infection purulente comme la conséquence du rôle morbide de «l'action de l'air sur la plaie[87]». Du reste, on retrouve chez lui de nombreuses allusions, quoique indirectes, à la génération spontanée en tant que théorie explicative du phénomène des infections postopératoires. Ainsi, à propos des décès survenus à la suite d'une infection purulente postopératoire dans les cas de fractures graves, Brosseau met en garde ses étudiants: «Il importe que le pus ne séjourne pas, car en séjournant il croupit, se décompose et peut fournir à l'absorption les matériaux putrides qui engendrent l'infection purulente.»

Or, pour quiconque admet les thèses pasteuriennes et en conséquence rejette la théorie de la génération spontanée, le pus ne peut engendrer l'infection purulente. Le premier maillon de la chaîne ne peut être que le germe morbide. Mais, dans les années 1880, de nombreux médecins, au Québec comme ailleurs, reconnaissent encore une origine spontanée à l'infection.

Le surintendant E.-P. Lachapelle et le docteur S. Lachapelle, tous deux membres fondateurs de l'Hôpital Notre-Dame et professeurs à la succursale de l'Université Laval à Montréal, admettent avec Brosseau que «les opérés doivent être à l'abri d'accidents étrangers», en entendant par là le rôle joué par l'air vicié des villes dans les infections purulentes. Tout en reconnaissant qu'il y a si peu d'infections opératoires dans les campagnes que «les experts, les virtuoses de l'art chirurgical se paieront le luxe d'une maison, d'une villa opératoire au milieu des parfums de la campagne [et] y conduiront le patient comme dans un berceau où la mort ne peut pénétrer[88]», ils n'en manifestent pas moins un certain scepticisme et se demandent, nous l'avons déjà souligné, si l'atmosphère de Montréal n'est pas aussi pure que celle de la campagne.

De telles représentations traditionnelles du rôle de l'air dans les complications opératoires, sans égard pour la théorie des germes défendue par Pasteur et mise en pratique par Lister, ne peuvent aboutir qu'à des mesures élémentaires d'hygiène et qu'à des pratiques antiseptiques partielles sous forme de pansements ou de désinfection des tissus.

La reconstitution des tissus et des organes est ainsi souvent perturbée par la suppuration qu'accompagnent les symptômes classiques de l'infection (diminution du pouls, vomissement, fièvre intense); la résection des plaies n'aboutit que trop rarement à la réunion par première intention et il faut multiplier les pansements antiseptiques, introduire des tubes à drainage pour favoriser l'écoulement du pus, rouvrir la plaie et parfois reprendre l'opération. Les symptômes provoqués par l'infection sont alors combattus à coup d'interventions thérapeutiques fréquentes: lorsque, après l'opération, la «blesssure rend [...] du pus», elle est «pansée à l'acide phénique au 40e» et l'on prescrit au patient une diète généreuse. Enfin, si «la plaie suppure encore abondamment, on y introduit des crins de cheval pour établir le drainage» tout en entretenant «la meilleure aération possible dans la salle[89]». Des prescriptions d'opium, de morphine s'ajoutent aux nombreux toniques: vin au quinquina, eau de vie, phosphate de chaux, etc. Il n'est pas rare que la convalescence du patient à l'hôpital s'étende sur plus de deux mois.

Les suites d'une ovariotomie pratiquée par Brosseau en 1882 présentent des caractéristiques classiques. Huit jours après l'opération, des symptômes de péritonite et de septicémie apparaissent: frissons, tremblements, agitation, perte de sommeil, délire et pupilles dilatées. On décide dès lors d'introduire une sonde aussi profondément que possible dans la cavité abdominale et l'on fait des injections désinfectantes d'acide phénique[90] suivies de cautérisations répétées au perchlorure de fer. Des prescriptions de toniques et de stimulants divers complètent les efforts thérapeutiques. Durée de séjour de la patiente: plus de trois mois. Fort heureusement, admet Brosseau, les soins postopératoires ont été prodigués avec un grand dévouement:

> Le succès de l'ovariotomie dépend en grande partie des soins assidus et intelligents des gardes-malades. Sous ce rapport rien n'a fait défaut dans ce cas-ci. Une religieuse s'est constamment tenue nuit et jour auprès de l'opérée, et les médicaments, etc. ont été administrés à la minute et tel que prescrits[91].

Néanmoins, si les cas de décès à la suite de grandes amputations (bras, jambes, pieds, cuisses) sont nombreux[92], la performance générale de Brosseau durant la décennie 1880 est néanmoins loin d'être mauvaise et elle rivalise à bien des égards avec celle de la majorité des chirurgiens français, anglais ou américains. Mais tout au long des années 1890, Brosseau se fait peu à peu distancer par une nouvelle génération de chirurgiens initiés aux fondements théoriques de la bactériologie et à ses applications pratiques.

Le gynécologue de l'hôpital, M.-T. Brennan, est l'un des tout premiers représentants de cette génération convertie aux vertus des précautions antiseptiques et aseptiques. Brennan se range très tôt du côté des pasteuriens et sa pratique gynécologique s'enrichit largement d'une compréhension très fine des procédés infectieux et d'un remarquable sens d'observation concernant les propriétés antiseptiques des solutions les plus couramment employées. Critique quant aux effets de l'acide carbolique «parce qu'il est irritant, qu'il dissout les caillots, favorise l'hémorragie secondaire et empêche souvent l'union par première intention», Brennan préfère lui substituer l'iodoforme et le bichlorure, bien que l'acide carbolique reste à ses yeux excellent pour les instruments, éponges, linges et autres objets dans le voisinage d'une plaie. Bref, il considère qu'il vaut mieux éviter l'usage de l'acide carbolique dans la plaie elle-même ou du moins éviter une grande quantité de cette substance et les solutions concentrées[93]». Pour désinfecter une plaie, le peroxyde d'hydrogène lui paraît un antiseptique efficace «mais qui n'est pas assez généralisé[94]». Après un séjour dans les grands hôpitaux new-yorkais en 1887, Brennan se rallie aux procédures de stérilisation et de propreté qui préfigurent les méthodes aseptiques. L'années suivante, Brennan conseille à ses collègues d'utiliser du sublimé pour le lavage et le brossage de la peau, d'aseptiser les instruments, les mains du chirurgien et de ses assistants, les éponges, serviettes, etc., «détails [ajoute-t-il] qui ne devraient jamais être omis avant de pratiquer une opération chirurgicale[95]». Les résultats opératoires de Brennan sont excellents et se comparent avantageusement à ceux des meilleurs gynécologues de l'époque[96]. Néanmoins, Brennan est plutôt isolé à l'Hôpital Notre-Dame et sa méthodologie n'intéresse guère la plupart de ses confrères, d'autant que sa pratique gravite autour de la gynécologie et de l'obstétrique, matières jugées subalternes par rapport à la médecine et à la chirurgie. L'arrivée du docteur O.-F. Mercier en 1892, qui favorise, tout comme ses collègues A. Marien à l'Hôtel-Dieu de Montréal et J. Ahern à l'Hôtel-Dieu de Québec[97], une pratique antiseptique et aseptique rigoureuse au service de chirurgie de l'Hôpital

Notre-Dame, modifiera sensiblement les statistiques opératoires et fournira à Brennan l'appui nécessaire à la défense des nouvelles procédures aseptiques.

O.-F. Mercier (1899-1928): de l'antisepsie à l'asepsie chirurgicale

La prise en charge du service de chirurgie par le docteur Mercier en 1899 constitue l'aboutissement d'une lutte difficile entre deux écoles médicales mais surtout entre deux générations de praticiens. Bien des choses séparent le docteur Brosseau de son jeune assistant. Le premier, formé selon les préceptes de la chirurgie pré-listérienne, opère d'après les procédés classiques où la dextérité s'allie à la rapidité du geste alors que le second, initié à Paris dès la fin de ses études médicales aux procédés antiseptiques et aseptiques et aux derniers développements de l'anesthésie générale et locale, opérait selon un protocole rigoureux qui annonce en quelque sorte la chirurgie actuelle[98]. Assistant de Brosseau de 1892 à 1898, le docteur Mercier subira le joug autoritaire d'un homme bourru peu ouvert aux nouvelles théories et peu favorable à une modification de sa pratique chirurgicale.

Lorsque le docteur O.-F. Mercier pratique sa première opération[99], il inaugure, au sein du service de chirurgie de l'Hôpital Notre-Dame, une pratique aseptique qui transformera considérablement les modes d'intervention chirurgicale. Mercier, au terme de ses études à l'École de médecine et de chirurgie/succursale de l'Université Laval à Montréal en 1890, s'était rendu à Paris afin de parfaire sa formation chirurgicale. Élève de Reclus, il avait eu le loisir de s'initier aux pratiques antiseptiques et aseptiques proposées par Terrillon et Terrier, et de constater l'efficacité des autoclaves pour stériliser l'eau, les instruments et les pansements. Mercier revient au Québec en 1890, exerce pendant quelques mois au dispensaire et obtient, en 1891, le poste d'assistant chirurgien visiteur à l'Hôpital Notre-Dame. En 1899, il remplacera le docteur Brosseau gravement malade, pour enfin devenir officiellement, lors du décès de ce dernier en 1900, chef du service de chirurgie.

Appuyé par quelques médecins de l'hôpital et profitant d'une situation plutôt libérale au sein de l'institution, Mercier, de l'aveu d'un contemporain,

> se mit à l'œuvre pour faire bénéficier la maison et les malades des méthodes modernes. Jusque-là, on observait les règles de la propreté, mais la chirurgie moderne exige davantage. Non seulement le chirurgien doit opérer avec habileté, mais le champ opératoire doit être rigoureusement aseptique, c'est-à-dire débarrassé de tout germe infectieux susceptible de contaminer la plaie, de compromettre la guérison et même de causer la mort. Il s'ingénia par tous les moyens théoriques et pratiques à démontrer les bienfaits de ces nouvelles méthodes[100].

Mercier insistera souvent «sur la rigueur de l'asepsie et de l'antisepsie» nécessaires aux opérations intra-péritonéales telles que les «cures radicales des hernies», surtout en ce qui regarde «le danger de la péritonite [qui] est toujours à craindre[101]». Les résultats de Mercier sont éloquents: les six patients ayant subi une herniotomie en 1895 se rétablissent dans les dix jours, et ce sans infection postopératoire. Sur l'insistance de Mercier, l'asepsie chirurgicale faisait ses premières entrées à l'Hôpital Notre-Dame.

Déjà, durant les années 1896-1898, les achats de coton, d'ouate, de compresses et autres articles pour les pansements atteignent annuellement entre 1000 $ et 1200 $ alors que le montant dépensé pour des produits similaires oscillait autour de 150 $ en 1891-1892. Une telle augmentation, qui dépasse de loin la courbe ascendante des interventions, n'est explicable que par le fait que les compresses et les tissus antiseptiques ne sont plus utilisés dans la salle d'opération qu'une seule fois, alors qu'il était d'usage à l'époque de Brosseau, selon le témoignage d'un contemporain, de se servir de serviettes et d'éponges «qui, après un simple nettoyage, passaient à d'autres plaies les germes cueillis un peu partout[102]». Les administrateurs des hôpitaux partagent alors une certaine responsabilité puisque plusieurs d'entre eux refusent «les frais additionnels» occasionnés par les nouvelles méthodologies aseptiques qui entraînent notamment un accroissement considérable du volume des produits aseptiques nécessaires aux opérations[103]. Les autorités de l'Hôpital Notre-Dame n'opposeront guère de résistance aux demandes formulées par Mercier dans l'établissement des nouvelles procédures opératoires. Il faut dire que ce dernier, au début des années 1900, recevra de nouveaux et précieux appuis. De jeunes chirurgiens — entre autres T. Parizeau, A. Lesage, L. de Lotbinière-Harwood — initiés à la bactériologie et aux techniques antiseptiques et aseptiques à l'Institut Pasteur ou lors des cliniques chirurgicales données dans les grands centres européens, viennent bientôt prêter main-forte à Mercier, Brennan et Foucher.

À partir de 1900, nul ne saurait pratiquer une opération sans observer un rituel soigneusement établi: aseptisation à l'autoclave des instruments et des pansements, désinfection des mains et des avant-bras de toute l'équipe, port du vêtement chirurgical et de la coiffe aseptisée, rasage, brossage et désinfection de «la zone» opératoire avec une solution de sublimé au 1/500 ou 1/1000, d'iodoforme ou de teinture d'iode à 10 %, désinfection minutieuse de la plaie à l'iodoforme, à l'eau chaude, au sublimé, à l'antipyrine, au salol, à l'acide borique, à la vaseline selon le cas, drainage à l'aide de gaze iodoformée, sutures au catgut, vêtements et tabliers de caoutchouc aseptisés, etc. Bien sûr, les procédés aseptiques demeurent encore, comparativement à ceux d'aujourd'hui, imparfaits. Nous n'avons trouvé aucune mention du port de gants et de masques par l'équipe chirurgicale. Les exemples d'Halsted et Mikulickz ne semblent pas avoir fortement impressionné les chirurgiens québécois[104].

VERS UN NOUVEAU CHAMP OPÉRATOIRE ASEPTIQUE

Les transformations méthodologiques de la pratique chirurgicale nécessitent aussi une modification de l'environnement opératoire et la mise en place de nouvelles normes d'accès à la salle d'opération. Sous la direction de Brosseau, la salle d'opération, loin d'être exclusivement réservée aux opérations, servait parfois à des démonstrations cliniques où des pièces anatomiques étaient exhibées. Elle pouvait aussi servir de salle de pansements. En 1895, le bureau médical, sous la pression de

Mercier, décide de procéder à d'importants changements quant à l'usage de la salle d'opération pour la rendre aseptique. La même année, des membres du bureau médical, E.-P. Lachapelle, Villeneuve, Mercier, Brennan et Benoit, décident, encore sur une proposition de Mercier, que ladite salle «soit réservée exclusivement aux opérations aseptiques» et qu'en conséquence, elle «ne devra jamais servir de salle de pansement, non plus qu'à l'examen ou à l'exhibition d'aucune pièce anatomique[105]». Malgré les avertissements du bureau médical, il faudra encore un certain temps pour que soit appliqué rigoureusement ce nouveau règlement. On décide donc d'aménager une nouvelle salle de clinique avec un amphithéâtre pourvu de gradins en «pente rapide». Cette salle ne sera définitivement installée qu'un an plus tard. En 1896, Mercier propose l'installation de l'électricité dans la salle d'opération, pour favoriser l'éclairage et permettre la cautérisation. L'hôpital acquiert aussi des autoclaves perfectionnés pour la stérilisation des instruments et des objets chirurgicaux. Jusqu'au début du XXe siècle, la plupart des transformations touchant le service de chirurgie sont attribuables aux initiatives de Mercier. La salle opératoire et ses annexes subissent dans les années 1900 des modifications importantes qui la rendent conforme aux normes de l'époque. On y ajoute une table d'opération mécanique, des plateaux en verre pour les pansements, un bassin en verre pour les sondes et des bocaux en verre pour les pansements stérilisés; l'antichambre renferme une bouilloire pour les ustensiles à pansements et un réservoir à eau filtrée; dans le vestiaire des médecins se trouvent le stérilisateur à pansements, un four à chaleur sèche, un autoclave et une boîte en fer blanc pour les serviettes stérilisées[106].

Au début des années 1910, les précautions aseptiques et antiseptiques sont suffisantes pour permettre aux chirurgiens de l'hôpital, formés et rompus aux nouvelles méthodes prophylactiques, de pratiquer des interventions autrefois interdites au scalpel du chirurgien. Les appendicectomies deviennent des opérations de plus en plus fréquentes. De même, les laparotomies, prostatectomies, néphrectomies, etc. se multiplient sans que les taux globaux de mortalité opératoire ne s'accroissent de façon significative. Le docteur Mercier a aussi joué un rôle actif dans la fondation d'une école d'infirmières en 1897 qui fournira une formation théorique et pratique adéquate au personnel travaillant dans l'environnement de la salle d'opération. Des cours de bactériologie, de stérilisation et de désinfection des plaies dispensés aux sœurs hospitalières et aux infirmières laïques augmentent l'efficacité des interventions aseptiques.

Une étude des interventions chirurgicales réalisées entre 1900 et 1920 donne raison à un contemporain qui affirmait que, sous la direction de Mercier, «les résultats étaient impressionnants et le séjour des opérés de moins en moins prolongé dans son service». En 1902-1903, on compte un seul décès parmi les 33 cas de fractures graves du tibia et du péroné qu'ont à soigner les chirurgiens de l'hôpital, alors qu'en 1890, sur 11 cas semblables, on comptait 3 décès; en 1910, sur les 21 amputations majeures (bras, jambes, cuisses) effectuées à l'hôpital, on n'enregistre aucun décès. Au début des années 1900, même si la grande chirurgie est en pleine expansion, le taux de mortalité demeure stable autour de 6 %. En 1900-1901 sont effectuées 143 opérations intra-abdominales dont 38 interventions chirurgicales pour des hernies graves qui n'entraînent que 3 décès et 32 appendicectomies qui conduisent à 5 décès, pour un pourcentage de décès de 15,6 %, résultats honorables si l'on considère que le taux de décès conséquemment à cette opération à l'Hôpital Royal Victoria en 1898 est de 14 %[107]. En 1920-1921, l'Hôpital Notre-Dame enregistre un pourcentage de décès par suite d'une appendicectomie de 13 %, mais, compte tenu de la gravité de l'opération, les résultats sont à ce moment-là très satisfaisants.

Le nombre d'opérations reliées aux organes génitaux-urinaires demeure important avec 71 interventions parmi lesquelles sont pratiquées 7 laparotomies, 3 néphropexies et 14 hystérectomies qui ne provoquent qu'un seul décès. En 1904-1905, les chirurgies abdominales augmentent à 186 dont 61 appendicectomies. Sept ans plus tard, 230 opérations intra-abdominales sont effectuées parmi lesquelles les 87 cures radicales de hernie n'occasionnent que 4 décès; aucun décès n'est plus enregistré pour des amputations, des trépanations ou des prostatectomies. En 1920 sont effectuées 113 appendicectomies, 19 laparotomies, 12 gastro-entérostomies[108], 13 néphrectomies, 17 cholécystotomies, etc. Il ne fait aucun doute que l'augmentation des interventions intra-abdominales[109] et les possibilités de réussite résultent directement de l'efficacité grandissante des méthodes de prévention des infections.

La réputation d'un hôpital tient de plus en plus à ses réussites chirurgicales, et les autorités de l'Hôpital Notre-Dame ne manquent pas une occasion d'en faire la promotion. Il arrive parfois qu'une grande intervention chirurgicale donne l'occasion de réunir des confrères chirurgiens. C'est ainsi que le chirurgien Parizeau en 1922 pratique à l'Hôpital Notre-Dame une néphrectomie en présence de 25 chirurgiens de Montréal et de l'Ontario. Sous la direction de Mercier, les nouveaux chirurgiens de l'Hôpital Notre-Dame s'orientent résolument vers une grande chirurgie de plus en plus standardisée en fonction des nouveaux acquis des sciences médicales: amélioration des procédés d'asepsie, mise en pratique de nouvelles méthodes opératoires et surtout adoption de nouvelles méthodes d'anesthésie qui s'avéreront essentielles dans le développement des grandes interventions chirurgicales.

Du «chloroformisateur» à l'anesthésiste

L'éther et le chloroforme ont été les premiers anesthésiques employés avec succès dans la pratique chirurgicale. Par un curieux hasard, ils ont été introduits dans la pratique chirurgicale presque simultanément. Après l'anesthésie chirurgicale à l'éther effectuée par John Collin Warren au Massachusetts General Hospital en 1846 et l'utilisation du chloroforme par le docteur James Simpson à Édimbourg en 1847, ces deux anesthésiques se répandent rapidement dans le monde chirurgical[110]. L'atténuation de la souffrance physique avait toujours été une préoccupation des médecins. L'éther et le chloroforme se révèlent donc des anesthésiques de choix pour la pratique hospitalière. Relativement sûrs et d'utilisation facile, ils ne requièrent aucun appareil spécial et peuvent être employés par les internes ou les gardes-malades. Ils domineront l'anesthésie jusqu'au début du XXe siècle[111].

Le chloroforme pur est surtout employé pour les opérations de courte durée. Les interventions de longue durée, soit d'une heure et demie à deux heures, nécessitent une première anesthésie au chloroforme et des applications anesthésiques à l'éther durant le déroulement de l'opération[112]. Une ovariotomie pratiquée à l'Hôpital Notre-Dame en 1882 illustre la méthode anesthésique. La patiente, installée dans une petite salle attenante à la salle d'opération, est transportée dans la salle de chloroformisation où on lui sert un stimulant, de préférence deux onces de cognac, pour diminuer les risques de syncope. Pendant ce temps, le chloroformiste, généralement l'interne de service, prépare l'anesthésique composé d'une partie d'alcool pur pour deux parties de chloroforme et trois parties d'éther sulfurique, mélange qui «ne produit pas les effets déprimants du chloroforme pur et est moins apte à favoriser la syncope[113]». Après l'anesthésie, on surveille la respiration de la patiente «avec grand soin» parce que «c'est d'elle et non pas du pouls que l'on attend les premiers signes de danger». Si des vomissements viennent, «la patiente est alors mise sous l'influence de l'opium dont on répète la dose au besoin». Lors du réveil de l'opérée, on lui prescrit une diète lactée, un peu de brandy et quelques doses d'opium qui peuvent être remplacées le troisième jour suivant l'opération par de la morphine. Un membre de l'Hôpital Notre-Dame affirmait non sans fierté en 1882 que «dans le cours des deux dernières années, aucun accident n'est survenu à l'hôpital durant l'anesthésie générale». Il faut faire la part des choses. Les vomissements et les asphyxies mineures sont fréquents et il arrive que l'on doive suspendre le patient la tête en bas pour éviter une asphyxie mortelle.

Mais si l'exemple qui précède illustre les procédés employés dans les cas d'opérations de longue durée, soulignons qu'en général «on se sert rarement de l'éther à l'Hôpital Notre-Dame[114]». Jusqu'en 1900, le chloroforme demeure l'anesthésique préféré des chirurgiens de l'Hôpital Notre-Dame. D'ailleurs, on emploie le terme «chloroformisateur» pour désigner l'anesthésiste, de même que la salle réservée à l'anesthésie est dénommée «salle de chloroformisation». Cette situation est à première vue surprenante si l'on considère que l'éther, jugé plus sûr et plus efficace que le chloroforme, devenait le choix privilégié d'un grand nombre de chirurgiens. S. D. Lewis affirme que, vers 1890, le chloroforme avait largement disparu des hôpitaux généraux et n'était guère utilisé que dans les maternités[115]. Il est permis d'en douter. En 1904, le docteur Mercier souligne qu'en France on semble «abandonner davantage le chloroforme pour l'éther dont l'emploi se généralise de plus en plus», encore que, ajoute-t-il, «le chloroforme conserve un très grand nombre de partisans[116]». Si le chloroforme a été si largement employé entre 1880 et 1900, c'est aussi parce que les grandes interventions chirurgicales nécessitant de longues anesthésies demeurent exceptionnelles et que la plupart des chloroformisations servaient surtout aux nombreuses réductions de fractures et amputations. Au début du XXe siècle, l'essor de la grande chirurgie demande des procédés d'anesthésie plus complexes et mieux adaptés aux longues interventions. Mercier met à l'essai en 1903 l'appareil de Krohne et Seseman fabriqué à Londres pour l'administration du chloroforme. Il en semble satisfait: «[Ce nouvel appareil] semble nous donner une narcose beaucoup plus régulière, avec beaucoup moins de chloroforme, que l'on peut doser très régulièrement et qui arrive au malade intimement mélangé d'air[117].»

Mais peu à peu, l'éther et le protoxyde d'azote[118], nommé aussi gaz hilarant, remplaceront le chloroforme sauf dans les cas exceptionnels comme la pleurésie purulente où l'éther est contre-indiqué à cause de ses effets congestifs sur les poumons.

Paradoxalement, le développement des techniques anesthésiques accroît les risques de complications et augmente proportionnellement les accidents opératoires. En raison des progrès de la narcose et du raffinement de l'asepsie, les chirurgiens deviennent plus interventionnistes, pratiquent des interventions plus complexes et plus risquées et augmentent considérablement la durée moyenne des opérations. L'anesthésie exige donc, à partir des premières décennies du XXe siècle, un personnel plus qualifié et une réorganisation structurelle du service.

Au début du XXe siècle, certaines recommandations du bureau médical tendent à assurer plus de stabilité à la fonction de chloroformisateur. Le 25 septembre 1897, il est proposé qu'un salaire de 100 $ soit accordé «à un médecin qui se charge spécialement et exclusivement de l'anesthésie des malades opérés[119]». Mais six mois plus tard, le bureau médical se ravise et préfère confier le service à un «interne chloroformisateur» sans salaire. Légère amélioration, les candidats devront désormais faire un apprentissage pratique à la salle d'opération. En

1902, une étape importante dans la spécialisation de la fonction est franchie lorsque le bureau d'administration, à la suite d'une demande du bureau médical, crée un nouveau poste «d'administrateur des anesthésiques ou chloroformisateur». Celui-ci recevra un salaire annuel de 200 $ et aura:

> le devoir d'anesthésier les malades opérés dans les différents services, de se tenir à toute heure du jour à la disposition des chirurgiens et des spécialistes, de ne recevoir des médecins et des patients eux-mêmes aucun argent ou rémunération[120].

En 1903, il est résolu, conséquemment aux plaintes formulées par des médecins du bureau médical qui soulignent les inconvénients engendrés par un chloroformisateur résidant en dehors de l'hôpital, de supprimer cette fonction. L'hôpital revient à la formule antérieure. Ce sont à nouveau les internes qui effectuent l'anesthésie. Une autre tentative de réforme voit le jour en 1910. Une résolution du bureau médical demande, à cause des «responsabilités qu'entraîne l'anesthésie», la nomination d'un médecin assistant «qui se spécialisera» dans cette activité[121]. En 1913 est créé, sur la recommandation des chirurgiens Parizeau et Mercier, le premier service d'anesthésie. La direction en est assumée par le docteur A. Brosseau. Mais la tâche de ce dernier se limite surtout à superviser le travail des assistants en internat à qui sont confiées les anesthésies. La fonction de «chloroformisateur», toujours remplie par des subalternes, demeure peu valorisée[122].

L'augmentation du nombre des interventions chirurgicales sous anesthésie et la complexification croissante des procédés anesthésiques nécessitent de plus en plus une meilleure qualification du personnel et une structuration du service. Cependant, deux facteurs contribuent aux problèmes récurrents reliés à l'anesthésie. Le premier est d'ordre financier. L'hôpital prétend ne pas avoir les ressources financières pour rémunérer plus d'un médecin à temps plein. La solution la moins coûteuse consiste, selon une pratique courante à l'époque, à nommer des assistants bénévoles au service d'anesthésie. Les étudiants internes constituent une réserve fort économique pour l'hôpital.

Le deuxième facteur est d'ordre socio-médical. Il n'existe pas encore au sein de la profession médicale une spécialisation des fonctions rattachées à la pratique de l'anesthésie. Jusqu'au début du XXe siècle, l'anesthésie est toujours confiée à un médecin, généralement l'interne de service, «qui en est exclusivement chargé et a ordre de ne s'occuper que de son rôle[123]». Or les modifications au poste d'interne sont fréquentes et la plupart des internes abandonnent leur fonction après un an de service. La fonction de «chloroformisateur», loin d'être stable, est donc confiée à des médecins inexpérimentés. Du reste, une telle fonction, peu valorisée, est perçue comme secondaire et est généralement pratiquée par de jeunes médecins encore à l'aurore de leur carrière qui voient là un moyen d'accéder à des postes mieux rémunérés et aussi mieux considérés dans la structure hospitalière. Il en est d'ailleurs ainsi dans tous les hôpitaux du Québec[124]. Les possibilités de recrutement d'anesthésistes compétents et expérimentés sont donc réduites au minimum. Sauf en ce qui concerne le docteur A. Brosseau, le temps de service des anesthésistes bénévoles de l'hôpital varie de quelques mois à deux ans. Par exemple, le docteur Larose engagé en mars 1917 se retire du service en avril 1919 pour «se consacrer au service de médecine du dispensaire».

À partir de 1916, d'importantes réformes permettent d'améliorer le service d'anesthésie: le chef du service aura désormais pleine autorité sur son personnel, les malades seront examinés la veille de l'opération par «le chloroformisateur[125]», un enseignement «général, personnel, théorique et pratique» sera dispensé et seuls les anesthésistes attitrés seront habilités à effectuer des anesthésies générales. L'année suivante, il est décidé que «les médecins de service doivent être à l'hôpital aux heures réglementaires et le chef de service doit voir à ce qu'un anesthésiste soit désigné pour chaque malade devant être opéré». De nouvelles recommandations sont formulées quant à l'implantation d'un programme d'interventions chirurgicales établi conjointement par l'interne en chef et la sœur hospitalière en charge de la salle d'opération. Un service d'urgence où les anesthésistes sont astreints à un tour de garde hebdomadaire est aussi constitué.

La modification de la pratique chirurgicale à l'Hôpital Notre-Dame exerce des pressions croissantes à la fois sur la structuration des soins médicaux et sur la réorganisation de l'espace hospitalier. L'une ne peut se faire sans l'autre. Incidemment, l'introduction de nouveaux savoirs ne manque pas d'accroître les besoins en personnel spécialisé, en locaux et en matériel de plus en plus sophistiqués. Déjà, au début des années 1910, de tels besoins plaident grandement en faveur d'un nouvel hôpital satisfaisant aux nouveaux critères de la science médicale. Mercier, devenu surintendant de l'hôpital en 1909, et ses assistants doivent cependant prendre leur mal en patience et organiser des réformes temporaires à l'intérieur d'un édifice qui vieillit trop rapidement[126].

Notes

1. G. Gusdorf, *Dieu, la nature et l'homme au siècle des Lumières*, p. 424-491.

2. Giovanni Batista Morgagni (1682-1771), qui publia son célèbre traité *De sedibus et causis morborum per anatomen indagatis* à Venise en 1761, est, avec John Hunter (1728-1793), le plus illustre représentant de la médecine anatomopathologique du XVIIIe siècle. Sur l'importance de l'école huntérienne pour le développement de l'approche anatomo-clinique à l'époque, voir O. Keel, «La pathologie tissulaire de John Hunter». Voir aussi E. R. Long, *A History of Pathology*, et O. Keel, *Cabanis et la généalogie de la médecine clinique*; O. Keel, *La généalogie de l'histopathologie*.

3. Voir M. Foucault, *Naissance de la clinique*; E. H. Ackerknecht, *Medicine at the Paris Hospital, 1794-1848*; M.-J. Imbault-Huart, *L'École pratique de dissection de Paris de 1750 à 1822, ou l'influence du concept de médecine pratique et de médecine d'observation dans l'enseignement médico-chirurgical au XVIIIe siècle et au début du XIXe siècle*; E. Lesky, *Meilensteine der Wiener Medizin*; T. Gelfand, *Professionalizing Modern Medicine. Paris Surgeons and Medical Science and Institutions in the 18th Century*; O. Keel, «La place et la fonction des modèles étrangers dans la constitution de la problématique hospitalière de l'École de Paris».

4. Voir S. Leblond, «La dissection et le vol des cadavres au Québec», dans S. Leblond, *Médecine et médecins d'autrefois. Pratiques traditionnelles et portraits québécois*.

5. Ainsi l'Hôpital général de Montréal servira de terrain à un enseignement clinique officiel qui fait partie de la formation médicale donnée par la Montreal Medical Institution, mise sur pied en 1823. (Voir H. E. MacDermot, *An History of the Montreal General Hospital*.)

6. C'est le cas, par exemple, à l'Hôtel-Dieu de Québec où cette pratique est officialisée par un règlement en 1825. (Voir F. Rousseau, *La croix et le scalpel. Histoire des Augustines et de l'Hôtel-Dieu de Québec*, p. 207 et 263.)

7. *Acte pour amender et refondre les actes relativement à la profession médicale et la chirurgie dans la province de Québec*, 1876, chap. 26. Sur ces points, voir J. Bernier, *La médecine au Québec. Naissance et évolution d'une profession*, p. 69 et suiv. et D. Goulet, *Histoire de la faculté de médecine de l'Université de Montréal (1843-1993)*.

8. La méthode de la percussion thoracique a été inventée par le docteur viennois L. Auenbrugger. Il en fait état dans son traité *Inventum novum ex percussione thoracis humani*, paru à Vienne en 1761. Cette méthode de diagnostic s'inscrit dans le prolongement de l'approche anatomo-clinique de la première École de Vienne.

9. Sur l'invention du stéthoscope et la diffusion de cette méthode, voir S.-J. Reiser, *Medicine and the Reign of Technology*, p. 23-44. Cet instrument sera introduit au Canada par le docteur P. Beaubien en 1825. «L'art de l'auscultation sera aussi vraisemblablement pratiqué et diffusé par le docteur Badgley à son retour des îles britanniques et de Paris en 1842. Les docteurs R. L. McDonnell, A. F. Holmes et R. P. Howard en seront aussi les promoteurs» (D. Goulet et A. Paradis, *Trois siècles d'histoire médicale au Québec. Chronologie des institutions et des pratiques (1639-1939)*, p. 450).

10. Le laryngoscope est inventé par le médecin polonais J.-N. Czermak en 1857. (Voir S. J. Reiser, *op. cit.*, p. 52.) Le docteur H.-G. Wright en fait une présentation dans une revue médicale montréalaise en 1864. (Voir D. Goulet et A. Paradis, *op. cit.*, p. 453.) Cependant, cet instrument semble avoir été peu utilisé au Québec avant 1875. Le docteur Brosseau avait donné une conférence devant la Société médicale de Montréal en 1873 pour le faire mieux connaître. (Voir J. Bernier, *op. cit.*, p. 136.)

11. L'ophtalmoscope a été mis au point par le médecin et physiologiste allemand H. Helmholtz en 1851. (Voir S.-J. Reiser, *op. cit.*, p. 47.) Une présentation en est faite dans *Canada Medical Journal and Monthly Record* en 1864 et 1866 et dans le *Canada Lancet* en 1864. (Voir D. Goulet et A. Paradis, *op. cit.*, p. 453.)

12. Il est à noter cependant que, dès le XVIIIe siècle, plusieurs médecins en Europe avaient fait usage du thermomètre dans le diagnostic. C'était le cas à l'École clinique de Vienne, où le professeur utilisait systématiquement cet instrument et faisait des recherches sur les corrélations entre l'évolution des malades et le degré de la température. (Voir O. Keel, *Cabanis...*, *op. cit.*, et E. Lesky, *op. cit.*)

13. Le *Canada Lancet* en fait mention dans un numéro de l'année 1863. (Voir D. Goulet et A. Paradis, *op. cit.*, p. 453.)

14. Le cytoscope, qui permet l'examen endoscopique de la vessie, est apparu sur le continent nord-américain vers 1903. Il favorisera une avance rapide de l'urologie dans les premières décennies du XXe siècle.

15. Le médecin français P.-C.-E. Potain proposera un sphygmomanomètre à air en 1889.

16. *L'Union médicale du Canada*, 1883, p. 545.

17. *Ibid.*, 1884, p. 195.

18. *Ibid.*, 1883, p. 3-13.

19. *Ibid.*, 1878, p. 488.

20. *Ibid.*, 1884, p. 148-149.

21. En général, les médecins de service avaient le loisir d'utiliser les nombreux autres moyens d'investigation clinique qui ont été mis au point tout au long du XIXe siècle.

22. Le comité de rédaction de *L'Union médicale du Canada* était composé au moment de la fondation de l'hôpital des docteurs E.-P. Lachapelle, S. Lachapelle et A. Lamarche, tous membres fondateurs de l'Hôpital Notre-Dame.

23. PVBMHND, 13 octobre 1891.

24. *Ibid.*, 22 décembre 1921.

25. RAHND, 1885-1886, p. 15.

26. Le pathologiste W. Osler avait alors mis sur pied «le premier service au Canada où sont effectuées de façon systématique des autopsies. Il pratiquera près de 800 autopsies qui seront consignées jusqu'en 1884, dans une série de publications annuelles intitulées *Montreal General Hospital Clinical and Pathological Reports*» (D. Goulet et A. Paradis, *op. cit.*, p. 458. Voir aussi H. Cushing, *The Life of Sir William Osler*).

27. *L'Union médicale du Canada*, 1904, p. 29-38.

28. *Statuts et règlements de l'Hôpital Notre-Dame*, 1899.

29. L'expression «chez Morgagni» était encore utilisée au Québec durant les premières décennies du XXe siècle. Elle faisait référence au fondateur de l'anatomie pathologique et de la pathologie organique moderne, l'Italien G. B. Morgagni.

30. PVBMHND, 4 décembre 1890.

31. RAHND, 1891-1892, p. 17.

32. *Statuts de la province de Québec*, 1883, chap. 30.

33. PVBMHND, 5 janvier 1893.

34. *Ibid.*, 10 octobre 1896.

35. *Ibid.*, 16 janvier 1892.

36. RAHND, 1898-1899, p. 15.

37. *Ibid.*, 1898-1899, p. 13.

38. Voir C. Salomon-Bayet (dir.), *Pasteur et la révolution pasteurienne*.

39. Sur l'introduction de la bactériologie au Québec, voir D. Goulet, *Des miasmes aux germes. L'impact de la bactériologie dans la pratique médicale au Québec (1870-1930)*.

40. Wyatt Galt Johnston fut l'un des premiers bactériologistes en territoire québécois.

41. À partir de 1882, l'Hôtel-Dieu de Québec possède un petit laboratoire constitué d'un microscope, de flacons de réactif et d'une lampe à alcool. (Voir F. Rousseau, *op. cit.*, p. 285.) L'Hôtel-Dieu de Montréal possédait aussi au début des années 1880 un petit laboratoire. Un nouveau laboratoire plus spacieux et mieux équipé sera aménagé en 1886. Dès son ouverture en 1894, l'Hôpital Royal Victoria possédait un petit laboratoire clinique dirigé par le docteur A. Bruère. (Voir D. S. Lewis, *History of the Royal Victoria Hospital*, p. 119 et 139.)

42. C'est le docteur W. Osler qui découvrira en 1873, lors d'un séjour dans un laboratoire de Londres, les plaquettes sanguines. (Voir H. Cushing, *op. cit.*,

p. 104-105.) En 1882, il publiera, au moment où il est professeur de pathologie à l'Université McGill, un manuel de laboratoire intitulé *Students' Notes: Normal Histology for Laboratory and Class Use.*

43. C'est le bactériologiste français F. Widal qui, à partir de 1900, en fera la promotion.

44. *L'Union médicale du Canada,* 1880, p. 371.

45. Ce laboratoire avait été mis sur pied sur recommandation du conseil de la faculté de médecine de la succursale de l'Université de Montréal.

46. RAHND, 1887-1888, p. 15.

47. En effet, c'est très souvent dans des laboratoires de fortune, sans statut officiel, que les premiers travaux en bactériologie ont été menés dans la première période de l'ère pasteurienne en France. (Voir J. Léonard «Comment peut-on être pasteurien?», dans C. Salomon-Bayet [dir.], *op. cit.,* p. 143-179.)

48. PVBMHND, 24 octobre 1896.

49. C'est surtout entre 1896 et 1905 que les premiers pastoriens font leur entrée en territoire québécois. Le docteur T. Parizeau réorganise, à son retour d'un stage à l'Institut Pasteur en 1896, les laboratoires de bactériologie et de pathologie à la faculté de médecine de la succursale de l'Université Laval à Montréal. Son assistant nommé la même année, le docteur W. Derome, avait lui aussi effectué un séjour à l'Institut Pasteur. Il publiera dans *L'Union médicale du Canada* ses notes de cours où il rend compte des travaux de Kitasato, Faber, Berhing, Metchnikoff, etc. Parizeau est nommé professeur de bactériologie en 1900 et sera remplacé en 1910 par un autre ancien étudiant de l'Institut Pasteur, A. Bernier. Après avoir passé un an sous la tutelle des bactériologistes Roux et Martin, le docteur Bernier devient, à son retour en 1899, démonstrateur de bactériologie et, l'année suivante, chef du laboratoire de bactériologie de l'Hôpital Notre-Dame. Il sera aussi nommé bactériologiste en chef du Conseil d'hygiène de la province de Québec en 1908 et premier professeur titulaire de bactériologie à la faculté de médecine de la succursale de l'Université Laval à Montréal en 1910, postes qu'il conservera jusqu'en 1928. Il cumule aussi les fonctions de directeur du laboratoire de l'Hôpital Notre-Dame et de bactériologiste-consultant de l'Hôtel-Dieu. (Voir D. Goulet et O. Keel, «Les hommes-relais de la bactériologie et l'introduction de nouvelles pratiques diagnostiques et thérapeutiques (1890-1920)».)

50. L. Deslauriers, *Essai sur l'histoire de l'Hôpital Notre-Dame, 1880-1980,* p. 33, et *Revue médicale,* 1902-1903, p. 374.

51. RAHND, 1896-1897, p .6.

52. *Ibid.,* 1897-1898, p. 8.

53. En 1898, un comité est formé pour établir un tarif des contributions pour les examens de laboratoire dans les cas des examens privés. (PVBMHND, 7 décembre 1898.)

54. *Ibid.,* 30 mars 1901.

55. *Ibid.,* 26 mars 1907.

56. À une séance du bureau médical du 30 avril 1908, le docteur W. Derome demande un congé d'un an pour poursuivre des études en Europe. La permission lui est accordée. On ne connaît cependant ni la date exacte de son départ ni celle de son retour. (*Ibid.,* 30 avril 1908.)

57. RAHND, 1909, p. 25.

58. *Inventaire général. Outils, équipements de l'Hôpital Notre-Dame*, 1909-1910.

59. *Ibid.*

60. PVBMHND, 3 mai 1910.

61. RAHND, 1911, p. 28.

62. A. Bertrand, *op. cit.*, p. 14-15.

63. RAHND, 1898-1899, p. 3.

64. D. Goulet et O. Keel, «Les hommes-relais...», *op. cit.*

65. A. Lesage, «L'odyssée d'une typhoïdique», p. 259.

66. *L'Union médicale du Canada*, 1918, p. 212. L'Hôpital Royal Victoria introduit le test Bordet-Wassermann en 1907. (D. S. Lewis, *op. cit.*, p. 119.)

67. Le gouvernement fédéral publiera en 1920 trois brochures sur le diagnostic des maladies vénériennes: *Les maladies vénériennes. Le test de Wassermann/Veneral Diseases. The Wassemann Test; Les maladies vénériennes. Les examens microscopiques/Veneral Diseases. The Microscopic Examination*, et *Les maladies vénériennes. Diagnostic et traitement/Veneral Diseases. Diagnosis and Treatment* (J. Cassel, *The Secret Plague. Venereal Disease in Canada 1838-1939*, p. 272). Ce sont sans doute les services de santé des administrations sanitaires qui ont le plus contribué, avec certains médecins d'hôpitaux, à promouvoir le recours à la bactériologie et aux laboratoires. Dès 1894, le Conseil d'hygiène de la province de Québec met sur pied son laboratoire et, la même année, l'administration de Montréal crée un poste de bactériologiste de la ville. Un laboratoire de bactériologie sera mis sur pied à Montréal en 1897. Sur le développement des laboratoires, voir D. Goulet et O. Keel, «Les hommes-relais...», *op. cit.*, et D. Goulet, *Des miasmes...*, *op. cit.*

68. R. Lemoine, «La santé publique: de l'inertie municipale à l'offensive hygiéniste», dans G.-H. Dagneau (dir.), *La ville de Québec, histoire municipale. De la Confédération à la charte de 1929*, p. 150-180.

69. Par exemple, le bureau médical de l'Hôpital Royal Victoria met en place en 1921 une clinique diagnostique qui se chargera de l'analyse du métabolisme basal. (Voir D. S. Lewis, *op. cit.*)

70. Sur ce point et les suivants, voir D. Goulet et O. Keel, «L'introduction du listérisme au Québec: entre les miasmes et les germes»; D. Goulet, *Des miasmes...*, *op. cit.*

71. Voir D. Goulet et O. Keel, «Généalogie des représentations et attitudes face aux épidémies au Québec depuis le XIXe siècle».

72. D. Goulet, *Des miasmes...*, *op. cit.* Sur la problématique des topographies médicales au Québec au début du XIXe siècle et l'essor de cette pratique de la cartographie sanitaire d'une région ou ville, voir P. Keating et O. Keel, «Auteur du *Journal de médecine* de Québec: programme scientifique et programme de médicalisation», dans R. A. Jarrell et A. E. Roos (dir.), *Critical Issues in the History of the Canadian Science, Technology and Medicine*.

73. Voir P. Meunier, *La chirurgie à l'Hôtel-Dieu de Montréal au XIXe siècle*, p. 73.

74. *Ibid.*, p. 144, et W. B. Howell, *F. J. Shepherd — Surgeon. His Life and Time*, p. 122.

75. Lister publie les premiers résultats de ses deux années de travaux sur l'antisepsie dans le *Lancet*, London, n°s 1 et 2, 1867: «On new method of treating compound fracture, abcess, & c., with observations on the condition of suppuration». Une communication de Lister, intitulée «Antiseptic principle in the practice of surgery», est lue devant la British Medical Association à Dublin le 21 septembre 1867 et publiée dans le *British Medical Journal*, n° 2, 1867, p. 246-248.

76. *L'Union médicale du Canada*, 1880, p. 371-372.

77. *La Minerve*, 26 juillet 1880, p. 2.

78. Sur ce point et les suivants, voir D. Goulet et O Keel, «Santé publique, histoire des travailleurs et histoire hospitalière: sources et méthodologie».

79. RAHND, 1897-1898, p. 6.

80. *Ibid.*, 1909, p. 23.

81. *Ibid.*, 1910, p. 26.

82. *Ibid.*, 1921, p. 38.

83. Voir D. Goulet et O. Keel, «Santé publique...», *op. cit.*

84. *L'Union médicale du Canada*, 1890, p. 116.

85. Voir D. Goulet et O. Keel, «Santé publique...», *op. cit.*

86. *L'Union médicale du Canada*, 1882, p. 319.

87. *Ibid.*, 1881, p. 145-146.

88. *Ibid.*, p. 236-237.

89. *Ibid.*, p. 363.

90. À noter que cette forme d'utilisation de l'acide phénique est de type pré-listérien. Sur ce point et les suivants, voir D. Goulet et O. Keel, «L'introduction de...» *op. cit.*, et D. Goulet, *Des miasmes...*, *op. cit.*

91. *L'Union médicale du Canada*, 1882, p. 579.

92. En 1883-1884, deux amputations d'une cuisse se soldent par deux décès et quatre amputations de la jambe se soldent par un décès; en 1884-1885, quatre cas de fractures composées de la jambe qui nécessitent une intervention se soldent par trois décès; en 1886-1887, sept amputations de la jambe entraînent trois décès, deux lithotrities occasionnent deux décès et une intervention sur un genou désarticulé entraîne la mort du patient; en 1889-1890, deux laparotomies se soldent par un décès alors que les deux trépanations sont un échec; en 1891-1892, une cystotomie et une trépanation entraînent deux décès; en 1892-1893, le docteur Brosseau voit deux de ses huit patients amputés d'une jambe mourir des suites d'une infection et la seule lithotritie effectuée cette année-là est un échec. Voir D. Goulet, *Des miasmes...*, *op. cit.*

93. *L'Union médicale du Canada*, 1888, p. 513.

94. *Ibid.*

95. *Ibid.*, p. 512

96. Sur la carrière et la pratique de Brennan en gynécologie à l'Hôpital Notre-Dame, voir aussi L. Brodeur, *Les débuts de la spécialisation de la gynécologie au Québec: 1800-1920. Médicalisation de la femme et consolidation de la profession médicale.*

97. J. Ahern introduit la méthodologie antiseptique à l'Hôtel-Dieu de Québec en 1885 et oriente sa pratique chirurgicale au début du siècle vers les

nouveaux procédés aseptiques. A. Marien introduit les procédés antiseptiques et aseptiques à l'Hôtel-Dieu de Montréal vers 1895. (Voir D. Goulet, *Des miasmes…, op. cit.*)

98. *Ibid.*

99. *Registre des opérations 1881-1901*, Hôpital Notre-Dame, p. 139.

100. *L'Union médicale du Canada*, 1947, p. 1295.

101. O. Mercier, «Cures radicales des hernies», p. 23.

102. T. Parizeau cité par E. Desjardins, *L'enseignement au second demi-siècle*, p. 8-9.

103. Vogel rapporte l'extrait suivant d'une allocution prononcée en 1905 par un administrateur devant l'Association américaine des surintendants d'hôpitaux: «*These costs were obviously unnecessary. Did not mortality rates from home surgery compare favorably with those of the most lavishly equipped operating rooms*» (M. J. Vogel, *The Invention of the Modern Hospital: Boston 1870-1930*).

104. Halsted introduit l'utilisation des gants de caoutchouc en Amérique en 1891, mais ils ne deviendront d'usage courant qu'au début du xxᵉ siècle. Le chirurgien Mikulickz opérait en 1896 avec des gants de tissu stérilisés et un masque opératoire. Le chirurgien A. Marien de l'Hôtel-Dieu de Montréal semble être le premier à utiliser un masque opératoire au Québec à partir de 1896. (Voir D. Goulet, *Des miasmes…, op. cit.*)

105. PVBMHND, 9 novembre 1895.

106. *Inventaire général. Outils, équipements de l'Hôpital Notre-Dame*, 1909-1910.

107. En ce qui concerne les appendicectomies, les chirurgiens du Royal Victoria sont beaucoup plus interventionnistes avec 73 interventions effectuées en 1898 (*Montreal Medical Journal*, 1900, p. 81).

110. Le chirurgien A. Marien de l'Hôtel-Dieu de Montréal effectue en 1899 l'une des premières gastro-entérostomies pratiquées au Québec. (Voir P. Meunier, *op. cit.*, p. 249.) Le chirurgien suisse C. Schletter avait effectué une gastrectomie totale en 1897.

109. La chirurgie abdominale commence véritablement à se répandre durant la décennie 1890, à la suite des travaux du médecin allemand Hegar qui réintroduit dans tous ses détails la chirurgie prophylactique de Semmelweis et du Britannique Tait. Ce dernier avait réalisé avec succès durant les années 1884-1885, selon une méthodologie basée sur une propreté rigoureuse, 139 ovariotomies consécutives. Les premières appendicectomies ne furent pratiquées qu'au début des années 1890, mais elles se répandirent avec une rapidité foudroyante. Les procédés d'anesthésie et le développement des procédés aseptiques de prévention des infections opératoires, grâce à la reconnaissance du rôle morbide joué par certains microbes, détermineront les conditions de possibilité des grandes interventions intra-abdominales et intra-thoraciques. (Voir O. Wangesteen et S. Wangensteen, *The Rise of Surgery. From Empiric Craft to Scientific Discipline*, p. 234-235, et M. J. Vogel, *op. cit.*, p. 62.)

110. Les premières utilisations de l'éther et du chloroforme en chirurgie au Canada sont faites respectivement en 1847 et 1848 par les docteurs E. D. Worthington et A. F. Holmes. (Voir à ce propos D. Goulet et A. Paradis, *op. cit.*, p. 451-452.)

111. Entre 1880 et 1900, les chirurgiens de l'Hôpital Notre-Dame utiliseront surtout le chloroforme. Le chirurgien Hingston de l'Hôtel-Dieu de Montréal utilisait indifféremment l'éther ou le chloroforme mais, à partir de 1880, il lui arrive à l'occasion d'utiliser le bromure d'éthyl. Les chirurgiens de l'Hôpital général de Montréal et de l'Hôpital Royal Victoria ont surtout recours à l'éther, notamment pour les amputations et la réduction des fractures. D'autres anesthésiques étaient parfois employés. Par exemple, en 1869, une amputation du pied est réalisée à l'Hôpital de la marine par le docteur Landry sous une anesthésie au protoxyde de nitrogène. Il s'agissait du premier usage au Canada de cet anesthésique. En 1891, Schleich expérimente un nouvel anesthésique composé d'un mélange d'éther, de chloroforme et de chlorure d'éthyle administré à l'aide d'un masque. Au début des années 1910, avec Meltzer (1909), Peck (1912) et Boothby (1911), l'anesthésie endotrachéale, qui rend possible la chirurgie thoracique, est mise au point.

112. *L'Union médicale du Canada*, 1882, p. 431.

113. *Ibid.*, p. 577.

114. *Ibid.*

115. D. S. Lewis, *op. cit.*, p. 145.

116. *L'Union médicale du Canada*, 1904, p. 413.

117. *Ibid.*

118. Déjà au début du XIXe siècle, des tentatives avaient été faites pour utiliser le protoxyde d'azote découvert par Priestley comme anesthésique mais sans résultats probants. L'expérimentation est reprise par Andrews (1868) et Bert (1879) qui le rendent moins dangereux et plus efficace en lui ajoutant une quantité d'oxygène. (Voir M. Bariéty et C. Coury, *Histoire de la médecine*, p. 912.)

119. PVBMHND, 25 septembre 1897.

120. *Ibid.*, 3 juin 1902.

121. *Ibid.*, 3 mai 1910.

122. Un rapport déposé au bureau médical en 1914 fait mention d'accidents survenus «sous chloroforme» et de chloroformistes qui «pour la plupart ne sont pas médecins» (*ibid.*, 10 novembre 1914).

123. Un médecin de l'Hôpital Notre-Dame souligne d'ailleurs en 1882 que «jamais le chloroforme n'est confié à un élève» (*L'Union médicale du Canada*, 1882, p. 431).

124. Lewis souligne qu'au Royal Victoria, les anesthésistes, jusqu'à l'arrivée de Nagle en 1908, ne sont que des «oiseaux de passage» qui se limitent à donner des instructions aux internes. Le docteur Nagle, de retour d'un stage en anesthésie, est nommé en 1912 anesthésiste résident de l'Hôpital Royal Victoria et devient probablement le premier spécialiste en anesthésie au Québec. Il sera assisté du docteur W. Bourne. (D. S. Lewis, *op. cit.*, p. 145.)

125. PVBMHND, 30 mars 1916.

126. Le docteur O.-F. Mercier meurt le 26 juillet 1929: «L'Université et l'Hôpital perdent un grand chirurgien» (*Extraits des chroniques de l'Hôpital Notre-Dame*, s.d., p. 16).

La façade de l'Hôpital Notre-Dame installé en 1880 dans les locaux de l'ancien Hôtel Donegana situé rue Notre-Dame, à quelques pas de l'actuelle rue Berri.

M. Victor Rousselot, curé de la paroisse
Notre-Dame de 1866 à 1882. L'un des
fondateurs de l'Hôpital Notre-Dame.

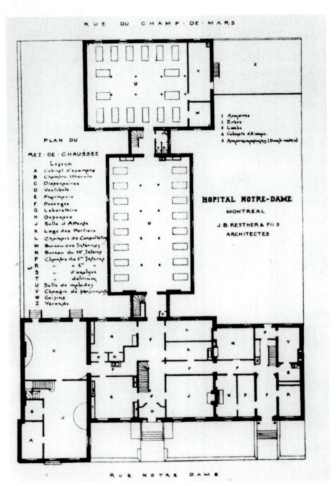

Plan du rez-de-chaussée de l'hôpital avec salles des malades. Le bâtiment
s'étendait de la rue Notre-Dame à la rue Champ-de-Mars. L'acquisition de
pensions et d'hôtels adjacents a permis à l'hôpital de prendre progressivement de l'ampleur.

Sœur Julie Haineault-Deschamps, supérieure générale des Sœurs grises. Membre fondateur de l'Hôpital Notre-Dame.

Docteur Emmanuel-Persillier Lachapelle, l'un des fondateurs de l'Hôpital Notre-Dame, surintendant de 1884 à 1905. Doyen de la Faculté de médecine de la succursale de l'Université Laval à Montréal de 1908 à 1918.

Sœur Élodie Mailloux fonde en 1898 la première école canadienne-française des gardes-malades, dont elle est la première directrice.

Docteur Jean-Philippe Rottot, médecin de l'Hôpital Notre-Dame, doyen de la Faculté de médecine (sous ses différentes dénominations de l'époque) de 1879 à 1891 et de 1893 à 1908. Lui-même et ses successeurs à ce poste seront tous issus de l'hôpital pendant six décennies consécutives.

La salle Saint-Joseph, rez-de-chaussée de l'hôpital de la rue Notre-Dame, vers 1900.

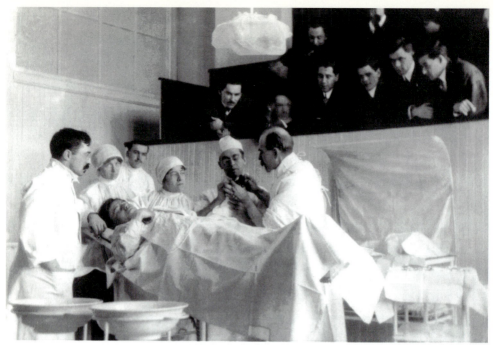

Salle d'opération et amphithéâtre pour étudiants (vers 1920).

La première ambulance de l'hôpital, 1886.

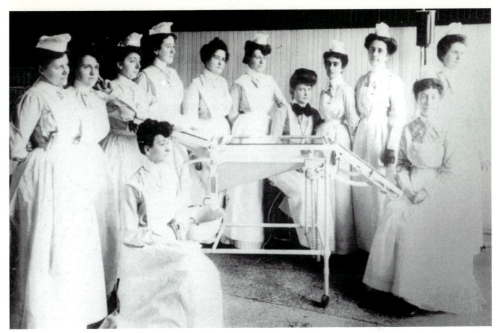

Un groupe d'infirmières de la salle d'opération (vers 1910).

Une graduation d'infirmières (vers 1930).

Mᵐᵉ Rosaire Thibodeau, fondatrice de l'Association des dames patronnesses en 1881.

Grande kermesse en faveur de l'œuvre des Dames patronnesses, place d'Armes, en 1884. Elle rapportera 15 342 $.

CHAPITRE V

La clientèle, les maladies et les soins

Une clientèle homogène

Cinq mois après l'ouverture de l'Hôpital Notre-Dame, sœur Ollier, dans une lettre adressée à la directrice de la communauté, mentionnait avec enthousiasme que près de 300 patients «de toutes catégories» avaient déjà été admis à l'hôpital. Parmi ceux-ci se retrouvaient des avocats et des notaires, des matelots, des employés du Grand Tronc, des ouvriers et des indigents. Elle soulignait aussi la présence, parmi une grande majorité de catholiques, de plusieurs protestants qui, ajoutait-elle, «paraissent prendre goût à notre hôpital[1]». Dès ses débuts donc, l'hôpital reçoit de nombreux indigents ainsi que des patients de toutes les couches sociales.

Trois catégories de patients

L'hôpital admettait les patients de toutes conditions et de toutes nationalités. Mais l'on avait créé trois catégories distinctes de malades, définis en fonction de leur situation financière: malades «privés», malades «demi-privés [sic]» et malades «ordinaires non payants». Le patient «en état de payer les soins[2]» n'était pas admissible aux salles communes stricte-ment réservées aux «seuls patients pauvres[3]». Le préposé à l'admission, en général le médecin interne, déterminait la catégorie du malade. Une personne désignée par le bureau d'administration pouvait aussi à l'occasion se charger des «détails pécuniers [sic] de l'admission des patients privés et demi-privés[4]».

Les patients admis dans les chambres privées devaient payer, outre les honoraires de leur médecin, la pension et la location de la chambre, les médicaments, la rémunération de l'infirmier attaché à leur service et les examens de laboratoire. Mais de tels coûts donnaient des avantages non négligeables. Tout en jouissant de «tout le confort désirable», ces patients pouvaient «se faire traiter par le médecin ordinaire ou par tout médecin de leur choix[5]». Ils avaient aussi la possibilité de choisir leurs anesthésistes lors des grandes opérations chirurgicales. Ils ne pouvaient faire l'objet de leçons cliniques auprès des étudiants et les opérations chirurgicales étaient privées. Parmi les patients privés, les alcooliques constituaient une catégorie soumise à des règlements spéciaux. Ils ne pouvaient, par exemple, choisir leur médecin et devaient se faire soigner par des médecins de l'institution ou par le médecin interne au coût de 1 $ par jour.

Les patients semi-privés constituaient en quelque sorte une catégorie à mi-chemin entre les patients indigents et les patients privés. De petites salles comprenant de quatre à cinq lits étaient en effet réservées aux patients qui ne pouvaient défrayer leur médecin mais qui étaient en mesure de payer les autres frais d'hospitalisation. Il arrivait parfois que certains ouvriers ou gens de métier soient admis dans cette catégorie. Ils recevaient gratuitement les soins médicaux et chirurgicaux, mais devaient supporter le coût de la pension, des médicaments, des pansements ainsi que les dépenses de la salle d'opération. Ils étaient traités par les médecins ou chirurgiens assignés à leur service. Ils pouvaient accepter ou refuser d'être l'objet d'une leçon clinique. Certains de ces patients jouissaient du privilège d'avoir directement accès à des galeries, luxe non négligeable durant les chauds mois d'été. En 1922, le coût d'une admission semi-privée s'élevait à 2 $ par jour alors que celui des chambres privées variait de 2,50 $ à 5 $. Ces deux catégories de patients devaient aussi payer les frais d'opération qui variaient entre 5 $ et 10 $.

Les malades des salles communes, appelés «malades ordinaires», n'étaient admis que sur présentation d'un certificat d'indigence que devait approuver le médecin interne. Un nombre important de patients détenteurs d'un certificat d'indigence n'étaient pas à proprement parler des indigents, mais des travailleurs dont le salaire ne permettait pas de supporter les frais élevés d'hospitalisation. L'Hôpital Notre-Dame, loin d'être une simple institution de charité, ajoutait à ses fonctions originelles les soins aux travailleurs et, en quelque sorte, la conservation des forces de travail. En ce sens, elle assurait déjà une fonction de prise en charge sociale de la maladie. Ces malades pauvres étaient traités gratuitement dans les salles communes de l'hôpital. Généralement, la médication était gratuite, mais il arrivait que leur soit demandée une légère contribution[6]. Placés sous les soins du médecin attaché à leur service, les malades pauvres devaient se soumettre aux leçons cliniques des étudiants à leur chevet ou lors des interventions chirurgicales.

Les horaires et les règlements concernant les visites avantageaient nettement les patients privés. Elles étaient permises tous les jours de la semaine de 9 heures à 21 heures ainsi que le dimanche et les jours de fête de midi à 21 heures. Or dans les salles communes et les salles semi-privées, les parents et amis n'étaient admis que les mardis, jeudis et dimanches ainsi que les jours de fête de 14 h 30 à 15 h 30. En 1898, quelques modifications sont apportées à ces horaires: les patients des chambres privées ne peuvent plus recevoir de visiteurs à l'heure des repas et les patients des salles communes et semi-privées se voient accorder une demi-heure supplémentaire. Cette même année, les autorités médicales adoptent, par suite d'«inconvénients graves[7]», des règlements plus sévères afin de contrôler de plus près les visites aux patients ordinaires et semi-privés. Désormais, seulement deux visiteurs seront admis en même temps auprès du malade. Le nom de chaque malade devait être inscrit sur un tableau gardé par le portier du parloir et à chaque nom correspondait deux billets d'admission. Si un troisième visiteur se présentait au portier, il devait attendre que l'un des deux visiteurs quitte le patient et lui remette son billet. Quant aux aliments destinés aux patients, ils devaient être remis à une hospitalière qui ne pouvait leur remettre qu'après avoir obtenu l'autorisation du médecin interne.

La demande de soins médicaux privés au sein des institutions hospitalières est encore, jusqu'au début des années 1910, relativement faible. Les patients des chambres privées représentent alors entre 10 et 20 % des admissions annuelles. En 1885, l'hôpital peut recevoir 18 malades dans les chambres privées contre 63 dans les salles communes; sept ans plus tard, à la suite de l'acquisition de la propriété Berthelot, l'hôpital peut accueillir 22 patients privés. Entre-temps, la capacité des salles communes avait été augmentée à 113 lits. La proportion des malades payants fluctue entre 1880 et 1895. Approchant les 10 % en 1880-1881, elle augmente jusqu'à 19 % en 1883-1884, puis diminue de 5 % l'année suivante. Elle atteint près de 17 % entre 1885 et 1890, puis diminue de nouveau pour remonter à 16 % en 1894-1895.

Les autorités médicales et administratives reconnaissent l'importance d'accroître la part de la clientèle privée au sein de l'hôpital. Un incident survenu en 1890 en fait foi. Les autorités de l'hôpital apprennent alors que les sœurs de la Miséricorde envisagent de créer un service médical privé dans leur nouvel édifice. Jugeant qu'une telle initiative aura pour effet de «susciter une concurrence dommageable aux intérêts de l'Hôpital Notre-Dame», elles décident de déléguer les docteurs Rottot et E.-P. Lachapelle auprès de l'évêque de Montréal pour lui demander de bloquer le projet. Ils auront finalement gain de cause.

Les revenus tirés des patients privés constituent une part essentielle des fonds nécessaires au fonctionnement de l'hôpital. En 1911, «grâce à un arrangement avec un propriétaire voisin», 13 nouvelles chambres privées sont aménagées: «C'est mieux mais pas encore suffisant», note le surintendant[8]. Des efforts seront faits pour augmenter le nombre de chambres privées. En 1920, alors que le recours à l'hôpital par les classes favorisées s'est sensiblement accru, l'Hôpital Notre-Dame dispose de 40 chambres privées et peut recevoir 180 patients dans les salles communes. La proportion des chambres privées s'élève alors à 22 %, soit deux fois plus que lors de l'ouverture de l'hôpital.

Le nombre de patients semi-privés est légèrement plus élevé que celui des patients privés. Dès l'ouverture de l'hôpital, les patients semi-privés comptent pour près de 20 % de l'ensemble de la clientèle. Deux ans plus tard, un sommet de 28 %

est atteint, mais cette tendance à la hausse ne dure guère et, déjà en 1887, ils ne constituent plus que 12 % des patients hospitalisés. On enregistre une légère augmentation jusqu'en 1895, puis la proportion se stabilise autour de 19 %.

La grande majorité des patients hospitalisés entre 1880 et 1924 relèvent des salles communes. Tournant autour de 70 % durant la première décennie d'existence de l'hôpital, la proportion diminue légèrement au profit des patients semi-privés et privés pour atteindre une moyenne de 65 % dans les années 1900. Une telle proportion de malades non payants représente certes une lourde charge financière pour l'hôpital; il faut cependant souligner que ces malades servent grandement les besoins de l'enseignement clinique de la faculté de médecine de l'Université de Montréal.

La clientèle indigente est composée bien entendu de chômeurs, de retraités et de ménagères, mais encore, nous l'avons vu, de travailleurs à faible revenu. Situé dans le quartier le plus populeux et qui est l'un des plus pauvres de la ville, l'Hôpital Notre-Dame doit admettre non seulement presque toutes les victimes d'accident provenant des différentes industries, manufactures et chantiers de l'est de Montréal et du port, mais aussi les prisonniers du palais de justice, les marins et une gamme de travailleurs depuis les journaliers jusqu'aux gens de métier. L'examen des registres des admissions pour la période 1880-1920 révèle bien la présence dominante de journaliers, d'ouvriers, de charretiers, de palefreniers, de débardeurs, de domestiques et de marins. Or la plupart de ces travailleurs sont admis à l'hôpital dans la catégorie des indigents et hospitalisés dans les salles communes. Les autorités considéraient généralement que leurs maigres revenus ne pouvaient suffire à payer les frais d'hospitalisation. Il arrivait toutefois que des ouvriers et des cultivateurs soient admis dans la catégorie des patients semi-privés et, quoique plus rarement, dans la catégorie des patients privés. Notons enfin que, jusqu'à l'ouverture du nouvel édifice sur la rue Sherbrooke en 1924, l'Hôpital Notre-Dame reçoit un nombre plus important d'hommes que de femmes (voir le graphique 6).

En 1886, conséquemment à une décision du gouvernement fédéral qui dirigeait vers l'Hôpital Notre-Dame les matelots malades fréquentant le port de Montréal pendant la saison de

GRAPHIQUE 6

Admission des hommes et des femmes, Hôpital Notre-Dame, 1880-1924

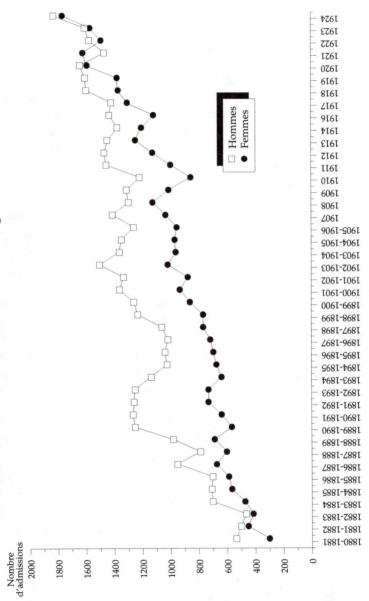

navigation, les autorités de l'hôpital acquièrent des lits et aménagent une salle spécialement destinée à ces nouveaux patients. Cet empressement s'explique en partie par la subvention accordée pour l'hospitalisation des marins qui venaient ainsi accroître la clientèle payante de l'hôpital. La prise en charge des marins malades par les autorités gouvernementales était depuis longtemps une mesure d'intervention des pouvoirs gouverne-mentaux dans le champ de la santé publique[9]. Ainsi, dès 1835, l'Hôpital de la marine est fondé à Québec dans le but de fournir des soins médicaux gratuits aux marins malades. L'année sui-vante, une loi du Bas-Canada oblige l'Hôpital général de Mont-réal à recevoir gratuitement les marins malades[10]. L'Hôpital Notre-Dame participe, 50 ans plus tard, à une longue tradition de prise en charge médicale des marins. Une autre salle de 12 lits est aménagée en 1887 dans la nouvelle aile située sur la rue du Champ-de-Mars. La pension des matelots pour cette même année rapporte alors 846 $. Dix ans plus tard, le revenu annuel tiré de cette clientèle s'élèvera à plus de 1900 $. En 1900, le gouvernement fédéral consent à augmenter le prix des pensions de 0,90 $ à 1 $.

Les malades contagieux constituent aussi un autre type de patients dont l'importance s'accroîtra après l'ouverture de l'Hôpital Saint-Paul[11]. Même si antérieurement l'Hôpital Notre-Dame refusait en principe de recevoir les malades contagieux, il avait été décidé en 1885 d'aménager quelques chambres d'isole-ment dans la nouvelle propriété Masson pour certains patients dont la maladie contagieuse se déclarait après l'admission, notamment pour les cas de diphtérie, de rougeole, de scarlatine, de fièvre typhoïde, d'érysipèle, de tuberculose et de variole. En 1910, les cas de fièvre typhoïde se chiffrent à 123 alors même que le règlement stipule toujours que les malades contagieux sont interdits. On peut s'étonner de compter encore tant de cas de fièvre typhoïde qui est bien reconnue alors comme une maladie contagieuse. Les patients atteints ont certes profité de cette confusion nosologique.

Un hôpital canadien-français et catholique

Si la fonction confessionnelle de l'Hôpital Notre-Dame apparaît en filigrane dans tous les documents officiels, il faut souligner aussi une certaine prépondérance de l'aspect nationaliste inscrit au cœur de ses orientations. La rencontre du nationalisme et du catholicisme constitue d'ailleurs l'un des éléments majeurs de l'histoire du Québec. L'histoire de l'Hôpital Notre-Dame n'y échappe pas. Rappelons que le surintendant de l'hôpital, le docteur E.-P. Lachapelle, est président de la Société Saint-Jean-Baptiste lorsqu'il s'associe à la fondation de l'hôpital. Ce dernier, en faisant référence aux Canadiens français, souhaitait que l'hôpital devienne «un monument élevé à la gloire de notre langue, de notre religion et de notre race[12]». Nombreux seront les appels des autorités de l'hôpital au patriotisme des citoyens montréalais:

> L'existence et le développement de l'Hôpital Notre-Dame se justifient par l'accroissement rapide de la population de Montréal, par les besoins de plus en plus nombreux de l'enseignement médical pratique, par la nécessité qui s'impose de plus en plus à nous, canadiens-français, de ne pas se [*sic*] laisser distancer par nos compatriotes d'autres origines [...] Notre Université Laval, si nécessaire au maintien de l'influence canadienne-française et catholique, en Amérique, prend depuis quelque temps, un développement considérable [...] Mieux nous ferons chez nous, plus nous serons respectés au dehors[13].

Les dirigeants de l'Hôpital Notre-Dame ont bien raison d'affirmer haut et fort qu'il s'agit d'une «œuvre de charité canadienne-française et catholique». Tous les administrateurs, les médecins et les employés de l'hôpital sont, à quelques exceptions près, canadiens-français et catholiques et l'hôpital, implanté au cœur même d'un quartier francophone, accueille des malades canadiens-français «venus de tous les coins de la province[14]». La «vocation» catholique et nationaliste de l'hôpital répond certes à des besoins sociaux et économiques qui visent notamment la réinsertion des travailleurs et employés dans les circuits sociaux de la production pour renforcer l'économie nationale. L'institution demeure néanmoins, à l'instar de l'Hôpital général de Montréal, largement ouverte à tous, peu importe la religion ou la nationalité[15].

Bien sûr, l'hôpital possède un chapelain catholique[16] mais les patients protestants ou d'autres croyances «sont assurés d'avoir l'assistance du ministre de leur choix aussitôt qu'ils le désirent en quelque temps et à quelque heure que ce puisse être[17]». L'Hôpital Notre-Dame, fidèle à ses principes, reçoit entre 1880 et 1924 sa part d'immigrants de religions et de nationalités diverses. Dès la première année d'activité, 12 % des patients accueillis à l'hôpital sont de nationalité étrangère. Cinq ans plus tard, la proportion grimpe à 26 % pour ensuite diminuer à 20 % en 1910. La proportion de patients non catholiques est moins élevée et varie, pour la même période, entre 5 % et 10 %. Parmi les non-catholiques, on trouve surtout des protestants[18] et, en nombre négligeable, des hébreux et des grecs orthodoxes.

L'institution accueille par ailleurs entre 90 % et 95 % de patients catholiques alors que les patients canadiens-français ne comptent que pour 80 % à 85 % de sa clientèle. Ceci s'explique par le fait que la part des Irlandais catholiques reçus à l'hôpital est importante. En 1885, près de 16 % de sa clientèle est constituée d'Irlandais. La proportion de cette clientèle demeure relativement forte cinq ans plus tard avec 11 %.

Bref, la clientèle de l'Hôpital Notre-Dame est loin d'être homogène, en partie à cause de l'admission de marins et de travailleurs venus de tous les coins du pays, attirés par les possibilités d'emploi au port durant les mois d'été.

La vie quotidienne des patients à l'hôpital

Au XIXe siècle, tous les grands hôpitaux généraux possèdent leurs salles communes partagées selon le sexe du patient. À l'Hôpital Notre-Dame, les salles Saint-Joseph et Sainte-Marie accueillent respectivement les hommes et les femmes. Les salles sont grandes, les plafonds hauts et les lits sont disposés face à face en deux rangées égales séparés par une longue allée. Entre chaque lit se trouvent une table de chevet et une chaise. Deux crucifix et quelques statues de la Vierge, de saint Roch et de saint Joseph ornent les murs de la salle. Jusqu'en 1900, le lit est constitué d'une paillasse — enveloppe bourrée de varech, de paille ou de crin de cheval — déposée sur un sommier de fer.

Ces lits se révèlent assez peu confortables. Ce n'est pas là jugement d'auteurs, mais bien une remarque formulée à maintes reprises lors des assemblées du bureau médical ou dans les rapports annuels de l'hôpital. «Nous avons pu renouveler quelques-unes des couchettes des salles, ce qui est réellement un bienfait pour nos malades[19]», note le surintendant en 1900.

À partir de 1910, des matelas en «fibre de mer» se retrouvent sur tous les lits de l'hôpital. On compte alors 32 couchettes dans la salle Saint-Joseph, 30 dans la salle Sainte-Marie, 16 dans la salle des Sept-Douleurs (gynécologie), celle du Sacré-Cœur en contient 18 «en fer émaillé» et la salle Saint-Victor (ophtalmologie), 13. Les matelas sont recouverts d'un drap de coton, d'une alaise de coton ou de caoutchouc, de «couvertes» de laine et d'un couvre-pieds blanc sur lesquels sont déposés deux oreillers de plumes recouvert chacun d'une taie. Certains lits sont aussi pourvus d'un piqué. Chaque patient reçoit un panier de toilette, une brosse à cheveux, un peigne et un savonnier. Les hommes disposent tous d'un crachoir. Chaque salle met à la disposition des patients une ou deux civières ainsi qu'une «chaise à porteurs». Des coussins faits de bouchons de liège broyés sont confectionnés par les sœurs. Il y a cependant pénurie de vêtements ainsi que de certains objets usuels. La salle Saint-Joseph ne possède que dix robes de chambre, huit caleçons, dix paires de bas et quatre paires de pantoufles. La salle Sainte-Marie ne possède que cinq «chemisettes en flannelette» pour les bains, cinq robes de chambre et huit paires de pantoufles. Le nombre de jaquettes est cependant suffisant. On ne dispose que de quatre vases de lit et de six urinoirs pour chacune des salles.

Les chambres des patients privés sont mieux pourvues que les salles communes. Outre l'équipement de base, elles possèdent un petit sofa, une table de toilette, une table en chêne avec dessus en verre, un fauteuil, deux chaises et une chaise «d'aisance». Les rideaux sont changés à l'hiver et au printemps. Elles sont aussi mieux pourvues en draps, en alaises, en couvertures et en taies d'oreillers.

Dans les salles communes, la literie est changée selon la quantité des draps disponibles, c'est-à-dire en général une fois par mois.

L'univers quotidien des patients des salles communes se modifiera sensiblement entre 1880 et 1920. Les règles auxquelles le patient doit obéir, une fois accepté son certificat d'indigence[20], sont plus ou moins rigoureuses selon que la date de son admission est près ou loin de la fondation de l'hôpital. Ces règles ont été établies au gré des événements et des décisions du bureau médical. À l'ouverture de l'hôpital, une relative liberté règne dans les salles. Les patients peuvent manger en dehors des heures de repas, les alcools utilisés comme stimulants ne sont guère rationnés, les diètes sont plus ou moins suivies, les visites peu réglementées et on récite les prières à voix haute dans les salles et les corridors. Deux ans plus tard, le bureau médical décide de restreindre la relative liberté des patients: imposition d'une diète[21], rationnement de l'alcool, suppression des collations, etc. Durant les décennies qui suivront, une réglementation et une discipline plus sévères encadreront la vie quotidienne des patients de l'hôpital.

L'hôpital voit aussi à offrir un service funèbre adéquat aux patients décédés à l'hôpital. Cercueil et chariot sont fournis gratuitement par V. Thériault, l'ambulancier de l'hôpital, à tous «les malades pauvres décédés dans l'établissement». Le service funèbre est célébré par l'aumônier dans la petite chapelle de l'hôpital.

Tenir la charge quotidienne d'un hôpital général demande des efforts et des ajustements constants. Par exemple, fournir des vêtements aux malades des salles communes est pour les sœurs hospitalières une charge difficile et coûteuse. En raison de l'insuffisance de vêtements de rechange, les employés de la salle de lavage se plaignent de la fréquence des arrivages de linge sale. Il arrive même que les hospitalières réutilisent le linge des patients décédés. De façon à corriger cette insuffisance de vêtements, les dames patronnesses fondent en 1885 «L'Œuvre de la lingerie» qui vise à pourvoir l'hôpital en toile et en tissu de toutes sortes en faisant appel à la générosité des citoyens et de certaines industries. La hausse constante du nombre des admissions exige néanmoins de meilleures solutions. Il y avait à Montréal un organisme charitable, l'Association de couture, dont l'objectif était «d'aider les pauvres familles, les hôpitaux, les asiles, etc., en leur fournissant de la lingerie et des vêtements neufs et convenables[22]». L'Hôpital Notre-Dame n'ayant jamais bénéficié de cette aide, les dames patronnesses décident de s'affilier à l'Association pour recevoir leur part de vêtements. Une autre forme de soutien au bien-être des patients provenait aussi des «dons en nature» qu'offraient les institutions, les commerces, les industries ou les citoyens de Montréal: vêtements, meubles, nourriture, journaux et périodiques agrémentaient un peu le séjour des patients pauvres.

Le régime alimentaire durant les deux premières décennies d'existence de l'hôpital est essentiellement composé de viandes, de produits laitiers et d'une petite variété de légumes. En 1885, les achats de viande comptent pour plus de 46 % de l'ensemble des dépenses reliées à l'alimentation. Suivent ensuite les fruits, le thé, les épices, la mélasse, le sirop, le sucre et le lait qui comptent pour 21 %; le beurre et le fromage comptent pour 14 %, les huîtres, volailles, poissons et œufs occupent 10 % des achats alors que les fruits et légumes comptent pour 9 %. Si l'on compare les dépenses relatives aux viandes, le bœuf semble dominer le régime des malades suivi du mouton, du porc et du veau. Quinze ans plus tard, la part des dépenses consacrées aux produits laitiers s'élève à 27 %, rejoignant presque les achats de viandes qui occupent désormais 33 % des approvisionnements. Cette augmentation est certainement en partie attribuable au souci des autorités hospitalières d'équilibrer le régime alimentaire des malades. Les volailles et les œufs occupent toujours une faible part des dépenses avec 6 % alors que la part des fruits et légumes diminue à 7 %.

Que les achats de viandes et les produits laitiers dominent largement dans les dépenses alimentaires de l'Hôpital Notre-Dame n'a rien de surprenant compte tenu des habitudes alimentaires traditionnelles des Québécois. Mais la situation s'explique aussi par un contexte thérapeutique qui associe encore largement la guérison du patient à ses capacités de résistance à la maladie. Le rôle du thérapeute est alors de favoriser de telles capacités par une diète «vigoureuse» et par l'usage de nombreux toniques et stimulants. Mais, tout de même, les patients se plaignent que le tableau des diètes ne soit pas observé. De fait, tous les malades sont soumis au même régime, c'est-à-dire trois repas de viande par jour[23]. La remarque d'un personnage de Balzac selon laquelle «la répugnance des malades pour aller à l'hôpital vient de ce que le peuple croit qu'on y tue les gens en ne leur donnant pas à manger» ne convient certainement pas à l'Hôpital Notre-Dame.

La durée de séjour extrêmement longue de nombreux patients — parfois plusieurs mois — rendait nécessaire l'organisation d'activités de loisir. C'est aux dames patronnesses que revient le soin de distribuer quelques revues et quelques livres aux patients:

> Dans les rares intervalles de repos que leur accordent les souffrances, plusieurs dames font distribuer aux malades, soit des livres pieux, propres à leur donner du courage, soit des livres illustres, des fleurs naturelles ou encore des fruits ou autres douceurs[24].

Malgré l'attention du bureau médical et les soins des hospitalières et des dames patronnesses, la vie quotidienne dans ces grandes salles communes comporte des inconvénients sérieux qui rendent le séjour prolongé difficile. La promiscuité constante, les odeurs propres aux grands hôpitaux, les cris de douleur de certains qui rappellent aux autres les traitements passés ou à venir s'ajoutent à bien d'autres désagréments. Il est fréquent, par exemple, que des blessés soient amenés à leur lit en pleine nuit, ce qui ne manque pas de réveiller les patients. Certains médecins y sont sensibles, tel le docteur Brennan qui propose l'aménagement d'une chambre spéciale. Les malades doivent aussi composer avec des périodes d'ennui particulièrement difficiles pour ceux et celles qui sont habitués à de longues journées de travail et probablement peu enclins à des habitudes de lecture, en cette époque où ni radio ni télévision ne permettait de tuer le temps. Les journées, même si elles sont ponctuées par le rythme régulier des soins, agrémentées par quelques conversations qui se nouent au fil des rencontres et égayées par la visite des proches, se révèlent parfois longues et monotones. La tradition d'assistance morale prend alors tout son sens, comme le rappelle l'hospitalière chargée de rédiger les chroniques de l'Hôpital Notre-Dame:

> Les qualités d'une bonne garde-malade: l'aptitude qui s'acquiert par l'étude et la pratique, mais en premier lieu, la

délicatesse, le dévouement, la sympathie, l'attention à prévenir les moindres besoins du malade. À part le bien matériel, le dévouement doit s'exercer au moral comme au spirituel. Quelques fois un bon mot, une parole de sympathie, l'attention à prévenir les moindres besoins du malade, peuvent faire tant de bien[25].

Avant la fondation d'une école d'infirmières à l'Hôpital Notre-Dame[26], les sœurs hospitalières soignaient certainement leurs patients «au meilleur de leur connaissance et de leur jugement[27]», mais elles n'avaient pas toujours la formation adéquate pour accomplir certaines tâches médicales qui se complexifiaient. Par exemple, les nouveaux modes de pansements stérilisés différaient des techniques de pansements traditionnelles. Un personnel mieux qualifié aurait été plus apte à assimiler les nouvelles pratiques. Certains médecins, au début des années 1890, déplorant que «les pansements sont mal faits» et les malades «parfois négligés», demandent des infirmières qualifiées[28]. En 1910, vingt-cinq religieuses diplômées et six étudiantes infirmières laïques prodiguent des soins aux patients. Dix ans plus tard, l'hôpital comptera 46 religieuses et 53 étudiantes infirmières laïques. Le nombre de patients par infirmière passe ainsi de 88 à 41 au grand bénéfice des malades.

Les témoignages de patients hospitalisés dans les salles communes sont malheureusement rares. Il semble néanmoins, si l'on se fie aux rapports du bureau médical en ce sens, que les patients sont généralement satisfaits des conditions de leur hospitalisation. Il faut dire que le bureau médical se montre plutôt sensible aux doléances des patients. Ainsi, lorsque ceux-ci se plaignent des problèmes de chauffage dans les salles, souvent surchauffées, la réponse du bureau médical est prompte: on impose l'achat de thermomètres sur lesquels «on devra se guider pour régler la température, celle-ci ne devant jamais descendre au-dessous de 64° et excéder 70° Fahrenheit[29]». De même, à la suite de plaintes formulées à l'endroit de certains médecins qui omettent parfois la visite des salles, le bureau médical exige de leur part, sous peine de sanctions, une plus grande régularité.

Les autorités ont le souci d'adoucir le séjour des infortunés. Pour n'en donner qu'un seul exemple, mentionnons les efforts répétés pour offrir à tous ces patients rassemblés dans les salles communes un repas des Fêtes digne de cette période de réjouissances. Le «grand dîner au malade» deviendra une tradition qui reflète le dévouement des sœurs hospitalières et des dames patronnesses. Inauguré en 1882, il devait se poursuivre sans interruption jusqu'en 1927. Le dîner du 1er janvier 1883 est présidé par le curé Rousselot et servi par les dames patronnesses. Celui du 29 décembre 1886 accueille le grand vicaire maréchal, l'abbé Leclerc, chapelain de l'hôpital, l'abbé Bruchési ainsi que plusieurs médecins et gouverneurs de l'hôpital. Les provisions recueillies pour le dîner valent 290 $. Les victuailles — 400 livres de bœuf, 70 dindes, «beaucoup d'autres volailles et diverses provisions[30]» — sont en grande partie fournies par «messieurs les bouchers des marchés Bonsecours, Saint-Laurent, Sainte-Anne et Saint-Antoine». D'autres donateurs offrent une caisse d'oranges, cinq poches de pommes et un lot de poissons frais.

Mais peu à peu, conséquemment à la détérioration des édifices qui ne répondent plus aux normes minimales d'un hôpital moderne dont la clientèle augmente sans cesse, et malgré les efforts répétés du personnel, des bénévoles et des autorités de l'hôpital, les conditions de séjour se dégraderont sensiblement. L'ancien hôtel Donegana où est installé l'hôpital vieillit rapidement et, au début des années 1900, nombreux seront les médecins et administrateurs qui déploreront l'inconfort croissant des lieux. Malgré des sommes considérables dépensées pour maintenir l'édifice en état, les problèmes se multiplient: toits en mauvais état, planchers à refaire, isolation insuffisante, etc. Le témoignage d'une infirmière de l'époque nous en dit long sur l'état des salles:

> Souvent l'eau coulait ou dégouttait dans la salle Saint-Jean de Dieu si bien que le centre du plancher avait une dépression de près de trois pouces, où l'eau s'accumulait sur un diamètre de huit pieds environ. On rangeait les lits des patients le plus loin possible des «dégouttières». Personne ne semblait s'inquiéter de cette inondation. Tout était si vieux[31].

Le jugement est un peu sévère puisque les autorités en font largement état. Le surintendant Lachapelle, lors d'une allocution en 1903, en faveur de la construction d'un nouvel édifice, souligne les inconvénients subis par les patients: «Il ne faut plus que nos malades vivent dans des salles basses, mal chauffées et mal ventilées[32].» Le nouvel hôpital devra offrir au malade «le cubage d'air, le degré de chaleur, la quantité de lumière solaire nécessaires à son organisme[33]». Pour cela, il faudra attendre jusqu'à l'automne 1924.

Les caractéristiques principales de la clientèle de l'hôpital durant la période considérée montrent bien que le rôle socio-économique de l'institution (prise en charge médicale et réinsertion sociale des travailleurs, hommes de métier, employés, domestiques, etc.) est toujours présent derrière son rôle «charitable». Cet objectif, qui n'est pas toujours explicité comme tel, se combine sans difficulté avec les soucis humanitaires d'une société où domine le catholicisme et avec les préoccupations de protection et de conservation de la population qui caractérisent le courant nationaliste de l'époque.

À travers l'analyse de la clientèle, on pourrait donc dire que la fonction de l'hôpital est certainement autant sociosanitaire (remettre en santé la population à des fins socio-économiques) que charitable et humanitaire, même si les agents qui évoluent dans l'espace hospitalier n'en sont pas toujours conscients explicitement. On comprend par conséquent que l'hôpital apparaisse dès le début comme un pilier de la gestion de la santé de la communauté et que les objectifs qu'il doit atteindre mettent au premier plan la fonction médicale (soins) de l'institution, ce qui explique que la médicalisation y soit avancée dès le départ, renforcée qu'elle est en outre par la fonction d'enseignement et de développement des connaissances.

La vie quotidienne à l'hôpital montre aussi que, même s'il constitue encore un univers moral selon une longue tradition dans laquelle l'institution hospitalière poursuit, entre autres objectifs, la moralisation des patients ou leur édification religieuse, l'attention portée à tous les aspects de la santé physique et psychologique des patients ainsi qu'à leur confort et bien-être reste omniprésente. La médicalisation de la vie quotidienne des malades soumis à une discipline de plus en plus rigoureuse (diète, horaires, examens et tests médicaux de plus en plus fréquents, etc.) n'est pas retardée, à ce stade, par les objectifs religieux ou moraux également présents. Ces derniers passeront d'ailleurs progressivement au second plan, et les objectifs strictement médicaux s'étendront et se consolideront de plus en plus.

Les maladies et leurs traitements

J. LeGoff, dans l'introduction de l'ouvrage *Les maladies ont une histoire*, mentionnait que:

> La maladie n'appartient pas seulement à l'histoire superficielle des progrès scientifiques et technologiques mais à l'histoire profonde des savoirs et des pratiques liées aux structures sociales, aux institutions, aux représentations, aux mentalités.

Certes, aborder l'histoire de la maladie au sein d'un hôpital général, c'est autant rendre compte de ses composantes sociales et imaginaires que de ses aspects étiologiques et nosologiques. Il en est de même des thérapeutiques. Les notions scientifiques et les représentations «imaginaires» sont liées à des états de connaissance qui sont en constante évolution et qui font en sorte qu'une maladie incurable hier ne l'est plus aujourd'hui. Les cadres nosologiques évoluent certainement en fonction d'une nouvelle rationalité mais aussi en étroite relation avec les représentations. Ainsi en est-il des maladies dites zymotiques, maladies dont les causes étaient, croyait-on, liées à la fermentation ou à la putréfaction et dont les composantes variaient selon les théories étiologiques dominantes. Les représentations ne sont pas seulement passives, elles peuvent, en certains cas, constituer de véritables obstacles épistémologiques qui empêchent de percevoir la nature et la cause même d'une maladie. Tout au long du XIXe siècle, un certain nombre de médecins considéraient l'air ou les miasmes comme étant la cause première ou le vecteur du choléra et de la fièvre typhoïde. Or les récurrences de la proximité des cours d'eau, du trajet fluvial suivi par les épidémies et de la présence de la maladie autour d'un lieu d'approvisionnement d'eau n'étaient pas suffisamment fortes pour renverser un telle représentation aériste. D'autres, par contre, reconnaissaient le caractère spécifique des maladies contagieuses et l'existence de diverses voies de contamination par contact immédiat ou médiat avec différents agents de la contagion[34].

Une histoire de la maladie doit aussi tenir compte des représentations morales et des jugements de valeur qui ne manquent pas de fausser l'observation, la classification ou même le traitement des maladies. L'alcoolisme, les maladies mentales, les maladies vénériennes et aujourd'hui le sida en sont des exemples bien connus. Il n'est cependant pas de notre propos ici de présenter une analyse poussée de l'évolution des classifications et des représentations des maladies traitées à l'Hôpital Notre-Dame. Néanmoins, nous nous proposons d'en illustrer les principaux aspects.

Les principales maladies traitées à l'Hôpital Notre-Dame

Un hôpital général comme l'Hôpital Notre-Dame est appelé à devenir un lieu de rencontre des maladies les plus diverses. C'est effectivement ce qui se produisit à l'Hôpital Notre-Dame durant les 45 premières années de son histoire, ce qui concordait précisément avec les objectifs de la faculté de médecine qui souhaitait montrer à ses étudiants le plus grand nombre de cas possible mais aussi les plus variés. Il est par ailleurs plausible qu'un tel objectif ait, à quelques occasions, influencé le choix des malades admis.

Classées selon les catégories alors établies, les maladies se retrouvent, dès les premières décennies d'existence de l'hôpital, regroupées sous les rubriques suivantes: zymotiques (infectieuses), respiratoires, circulatoires, locomotrices, nerveuses, digestives, génito-urinaires, cutanées-ganglionnaires, constitutionnelles, féminines, oculaires, nasales, buccales et auditives, traumatiques, etc. D'autres catégories telles que «maladies par intoxications» ou «lésions/violence» sont aussi employées. Quelques maladies, environ une dizaine par année, sont classées dans la rubrique «inconnues». Le graphique 7 donne un

GRAPHIQUE 7

Principales catégories de maladies traitées à l'Hôpital Notre-Dame, 1880-1920

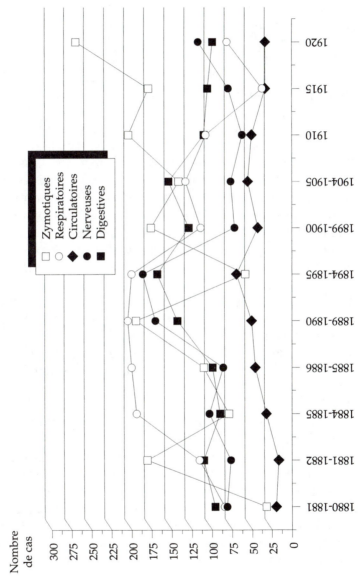

aperçu du nombre de cas traités à l'Hôpital Notre-Dame pour quelques catégories de maladies.

Si les classifications utilisées durant les premières décennies du XXe siècle se sont précisées en fonction de l'évolution de la science médicale et des procédés d'investigation clinique — par exemple, les maladies du sang et des glandes n'apparaissent en tant qu'entités nosologiques que vers 1900 —, elles n'ont alors pas encore la précision de la nosologie actuelle. En 1905, l'hémoptysie, la maladie de Parkinson et la névrite sont classées dans la rubrique des maladies inconnues. Un autre exemple significatif est la syphilis qui, classée originellement dans la catégorie des maladies constitutionnelles, n'est déplacée qu'en 1898 dans la catégorie des maladies infectieuses pour ensuite être reclassée de nouveau en 1921 à la fois parmi les maladies nerveuses et les maladies infectieuses[35]. Les maladies du système nerveux constituaient un réservoir nosologique parfois excessif. La tuberculose est aussi un cas intéressant d'évolution nosologique. Classée dans les registres d'admissions de l'hôpital parmi les maladies du système respiratoire, elle n'est définitivement admise parmi les maladies infectieuses que vers 1896[36]. Sous la pression de l'expérimentation scientifique, l'évolution du cadre étiologique d'une maladie se détachait parfois de ses représentations morales. L'alcoolisme, classé avec la sciatique, le lumbago et la névralgie parmi les maladies nerveuses en 1891, se retrouve sous la rubrique intoxications en 1900.

Les maladies infectieuses et les maladies du système nerveux (neurasthénie, hystérie), du système respiratoire (bronchite, pneumonie, pleurésie), du système digestif (gastrite, dyspepsie, entérite, diarrhée) et du système génito-urinaire (néphrite, cystite, prostatite) ainsi que les maladies rhumatismales ont constitué des cas fréquents d'interventions médicales et chirurgicales à l'Hôpital Notre-Dame. Elles ont accaparé une grande partie des efforts déployés par la profession médicale occidentale durant tout le XIXe siècle. Les cas de cancer sont assez rares à l'Hôpital Notre-Dame durant les premières décennies de son existence mais, au début du XXe siècle, les admissions de cancéreux deviennent de plus en plus fréquentes: 38 cas en 1900 et 79 en 1920.

Une section «lésions/violence» regroupe les nombreuses admissions de patients souffrant d'accidents traumatiques. L'Hôpital Notre-Dame ne tardera pas à se valoir une réputation enviable, nous l'avons déjà souligné, en ce qui a trait aux traitements d'urgence et particulièrement en ce qui regarde la réduction des fractures, l'amputation et la ligature des artères et des veines.

À partir de l'ouverture en 1891 du service interne des «maladies des femmes», les maladies gynécologiques sont quantitativement dominantes à l'hôpital, avec une moyenne, jusqu'en 1920, de 325 cas par année. Les maladies infectieuses suivent, surtout durant les deux premières décennies du XXe siècle, avec une moyenne annuelle de 190 cas, parmi lesquels se retrouvent principalement des malades atteints de la fièvre typhoïde et de la tuberculose. Mis à part les cas d'alcoolisme, la typhoïde et la tuberculose constituent les deux maladies spécifiques les plus importantes de la période 1880-1920. En 1910, la fièvre typhoïde atteint des proportions quasi épidémiques avec 123 patients hospitalisés pour une proportion de 18 % des admissions au service de médecine. Si l'on ajoute à cela les cas de tuberculose, de grippe, de syphilis et de blennorragie, la proportion des maladies infectieuses grimpe à 30 %. De 1918 à 1921, sont hospitalisés 148 patients atteints de tuberculose et 167 atteints de typhoïde. Les 263 maladies infectieuses recensées dans le registre des admissions de l'année 1920 représentent 29 % des admissions au service de médecine. Une telle incidence des maladies infectieuses, particulièrement de la tuberculose et de la fièvre typhoïde, reflète l'état général de la santé publique dans le Québec urbain et défavorisé des décennies 1910 et 1920[37].

LES INTERVENTIONS CHIRURGICALES

Durant les premières décennies du XXe siècle, la chirurgie élargit ses champs d'intervention. Le nombre d'opérations abdominales, devenues plus complexes mais aussi plus efficaces, s'accroît. Le nombre d'opérations abdominales qui s'élève à 78 en 1897-1898 et à 76 en 1898-1899 grimpe à 161 en 1899-1900 et à 222 en 1902-1903. La progression, 250 % en quelques années, est fulgurante. Les chirurgiens de l'Hôpital Notre-Dame, qui ont pratiqué 210 opérations abdominales en 1910, doublent leurs activités 10 ans plus tard, avec 404 opérations.

Une telle augmentation de la grande chirurgie est liée, nous l'avons vu, à la réduction des infections postopératoires grâce à l'adoption de mesures aseptiques et au perfectionnement des techniques anesthésiques. Par exemple, l'appendicectomie, peu pratiquée avant 1900 en raison des risques très importants d'infection du péritoine, devient une intervention beaucoup moins dangereuse[38]. Alors qu'une seule appendicectomie est pratiquée durant l'année 1897, 8 sont pratiquées l'année suivante et 31 en 1899. Entre 1905 et 1920, le nombre d'appendicectomies passe de 61 à 113. Une progression semblable caractérise les admissions pour les hernies au service chirurgical: en 1899-1900, trente-cinq patients sont hospitalisés nécessitant 25 interventions chirurgicales. En 1910 sont pratiquées 87 opérations pour des hernies et 138 en 1920. Les autres cas principaux sont partagés entre les fistules, les cystites, les hémorroïdes, la péritonite et la pleurésie. De telles augmentations de la demande de grandes interventions chirurgicales proviennent en partie de l'augmentation des cas envoyés par des praticiens privés qui hésitent de moins en moins à diriger leurs patients vers le service chirurgical des hôpitaux. Parallèlement, les risques de décès diminuent suffisamment pour que les résistances du public face à la chirurgie s'atténuent.

LES ÉPIDÉMIES À L'HÔPITAL NOTRE-DAME

De nombreuses épidémies ont affecté le Québec tout au long du XIXe siècle. Mentionnons les grandes épidémies de choléra de 1832, 1834, 1852, 1854 ainsi que la grande épidémie de typhus de 1847[39]. Mais alors que le choléra est en nette régression durant la seconde moitié du siècle dernier, la variole et la fièvre typhoïde constituent des maladies endémiques susceptibles d'éclater brusquement et de se transformer en violentes épidémies. À l'époque de la fondation de l'Hôpital Notre-Dame, un vif débat entre partisans et détracteurs de la vaccination se poursuivait depuis un certain nombre d'années. Le docteur J.-E. Coderre, professeur à l'École de médecine et de

chirurgie de Montréal, était l'un des chefs de file des antivac-
cinateurs. La vaccination étant perçue comme une mesure
autoritaire et contraignante imposée par les autorités et les
classes dominantes, un tel débat public au sein de la profession
médicale a certes contribué à alimenter diverses oppositions
dans la population face à ce moyen prophylactique. C'est dans
ce contexte que se déclarait la grande épidémie de variole de
1885 et qu'éclatait l'émeute contre la vaccination obligatoire.
Rappelons que l'épidémie fit plus de 3100 morts à Montréal et
quelque 5864 dans la population québécoise[40].

Les autorités de l'Hôpital Notre-Dame réagirent promptement. Le surintendant E.-P. Lachapelle prit ouvertement position en faveur de la vaccination et fit campagne avec le docteur
Hingston[41]. La plupart des médecins de l'hôpital se rangèrent
derrière les vaccinateurs et adoptèrent des mesures rigoureuses
pour éviter la contagion à l'hôpital. Les visites furent interdites
de même qu'on refusait les consultations aux dispensaires aux
personnes ayant eu contact avec un variolé. Les malades atteints de variole se présentant à l'hôpital ainsi que les patients
hospitalisés atteints de la maladie étaient immédiatement envoyés à l'Hôpital civique, rouvert pour la circonstance. Les
locaux de l'Hôpital Notre-Dame où s'étaient présentés les
variolés étaient immédiatement désinfectés. Les cas douteux
étaient placés dans des chambres isolées préparées à cette fin.
Ces mesures assez strictes s'avérèrent efficaces et l'épidémie ne
fit que peu de victimes au sein de l'hôpital.

Les autorités de l'hôpital n'ont jamais manqué de répondre
aux appels lancés par les autorités municipales en cas d'épidémie. Au cours de l'hiver 1893, une nouvelle épidémie, de
scarlatine cette fois-ci, se déclare à Montréal. Le conseil de ville
de Montréal décide alors d'ouvrir et d'entretenir à ses frais
deux hôpitaux destinés au traitement des malades touchés par
la maladie. La municipalité décide d'en confier le contrôle aux
autorités médicales de l'Hôpital Notre-Dame et de l'Hôpital
général de Montréal. Un hôpital civique canadien-français
installé dans l'ancien hôpital civique de la rue Moreau est aménagé sous la direction des médecins et des sœurs grises de
l'Hôpital Notre-Dame.

En 1909, une épidémie de fièvre typhoïde frappe la ville de Montréal et fait plus de 300 morts parmi les 3000 personnes atteintes[42]. Cette épidémie dure cinq mois et demi, soit de la fin de septembre 1909 au début de mars 1910. Les médecins de l'Hôpital Notre-Dame se voient confier la direction scientifique d'un hôpital temporaire installé sur la rue Guy par des citoyens de Montréal. C'est le docteur Lesage qui s'occupe des malades qui y sont hospitalisés. Les soins prodigués sont basés, suivant en cela l'exemple du docteur Meakins du Royal Victoria, sur une augmentation du régime alimentaire des patients. Une telle pratique s'opposait au traditionnel jeûne imposé aux malades, fondé sur la crainte de perforer leurs intestins[43].

L'engagement des autorités de l'Hôpital Notre-Dame est encore une fois mis en évidence lors de la terrible épidémie de grippe espagnole de 1918 qui fit plus de 18 millions de morts dans le monde occidental. La province de Québec n'est alors pas épargnée. L'épidémie touche 17 252 personnes dans la ville de Montréal parmi lesquelles 3028 succombent à la maladie. On dénombrera plus de 530 000 personnes atteintes de la maladie dans la province. Quant au nombre total des décès, il varie, selon les auteurs, entre 8000 et 14 000[44]. Dès les débuts de l'épidémie, l'Hôpital Notre-Dame, qui se met à la disposition du bureau de santé de Montréal, est transformé en hôpital pour contagieux. Seuls les services des petites salles du Sacré-Cœur et des Sept-Douleurs gardent leurs fonctions générales habituelles. Les services de médecine et de chirurgie sont pratiquement suspendus. Les besoins de soins étant importants, l'hôpital fait appel aux sœurs des Saints noms de Jésus et de Marie. L'hôpital accueillera 265 malades atteints de la grippe parmi lesquels on dénombre 32 décès. Le personnel médical et paramédical a aussi ses victimes. Le docteur A. Mercier du service de médecine ainsi qu'une sœur hospitalière meurent de la grippe dans l'exercice de leur fonction. De plus, cinq membres du personnel médical et une trentaine de gardes-malades sont touchés par la maladie. L'Hôpital Saint-Paul, mis lui aussi à contribution, reçoit 146 enfants victimes du virus, mais on ne déplore que 17 décès. Lors d'une autre épidémie d'influenza survenue en 1920, l'Hôpital Notre-Dame met trois salles à la disposition des patients atteints de cette maladie. L'hôpital reçoit 162 cas répartis sous les appellations de «grippe simple» et de «grippe pulmonaire». Cette grippe s'avère particulièrement maligne et provoque 37 décès.

La mortalité à l'hôpital et ses causes

Le taux de mortalité dans les hôpitaux généraux de Montréal et de Québec est généralement assez élevé à la fin du XIXe siècle et au début du XXe. Il est à noter toutefois que le taux absolu de mortalité est en partie composé de décès conséquemment à une entrée d'urgence par suite d'un accident grave ou encore par suite de l'apparition de symptômes aigus nécessitant une hospitalisation d'urgence. Trop souvent des patients se présentent à l'hôpital avec des tumeurs ou des maladies dont les symptômes se sont déclarés quelques mois auparavant et même parfois quelques années. Les médecins de l'Hôpital Notre-Dame se plaignent souvent de l'état «déplorable» de certains patients qui se présentent à l'hôpital et pour lesquels ils ne peuvent rien. Aussi les autorités médicales s'efforcent-elles de réduire les taux de décès par un calcul qui prétend tenir compte de ce facteur. Il s'agit de soustraire tous les cas de mortalité survenue à l'hôpital moins de 48 heures après l'admission pour ainsi ne comptabiliser que les malades sous traitement depuis au moins deux jours. Les résultats de ce calcul sont considérés comme le reflet du taux réel de décès à l'hôpital. Une telle pratique était courante dans les grands hôpitaux. L'on jugeait alors que la période de 48 heures était trop courte pour que la thérapeutique médicale puisse intervenir efficacement. Cette comptabilité présente cependant le défaut de soustraire du taux global certains décès qui peuvent fort bien être la conséquence d'erreurs diagnostiques et thérapeutiques. Pour cette raison, nous préférons utiliser ici les taux bruts de mortalité.

Le taux de mortalité à l'Hôpital Notre-Dame pour la première année d'activité comprise entre août 1880 et juin 1881 est de 5,3 % comparativement à 9,6 % pour l'Hôpital général de Montréal. Un tel écart est attribuable à la gravité des cas reçus dans ce dernier hôpital et à une pratique chirurgicale en plein développement. Tout au long de la décennie 1880, le taux de mortalité à l'Hôpital Notre-Dame se maintient autour de 5 %

alors que celui de l'Hôpital général de Montréal tourne autour de 8 %. La décennie suivante marque une légère augmentation à 6 % comparativement à 7,5 % pour l'Hôpital général de Montréal et à 5,5 % pour l'Hôpital Royal Victoria. Durant les années 1900, une légère hausse porte le taux de mortalité à 7,8 %, ce qui correspond *grosso modo* au taux de l'Hôpital général de Montréal qui se situe à 7,3 % contre 5,5 % pour le Royal Victoria. Soulignons que le taux de mortalité de l'Hôpital Notre-Dame rejoint celui de l'Hôpital général de Montréal au moment où augmentent le nombre des grandes interventions chirurgicales et le nombre d'admission des cas d'urgence.

Les taux de mortalité de l'Hôpital Notre-Dame, de l'Hôtel-Dieu de Montréal et de l'Hôpital général de Montréal seront à peu près identiques durant les décennies 1910-1920 avec un pourcentage tournant autour de 7,5 %. L'Hôpital Royal Victoria, pour des raisons difficiles à expliquer, possède un taux nettement inférieur tournant autour de 5,7 %. Dans ce dernier cas, nos sources ne nous permettent pas de vérifier s'il s'agit de taux bruts ou de taux ajustés. Durant les deux premières décennies du XXe siècle, les taux de mortalité dans les grands hôpitaux généraux de Montréal et de Québec montrent des écarts peu significatifs, les taux variant entre 6 et 7 %.

Les principales causes de décès à l'Hôpital Notre-Dame, indiquées dans le graphique 8, restent sensiblement les mêmes durant la période 1880-1920. Parmi ces causes, les traumatismes accidentels dominent, suivis par les maladies. L'augmentation des cas de tuberculose, maladie alors incurable, influe sur les taux globaux de mortalité[45]. Il faut souligner aussi l'absence d'une thérapeutique efficace contre la fièvre typhoïde. Durant l'année d'activité 1884-1885, les décès combinés dus à la fièvre typhoïde, à la pneumonie, à la tuberculose et aux traumatismes sont responsables de 26 des 54 décès, soit 48 % du nombre total. En 1900, la proportion augmente à 53 % pour ensuite se stabiliser autour de 30 % entre 1910 et 1920. Durant la période 1880-1920, environ 9 % des décès sont attribuables aux maladies cardiaques. Suivent ensuite les cancers qui, entre 1900 et 1910, entraînent annuellement de 8 à 10 décès. Des maladies nouvellement traitées à l'hôpital au début du XXe siècle et pour lesquelles une intervention chirurgicale est requise paient néanmoins un

GRAPHIQUE 8

Pourcentage de décès et causes principales, Hôpital Notre-Dame, 1881-1920

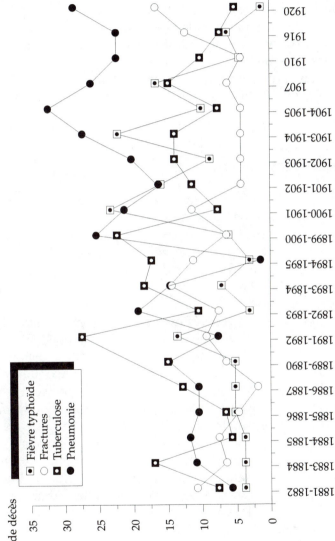

lourd tribut à la mort: en moyenne, entre 1900 et 1920, une dizaine de décès sont causés par des infections de l'appendicite, sept par des urémies et six par des péritonites. Quelques-uns de ces décès peuvent certainement être attribués à une contamination lors des interventions chirurgicales, mais la plupart surviennent parce que la maladie est trop avancée. Malgré l'accroissement du nombre des admissions et la diversification des cas traités, le pourcentage de décès, nous le verrons, aura tendance à diminuer à mesure que l'on avance dans le siècle, grâce notamment au perfectionnement des moyens préventifs et thérapeutiques.

La thérapeutique à l'Hôpital Notre-Dame: tradition et modernité

Le XIXe siècle est souvent considéré par les historiens de la médecine comme une période de scepticisme thérapeutique; les médecins préféraient alors laisser agir les résistances naturelles de l'organisme ou les forces régénératrices de la *natura medicatrix*[46] plutôt que de tenter des interventions qui s'avéraient sinon malheureuses, du moins souvent inefficaces. Ce non-interventionnisme d'un grand nombre de médecins s'opposait en fait aux efforts répétés de certains adeptes nostalgiques des thérapies dites «héroïques» qui ont dominé pendant des siècles et dont l'adage latin résume bien les procédés: *saignare, purgare et clysterium donare*[47]. Mais à partir de la deuxième moitié du XIXe siècle, les thérapeutiques héroïques tendent à devenir obsolètes avec les progrès de la physiologie et de la médecine clinique qui permettent de localiser avec de plus en plus de rigueur le siège de la maladie. Plusieurs affections seront dès lors perçues comme ayant un substrat organique et comme étant la conséquence d'une dysfonction physiologique plutôt que comme le résultat d'un déséquilibre des humeurs. Le siège de la maladie étant bien localisé, les interventions instrumentales directes sont alors favorisées.

Mais par un amusant paradoxe, la pharmacopée traditionnelle composée de remèdes médicinaux à base de substances végétales, animales et minérales s'en trouve réactivée. La disparition des dogmes thérapeutiques classiques, tout en ouvrant la voie à de nouvelles interventions médicales et chirurgicales ainsi qu'à la création et à l'utilisation de nouveaux procédés thérapeutiques, incite certains médecins à revenir à la pharmacopée ancienne. Mais il n'y a pas que les médecins qui, en milieu hospitalier, contrôlent et préparent les médicaments. Ces activités sont généralement laissées, au Québec comme ailleurs, entre les mains des sœurs hospitalières. C'est le cas notamment pour les sœurs hospitalières de Saint-Joseph à l'Hôtel-Dieu de Montréal et les sœurs grises à l'Hôpital Notre-Dame. Le *Traité de Matière médicale et guide pratique des sœurs de la Charité de l'Asile de la Providence*, paru en 1869 et réédité en 1870 et 1890, constitue jusqu'aux premières décennies du xxe siècle un recueil pharmaceutique fort utilisé[48] par les hospitalières et les infirmières, notamment pour les soins élémentaires des patients et la préparation des prescriptions.

En un temps où les produits pharmaceutiques relèvent davantage de la botanique que de la chimie, la pharmacie de l'Hôpital Notre-Dame se trouve sous l'entière responsabilité des «apothicairesses» recrutées parmi les sœurs affectées au service de l'hôpital. C'est à elles que revient le soin de préparer la médication requise par les prescriptions des médecins. Les médications sont généralement classées en deux ordres: les médicaments officinaux, préparés d'avance selon la composition indiquée dans les pharmacopées et conservés à la pharmacie, et les médicaments magistraux, préparés selon l'ordonnance spécifique des médecins. La préparation des médicaments exige une connaissance profonde des propriétés médicinales des produits végétaux, animaux et minéraux, de leur action spécifique sur certains organes ainsi que des doses requises pour un traitement efficace.

Les apothicairesses préparent aussi des sirops, des onguents et des tisanes au moyen d'herbes de leur jardin, telles que la marjolaine, le thym, la menthe et la camomille. Des plantes indigènes ou importées sont aussi utilisées pour leurs qualités astringentes (écorce de chêne), diurétiques (fougères, baies de genièvre, graines de citrouille), dépuratives (chicorée, cresson, salsepareille), purgatives (moutarde, rhubarbe), émollientes (avoine, orge, graines de lin), carminatives (cumin, sauge, fenouil) ou fébrifuges (houx, saule blanc). Soucieuses d'éviter certains désagréments aux patients, elles ajoutent de la coriandre, de l'anis ou de la menthe pour masquer le mauvais goût de certains remèdes.

Il est arrivé, et cela était courant au XIXᵉ siècle, que les apothicairesses mettent au point des produits originaux qu'elles se chargeaient de faire breveter dans le but d'en faire le commerce au Canada et aux États-Unis. Entre 1880 et 1897, la supérieure de l'hôpital, sœur Eulalie Perrin, avait inventé un médicament, la «cyanopancréatine», fabriqué à base de lard, de pancréas, d'huile d'amande et de vin pour soulager certains désordres digestifs et respiratoires[49].

Les services rendus par les sœurs grises à la pharmacie semblent avoir été longuement appréciés par les médecins de l'hôpital. En 1925, la motion suivante est adoptée à l'unanimité:

> Le Bureau médical de l'Hôpital Notre-Dame appréciant les services que les sœurs grises pharmaciennes rendent à l'hôpital depuis sa fondation serait heureux que l'École de Pharmacie reconnût leur compétence et trouvât le moyen de leur obtenir un diplôme ou l'équivalence d'une licence en pharmacie[50].

Nous ignorons ce qu'il est advenu de cette demande auprès de l'École de pharmacie. Néanmoins, cette motion du bureau médical montre le respect du corps médical de l'hôpital à l'égard des connaissances pharmaceutiques des sœurs hospitalières. Cette reconnaissance de leur expertise professionnelle mérite d'être soulignée tellement elle est peu fréquente.

La thérapeutique médicamenteuse couramment utilisée à l'Hôpital Notre-Dame durant les quatre premières décennies de son existence est cependant loin de se limiter à ces remèdes traditionnels. Elle suit *grosso modo* les progrès de la matière médicale. Durant les années 1880, l'opium, la morphine en injection hypodermique, la cocaïne, le bromure de potassium, la pilocarpine, le chloroforme, la strychnine, le peroxyde, l'acide phénique, le chloral, le laudanum ou la nitroglycérine côtoient les stimulants alcooliques, le quinquina, le phosphate de chaux, les onctions mercurielles ou encore l'huile de croton. Tradition et modernité feront longtemps bon ménage.

Un médecin de l'hôpital, lors d'une leçon clinique, hésite sur la thérapeutique à employer: sinapisme (cataplasme de farine de moutarde délayée dans un peu d'eau tiède) ou injection hypodermique de morphine? En 1884, la méningite se traitait comme suit: saignée locale au moyen de sangsues, huile de croton, injection hypodermique de morphine, pilocarpine, iodure de potassium et eau distillée en injection. Un traumatisme grave nécessitait un quart de grain de morphine, un verre de brandy, des doses répétées d'opium durant deux semaines, du vin au quinquina, du fer et une diète généreuse pour prévenir l'infection. Pour une paralysie traumatique (un débardeur a reçu un sac de farine sur le dos), il est prescrit du brandy, des ventouses sèches sur la colonne vertébrale, de l'oxyde de zinc, de l'iodure de potassium, une dose de strychnine trois fois par jour ainsi que des séances de courant faradique pendant deux mois.

Loin d'être l'exception, un tel éclectisme caractérise tous les hôpitaux de l'époque. Cela se comprend. La multiplication des nouveaux moyens d'interventions thérapeutiques grâce aux progrès de la technologie médicale, de la bactériologie, de la physique et de la chimie ne pouvait balayer d'un coup des procédés thérapeutiques utilisés depuis plusieurs décennies. Les nouveaux procédés s'ajoutaient lentement aux anciens. Contre l'épidémie de grippe espagnole qui frappe le Québec en 1918, le docteur A. Lesage, qui fait partie de l'aile progressiste de la profession médicale, n'hésite pas à prescrire des saignées locales ou générales répétées et recommande l'application de quatre ventouses scarifiées sur la poitrine. Cependant, il injecte à certains patients du sérum antidiphtérique et du sérum antistreptoccique, convaincu qu'une telle sérothérapie pourra «aider le malade dans sa lutte» contre la maladie[51].

Les autorités médicales de l'Hôpital Notre-Dame n'ont pas tardé à importer des procédés qui augmentent à la fois les possibilités d'interventions thérapeutiques et l'efficacité des soins prodigués. La chimiothérapie fait sa première entrée à l'hôpital lorsque la pharmacie se procure le salvarsan, appelé aussi *magic bullet*, mis au point par le bactériologiste allemand P. Ehrlich[52] pour le traitement de la syphilis. Les nouvelles applications thérapeutiques de la bactériologie s'avèrent suffisamment intéressantes pour que les principales institutions hospitalières y adhèrent rapidement. L'annonce de la mise au point du sérum antidiphtérique par l'Allemand E. A. von Behring en 1890 fait l'effet d'une bombe. Les cliniciens qui s'intéressaient à la bactériologie surtout pour ses procédés diagnostiques voient apparaître une nouvelle thérapeutique apte à renforcer leur statut de soignant face à une maladie qui emporte alors annuellement des milliers d'enfants. Vers 1895, le service de bactériologie du Conseil d'hygiène de la province met à la disposition des médecins le sérum antidiphtérique importé de l'institut Pasteur de New York. L'Hôpital Saint-Paul utilise aussi largement la sérothérapie dès sa fondation en 1905, ce qui permettra d'y abaisser considérablement le taux de mortalité infantile.

Les nouvelles connaissances bactériologiques liées aux maladies infectieuses permettent d'en rationaliser la prévention et la thérapeutique. Ainsi, le traitement de la fièvre typhoïde au début du siècle s'accompagne initialement de mesures préventives: désinfections des selles à l'aide d'une solution de formol et de chlorure de chaux et désinfection de la lingerie par immersion dans l'eau bouillante[53]. Une diète sévère est imposée aux malades — lait, bouillon dégraissé, gruau, bicarbonate de soude, limonade citrique, café au lait et chocolat[54] — suivie de prescriptions de stimulants: deux à quatre onces de cognac par jour, strychnine, digitaline et huile camphrée. Lorsque la température du malade atteint 38,9 °C (102 °F), il est plongé durant environ un quart d'heure dans un bain refroidi à une température oscillant entre 21,1 et 23,9 °C (70 et 75 °F). Cette pratique, nommée «méthode de Brandt», avait aussi cours à l'Hôpital Royal Victoria et à l'Hôpital général de Montréal. Le bismuth est employé pour atténuer une diarrhée «excessive» alors qu'à l'inverse une constipation est corrigée par un lavement au bisulfite de soude. Ce n'est qu'au début de la décennie 1910 que la prescription d'une diète à forte teneur calorique remplace avec bonheur les privations traditionnelles imposées aux typhiques.

D'autres nouveautés thérapeutiques font aussi leur apparition. L'ouverture du service de radiologie et d'électricité médicale répond non seulement à des besoins diagnostiques, mais aussi à des besoins thérapeutiques grandissants. La réorganisation du service d'électrothérapie par le docteur Panneton et l'acquisition de nouveaux appareils plus précis et mieux adaptés aux nouvelles fonctions curatives permet un meilleur usage thérapeutique des différentes formes d'électricité et une sensible amélioration des traitements. Dès qu'intervient le docteur Panneton, les traitements électriques sont surtout utilisés pour leurs effets sédatifs dans les cas de névralgies et de douleurs articulaires. On les emploie aussi pour le traitement de l'arthrite ou des problèmes musculaires. Mais la technique la plus prometteuse semble la radiothérapie. Si seulement 55 cas sont traités ainsi en 1912, le nombre augmente à 115 deux ans plus tard et à 301 en 1923. Les séances de traitement suivent évidemment la progression du nombre de cas qui passe de 384 à 2076. Le nombre moyen de séances demeure cependant stable à sept par patient. On recourt à la radiothérapie principalement dans les cas de maladies de la peau: eczéma, épithélioma, lupus, angiome, cancroïde[55], verrues, etc. À celles-ci s'ajoutent les fibromes, les ostéites et les goitres. Il semble par ailleurs que l'on ait exagéré l'efficacité de l'électricité et des rayons X dans le traitement du cancer et de la tuberculose pulmonaire[56]. Il n'en reste pas moins que ces procédés ont été fort utiles dans la guérison de certaines tumeurs malignes[57] ou de certains problèmes musculaires.

En 1922, le docteur Panneton, désireux de suivre les progrès de sa spécialité, se procure une certaine quantité de radium et inaugure à l'Hôpital Notre-Dame l'ère de la thérapeutique radioactive: 56 patients subissent 136 séances de radiumthérapie[58]. Panneton introduisait à l'Hôpital Notre-Dame la première technique radioactive employée dans les traitements du cancer de la peau, du col utérin, de la bouche, etc. L'année suivante, 81 patients seront soumis aux effets encore mal connus du radium pour un total de 207 séances.

Il faut se garder de mesurer les progrès thérapeutiques accomplis entre la fondation de l'hôpital en 1880 et son déménagement sur la rue Sherbrooke en 1924 à l'aune des guérisons mentionnées dans les rapports annuels. La guérison d'une tumeur ou d'un cancer n'est que relative et ne peut guère être évaluée qu'en fonction de procédés d'investigation complexes qui n'existaient pas encore à cette époque. Les cas traités aussi diffèrent, de même que les opérations chirurgicales qui, nous l'avons vu, se complexifient, ce qui a pour conséquence d'accroître les risques de décès.

Il faut cependant souligner l'écart qui se creuse lentement entre, d'une part, les thérapeutiques médicamenteuses traditionnelles qui seront de plus en plus marginalisées et réservées aux patients des dispensaires et, d'autre part, les interventions instrumentales (chirurgie, électrothérapie, injection, etc.) dans les services internes qui ne cesseront de gruger un espace thérapeutique jusque-là réservé presque exclusivement aux médicaments et à la *natura medicatrix*.

Notes

1. L. Deslauriers, *Essai sur l'histoire de l'Hôpital Notre-Dame, 1890-1930*, p. 18.
2. RAHND, 1891-1892, p. 15.
3. *Ibid.*, p. 14.
4. *Statuts et règlements de l'Hôpital Notre-Dame*, juillet 1899, p. 28.
5. *Ibid.*
6. En 1900, l'Hôpital Notre-Dame décide de demander de payer 5¢ par prescription à «tous ceux qui peuvent le faire» (RAHND, 1900-1901, p. 15).
7. *Ibid.*, 1898-1899, p. 12.
8. *Ibid.*, 1911, p. 29.
9. Voir à ce propos D. Goulet et A. Paradis, *Trois siècles d'histoire médicale au Québec. Chronologie des institutions et des pratiques (1639-1939)*, p. 175-304.
10. *Acte pour pourvoir au traitement des marins malades, Statuts de la province du Bas-Canada*, 1836, chap. 35. Cette tradition remonte aux premiers hôpitaux de la colonie alors que l'hospitalisation des marins de la marine nationale était payée par les deniers royaux.
11. Les coûts de l'hospitalisation de ces malades étaient supportés pour l'essentiel par la Ville de Montréal.
12. RAHND, 1903-1904, p. 26.
13. *Ibid.*, 1913, p. 27-28.
14. *Ibid.*, 1899-1900, p. 13.
15. On retrouve dans les registres des admissions de l'Hôpital Notre-Dame les nationalités suivantes: Français, Irlandais, Italiens, Grecs, Polonais, Écossais, Suédois, Norvégiens, Hongrois et Roumains.
16. C'est en 1898 que les autorités religieuses nomment le premier chapelain résident à l'Hôpital Notre-Dame. (RAHND, 1896-1897, p. 8.)
17. *Ibid.*, 1881, p. 7.
18. Les hospitalières se réjouissent: «Les malades même anglais et protestants affirment qu'ils préfèrent venir à l'Hôpital Notre-Dame à cause de la sympathie qu'ils trouvent chez les sœurs» (*Extraits des chroniques de l'Hôpital Notre-Dame*, octobre 1881).

19. RAHND, 1899-1900, p. 33.

20. Le bureau d'admission n'acceptait les patients qu'à partir de 10 heures.

21. Un comité composé des docteurs Brosseau, Laramée et Desrosiers est formé pour élaborer une diète pour les malades. (PVBMHND, 5 septembre 1882.)

22. *Ibid.*, 1904-1905, p. 106.

23. PVBMHND, 16 novembre 1885.

24. RAHND, 1882-1883, p. 16.

25. *Extraits des chroniques de l'Hôpital Notre-Dame*, 1917.

26. Les premiers diplômes d'infirmières à l'Hôpital Notre-Dame sont décernés à des religieuses hospitalières en 1898. La première infirmière laïque, Mlle Hélène Routh, obtient son diplôme de l'École des infirmières de l'Hôpital Notre-Dame le 23 octobre 1903. (RAHND, 1902-1903, p. 23.)

27. Concordat entre l'Hôpital Notre-Dame et la communauté des sœurs grises, 25 septembre 1882.

28. PVBMHND, 5 janvier 1893.

29. *Ibid.*

30. RAHND, 1886-1887, p. 20 et 41.

31. Témoignage de garde Ouellet-Paré recueilli par L. Deslauriers, *Essai...*, *op. cit.*

32. RAHND, 1903-1904, p. 24. La secrétaire des dames patronnesses est aussi préoccupée par la vétusté des locaux: «Notre grand regret est de voir nos malades très mal logés, mais il nous est permis d'espérer qu'avant longtemps, nos vieilles bâtisses seront remplacées par un établissement moderne» (*ibid.*, 1900-1901, p. 90).

33. *Ibid.*, 1904-1905, p. 26.

34. Voir sur ce point D. Goulet et O. Keel, «Généalogie des représentations et attitudes face aux épidémies au Québec depuis le xixe siècle», *op. cit.*

35. L'agent de la syphilis, le *treponema pallidum*, est découvert en 1905 par F. Schaudinn et E. Hoffmann.

36. C'est Robert Koch qui découvre en 1882 le bacille responsable de la tuberculose.

37. Voir à ce propos J. T. Copp, *Classe ouvrière et pauvreté, les conditions de vie des travailleurs montréalais, 1897-1929*, et M. Tétrault, *L'état de santé des Montréalais, 1880 à 1914*.

38. Néanmoins, cette intervention chirurgicale, aujourd'hui routinière, demeurait encore périlleuse comme l'indiquent des taux de mortalité oscillant autour de 14 %. En 1924, un médecin interne de l'hôpital, P. Lesage, meurt au cours d'une appendicectomie.

39. Voir D. Goulet et A. Paradis, *op. cit.*, p. 175-304.

40. Sur ces points, voir P. Keating et O. Keel, «La vaccination à Montréal dans la seconde moitié du xixe siècle, pratiques, obstacles et résistances», dans M. Fournier *et al.* (dir.), *Science et médecine au Québec: perspectives sociohistoriques*, p. 100 et suiv.

41. *Ibid.*

42. Voir D. Goulet et A. Paradis, *op. cit.*, p. 271, et J. J. Heagerty, *Four Centuries of Medical History in Canada*, vol. I, p. 347.

43. Voir à ce propos D. S. Lewis, *History of the Royal Victoria Hospital, 1887-1947*, p. 62.

44. D. Goulet et A. Paradis, *op. cit.*, p. 279.

45. R. Koch annonce avec fracas la découverte de la tuberculine en 1890 comme traitement de la tuberculose, mais celle-ci se révélera finalement inefficace. La déception est grande. Il faudra attendre la découverte du vaccin BCG par A. Calmette et C. Guérin en 1923.

46. On faisait par là référence aux vertus médicatrices de la nature qui était censée rétablir d'elle-même un équilibre de l'organisme perturbé par la maladie.

47. Adage qui se traduit comme suit: saigner, purger et donner le clystère. Donner le clystère signifiait injecter par l'anus, au moyen d'une seringue (clystère), des substances laxatives dans l'intestin.

48. *Traité élémentaire de matière médicale et guide pratique des sœurs de Charité de l'Asile de la Providence*, Montréal, Eusèbe Sénécal, 1869 et 1870 (2e éd.). En 1903, il est question d'un manuel de matière médicale que les sœurs grises veulent faire publier et qui a été rédigé à leur demande par un certain docteur Bervide.

49. La cyanopancréatine obtient ses lettres patentes du Canada le 27 mai 1871 et des États-Unis en 1886 (ASGM, *Fonds Hôpital Notre-Dame.*)

50. PVBMHND, 15 janvier 1925.

51. *L'Union médicale du Canada*, 1919, p. 6.

52. C'est en 1910 qu'Ehrlich introduit le salvarsan (arsphénamine). Il s'agissait là des débuts de la chimiothérapie moderne.

53. L'Hôtel-Dieu de Montréal utilise les mêmes procédés. L'Hôpital Royal Victoria immerge les selles 15 minutes «*in milk of lime*». L'Hôpital général de Montréal préfère utiliser la créoline. Quant à la désinfection de la lingerie, le premier utilise l'immersion durant une heure dans l'acide carbolique (1/20) alors que le second préfère la stérilisation à la vapeur.

54. Le docteur J.-J. Guérin de l'Hôtel-Dieu de Montréal préfère prescrire de l'eau filtrée en abondance ainsi qu'une diète lactée.

55. Il s'agit d'une forme de cancer de la peau.

56. Voir D. Goulet et G. Rousseau, «L'émergence de l'électrothérapie au Québec, 1890-1910».

57. Le chirurgien G. Perthes découvre en 1903 que les rayons X inhibent la croissance des tumeurs. Il inaugure le traitement de certaines tumeurs cancéreuses par la radiothérapie.

58. Soulignons que la radiumthérapie est appelée aussi curiethérapie en l'honneur de Pierre et Marie Curie qui ont découvert le radium en 1898. Ce métal, de nombre atomique 88, possède une radioactivité naturelle. L'Institut du radium de l'Université de Montréal et de la province de Québec, fondé par E. Gendreau, ouvre ses portes en 1923. Voir à ce propos D. Goulet, *Histoire de la faculté de médecine de l'Université de Montréal (1843-1993)*, p. 220-223.

DEUXIÈME PARTIE

L'hôpital de la rue Sherbrooke, un nouvel essor: 1924-1960

CHAPITRE VI

Vers un hôpital moderne

Transformation des structures administratives

Évolution du rôle et des buts de l'Hôpital Notre-Dame

Jusqu'au début des années soixante, plusieurs hôpitaux seront érigés ou agrandis pour répondre à la demande toujours croissante de la population pour des soins de santé et des équipements hospitaliers adéquats et suffisants[1]. La mise en application de la loi sur l'assistance publique a certainement joué à cet égard un rôle important. Toutefois, la crise économique des années trente freinera considérablement cette poussée de construction hospitalière, tout en créant paradoxalement de nouveaux besoins au sein de la population. Mais si l'on vient plus volontiers à l'hôpital et si la hausse du nombre d'institutions tente de répondre à la demande, il reste que la structure hospitalière et la gestion administrative ne se sont pas toujours bien adaptées aux besoins auxquels doit répondre un hôpital moderne. Tout comme l'État face à la crise économique et à ses terribles répercussions, les administrateurs des hôpitaux seront obligés de se tourner vers des nouveaux principes de gestion et de nouvelles méthodes administratives.

La période 1924-1960 est caractérisée par deux points majeurs qui marqueront fortement l'Hôpital Notre-Dame. Le premier est l'accroissement considérable du rôle de l'État dans le domaine social et médical, tant par la mise sur pied de services et d'organismes que par les sommes d'argent qu'il devra y consacrer[2]. Le second est la réunion des hôpitaux en associations et groupes de pression, en vue de promouvoir de façon plus coordonnée leurs intérêts auprès du gouvernement.

Les initiatives gouvernementales dans les services hospitaliers au Québec n'étaient pas très fréquentes avant l'adoption de la loi sur l'assistance publique. En revanche, les gouvernements fédéral et provincial étaient déjà directement engagés dans le domaine de la santé publique, notamment avec la création des unités sanitaires[3], le financement des campagnes antivénériennes et antituberculeuses[4]. Tout au long du XXe siècle, la participation gouvernementale s'accroîtra progressivement en fonction des circonstances et de l'évolution des mentalités. Au moment de la crise économique des années trente, les gouvernements doivent adopter des mesures d'aide aux institutions de charité, de bienfaisance ainsi qu'aux institutions hospitalières. Conséquemment, les fonctions d'assistance de l'État se doubleront de mesures de contrôle, de surveillance et de réglementation des institutions subventionnées: loi provinciale sur les hôpitaux privés, Commission des allocations sociales, ministère de la Santé et du Bien-être social, etc. De plus, de nombreuses enquêtes seront ouvertes afin d'évaluer les besoins sociaux en matière de santé et d'assistance sociale: commission Montpetit sur les assurances sociales, commission Rowell-Sirois, etc.[5]. Durant la Seconde Guerre mondiale, les législations à caractère social sont moins nombreuses, mais l'interventionnisme étatique se poursuit. Cette tendance vers un certain dirigisme étatique se maintiendra après la guerre. Par ailleurs, dans le domaine de la santé, les programmes d'assurance-hospitalisation privés se répandent et les gouvernements envisagent l'instauration d'un régime public d'assurance-hospitalisation[6].

Face à ces événements conjoncturaux et structuraux qui modifieront en profondeur le système de santé, l'administration de l'Hôpital Notre-Dame devra faire preuve de souplesse. D'une façon générale, les autorités de l'hôpital sauront affronter les nouveaux enjeux sociaux liés à l'administration hospitalière. Soucieuses de participer aux grands débats qui agitent le monde médical, les autorités de l'Hôpital Notre-Dame acceptent volontiers de joindre les rangs du Conseil des hôpitaux de Montréal, du Canadian Hospital Council, de l'American Hospital Association et de l'Association des hôpitaux de la province de Québec. L'Hôpital Notre-Dame sera également membre, pendant quelques années, de l'Association des hôpitaux catholiques des États-Unis et du Canada.

C'est surtout au Conseil des hôpitaux de Montréal que les représentants de l'Hôpital Notre-Dame se montreront les plus actifs pour défendre les positions de leur institution. D'abord réduites, les activités et interventions du Conseil ne tardent pas à se multiplier. Deux voies sont généralement privilégiées. La première consiste à exercer directement des pressions auprès des gouvernements pour demander une hausse des subventions de l'assistance publique pour les patients indigents ou exiger des exemptions de taxes qui, considère-t-on, vont à l'encontre des intérêts des hôpitaux. Le second mode d'intervention consiste à soumettre des rapports aux commissions d'enquête ou aux comités chargés d'étudier des questions particulières sur les hôpitaux. L'évolution du contexte hospitalier et la création d'une telle association font aussi en sorte que les hôpitaux améliorent sensiblement leur collaboration et harmonisent leurs services à la communauté. Les besoins en équipements sophistiqués et en soins spécialisés obligent les hôpitaux à assurer une meilleure coordination de leurs services, ce qui permet d'éviter des redoublements coûteux et inutiles. De plus, à titre de porte-parole de plusieurs hôpitaux de Montréal, le Conseil facilite les discussions et les ententes entre les gouvernements et les hôpitaux[7]. La présence de l'Hôpital Notre-Dame au sein du Conseil améliorera tant ses relations avec les autres hôpitaux que ses rapports avec les gouvernements fédéral et provincial.

Entre 1930 et 1960, l'Hôpital Notre-Dame modifiera sensiblement ses activités et sa structure administratives. Gestion à la petite semaine et planification à court terme feront place à des politiques précises, concertées et à des orientations à long terme. Ces transformations seront toutefois graduelles. Les hésitations seront nombreuses et les problèmes fréquents. Cependant, le développement de l'hôpital s'accomplit en fonction de stratégies qui doivent tenir compte de facteurs externes parfois limitatifs et de contrôles gouvernementaux accrus. Plusieurs éléments externes — groupes de pression, politiques gouvernementales — interviennent et orientent l'institution vers une voie ou une autre. En contrepartie, les administrateurs de l'hôpital — devenus peu à peu plus expérimentés, plus spécialisés, plus conscients de leur rôle de gestionnaires et mieux au fait des rouages d'une grande institution hospitalière — se montrent plus revendicateurs et plus soucieux de faire reconnaître leurs droits. En 1960, une vingtaine de directeurs de services administratifs, de contrôleurs et de coordonnateurs voient à la bonne marche de l'hôpital et font partie des divers comités où sont décidées les grandes orientations de l'hôpital, en collaboration avec le bureau d'administration et le bureau médical.

Le bureau d'administration, les gouverneurs à vie et les dames patronnesses

Depuis plusieurs années déjà, les administrateurs projetaient de confier à un personnage haut placé de la société québécoise le rôle de président honoraire de l'hôpital. Deux objectifs étaient alors visés: améliorer la réputation et la popularité de l'institution et ajouter à l'influence de l'hôpital auprès des milieux d'affaires. Plusieurs autres institutions agissaient de la sorte.

On recherchait un représentant jouissant d'une grande crédibilité lors des levées de fonds et des demandes de subventions. On choisit pour cette prestigieuse fonction l'ex-premier ministre de la province de Québec, sir Lomer Gouin[8]. Cet illustre personnage politique siégeait à de nombreux conseils d'administration de compagnies, de banques et d'associations[9]. En 1925, on ajoute un second président d'honneur en la personne de l'Honorable L.-A. Taschereau, alors premier ministre du Québec. En 1928, au moment où les administrateurs décident la construction de l'aile de la rue Champlain et recherchent à cette fin les fonds nécessaires, un comité honoraire consultatif est mis sur pied. Composé de gens influents du milieu des affaires et de la politique, le comité aura pour tâche de faciliter l'octroi de fonds pour les besoins variés de l'hôpital. Initiative fructueuse puisque celui-ci, grâce aux riches relations et aux nombreuses influences dont jouissent ses membres, permettra l'obtention des fonds nécessaires à l'agrandissement déjà prévu en 1924[10]. Dirigé par le notaire E.-R. Décary[11], membre du bureau d'administration et personnage très actif au sein de l'hôtel de ville de Montréal, ce comité sera aussi chargé d'organiser une campagne de souscriptions d'un million de dollars sur le million et demi prévu pour la construction de l'aile sud du pavillon Deschamps. Composé en 1929 de cinq personnes — le sénateur J.-M. Wilson[12], l'ex-lieutenant-gouverneur N. Pérodeau[13], l'industriel S.-J.-B. Rolland[14] et les commerçants de Montréal J.-N. Dupuis et W.-J. Daly[15] —, le comité sera maintenu jusqu'en 1933.

Avec l'obtention de sa nouvelle charte en 1934, l'hôpital crée un conseil d'honneur pour succéder au comité honoraire consultatif. Sous le haut patronage de Mgr Georges Gauthier, archevêque-coadjuteur de Montréal, le conseil d'honneur comprend dix personnes ayant à leur tête les deux présidents d'honneur de l'hôpital. Il sera aboli en 1955. Les membres de ce conseil seront choisis parmi la grande et la petite bourgeoisie de Montréal. Sont *de facto* membres de ce conseil, le juge en chef de la Cour d'appel du Québec, le maire de la ville d'Outremont et le ministre provincial de la Santé. Par ailleurs, on retrouvera presque toujours un sénateur et un notaire ou un avocat et, régulièrement, un ou deux représentants du monde des affaires. On ne comptera aucun anglophone au sein de ce groupe. La nomination des membres a lieu lors de l'assemblée annuelle de l'hôpital. Même s'ils ne font pas partie du bureau d'administration, ils constitueront des éléments importants de la structure administrative de l'hôpital.

Le nombre des administrateurs double entre 1924 et 1960, passant de 14 à 28. La révision de la charte en 1934 avait porté le nombre de membres admissibles de 14 à 20. De nouveaux administrateurs s'ajouteront encore: un en 1941, un en 1949 et deux en 1950. Par ailleurs, la représentativité au sein du bureau d'administration change légèrement. Alors qu'au cours de la période 1880-1924, le nombre de médecins en poste au bureau d'administration diminuait constamment par rapport aux gouverneurs à vie, le nombre de médecins membres de ce bureau augmentera régulièrement entre 1925 et 1960. Ils siègent alors comme représentants du bureau médical et du conseil médical. Ainsi, en 1924, on ne compte que 3 médecins sur 14 membres, dont le président du bureau, le docteur Louis de Lotbinière-Harwood, pour une proportion de 21 %. En 1960, ils seront 9 médecins sur 28 membres pour une représentation à la hausse de 32 %. En revanche, les administrateurs «indépendants» voient leur représentation chuter en nombre et en proportion: 8 sur 14 (51 %) en 1924 contre 7 sur 28 (25 %) en 1960.

D'une manière générale, les tâches des membres du bureau d'administration sont réparties en fonction des intérêts de chacun. Ce sont généralement les hommes d'affaires et les gouverneurs à vie qui se chargent de collecter et de gérer l'argent nécessaire au fonctionnement de l'hôpital. Au début de cette période, comme tout au long de la période précédente, ce sont eux qui organiseront les campagnes de souscriptions et les levées de fonds. Leur rôle aura tendance à diminuer à mesure que l'on avance dans le siècle. Une deuxième catégorie regroupe les membres qui représentent les organismes qui versent des fonds à l'hôpital et qui en surveillent l'administration, tels que le maire de la ville de Montréal ou son représentant qui siège au conseil du bureau d'administration de l'hôpital. Pour les mêmes raisons, l'archevêque de la ville de Montréal et le supérieur du Séminaire de Saint-Sulpice ou leurs représentants sont membres du bureau d'administration. Enfin, on nomme un président et des vice-présidents honoraires qui, sans représenter des organismes ou le gouvernement comme tels, sont en quelque sorte des arbitres, des «juges impartiaux» que l'on consulte en temps opportun. La dernière catégorie de membres du bureau d'administration regroupe ceux qui réclament de l'argent pour leurs services et cliniques. Ils tiennent de plus en plus à avoir un droit de regard sur les façons de dépenser l'argent et de gérer l'administration de l'hôpital, d'où leurs revendications pour être représentés en plus grand nombre au sein du bureau d'administration, particulièrement lorsqu'il est question de la révision de la charte de l'hôpital.

Au fil des ans, les fonctions et les rôles des administrateurs deviendront complexes et variés. La croissance de l'hôpital et l'organisation de sa vie interne exerceront de fortes pressions afin que les membres du bureau d'administration améliorent leurs manières de gérer l'hôpital. L'ajout de personnel nouveau, le gonflement du budget, l'accentuation des normes d'accréditation et de standardisation hospitalières et le respect de certaines ordonnances gouvernementales contribueront largement à transformer le travail d'administrateur de l'hôpital. D'occupation bénévole liée à une activité humanitaire, ce travail devient une tâche professionnelle spécialisée de gestion hospitalière. La formation des administrateurs se pose alors comme une priorité. Si, d'une part, on hausse le nombre de membres du bureau d'administration qui gèrent les grandes orientations de l'hôpital et tranchent les questions litigieuses, d'autre part, on embauchera progressivement une nouvelle catégorie de personnel qualifié susceptible d'améliorer la gestion de l'hôpital: un comptable (1939), un comptable adjoint (1945), un chef du personnel (1948) et un surintendant adjoint (1952). Les administrateurs recouraient depuis déjà longtemps aux services d'un avocat et d'un notaire, indice de la nature plus complexe des problèmes rencontrés dans l'administration de l'hôpital. Au début des années soixante, le personnel s'est largement diversifié: directeur général, directeur médical, directeur médical adjoint, contrôleur, directeur des services administratifs, directeur adjoint des services administratifs, directrice du nursing, coordonnateur des cliniques, directrice de l'École d'infirmières, directeur du personnel, directrice du service social, directrice du service des bénévoles, coordonnateur des services alimentaires, coordonnateur des services de comptablité, comptable en chef, etc.

Le rôle des gouverneurs à vie entre 1924 et 1960 au sein de l'hôpital aura tendance à s'amenuiser par rapport à la période précédente. Leur contribution monétaire constituera une source de revenus de moins en moins importante pour l'hôpital. Certes, leurs contacts nombreux et variés permettent encore aux administrateurs d'entretenir des relations privilégiées avec les individus ou associations susceptibles d'aider la cause de l'hôpital, mais le recours à la charité publique, aux dons volontaires, spontanés et individuels, deviendra moins fréquent. De plus, puisque l'hôpital ajoute à sa structure administrative des éléments nouveaux — comité d'honneur, comité exécutif, spécialistes de l'administration —, le recours aux gouverneurs à vie s'avérera moins précieux qu'auparavant.

Par conséquent, le nombre de gouverneurs à vie de l'hôpital passe de 1200 en 1937 à 552 en 1960. Il s'agit d'une baisse très significative de 50 %. Toujours perçu comme honorifique, le titre de gouverneur à vie perdra de son importance aux yeux des intéressés. Alors que les décès font chuter le nombre des gouverneurs, les demandes de nominations n'arriveront plus que parcimonieusement au bureau d'administration, et ce même si les coûts d'admission demeurent inchangés pendant près de 75 ans.

Pour ce qui est des dames patronnesses, leur nombre demeure plus stable que celui des gouverneurs à vie, soit 409 en 1924 comparativement à 393 en 1960, avec un maximum de 581 en 1929 et un minimum de 329 en 1927. Cette association regroupe toujours principalement des épouses d'administrateurs, de médecins et de gouverneurs à vie de l'hôpital. Leur organisation est structurée un peu à la manière du bureau d'administration, mais selon une hiérarchisation moins stricte. Ainsi, tout au long de la période 1924-1960, elles ont à leur tête une ou deux présidentes honoraires auxquelles s'ajoutent une présidente, une ou deux vice-présidentes, quelques secrétaires et trésorières. Par ailleurs, elles comptent aussi des dames membres à vie, ainsi qu'un groupe de conseillères dont le nombre varie entre 20 et 30. Avec les dirigeantes de l'association, ces conseillères sont probablement les plus assidues aux réunions mensuelles et les principales planificatrices des activités organisées au profit de l'hôpital. Un certain nombre de comités, dont quelques-uns sont permanents — comité d'honneur, comité exécutif — et d'autres temporaires — comité de réception, comité d'achat, comité de publicité — assurent la coordination de leurs tâches. Elles publient dans le rapport annuel, jusque dans les années cinquante, un compte rendu de leurs activités de même qu'un état de compte de leurs finances et la liste de leurs membres.

Les dames patronnesses ont toujours compté sur l'assistance des administrateurs dans la réalisation de leurs activités. Leurs initiatives plutôt ponctuelles ont varié selon les époques et en fonction de l'intérêt des personnes engagées et des besoins principaux de l'hôpital. Si l'œuvre du pain et le dîner de Noël demeurent des activités annuelles de l'hôpital, la plupart des actions tendent à répondre aux besoins du moment.

Ainsi, en 1924, à la suite du parachèvement du nouvel immeuble de l'hôpital, elles paient le coût total de son ameublement. L'année suivante, elles équipent l'hôpital d'un système d'horloges électriques et supportent les frais d'installation de la cuisine des diètes. En 1926, elles organisent une réception en l'honneur du gouverneur général du Canada et de Lady Willingdon, de passage à Montréal. L'année suivante, l'organisation d'un *tag day* rapporte 9120 $ qu'elles remettent aux administrateurs et un concours de charité dont la prime est un voyage en Europe d'une valeur de 300 $ permet d'encaisser la somme de 4482 $. En 1928, elles mettent un frein à leurs activités de façon à ne pas nuire à l'hôpital qui est fort occupé à trouver l'argent nécessaire pour la construction de l'aile de la rue Champlain. Elles veulent éviter de faire double emploi. Astucieuses, elles suggèrent cependant de payer les coûts de la brique nécessaire à la construction de l'aile en sollicitant un don de 1 $ de la part du public pour chaque brique posée. Pendant la crise, les dames patronnesses ralentissent le rythme de leurs activités. Néanmoins, elles versent annuellement à l'hôpital une modeste somme d'argent: 3283 $ en 1935, 4090 $ en 1936 et 3854 $ en 1937. Après la guerre, elles paient l'ameublement de huit «chambres de luxe» (3900 $) et quatre solariums (923 $). En 1950, un coquetel rapporte 1900 $ qui sont versés à l'hôpital. L'année 1953 est particulièrement profitable. Une suite d'activités, dont une réception au Ritz-Carlton, rapportent 5700 $ qui serviront à l'achat de livres pour la bibliothèque des malades, inaugurée en 1948, ainsi qu'à l'achat de tables de nuit, d'équipements et d'appareils. En 1955, elles recrutent un groupe de jeunes filles bénévoles, prémices du futur service de bénévolat de l'hôpital. Tout au long du développement de l'hôpital, les dames patronnesses remplissent amplement leur mandat:

> Les auxiliaires se dépensent aussi dans les nombreux autres comités qui aident au fonctionnement de leur organisme et à l'accomplissement de leur but. On les retrouve à l'accueil, à l'assistance maternelle, au bricolage, à la décoration, aux

journées de la jonquille, au «Journal rose», à la nutrition auxiliaire, à l'occupation thérapeutique, à la pastorale, aux paniers de Noël, à la publicité, à la pédiatrie, au recrutement, aux souscriptions-concours, au service des couches, au service de coiffure, et au service des photos des nouveau-nés[16].

Changements apportés à la charte de l'hôpital

La nature des relations entre les différents éléments de la structure administrative de l'hôpital et la complexification de la gestion ont exercé des pressions sur l'organisation légale de l'hôpital. La gestion de l'administration se complexifiant et l'équipement médical requis par les médecins devenant de plus en plus coûteux, les administrateurs doivent définir leurs priorités en fonction de choix pré-établis et privilégier certaines politiques.

Dès le mois de mars 1928, le secrétaire du bureau médical fait une demande au secrétaire du conseil médical pour que le nombre des membres du bureau d'administration soit augmenté. Les choses en restent là jusqu'en décembre 1932 alors que le bureau médical revient à la charge en demandant que des changements soient apportés à la charte de manière que le député du comté de Sainte-Marie, où est situé l'hôpital, et l'échevin du quartier soient de droit membres du bureau d'administration. En fait, en 1929, les membres de ce dernier avaient mis sur pied un comité honoraire consultatif, composé d'hommes d'affaires montréalais prestigieux susceptibles d'assister les administrateurs de l'hôpital. Il est étonnant qu'une telle initiative ait été prise par le bureau médical. Il s'agit probablement d'une tentative pour amadouer les administrateurs puisque le bureau médical désire aussi, de concert avec le conseil médical, augmenter sa représentation au sein du bureau d'administration.

Un comité est créé en 1933 pour élaborer des amendements à la charte. Il est principalement suggéré de porter le nombre d'administrateurs de 15 à 20 et de réformer le conseil médical qui serait dorénavant composé de tous les chefs de service, des professeurs titulaires et des chefs adjoints. Le bureau d'administration approuve ces suggestions le 11 avril 1933 et ratifie sa décision le 21 décembre de la même année. Le 7 mars 1934, le projet de loi modifiant la charte de l'Hôpital Notre-Dame est sanctionné par la législature provinciale.

Entre 1937 et 1941 est étudiée l'opportunité de créer un comité exécutif composé de cinq membres, qui relèverait directement du bureau d'administration. Les activités ordinaires des administrateurs se multipliaient et se diversifiaient, ce qui justifiait aux yeux des membres du bureau d'administration la mise sur pied d'un tel comité. Ils souhaitaient être assistés par un second groupe restreint d'administrateurs qui faciliteraient les prises de décision et la détermination des orientations générales de l'hôpital. Un tel comité avait plusieurs fois été créé auparavant, mais il s'agissait alors de personnes nommées épisodiquement en vue de régler un problème particulier. On désirait maintenant mettre en place un comité exécutif permanent, nouvel élément de la structure administrative de l'hôpital. Malgré certaines oppositions, la loi 134 est acceptée, au début de l'année 1939, à la satisfaction du bureau d'administration. Le comité exécutif tient sa première séance le 30 juin de la même année. Ce comité comprend trois personnes: H. Racine (président), R. Laporte (secrétaire) et C.-A. Roy (trésorier), tous trois membres du bureau d'administration.

Au début des années cinquante, les administrateurs et les médecins s'entendent pour amender une charte qu'ils jugent inadéquate. Il ne s'agit pas d'amendements mineurs mais d'une refonte complète. Après tout, 50 ans s'étaient écoulés depuis la dernière refonte. Plusieurs motifs sont invoqués par les parties intéressées. Les infirmières tiennent à faire reconnaître officiellement l'École d'infirmières de l'Hôpital Notre-Dame en ajoutant son nom dans la charte. L'adoption d'un budget unique pour l'ensemble de l'institution, regroupant tous les services, tous les départements et toutes les cliniques, était aussi proposée. Certains hôpitaux fonctionnaient déjà ainsi et les autorités de l'Hôpital Notre-Dame trouvaient intéressante cette formule de budget global. Il est aussi question d'établir un plan d'assurance-pension pour les médecins. Enfin, des représentants des différents bureaux et conseils de l'hôpital font valoir qu'il est maintenant temps de revoir sa structure administrative ainsi que la représentativité des membres des comités du bureau d'administration.

Le processus de réforme est long et difficile. Outre les habituelles tensions entre les parties concernées par la réorganisation, bien des efforts avaient été canalisés dans le projet de construction du pavillon Lachapelle[17]. Après de nombreuses réunions et consultations extérieures, l'autorisation de refondre la charte de l'hôpital est officiellement donnée lors de l'assemblée générale annuelle du 26 mai 1954. Le texte définitif est approuvé le 27 octobre de la même année et sanctionné par le gouvernement provincial le 10 février 1955[18]. Sans en révéler les détails, mentionnons que la nouvelle charte partageait la gestion de l'hôpital en un conseil d'administration (ex-bureau) et un bureau médical et définissait le nombre et le rôle des membres de ces bureaux. Elle délimitait les pouvoirs d'emprunt de la corporation et fixait les droits d'admission pour devenir gouverneur à vie (200 $ à l'entrée et 25 $ annuellement). Elle établissait une distinction entre patient payant et patient non payant et précisait que le bureau médical, qui détient le contrôle de l'administration médicale, chirurgicale et scientifique de l'hôpital, doit faire approuver par le conseil d'administration tout règlement qu'il désire adopter. De plus, elle admettait la mère supérieure de la communauté des sœurs grises au sein du conseil d'administration; comptant parmi les quatre membres d'office de ce dernier, elle sera la première femme à y siéger. Enfin, le poste de surintendant était remplacé par celui de directeur général. Composée d'à peine 25 articles, cette charte éclaircissait en les simplifiant les prescriptions de la loi régissant l'hôpital, mais ne les modifiait que légèrement. Aussi sera-t-il question, dès son entrée en vigueur, de lui superposer une nouvelle entité juridique plus efficace et moins technique.

À compter de la fin des années cinquante, les nombreuses révisions apportées à la fois à la charte et aux règlements, l'instauration éventuelle d'un régime public d'assurance-hospitalisation, ainsi que les nombreuses réformes administratives imposées tant par les besoins de la population que par les décisions bureaucratiques gouvernementales, exercent de nouvelles pressions afin que soit modifiée significativement l'organisation générale de l'hôpital. Dès décembre 1959, la charte d'organisation de l'hôpital est mise à l'étude, mais le projet sera reporté. Ce n'est qu'en 1961 qu'un contrat sera signé avec la firme Woods and Gordon pour «l'étude de la charte, des règlements et pour renseigner l'hôpital sur un programme et le contrôle du travail à l'hôpital Notre-Dame[19]».

Un pouvoir médical qui s'accroît

L'évolution de l'Hôpital Notre-Dame, à partir de 1924, notamment en ce qui concerne l'adjonction de nouveaux praticiens et l'ouverture de nouvelles spécialités, exigera de constants rajustements tant au chapitre de l'organisation médicale qu'au chapitre de la structure interne. Or une nouvelle organisation de la structure hospitalière nécessitait de nouveaux partages des compétences.

Modifications à la charte du bureau médical et du conseil médical

La nouvelle loi qui amende la charte de l'hôpital en 1924 redéfinit les pouvoirs respectifs du bureau d'administration, du bureau médical et du conseil médical. Le conseil médical est désormais composé de sept membres élus parmi les chefs des services et les professeurs titulaires de la faculté de médecine de l'Université de Montréal, mais cinq de ces membres doivent faire partie du conseil de la faculté ou bien, à défaut, être reconnus comme professeurs de la faculté. Ce sont les chefs de service et les professeurs titulaires actifs à l'hôpital qui élisent les membres du conseil. Le conseil médical voit s'accroître son pouvoir de façon importante au détriment du bureau médical. Il obtient le contrôle de l'administration médicale, chirurgicale et scientifique de l'hôpital et le pouvoir d'établir des règlements à cette fin qu'il doit soumettre à l'approbation du bureau d'administration.

Quant au bureau médical, il est désormais composé des médecins consultants, des médecins «ordinaires», des chirurgiens et des spécialistes attachés aux différents services de l'hôpital. Y sont donc admis tous les chefs de service, titulaires et assistants. Une assemblée du bureau doit être tenue mensuellement de façon à superviser le fonctionnement des différents services et à surveiller les soins donnés aux malades hospitalisés. Le bureau doit transmettre au conseil médical toutes les suggestions appropriées et les modifications proposées.

Certaines prérogatives du bureau médical sont ainsi transférées au conseil médical. Cela ne s'est pas fait sans résistances, mais les médecins du bureau médical ont finalement entériné ces amendements à la charte. De fait, les principaux intéressés n'étaient guère touchés par cette nouvelle distribution des pouvoirs puisque les principaux officiers du bureau médical antérieur se retrouvent au sein du nouveau conseil médical. Les anciens de l'hôpital gardent leur avantage hiérarchique au sein de l'institution. Ainsi, l'ancien président du bureau médical, le docteur Lesage, devient, peu après l'entrée en vigueur de la nouvelle charte, président du conseil médical. Il en est de même pour les docteurs Mercier et Parizeau. La grande gagnante de la réforme est la faculté de médecine qui se voit bien représentée au sein de l'organe médical dirigeant. La représentation des membres de la faculté au sein du conseil médical correspond en réalité à la place que l'on entend accorder à l'enseignement clinique et à la recherche au sein de l'hôpital.

Le bureau médical, en plus d'assumer des responsabilités fixées par la nouvelle charte, se voit aussi contraint de répondre à de nouvelles exigences médico-scientifiques établies par un nouvel organisme externe, l'American College of Surgeons. Les normes définies par cette association visent à uniformiser dans le monde occidental une pratique médicale hospitalière basée sur des pratiques cliniques — diagnostiques ou thérapeutiques —, des pratiques d'enseignement et des activités de recherche. Avec leur accord, cet organisme procédait à une évaluation des hôpitaux intéressés au moyen d'un système de points précis. Un hôpital recevait son accréditation avec l'obtention d'une cote (A, B, C). Pour être accrédités, les hôpitaux devaient, par exemple, pratiquer des examens histologiques des pièces pathologiques, procéder à des autopsies, utiliser des systèmes de classification standard et organiser mensuellement une séance scientifique où sont présentés les principaux cas cliniques rencontrés à l'hôpital. Ces exigences devaient être remplies adéquatement par l'institution hospitalière pour que soit décernée la cote maximale A. Les membres du bureau médical s'efforceront, non sans peine nous le verrons, d'y parvenir.

La reconnaissance de l'admissibilité des spécialistes en tant que membres du bureau médical constitue aussi une transformation importante de la structure médicale. La question des spécialités occupera une place de plus en plus importante dans les orientations futures de l'hôpital. Encore une fois, cette reconnaissance soulèvera quelques résistances de la part de médecins attachés à la polyvalence de la pratique traditionnelle et qui défendent l'idée que l'exercice de la médecine, tout en reposant sur les sciences, doit avant tout demeurer un art.

En 1934, de nouveaux amendements à la charte accordent une plus large représentativité à l'ensemble du personnel médical. Ainsi, le conseil médical regroupe tous les chefs des services internes — et non plus seulement les sept membres éligibles comme c'était le cas sous la charte de 1924 —, les professeurs titulaires de la faculté de médecine de l'Université de Montréal en activité à l'hôpital et les chefs adjoints des services internes. À ces nouveaux venus au sein de la structure décisionnelle de l'hôpital s'ajoutent bientôt les nouvelles catégories d'assistants réguliers ou éligibles. Quelques titres appartenant aux hiérarchies anciennes tels que «médecin consultant» disparaissent de la nomenclature. Ces modifications de la structure médicale résultent de pressions exercées par de nombreux praticiens qui souhaitaient augmenter la représentativité des différents corps médicaux afin d'assurer à l'hôpital une coordination et un développement adaptés aux besoins des différents services. De même, l'orientation de plus en plus marquée de l'Hôpital Notre-Dame vers l'enseignement et la recherche à partir des années quarante explique encore ici la large représentativité des membres de la faculté au sein du pouvoir médical. Mais si de nombreux ajustements satisfont aux exigences immédiates des praticiens au cours des deux décennies suivantes, les pressions internes deviennent telles que l'on doit encore une fois procéder à des modifications majeures de la structure médicale.

Vingt ans plus tard, soit en 1955, la présence d'un bureau médical et d'un conseil médical distinct ne répondra plus aux besoins organisationnels de l'Hôpital Notre-Dame. Les tensions très vives que n'ont pas manqué de provoquer deux organes de pouvoir relativement indépendants et l'affaiblissement du rôle administratif joué par la faculté de médecine à l'hôpital entraînent la disparition du conseil médical au profit d'une restructuration du bureau médical. Déjà en 1947, une motion des docteurs Gariépy et Blain contre le conseil médical souligne l'incapacité de ce dernier à remplir les fonctions qui lui sont dévolues par la charte et dénonce la sujétion du conseil médical à l'endroit du bureau d'administration. On y fait aussi état des difficultés de coordination entre les deux bureaux médicaux alors que «le bureau médical ne peut exprimer que platoniquement des désirs dont le conseil médical ne tient aucun compte[20]». Tous ne sont pas d'accord pour adopter une telle motion. Si certains ne manquent pas de faire remarquer «qu'il n'y a pas de charte d'hôpital où les médecins ont plus de pouvoir qu'à l'Hôpital Notre-Dame», c'est qu'ils craignent de voir ce pouvoir amoindri par une révision de la charte.

Conséquemment à la disparition du conseil médical en 1955, le bureau médical sera composé des médecins et des chirurgiens attachés aux différents services et de tous les autres spécialistes non médecins attachés à un service interne, diagnostique ou thérapeutique. Le bureau médical délègue l'exercice de ses pouvoirs à un comité exécutif élu composé de sept membres comprenant au moins cinq chefs de service ou de département. Ce comité exécutif, qui remplace en quelque sorte le conseil médical, obtient le contrôle de l'administration médicale, chirurgicale et scientifique de l'Hôpital Notre-Dame[21]. La charte de 1955 marque un tournant dans l'évolution de la reconnaissance de certaines spécialités paramédicales. Des spécialistes «non-médecins» se voient concéder pour la première fois l'accessibilité au bureau médical. La première discussion à ce propos avait eu lieu en 1954, le bureau médical entrevoyant la possibilité d'accueillir les «chefs non-médecins attachés à un service interne diagnostique ou thérapeutique[22]», comme le chef du service de biochimie. Certains médecins considéraient d'un mauvais œil de telles modifications qui affectaient les bases même d'un pouvoir médical qu'ils tâchaient de préserver jalousement. Mais, minoritaires, ils s'y opposèrent en vain. Cependant, malgré les dissensions occasionnelles entre les membres de la profession, ceux-ci n'hésitent pas de se serrer les coudes lorsque des décisions «externes» menacent leur pouvoir décisionnel. D'autres mesures par contre favorisent les préro-gatives professionnelles des médecins au sein de l'institution sans que soient heurtées les susceptibilités des administrateurs. Ainsi, en 1952, lorsqu'un poste de directeur médical est créé pour assurer la coordination scientifique de l'hôpital, les médecins acceptent que le titulaire soit désigné par le bureau d'administration. Mais en revanche, lorsque, l'année suivante, le bureau d'administration, insatisfait de l'administration de l'hôpital, demande carte blanche pour engager une personne qui aurait la charge de la direction générale de l'institution jusqu'au changement de la charte, il se heurte à un refus net du bureau médical. Celui-ci s'oppose à ce qu'un directeur général ait autorité sur le directeur médical. Aussi le bureau d'adminis-tration se fait-il répondre: «Ce que l'Hôpital Notre-Dame a besoin c'est d'un gérant d'affaires. Si ce gérant d'affaires était médecin ce serait une bonne chose, puisqu'il comprendrait mieux le rôle du directeur médical, mais il ne devrait pas avoir autorité sur lui.»

Tout en étant toujours soumis au bureau d'administration pour ce qui est de l'acceptation des dépenses et des engage-ments professionnels, c'est définitivement le conseil médical et le bureau médical qui contrôleront, jusque dans les années soixante, l'organisation des soins hospitaliers. Concilier les exigences médicales avec les limites financières imposées par les administrateurs demandait certes une étroite collaboration entre les deux parties, mais aussi un équilibre des pouvoirs que chercheront à conserver les médecins. Le pragmatisme écono-mique des uns s'opposait souvent au désir des autres d'intégrer les innovations médicales. Les médecins, préoccupés avant tout des soins et de l'enseignement, se soucient moins des coûts des appareils, des examens et des traitements et «élèvent sans cesse le niveau de leurs exigences, alors que les administrateurs doivent sans cesse freiner leurs demandes pour maintenir le fra-gile équilibre budgétaire[23]». Mais généralement, les parties s'en-tendent pour prendre en commun les grandes décisions concer-nant l'orientation de l'Hôpital Notre-Dame.

Toujours étroitement associés à la faculté de médecine de l'Université de Montréal, les médecins de l'hôpital jettent, jusqu'à la décennie 1950, les fondements d'une organisation médicale standardisée correspondant aux normes internationales posées par l'American College of Surgeons. Mais les principes directeurs d'une telle organisation que nous présenterons plus loin ne pouvaient être respectés qu'à la condition que soient établies des normes de contrôle sévères qui tiennent compte non seulement de l'évolution des savoirs et des techniques, mais aussi des structures pratiques et quotidiennes dans lesquelles ces savoirs et ces techniques pourraient s'actualiser.

Formation des comités d'enquête

Durant toute la période 1924-1960, le conseil médical et le bureau médical multiplieront les organes de contrôle et renforceront, tout en les modifiant, les paramètres de la pratique médicale hospitalière. Il nous serait impossible d'énumérer ici tous les comités d'enquête sur le fonctionnement des différents services tellement ceux-ci sont nombreux. Entre 1924 et 1940, près d'une cinquantaine de comités sont formés par le conseil médical et une vingtaine de projets de réorganisation sont présentés au bureau d'administration. Les services de chirurgie et de médecine font aussi l'objet d'incessants rajustements proposés par des comités formés le plus souvent des chefs de service et des membres du conseil médical. Le service d'anesthésie sera à lui seul l'objet d'une trentaine d'études et ne cessera, comme nous le verrons plus loin, de créer de nombreux problèmes. L'augmentation des effectifs de l'hôpital, tant du personnel médical que des patients, exerce une pression constante sur les structures de fonctionnement de l'institution. La coordination d'un personnel médical plutôt individualiste, orgueilleux de ses prérogatives, souvent peu enclin à respecter un découpage horaire qui affecte sa pratique privée n'est pas chose facile. Il faut donc renforcer les moyens de contrôle. Suivra donc l'imposition de codes de procédures davantage liés aux besoins de l'institution qu'à ceux du praticien. Le médecin qui pratique en milieu hospitalier doit peu à peu délaisser des habitudes autocratiques et individualistes acquises en cabinet privé pour se conformer aux activités de plus en plus structurées de la pratique hospitalière.

Les réformes touchant le fonctionnement médical de l'hôpital sont constantes et rarement spectaculaires. Du reste, les efforts les plus concentrés de structuration des services sont accomplis durant les deux décennies qui suivent le déménagement. Le travail est tel que le conseil médical se réunit au rythme épuisant d'une séance par semaine. Dès l'ouverture du nouvel hôpital, les autorités médicales inaugurent une série de mesures qui visent aussi bien à coordonner les activités qu'à modifier des habitudes et des comportements de moins en moins compatibles avec les fonctions d'un grand hôpital général. Lors de l'assemblée du 20 octobre 1924, les comités de médecine, de chirurgie, de pédiatrie, d'obstétrique et le comité des régimes et des diètes présentent leurs rapports. Les critiques sont sévères à l'endroit du dispensaire de médecine, et il n'est pas rare que l'on se plaigne de l'absence ou des retards des médecins de service le matin. Il en est de même du service de chirurgie. Une telle situation, aux yeux de la direction du bureau médical, n'est certes plus acceptable, mais les changements sont lents et surtout l'on évite d'éveiller certaines susceptibilités. De nombreux problèmes concernant la réorganisation des services requièrent des solutions rapides. Il n'est pas toujours aisé de gérer les nombreuses demandes «spéciales» des chefs de service qui veulent profiter des nouveaux espaces disponibles pour améliorer leur service. Les membres du conseil médical et du bureau médical ne peuvent satisfaire tout le monde. Des choix parfois difficiles s'imposent. Les autorités médicales ont à statuer sur tout ce qui touche le fonctionnement médical quotidien de l'hôpital: heures des visites, organisation de la grande chirurgie, régimes et diètes, interdictions de fumer, de cracher et même de prier à voix haute dans les corridors. Les soins aux patients et l'organisation scientifique font aussi l'objet de réglementations.

Dans l'ensemble des décisions prises par les autorités médicales, une constante domine: l'intérêt marqué pour l'organisation scientifique et clinique de l'hôpital au détriment des intérêts particuliers. Le surintendant Mercier avait annoncé clairement son intention de faire de la nouvelle institution un hôpital «moderne dans tous ces détails, pourvu d'une organisation scientifique des plus avancées, d'un personnel médical et hospitalier dévoué et instruit[24]». Conséquemment, les exigences envers le personnel médical se multiplient: enregistrement standardisé des patients, codification des diagnostics, imposition de grilles horaires précises et de protocoles opératoires de plus en plus complexes, contrôle de la thérapeutique, spécialisation des fonctions, mises à jour des savoirs et des techniques, accroissement des activités scientifiques, etc. Le directeur médical, J.-R. Boutin, dans son rapport annuel de 1948, tout en soulignant les difficultés croissantes dans la gestion d'un hôpital, vantait les «ressources d'ingéniosité des autorités administratives responsables du bon fonctionnement des hôpitaux[25]». Certes, la hausse des revenus, l'agrandissement de l'espace ou la diminution du nombre des admissions constituaient des mesures de correction nécessaires, mais la solution devait aussi passer par une organisation de plus en plus structurée des actes médicaux et paramédicaux sous la responsabilité des autorités concernées. Aussi, en 1953, le conseil médical, devant «l'augmentation progressive et constante des activités[26]», demande au bureau d'administration l'adjonction d'un directeur médical adjoint. Une telle initiative reflète, d'une part, le souci d'encadrer de façon de plus en plus étroite les activités médicales de l'hôpital et, d'autre part, la nécessité de centraliser les structures décisionnelles au détriment des différents services.

Croissance et expansion immobilière

La période 1924-1960 ne sera pas moins marquée que la précédente par les projets d'agrandissement, les travaux de construction et les problèmes financiers inhérents à de tels projets. Tout au long de cette période, des projets de grande envergure seront élaborés, évalués, mis en œuvre, reportés, repris et réalisés. Moins d'un an après l'inauguration des nouveaux locaux de la rue Sherbrooke qui doublaient la capacité d'accueil, le docteur Harwood, président de la corporation de l'hôpital, déplore déjà que «l'hôpital agrandi [soit] encore beaucoup trop petit». Il faudra donc, ajoute-t-il, «combler cette lacune, et pour cela, les deniers devront nous venir nombreux tant de la part du public que de la part du gouvernement[27]». Contrairement à la période précédente, les administrateurs misent sur une généreuse contribution gouvernementale.

Si le besoin d'agrandissement est amplement justifié, les administrateurs, échaudés par les difficultés rencontrées antérieurement, se montrent prudents et hésitent à se lancer à grands frais dans une nouvelle entreprise. Certes, on traverse une période d'effervescence économique, de même que s'accentue la concurrence de nombreux hôpitaux qui ouvrent leurs portes ou qui s'agrandissent, mais la situation financière de l'hôpital n'est guère rassurante. Il reste à parachever la finition tant intérieure qu'extérieure de l'hôpital: aménagement du parterre et des balcons, pose des grillages aux fenêtres et des tuiles aux planchers, etc. Enfin, l'Hôpital Saint-Paul nécessite des réparations urgentes, principalement au système de chauffage. Ces travaux, entrepris grâce au renouvellement du contrat passé entre l'hôpital et la Ville de Montréal pour le soin des contagieux, sont considérables, à tel point que l'on considérera que le bâtiment avait été remis à neuf!

Le projet d'agrandissement demeure toutefois une préoccupation des autorités administratives et surtout médicales. En 1926, les membres du bureau d'administration et du conseil médical

> sont à faire une étude sérieuse dans le but de construire d'abord la dernière aile de notre Hôpital, laquelle exigera l'installation coûteuse d'un système de chauffage central, et il y aura à faire bientôt une dépense considérable [de nouveau] à l'Hôpital Saint-Paul pour répondre aux exigences de la situation actuelle[28].

Une résidence pour les gardes-malades est aussi prévue. Le coût de ces travaux est évalué à 1 250 000 $. Recevant annuellement de l'assistance publique plus de 250 000 $, les administrateurs espèrent atteindre leurs objectifs d'agrandissement si le gouvernement double sa subvention. Contrairement à la période précédente, les autorités s'adressent directement au gouvernement provincial pour ensuite faire appel à la contribution du public. Celui-ci sera encore une fois largement sollicité puisque les membres du comité d'honneur réussissent à recueillir près d'un million de dollars. L'ensemble des coûts s'élèvera à un million et demi.

Décision est finalement prise en 1929 d'ériger une nouvelle aile longeant la rue Champlain, perpendiculaire à la rue Sherbrooke dans l'axe nord-sud. L'aile C était déjà prévue dans les plans originaux de l'hôpital. Cet ajout permettra de hausser de 210 lits la capacité d'accueil de l'hôpital. Sont en même temps entreprises la construction d'un pavillon de chauffage et celle d'une résidence pour infirmières. Les coûts sont évidemment plus élevés que prévu et, en avril 1931, le déficit de construction atteint 112 000 $. La même année, l'hôpital emprunte 135 000 $ à la banque et doit payer des comptes totalisant près de 393 000 $. Par contre, la valeur de ses immeubles, moins la dépréciation, passe de 2 091 000 $ en 1930 à 3 735 000 $ l'année suivante. De plus, les contributions de l'assistance publique pour les indigents passent de 118 917 $ à 204 736 $ entre 1931 et 1932. La capacité totale d'accueil de l'hôpital, une fois les travaux d'agrandissement terminés en 1932, grimpe à 627 lits. L'hôpital dispose alors d'un imposant complexe hospitalier.

Le contrat passé entre la Ville de Montréal et l'hôpital pour les soins des contagieux étant échu, les locaux de l'Hôpital Saint-Paul changent de vocation en 1933 alors qu'on y installe le service de pédiatrie. Les autorités de l'Hôpital Notre-Dame n'ont plus guère besoin du vénérable édifice de la rue Notre-Dame. La crise n'est certainement pas un moment opportun pour le mettre en vente, mais les taxes municipales sur une bâtisse abandonnée constituent une charge que l'hôpital supporte difficilement. Le terrain sera encore à vendre en 1937 et les bâtisses seront démolies en mars 1938.

Un nouveau projet d'expansion immobilière est annoncé pour la première fois en 1944 lors de l'assemblée générale annuelle de l'hôpital. L'institution connaît alors une période de prospérité économique et les besoins en soins de santé de la population s'accroissent considérablement. La suggestion avait été émise par le trésorier de l'hôpital, C.-A. Roy:

> Si la population continue de réclamer en aussi grand nombre les services d'hospitalisation au lieu d'être traitée à domicile, votre bureau [d'administration] devra sans doute

songer, avant longtemps, à élaborer un programme d'agrandissement après la guerre[29].

Au cours des années 1945 et 1946, un comité de construction étudiera la possibilité d'agrandir l'hôpital, mais le
projet demeurera en suspens. L'année suivante, les pressions
s'intensifient auprès des administrateurs face à l'augmentation
de la demande de soins:

> Jamais dans l'histoire des hôpitaux, l'on a éprouvé un
> besoin plus pressant de lits; jamais les services des gardes-
> malades et de la main-d'œuvre n'ont été autant en
> demande. Par ailleurs, jamais le coût de la construction n'a
> été aussi prohibitif et jamais les hôpitaux n'ont connu
> autant de difficulté dans le recrutement du personnel[30].

En 1948 est mis sur pied un nouveau comité de construction qui conclut

> qu'il fallait nécessairement augmenter le plus tôt possible le
> nombre de lits des salles publiques [...] L'agrandissement
> de l'aile «C» rue Champlain par une addition de cent pieds
> par cinquante pieds s'avère nécessaire. Cela permettrait
> l'agrandissement de la buanderie, l'addition de deux étages
> à la résidence des infirmiers [sic] et l'extension de la cuisine
> centrale jusqu'à la bâtisse principale proposée. Cela per-
> mettrait de plus l'addition nécessaire de deux cents lits
> pour les malades indigents. La nouvelle construction au
> coût d'environ 1 000 000 $ permettrait l'agrandissement et
> la centralisation des laboratoires et du service d'électro-
> radiologie. *Il est évident que ces travaux ne sauraient s'en-
> treprendre sans l'aide financière de l'administration publique*[31].

Le comité de construction poursuit son travail d'étude
toute l'année, en collaboration avec des ingénieurs-conseils
américains, recommandés par l'American Hospital Association.
Les résultats de leur enquête révèlent que l'hôpital doit doubler
le nombre de ses lits et tripler les services auxiliaires en certains
cas. Des arpenteurs sont engagés et des sondages du terrain
sont effectués afin d'apprécier la solidité du sol et d'évaluer le
coût de construction des fondations.

Néanmoins, les ressources financières font encore défaut. Un projet de campagne de souscriptions commence à prendre forme mais est reporté. Or, au même moment, l'hôpital essuie un déficit très important de 170 704 $, situation qui n'est guère propice à inciter les administrateurs à se lancer dans des dépenses importantes. On songe même à abandonner le traitement des malades indigents et à convertir des salles communes en chambres privées, compte tenu du manque à gagner entre les sommes perçues du gouvernement et le coût réel supporté par l'hôpital. Les besoins hospitaliers sont tels que les médecins sont contraints de «traiter et d'opérer leurs malades en dehors de l'Hôpital Notre-Dame[32]».

L'année suivante, le projet se concrétise. Un fonds d'agrandissement est d'abord créé. On prévoit ainsi amasser une somme «d'un million de dollars pour constituer le fonds de roulement[33]» de l'hôpital de façon à couvrir le déficit des dix dernières années: «À même cette somme nous serons en état de reconstituer nos réserves indispensables au remplacement de nos immobilisations et au paiement de nos comptes de fournisseurs[34]», jugent les administrateurs. La traditionnelle campagne de souscriptions est évidemment envisagée. Ouverte en 1951, elle reçoit une réponse de la population et des gouvernements fort généreuse. En effet, l'hôpital collecte la somme de quatre millions et demi, dont deux proviennent du gouvernement provincial. Les contributions des autorités de la ville de Montréal et du gouvernement fédéral qui se font attendre permettent d'espérer atteindre l'objectif de 7 050 000 $.

Les pavillons de l'Hôpital Saint-Paul sont démolis en 1952, et c'est sur cet emplacement que sera érigé le nouveau pavillon de l'Hôpital Notre-Dame. Échelonnés sur six ans, les travaux débutent aussitôt après l'enlèvement de la première pelletée de terre le 26 septembre 1953. De nombreuses expropriations sont malheureusement nécessaires. À la fin de 1953, «les frais préliminaires de construction et d'agrandissement représentent une somme de 619 283 $[35]».

Au fur et à mesure que les travaux progressent, les ressources financières diminuent. C'est que les comptes s'additionnent plus rapidement que les revenus. Aussi, dès février 1955, est-il question d'une nouvelle campagne de souscriptions au profit de l'hôpital. En 1956, une vaste campagne de publicité est organisée: articles dans les journaux, conférences de presse, entrevues radiophoniques, etc. Le journaliste Roger Champoux, du journal *La Presse*, est engagé comme responsable de la campagne publicitaire. Les Montréalais verseront plus de 11 000 000 $ lors des campagnes de souscriptions de 1951 et 1956. Les contributions gouvernementales permettront de réunir les 26 000 000 $ nécessaires à l'agrandissement de l'hôpital ainsi qu'à la construction de la nouvelle école des infirmières.

Le nouveau pavillon de l'Hôpital Notre-Dame, inauguré officiellement le 29 mai 1960, est baptisé «Pavillon Emmanuel-Persillier-Lachapelle», en l'honneur de l'un des fondateurs de l'hôpital. Cet imposant immeuble, en forme de croix, compte 11 étages. Désormais, la capacité d'accueil de l'hôpital, comprenant les lits privés, semi-privés, publics, les berceaux et les incubateurs, se chiffre à 1095 lits. La vocation de l'hôpital s'articulant de plus en plus autour des domaines de la recherche et de l'enseignement, l'espace prévu pour les laboratoires passe de 37 à 2790 mètres carrés. L'immeuble comprend également un auditorium de près de 400 places.

Évolution critique de la situation financière de l'hôpital

Revenus et état général des finances

Au-delà des problèmes liés aux coûts qu'engendre une fréquentation accrue de l'hôpital, ce sont les difficultés d'encadrement et de gestion de cette fréquentation qui rendent la situation épineuse pour l'administration. Non seulement faut-il agrandir sans cesse les locaux disponibles pour recevoir et héberger la clientèle qui se présente aux cliniques et aux chambres, mais le perfectionnement technologique des soins de santé oblige les administrateurs à doter l'hôpital des derniers équipements qui requièrent aussi plus d'espace. En outre, le personnel devient à la longue de plus en plus revendicateur quant à ses droits et ses conditions de travail, ce qui ajoute au fardeau financier de l'hôpital. Les infirmières et les médecins eux-mêmes en viennent à exiger de meilleures conditions salariales. Enfin, les fluctuations économiques ne faciliteront pas la tâche des administrateurs qui voient par ailleurs avec inquiétude l'État participer directement et leurs sources de revenus traditionnelles se tarir. En effet, la notion de charité publique évolue de plus en plus vers celle de prise en charge de l'indigence par l'État, particulièrement à partir de la crise économique des années trente.

LES REVENUS DE L'ASSISTANCE PUBLIQUE

Conséquemment à la loi sur l'assistance publique adoptée en 1921, l'État provincial doit soutenir les institutions privées de bienfaisance; pour la première fois, un mode statutaire de financement de l'assistance est établi. En vertu de cette loi, l'assistance financière ne s'adresse pas directement aux individus indigents, mais aux établissements de santé et de services sociaux qui les hébergent. Ainsi l'État provincial prend à sa charge un tiers des coûts d'hébergement des indigents, alors que les municipalités et les établissements visés par la loi en supportent chacun un autre tiers[36]. L'adoption de cette loi vient bouleverser la notion de charité publique et de générosité même si on est encore loin de la notion aujourd'hui familière de services essentiels[37].

En 1921, le trésorier honoraire de l'hôpital, Tancrède Bienvenu, déclare que:

> Le gouvernement provincial, lors de sa dernière session a complété sa loi de l'assistance publique, et aujourd'hui, l'aide que nous apporte cette loi assure en quelque sorte l'existence de nos hôpitaux, pourvu bien entendu que la charité publique continue à verser sa part et nous donnne son assistance précieuse comme par le passé[38].

La loi sur l'assistance publique constitue certes un pas vers une prise en charge par l'État des coûts d'hospitalisation des personnes démunies. Mais elle ne règle pas tous les problèmes, loin de là. Dès 1925 apparaît à l'Hôpital Notre-Dame un problème récurrent de financement qui touche toutes les institutions hospitalières. Il s'agit de l'inadéquation entre les taux de remboursement aux hôpitaux, définis par la loi sur l'assistance publique, et les coûts engendrés par la fréquentation de l'hôpital par les «indigents». Le manque à gagner pour l'Hôpital Notre-Dame en 1925 est évalué à 73 775 $. Quand on songe au total de ses revenus pour la même année, soit 334 893 $, on comprend la réaction du trésorier: «Inutile d'ajouter que ces pertes sont tout à fait disproportionnées à nos ressources et aux charités que l'Institution peut raisonnablement s'attendre de faire[39].» De plus, certaines réclamations des administrateurs pour des indigents sont carrément refusées par l'assistance publique, et les frais engagés pour leur traitement doivent être supportés entièrement par l'hôpital. En effet, les hôpitaux qui traitent des indigents incapables de prouver leur situation ne sont évidemment pas remboursés[40].

Les revendications des administrateurs au sujet de l'insuffisance des fonds versés par l'assistance publique se multiplieront au cours des années. Chaque année, les pertes essuyées en raison du non-rajustement du taux en vigueur et de certains refus de paiement augmentent. Pour éponger le déficit, les administrateurs de l'hôpital se voient obligés de contracter un emprunt de 25 000 $ à la banque. À partir des années trente, les administrateurs des hôpitaux se concertent et, par l'intermédiaire du Conseil des hôpitaux de Montréal, réclament une augmentation des montants accordés par l'assistance publique. Leurs revendications donnent quelques résultats.

Ainsi, au début des années quarante, l'État porte à 3 $ l'allocation aux indigents, puis à 4 $ en 1947[41]. Mais ces augmentations demeurent insuffisantes, comme en témoigne le trésorier de l'institution:

> L'hospitalisation et le traitement des malades non payants ont coûté à l'hôpital au-delà de 523 000 $ pour les salles publiques, y compris les cas d'indigents non acceptables en vertu de la loi de l'Assistance publique du Québec et incapables de payer eux-mêmes. En plus, l'hôpital accuse un déficit de 136 000 $ pour le fonctionnement de ses dispensaires. Ces deux départements résultent en un déficit d'opérations de 660 000 $[42].

On songe même à réduire l'accueil des indigents en fermant la clinique externe et en convertissant en chambres privées certaines salles publiques. Or il n'y a pas que les patients indigents qui accentuent le déficit:

> La perception des comptes demeure toujours un problème sérieux occasionné [...] par le manque de fonds des patients semi-privés possédant une assurance d'hospitalisation mais incapables de payer toute la différence entre le compte de l'hôpital et le montant versé par l'assurance. La perte occasionnée par cette dernière catégorie se chiffre à environ 25 000 $ par année [...] Le manque de ressources chez la moyenne des patients gagnant de 25 à 75 $ par semaine se fait sentir de plus en plus et nous sommes incapables d'exiger à l'avance le coût total d'hospitalisation[43].

Ce problème n'est pas particulier à l'Hôpital Notre-Dame, mais est imputable au contexte économique de l'époque. Aussi, dès 1948, le trésorier P.-E. Bonnier reconnaît que «les patients ont beaucoup moins d'argent qu'au cours des années passées» et «qu'une enquête à ce sujet faite dans les différents hôpitaux de la métropole [montre que] la perception des comptes est difficile de façon générale et présente actuellement un problème alarmant[44]». C'est le moins qu'on puisse dire.

En 1951, le gouvernement hausse le taux d'assistance publique à 5,50 $ par jour à compter du 1er octobre. Mais cette légère augmentation ne comble pas l'écart entre les coûts réels et l'allocation accordée, et les autorités hospitalières envisagent d'intensifier leurs pressions:

> Des démarches devront être faites auprès du ministre de la Santé pour augmenter le tarif d'assistance publique au coût réel, les hôpitaux se voyant dans l'impossibilité de continuer à recevoir les indigents dans les conditions actuelles[45].

Rencontré par les représentants des hôpitaux, le ministre provincial de la Santé promet une augmentation à 6 $ de l'assistance publique alors que les hôpitaux demandent une compensation de 7 $.

Les administrateurs des hôpitaux exigent comme condition de survie une contribution gouvernementale substantielle correspondant aux sommes dont ils ont besoin. Face aux attentes de la population qui réclame des soins de qualité, à celles des médecins qui demandent des équipements médicaux sophistiqués et coûteux et à celles des employés qui revendiquent de justes salaires, l'Hôpital Notre-Dame ne peut plus laisser perdurer, au début des années cinquante, une situation dans laquelle l'insuffisance des sources de financement gouvernementales et privées devient endémique. L'administration de l'hôpital se sent bien souvent coincée entre l'arbre et l'écorce, comme en fait foi cet extrait de l'allocution prononcée par le président de la corporation lors de l'assemblée générale annuelle:

> De toute part s'élève comme une clameur, la plainte que le coût d'hospitalisation s'élève de nos jours à un niveau astronomique, mais on néglige inconsciemment ou malicieusement de faire connaître au public les raisons qui rendent prohibitive à un grand nombre de malades, la possibilité de se faire traiter dans nos hôpitaux[46].

En guise de solution, il est proposé que les pouvoirs publics couvrent la totalité des coûts de traitement des indigents et des pauvres. Une telle mesure se veut par ailleurs un rempart contre l'étatisation redoutée des soins de santé: «On maugréera sans doute de toutes parts mais autrement nous devrions étatiser la médecine et il en coûtera plus cher à tous, à preuve l'expérience d'Angleterre[47].»

La possibilité entrevue par le président dès 1951 se matérialise en 1957 lorsque le gouvernement fédéral instaure un régime universel d'assurance-hospitalisation subventionné à parts égales entre celui-ci et les provinces participantes. Cette nouvelle politique fait suite à une conférence fédérale-provinciale convoquée deux ans auparavant[48]. Le Québec n'adhérera à ce programme qu'en 1960, après l'élection du gouvernement libéral de Jean Lesage. Le gouvernement conservateur de Maurice Duplessis, au nom de l'autonomie provinciale, considérait cette mesure comme une intervention du

Parlement canadien dans les affaires internes de la province. Le régime entre en vigueur en 1961. Il était temps puisque l'aide gouvernementale en 1960 ne représentait encore que 14 % du budget total de l'hôpital. Grâce à ce régime, la part gouvernementale représentera 76 % du budget de l'hôpital, pour une somme de 7 080 250 $[49].

LES AUTRES SOURCES DE REVENUS

Les sommes provenant des chambres privées et semi-privées ont toujours compté pour une part non négligeable des revenus de l'hôpital. Lors d'une menace d'un éventuel déficit important, les administrateurs songent à hausser le prix des chambres privées ainsi qu'à en augmenter le nombre pour s'assurer des revenus supplémentaires. Quoique très important, ce type de revenu fluctue énormément. Alors que les revenus provenant de l'assistance publique s'accroissent lors des périodes de crises, c'est l'inverse qui se produit pour les chambres privées. Ainsi, au fur et à mesure que l'on se rapproche de la crise économique des années trente, la part des revenus provenant des chambres privées diminue considérablement: 41 % en 1928; 35 % en 1929; 25 % en 1930; 28 % en 1931; 21 % en 1932 et 1933, et 22 % en 1934. La part des revenus tirés des chambres privées en 1951 est de 32 % et se stabilise ensuite autour de 37 % à partir de 1952.

Les contributions privées et les legs représentent environ 10 % des recettes de l'hôpital jusqu'en 1929. Durant la crise économique, elles diminueront de plus des deux tiers. Par la suite, elles remontent progressivement jusqu'à 8,41 % en 1952, avant de redescendre à 3,5 % au début des années soixante[50]. Un des plus importants legs faits au nom de l'hôpital au cours de cette période est celui de Mortimer Davis en 1927, au montant de 100 000 $[51]. Ce legs est à juste titre qualifié de «royal[52]» par le trésorier de l'hôpital, T. Bienvenu. Tous les dons de plus d'un dollar sont mentionnés dans le rapport annuel, en témoignage de reconnaissance. Commode pour l'analyste, ce souci de rendre compte des sommes versées à l'Hôpital Notre-Dame dans un document officiel tend à s'atténuer durant la seconde partie de la période 1924-1960, indice de leur perte d'importance.

Enfin, les subventions accordées à l'hôpital en échange de services rendus à certaines catégories de patients constituent une dernière source de revenus. Encore là, ces revenus sont très variés et diversifiés. Avant 1924, nous l'avons déjà mentionné, le gouvernement fédéral subventionnait l'hôpital pour le soin des matelots alors que la Ville de Montréal accordait une subvention annuelle pour l'hospitalisation des malades contagieux ainsi que pour le service d'ambulances. Entre 1924 et 1960, d'autres ententes de ce genre seront conclues, telles la subvention provinciale de 10 000 $ pour l'établissement d'un service social à l'Hôpital Notre-Dame et les subventions fédérales pour le Centre anticancéreux en 1948 et la clinique des maladies du thorax en 1949. Ces sources de revenus, de même que les revenus provenant des patients traités à l'hôpital par des médecins de l'institution, prennent de plus en plus d'importance à partir des années cinquante.

Dépenses et endettement

Les dépenses engagées par une institution comme l'Hôpital Notre-Dame sont certes nombreuses et variées. Nous n'examinerons ici, parmi les dépenses courantes, que celles qui concernent la nourriture, le chauffage et les salaires. En 1925, les dépenses de l'Hôpital Notre-Dame totalisent 147 595 $ parmi lesquels 45 736 $ ont été consacrés à l'achat de denrées alimentaires, soit un pourcentage de 31 %. Il s'agit alors de la catégorie de dépenses la plus importante de l'hôpital. Toutefois, la part du budget consacré à l'achat de comestibles à l'hôpital baisse continuellement tout au long de la période 1924-1960. En 1930, les dépenses liées à la nourriture ne comptent déjà plus que pour 22 % du total des dépenses, soit 104 273 $ sur 483 981 $. À partir de 1932, cette catégorie de dépenses atteindra un palier variant entre 16 et 13 %, sauf pendant la guerre alors que, malgré le contrôle des salaires et des prix par le gouvernement, le coût des aliments est à la hausse. Au début de la décennie 1960, les comestibles ne constituent plus que 7 % des dépenses ordinaires de l'hôpital.

Les dépenses relatives au chauffage suivent *grosso modo* une même courbe que les précédentes. Le charbon est abondamment utilisé quoique son usage ait causé de nombreux problèmes aux administrateurs en raison de sa qualité parfois douteuse[53]. Aussi décide-t-on dès 1945 d'installer un système de chauffage à l'huile. Les dépenses de chauffage à l'hôpital n'ont guère dépassé 6 % du budget total. En 1924, l'achat de charbon constitue 5,7 % du budget[54]. Les dépenses en chauffage oscilleront entre 3 et 4 % jusqu'à la fin de la guerre. En 1960, malgré l'ajout de nouveaux bâtiments, ces dépenses ne comptent plus que pour 1,2 % des dépenses ordinaires de l'hôpital.

Quant aux salaires, ils représentent en 1924 près de 22 % de l'ensemble des dépenses de l'hôpital. L'institution compte alors plus de 200 employés, dont un chapelain et 36 religieuses[55]. En 1928, la part du budget allant aux salaires atteint son niveau le plus bas avec 17 %. Mais quatre ans plus tard, les salaires deviennent la principale dépense de l'hôpital. C'est que, par suite de l'ouverture de l'aile Champlain en 1932, il faut engager plus de personnel. La masse salariale passe alors de 67 579 $ en 1929 à 203 886 $, soit plus de 30 % du total des dépenses. En 1937, l'hôpital compte près de 500 employés.

L'économie de guerre qui exige une abondante main-d'œuvre rend difficile à la fois l'embauche d'employés et leur attachement à l'hôpital. Par conséquent, les exigences salariales des employés sont à la hausse, de même que les demandes de fonds de pension. Les départs sont fréquents. En 1943, près de 700 employés quittent leur poste, ayant trouvé ailleurs de meilleures conditions de travail. De plus, l'entrée en vigueur d'ordonnances gouvernementales ainsi que de nouvelles lois ouvrières régissant les catégories d'emplois dans les hôpitaux et visant à réduire le nombre des heures et des jours travaillés ajoute au budget déjà serré de l'hôpital. En 1944, la part des dépenses consacrées aux salaires des employés est en hausse de 12 % sur l'année précédente[56]. Deux ans plus tard, l'hôpital compte 793 employés et leurs salaires correspondent à 38,6 % des dépenses. Au cours des années d'après-guerre, les salaires suivront la courbe de l'inflation[57], ce qui ne manque pas d'accentuer les problèmes financiers de l'hôpital. En 1952, alors que le nombre d'employés dépasse le millier, la masse salariale constitue alors la moitié des dépenses ordinaires de l'hôpital, soit 50,2 %. Entre 1942 et 1953, le total des employés avait grimpé de 945 à 1272 et les dépenses reliées à leurs salaires avaient presque doublé, passant de 1 091 000 $ à 1 978 720 $. Les pressions de la masse salariale sont telles qu'en 1953 l'augmentation des salaires par rapport à l'année précédente représente à elle seule l'équivalent du déficit annuel. Mentionnons enfin qu'en 1960, alors que l'hôpital compte 2429 employés, la masse salariale (5 227 605 $) compte pour 70 % des dépenses ordinaires.

Notes

1. Plusieurs institutions hospitalières sont ouvertes dans la région de Montréal durant les années vingt et trente: le St. Mary's Memorial Hospital (1920); l'Hôpital Shriners' pour enfants handicapés (1922); le Gray's Hospital (1922); le nouvel Hôpital du Sacré-Cœur (1926); l'Hôpital de la Providence (1926); l'Hôpital Sainte-Jeanne-d'Arc (1928); l'Hôpital général de Verdun (1930); le Jewish General Hospital (1934). De plus, certaines institutions se regroupent pour rentabiliser leurs activités et accroître leur efficacité: fusion de l'Hôpital Royal Victoria et du Montreal Maternity en 1924; fusion du Montreal Children's Hospital et du Children's Memorial Hospital en 1933. Par ailleurs, des institutions plus spécialisées, axées davantage sur la recherche, sont créées: Institut du radium affilié à l'Université de Montréal en 1922; Institut de pathologie affilié à l'Université McGill en 1924; Montreal Neurological Institute en 1934; Institut de microbiologie et d'hygiène de l'Université de Montréal en 1938. De nombreux hôpitaux en profitent aussi pour ajouter un étage, pour créer une école d'infirmières, une résidence pour les religieuses hospitalières ou encore pour construire une aile nouvelle pour les chambres ou agrandir des laboratoires. Cet élan de construction se manifeste encore à Québec, notamment avec la fondation de l'Hôpital Enfant-Jésus en 1923 et l'inauguration de l'Hôpital Saint-Sacrement en 1927. Enfin, plusieurs petits hôpitaux de province voient le jour tels l'Hôpital d'Arvida en 1927 et l'Hôpital Saint-Joseph de Thetford Mines en 1929. (Voir D. Goulet et A. Paradis, *Trois siècles d'histoire médicale au Québec...*, p. 149-171.)

2. Cet accroissement se produit cependant surtout en fin de période, au Québec, compte tenu du contexte politique particulier et de la résistance au changement manifesté par les élites de la société. (Voir Y. Vaillancourt, *L'évolution des politiques sociales au Québec, 1940-1960*, chap. IV. Voir aussi J. I. Gow, *Histoire de l'administration publique au Québec, 1867-1970*, chap. VI.

3. Sur cette question, voir G. Desrosiers *et al.*, *Vers un système de santé publique au Québec. Histoire des unités sanitaires de comté: 1926-1975*.

4. Voir à ce propos D. Goulet et A. Paradis, *op. cit.*, p. 175-304; D. Goulet et O. Keel, «Généalogie des représentations et attitudes face aux épidémies au Québec depuis le XIXe siècle»».

5. Elles ont pour mandat d'étudier l'opportunité de mettre ou non sur pied des programmes comme l'assurance-chômage, les pensions de vieillesse et les allocations familiales. Il fallait aussi prévoir les partages de juridiction quant à l'attribution des budgets pour ces divers programmes, compte tenu du contexte de crise. Pour pallier les conséquences de cette crise, on avait pris des mesures de secours direct qui s'étaient avérées insuffisantes et imparfaites, d'où le besoin d'envisager des moyens plus appropriés pour y parvenir.

6. Par exemple, la Croix-Bleue, patronnée par l'Association canadienne des hôpitaux, offre aux travailleurs, par l'intermédiaire des employeurs, des plans-groupes volontaires d'assurance-hospitalisation. On n'attend donc pas toujours l'intervention étatique pour lancer de telles initiatives. En fait, l'État y était même favorable. (Voir D. Gagan, «For "patients of moderate means": the transformation of Ontario's public general hospitals, 1880-1950», p. 177.)

7. Le montant de la cotisation annuelle exigée pour demeurer membre du Conseil des hôpitaux de Montréal grimpe de 50 $ en 1932 à 1000 $ en 1956. (PVBAHND, 21 février 1956.)

8. Lomer Gouin n'était plus premier ministre depuis 1920.

9. L. Gouin, alors lieutenant-gouverneur de la province de Québec, est décédé le Jeudi saint de 1929 au moment de proroger la session parlementaire de la Chambre. Il a été député, ministre fédéral et provincial, premier ministre provincial, président de l'Université de Montréal et a succédé à Narcisse Pérodeau comme lieutenant-gouverneur.

10. En 1938, face à une situation financière très précaire, le Montreal Children's Hospital aura une attitude similaire en mettant sur pied un comité des citoyens susceptible de collecter l'argent nécessaire. (Voir J.-B. Scriver, *The Montreal Children Hospital: Years of Growth*, p. 103.)

11. E.-R. Décary, notaire, s'est constitué une clientèle de familles à l'aise. Il est l'ami personnel de Lomer Gouin, donc lié au Parti libéral au pouvoir, et a été président de la commission administrative de la ville de Montréal et de la Commission des écoles catholiques de Montréal.

12. Industriel, négociant et sénateur, il compte parmi les conseillers québécois du premier ministre fédéral Laurier, donc lié au Parti libéral. Il est administrateur de la banque d'Hochelaga, propriétaire du journal libéral *Le Canada*, vice-président du Trust général du Canada, président de la Banque canadienne nationale et de la Melcher's Distillery de Berthierville.

13. Notaire, député provincial et conseiller législatif, ministre et leader du gouvernement au Conseil législatif.

14. Industriel et sénateur, il est président des papiers Rolland, a été maire de Saint-Jérôme. Il a fondé des usines de papier en collaboration avec son gendre, Raymond Préfontaine.

15. J.-N. Dupuis, propriétaire, avec ses frères, du magasin à rayons Dupuis et Frères établi dans l'est de Montréal, un des premiers commerces à abandonner la rue Saint-Jacques pour s'installer sur la rue Sainte-Catherine.

16. *Association des auxiliaires bénévoles, 1881-1981*, p. 16. Il s'agit d'un dépliant publié par cette association à l'Hôpital Notre-Dame. Au sujet du travail accompli par des associations de ce genre, on peut comparer celle-ci avec celle

de l'Hôpital Sainte-Justine pour enfants de Montréal, en consultant l'ouvrage d'A. Charles, *Travail d'ombre et de lumière: le bénévolat féminin à l'Hôpital Sainte-Justine, 1907-1970.*

17. En 1953, revenant à la charge en insistant pour que le comité se réunisse, on déclare même à un membre de ce comité que le travail du comité de construction a préséance sur celui du comité de la charte. (PVBAHND, 29 avril 1953.) En fait, on convoque les réunions du comité de la charte, mais les membres sont trop occupés ailleurs pour qu'il y ait quorum, de sorte que l'on doit remettre la réunion à une séance ultérieure.

18. Il s'agit de la loi 209.

19. PVBAHND, 14 mars 1961.

20. *Ibid.*, 19 mai 1947.

21. En 1973, les bureaux médicaux font place au Conseil des médecins et dentistes.

22. PVBMHND, 26 avril 1954.

23. L. Deslauriers, *Essai sur l'histoire de l'Hôpital Notre-Dame, 1880-1930.*

24. RAHND, 1923-1924, p. 78.

25. *Ibid.*, 1948, p. 48. «... les activités hospitalières scientifiques progressent, ajoutait-il, sans se laisser arrêter par des facteurs matériels extrêmement difficiles à surmonter».

26. *Ibid.*, 1953, p. 74.

27. RAHND, 1925, p. 28.

28. *Ibid.*, 1926, p. 60.

29. *Ibid.*, 1938-1943, p. 35.

30. *Ibid.*, 1946-1947, p. 70-71. Entre 1940 et 1955, de nombreux projets de construction d'hôpitaux vont être lancés. Le phénomène du *baby boom* bat alors son plein au Québec. En 1942, l'Hôtel-Dieu de Montréal inaugure son pavillon Le Royer. En 1943, l'Hôpital général de Montréal décide de déménager pour s'agrandir et se dépêche d'acheter le terrain convoité, car plusieurs autres institutions projettent d'en faire l'acquisition. Justine Lacoste-Beaubien écrit au premier ministre Duplessis en 1945, lui faisant part du besoin urgent pour l'Hôpital Sainte-Justine de Montréal de construire un nouvel hôpital de 800 lits. En 1946, le pavillon des cliniques externes du Montreal Children's Hospital déménage et est agrandi, et déjà on songe à reconstruire le tout sur une plus grande échelle, projet mis en marche dès 1948. En 1951, on pose la pierre angulaire du nouvel Hôpital Sainte-Justine, sur la Côte Sainte-Catherine, comprenant un abri nucléaire et un héliport, et la campagne de souscriptions du Royal Victoria en vue de s'agrandir procure à ce dernier 8 000 000 $ provenant des gouvernements et du public. L'année suivante, l'Hôtel-Dieu de Montréal fait construire son pavillon de Bullion. L'année 1954 voit l'inauguration de l'Hôpital Maisonneuve-Rosemont, pour la partie est de Montréal, l'ajout d'un pavillon de 275 chambres à l'Hôpital Sainte-Jeanne-d'Arc, et l'Hôpital Saint-Luc porte le nombre de lits de 400 à 700. À l'extérieur de Montréal, mentionnons l'inauguration du nouveau pavillon de l'Hôtel-Dieu de Chicoutimi en 1954, de même que l'ouverture des hôtels-Dieu de Jonquière et de Dolbeau en 1955.

31. *Ibid.*, p. 43. En italique dans le texte.

32. *Ibid.*, 1949, p. 24-25.

33. *Ibid.*, 1950, p. 35.

34. *Ibid.*

35. *Ibid.*, 1953, p. 32.

36. F. Lesemann, *Du pain et des services: la réforme de la santé et des services sociaux au Québec*, p. 22.

37. Le gouvernement québécois était déjà intervenu dans le domaine social en votant dès 1909 une première loi sur les accidents du travail. D'autres interventions étatiques dans le domaine social ont également été faites avant 1921.

38. RAHND, 1921, p. 53. Les sommes versées par l'assistance publique à l'ensemble des hôpitaux participants sont passées de 327 666 $ pour l'année 1921-1922 à 4 764 124 $ pour l'année 1931-1932. (Voir N. Perron, *Un siècle de vie hospitalière au Québec. Les Augustines et l'Hôtel-Dieu de Chicoutimi, 1884-1984*, p. 217.) L'adhésion des communautés et des institutions à cette nouvelle loi est mitigée au début, mais toutes s'y rallieront progressivement pour bénéficier des fonds substantiels accordés par l'État.

39. RAHND, 1925, p. 56.

40. «Ce refus est dû malheureusement à la loi existante et nous croyons savoir que la bienveillante attention du gouvernement provincial a déjà été attirée sur ce point par la plupart des hôpitaux et autres Institutions [de charité]» (*ibid.*). L'Hôpital général de Montréal et les autres hôpitaux subissaient le même sort.

41. Rappelons qu'il était, en 1921, de 1,34 $ par jour par indigent.

42. RAHND, 1950, p. 33.

43. *Ibid.*, p. 30.

44. *Ibid.*, 1948, p. 27.

45. *Ibid.*, 1951, p. 30.

46. *Ibid.*, p. 21.

47. *Ibid.*, p. 22-23. Comme on le sait, cette solution sera retenue en 1960 par le gouvernement du Québec et constituera un premier pas important vers l'adoption de l'assurance-maladie.

48. «Cette loi introduit le principe de la gratuité d'accès aux soins hospitaliers moyennant un partage des coûts avec les provinces» (F. Lesemann, *op. cit.*, p. 24). Un projet similaire avait été proposé par le gouvernement fédéral dès 1943, fruit des réflexions du comité Heagerty et du rapport Marsh, au Canada, et du comité Beveridge en Angleterre. Toutefois, la résistance des provinces à l'époque en a retardé l'entrée en vigueur.

49. En 1924, les revenus de l'Hôpital Notre-Dame se chiffrent à 200 588,37 $ alors que ceux de 1960 s'élèvent à 6 209 987,81 $ (une hausse de 987 803,72 $ par rapport à ceux de 1959). C'est en 1943 que les revenus de l'hôpital dépassent pour la première fois le cap du million, totalisant 1 148 568,68 $. Quant aux dépenses, celles de 1925 s'élevaient à 147 595 $ contre 9 004 416 $ en 1960.

50. La crise économique a ruiné plus d'une famille riche. Par la suite, avec la guerre, les économies des Québécois seront canalisées plutôt du côté de l'aide aux soldats et des industries de guerre.

51. M. Davis était président de l'Imperial Tobacco du Canada, embauchant à son usine de Montréal plus de 3000 employés. Comme bien d'autres bourgeois de son époque, il possédait sa résidence principale sur l'avenue des Pins, avait une maison de campagne à Sainte-Agathe et était membre du Montreal Board of Trade, ainsi que des clubs Mont-Royal, St. James, Montreal Hunt et Royal Montreal Golf.

52. «Mais ce qui en augmente singulièrement le prix à nos yeux, c'est qu'il a été inspiré par une rare intelligence du pauvre, sans considération de race ou de croyance» (RAHND, 1927, p. 64).

53. Ces problèmes sont probablement liés au fait que la plus basse soumission était automatiquement retenue lors de l'achat du combustible.

54. Les dépenses reliées au charbon se chiffrent à 8513 $ sur un budget de 147 595 $.

55. Données tirées des rapports annuels de l'Hôpital Notre-Dame.

56. Au Québec, le revenu personnel passe de 363 $ en 1926 à 655 $ en 1946 pour ensuite atteindre 1455 $ en 1961. (Voir J. Niosi, *La bourgeoisie canadienne: la formation et le développement d'une classe dominante*, p. 57.)

57. «S'il est une période de son histoire où le Québec atteint le seuil théorique du plein emploi, c'est bien dans l'immédiat après-guerre. Le taux de chômage n'y est que de 2,7 % en 1947 et 1948. Par la suite, cependant, il augmente, atteignant 6 % en 1957 et 9,1 % en 1960» (P.-A. Linteau *et al.*, *Histoire du Québec contemporain: le Québec depuis 1930*, p. 188).

CHAPITRE VII

La spécialisation
des fonctions hospitalières

Le personnel médical: de l'initiative personnelle à l'organisation professionnelle

Les multiples transformations des services médicaux de
l'Hôpital Notre-Dame, la fréquentation grandissante de l'hôpital, l'efficacité accrue des interventions thérapeutiques, notamment par la découverte du vaccin BCG, de l'insuline et des
antibiotiques, ainsi que le développement des grandes interventions chirurgicales, ont fortement contribué au prestige social de
la pratique hospitalière et légitimé le pouvoir de contrôle des
médecins et des chirurgiens au sein du réseau hospitalier et
médical de la province. Mais la haute reconnaissance professionnelle des médecins de l'Hôpital Notre-Dame n'a pas été
acquise sans efforts et d'un seul coup. Il a fallu bien des initiatives de la part des autorités médicales de l'hôpital et de la
faculté de médecine de l'Université de Montréal pour que la
pratique hospitalière quotidienne satisfasse aux critères de plus
en plus exigeants fixés, un peu arbitrairement et non sans une
arrière-pensée impérialiste, par l'American College of Surgeons.
Jamais avant 1924 ne s'était manifesté au sein de l'hôpital un
besoin aussi pressant d'adapter l'enseignement et la pratique

médicale aux multiples progrès de la science médicale. Corrélativement, le cadre institutionnel de la médecine hospitalière subira les transformations nécessaires pour s'adapter aux nouvelles normes scientifiques. C'est ainsi que les titres de médecins et chirurgiens visiteurs deviendront de plus en plus désuets dans une institution où s'effectue la transition entre le temps partiel et le temps plein et entre le travail bénévole et le travail professionnel[1]. La période 1924-1960 est tellement riche en transformations scientifiques et pratiques que nous ne pouvons ici rendre compte dans le détail du chemin parcouru. Nous allons simplement en retracer les principaux jalons.

La mise en place d'un système de rémunération des médecins illustre assez bien la modification des liens qui unissent le praticien à l'hôpital. Jusqu'en 1930, la plupart des médecins acceptent de soigner bénévolement les indigents dans les dispensaires. Il est aussi entendu que les internes ne doivent recevoir aucun salaire pour leurs services. Or, en 1930, les internes seniors[2] adressent une lettre au conseil demandant «qu'à l'instar des autres hôpitaux, soit prise en considération la possibilité de [les] rémunérer[3]». La réponse du conseil est cinglante: «Le conseil prie son Exécutif de bien vouloir rencontrer ces jeunes médecins, afin de bien leur faire comprendre que le fait d'être internes à l'Hôpital est déjà un encouragement pour eux à étudier et qu'ils devraient se considérer très heureux d'avoir obtenu cette situation[4].» Les prétentions des internes sont révélatrices d'une nouvelle perception du travail hospitalier. L'idée d'une rémunération de tous les actes médicaux fait lentement son chemin. Mais la situation demeure ambiguë car, si les médecins souhaitent un meilleur traitement, beaucoup d'entre eux rejettent l'idée d'œuvrer à temps plein, en tant que salariés, à l'hôpital. La perception traditionnelle du praticien payé à l'acte et soucieux de son indépendance demeure encore très vive chez certains. Un exemple suffira à l'illustrer.

En 1931, le docteur Panneton se voit offrir par le bureau d'administration, appuyé par le conseil médical, un poste de radiologiste à temps plein rémunéré selon un salaire fixé par l'administration. Or, suivant une telle disposition, les profits provenant des actes radiologiques sur les patients privés et semi-privés doivent être remis à l'hôpital. Le docteur Panneton est outré: «Le radiologiste est un thérapeute et en cette qualité ne saurait accepter de travailler pour un salaire [...] Admettre ce principe pour le radiologiste, c'est établir un précédent qui peut conduire à l'étatisation de la médecine [...] à diminuer le prestige du médecin[5].» Les médecins ont toujours défendu avec vigueur, jusqu'à aujourd'hui, le principe d'une rémunération basée sur l'acte médical. Pourtant, les doléances du docteur Panneton ne convainquent guère les autorités et celui-ci se voit contraint de démissionner. De telles décisions de la part des autorités médicales s'expliquent par l'urgente nécessité de modifier des pratiques qui conviennent de moins en moins aux besoins hospitaliers.

Les revendications des médecins des hôpitaux en 1935 constituent aussi un exemple révélateur de la redéfinition du rôle qu'ils entendent désormais jouer au sein de la structure hospitalière. L'année précédente, le docteur Lesage, président du conseil médical de l'hôpital et rédacteur en chef de *L'Union médicale du Canada*, se plaignait de l'inertie des pouvoirs publics — fédéral, provincial et municipal — au sujet de la rémunération des médecins qui procurent «les services d'urgence au public». Mis à part les cas privés et semi-privés, les médecins n'étaient en effet rémunérés que pour les actes médicaux dans les cas d'accidents du travail. Il était, ainsi que nous l'avons déjà dit, traditionnellement établi que la pratique médicale auprès des indigents devait être, sauf pour les internes de service, bénévole. Mais au sortir de la grande crise, plusieurs praticiens se demandent s'ils ne sont pas l'objet d'une exploitation de la part des administrations publiques. Le docteur Lesage exprime donc un sentiment largement partagé par ses confrères des hôpitaux. Aussi réclame-t-il des indemnités pour une partie du travail accompli dans les hôpitaux auprès des malades indigents. Les médecins des hôpitaux en quête d'une reconnaissance de leurs fonctions hospitalières par les pouvoirs publics exigent que

dans un avenir prochain, les hôpitaux soient tenus d'assumer de nouvelles obligations matérielles à l'égard de leur personnel médical. Il ne s'agit pas, bien entendu, de salaires, mais simplement d'indemnités en vue de couvrir au moins les frais de déplacement et la minime partie des heures de travail, comme cela se pratique depuis longtemps en Europe[6].

Encore ici, la perspective de devenir des salariés de l'institution est rejetée au profit des indemnités. Mais quelle que soit la rémunération, tous s'entendent pour clamer que le médecin doit cesser de mettre «son capital intellectuel et scientifique au bénéfice de l'institution, sans le moindre dédommagement».

Pendant longtemps, les avantages d'une assistance gratuite aux indigents — prestige accru, développement de la science médicale, possibilité de spécialisation, accessibilité à des fonctions d'enseignement, possibilité de faire admettre à l'hopital une clientèle privée et de lui offrir les techniques médicales les plus récentes — compensaient les inconvénients. Les praticiens des hôpitaux retiraient de la situation un profit professionnel intéressant alors qu'ils ne consacraient à l'hôpital qu'une partie de leur temps de pratique. Mais au début des années trente, le temps alloué à l'hôpital s'accroît, les fonctions et les responsabilités s'alourdissent et la pratique hospitalière devient de plus en plus une pratique soumise à des contrôles et à des règles sévères.

Émerge alors chez les médecins le sentiment que la situation s'est retournée à leur désavantage et qu'elle ne correspond désormais guère à leurs attentes: «Aucune association professionnelle ne contribue autant que les médecins des hôpitaux aux œuvres d'utilité publique et de charité pure. Ils sont presque les seuls à pratiquer le socialisme intégral sans rémunération[7].»

Du reste, il leur apparaît que les médecins ont été trop longtemps perçus comme des bienfaiteurs bénévoles des institutions hospitalières; il y aurait, selon Parizeau, «une opinion à redresser dans le public» et une «injustice à réparer de la part des hôpitaux à l'égard du personnel médical[8]». À l'assemblée annuelle de l'Hôpital Notre-Dame de 1934, le président suggère de réunir «le savoir, qui concerne les médecins, et le savoir-faire, qui concerne les administrations». «Nous croyons exprimer, ajoute-t-il, la pensée de tous nos collègues des hôpitaux et des médecins de Montréal[9].» Nul doute en effet que le docteur Parizeau manifeste un ressentiment partagé par la majorité de ses confrères des autres hôpitaux généraux puisqu'au printemps de l'année suivante, les médecins des hôpitaux généraux de Montréal décident de se regrouper en une association, l'Association générale de médecins d'hôpitaux (AGMH[10]) qui regroupe les médecins de l'Hôpital Notre-Dame, de l'Hôtel-Dieu, de l'Hôpital Sainte-Justine, de l'Hôpital de la Miséricorde, de l'Hôpital Verdun, de l'Hôpital Sainte-Jeanne-d'Arc, de l'Hôpital Saint-Luc et de l'institut Bruchési. Le docteur A. Lesage en devient le président alors que le docteur J.-E. Dubé en est le vice-président. L'AGMH établit comme principal objectif de renforcer les revendications en ce qui regarde l'octroi d'une rémunération pour le traitement des indigents dans les dispensaires. Aussi l'AGMH vise à obtenir

> la standardisation des relations des hôpitaux et du public; l'établissement des règles à observer par les médecins des hôpitaux dans leurs relations avec le public, la fixation de la nature des services que les hôpitaux sont appelés à rendre et la fixation des conditions dans lesquelles ils pourront être appelés à les rendre [en ce qui regarde] les services internes, externes et d'ambulance[11].

La perception du statut professionnel des médecins au sein de l'hôpital s'était sensiblement modifiée et ne correspondait plus à la représentation classique du médecin bénévole participant à une grande œuvre d'assistance tout en augmentant son prestige social. Cette image, très longtemps entretenue, occultait le fait que les médecins recevaient de lucratifs honoraires lors de l'admission à l'hôpital de leurs patients privés. Les conditions de l'entente traditionnelle tacite entre les administrations des hôpitaux et les médecins étaient devenues désuètes depuis les années trente. À ce propos, le docteur Lesage est fort explicite:

> La coutume ancienne de servir gratuitement dans les hôpitaux n'a plus sa raison d'être. Autrefois, le nombre de lits était restreint tandis que la charité publique et les dons particuliers pouvaient à peine subvenir à l'entretien exclusif des malades indigents. Depuis ce temps, le gouvernement de la Province de Québec a créé la loi de l'assistance publique afin de subvenir, par des taxes spéciales, à toutes

les exigences de ce nouveau statut d'utilité publique; de sorte que, aujourd'hui, tous les malades soit par eux-mêmes, soit par l'intermédiaire de l'assistance publique, versent chaque année des sommes importantes qui constituent leur principal revenu. Ces sommes servent à défrayer les dépenses d'administration: salaires, intérêts et fond d'amortissement, taxes et autres. *Seul, le médecin qui est la figure dominante dans toute cette organisation scientifique et financière, ne reçoit ni rémunération, ni indemnité.* Il ne reçoit pas même une simple gratification en cas d'accident ou de maladie lorsqu'il est forcé de séjourner à l'hôpital. Il y a là plus qu'un malentendu ou un oubli à l'égard d'un homme qui a consacré la moitié de son temps et le meilleur de son cerveau pour servir une institution qui le reconnaît à peine lorsqu'il succombe à la tâche[12]!

Les rapports entre la profession médicale et l'institution hospitalière s'étaient sensiblement modifiés depuis l'adoption de la loi sur l'assistance publique et les médecins des hôpitaux acceptaient de plus en plus mal de cautionner un tel mode de fonctionnement bénévole dans les institutions hospitalières. Le 22 août 1935, les membres de l'AGMH décident d'intensifier leurs pressions sur les pouvoirs publics et suspendent les activités des dispensaires, à l'exception des cas d'urgence. Des résolutions passées dans les bureaux médicaux menacent d'étendre la grève aux services internes, et ce à partir du mois d'octobre. Les administrateurs, tout en reconnaissant le bien-fondé des revendications du corps médical de l'hôpital, demandent temporairement le statu quo. Finalement, au cours de l'année 1937, un fonds d'indemnisation est accordé aux médecins de l'hôpital:

> Votre bureau d'administration, ému de la situation difficile que la crise financière a faite aux médecins depuis 1930, et voulant reconnaître le dévouement avec lequel ils se sont employés, malgré tout, à accomplir la rude corvée de traiter 475 indigents qu'il abrite sous son toit, a voté à la caisse médicale de l'hôpital une gratification de 10 000 $. Il a confiance que vous approuverez, comme un acte de justice, ce faible témoignage d'appréciation pour les services rendus à l'hôpital par le corps médical[13].

Les administrateurs avaient dû emprunter cette somme à la banque. L'administration n'avait pas l'intention de renouveler ce fonds l'année suivante mais, devant les pressions des médecins, une autre somme de 10 000 $ leur est versée. Les administrateurs ont beau répéter aux médecins que ce montant forfaitaire ne peut être renouvelé automatiquement à chaque année, il demeure que cette somme leur sera versée annuellement.

D'autres avantages pécuniaires, surtout au début des années cinquante, seront obtenus par les médecins de l'hôpital: vacances payées, plans de pension, assurances, frais de déplacement, pourcentage sur les revenus provenant de leurs patients traités à l'hôpital et sur les médicaments prescrits. La forte concurrence que se livraient les institutions hospitalières en matière de recrutement de spécialistes exigeait l'amélioration des contributions financières de l'hôpital en faveur de son corps médical.

Mais outre la question des indemnités, celle de la formation médicale et scientifique des praticiens de l'hôpital préoccupe les autorités médicales de l'Hôpital Notre-Dame qui s'emploient à adapter cette formation aux nouveaux critères de la pratique hospitalière. Les liens étroits qui unissent, depuis sa fondation, l'hôpital et la faculté de médecine resteront forts jusqu'à la décennie 1960 et contribueront à augmenter le prestige de l'institution. En 1926, les médecins de l'Hôpital Notre-Dame qui siègent en grande majorité au conseil de la faculté collaborent avec le Collège des médecins pour instituer l'internat obligatoire. Cette réorganisation de l'internat qui rend obligatoire, lors de la cinquième année d'études, un stage dans une institution hospitalière est une idée défendue par les docteurs T. Parizeau et L. de Lotbinière-Harwood. Cette mesure, qui aura un effet considérable sur la formation médicale, accroît la présence de jeunes internes au sein de l'hôpital.

Même s'il y a toujours eu à l'hôpital des médecins soucieux de promouvoir les activités scientifiques, plusieurs membres du personnel médical, jusqu'au début des années quarante, font montre d'un intérêt plutôt tiède pour de telles activités. À partir de 1930, les assemblées du bureau médical deviennent bimensuelles et l'une de celles-ci est exclusivement réservée à l'étude des principaux cas cliniques rencontrés à l'hôpital. Une telle formule reprend celle qui avait cours au sein des sociétés médicales tout au long de la deuxième moitié du XIXe siècle[14]. Un comité est nommé pour préparer avant chaque séance un programme de discussions scientifiques des dossiers du mois. Cette initiative repose sur le désir de respecter les sévères exigences de l'American College of Surgeons qui rendaient obligatoires, pour l'obtention de l'accréditation, les réunions scientifiques mensuelles au sein des hôpitaux. À compter de 1932, le bureau médical fait parvenir aux différents hôpitaux de la ville ainsi qu'aux sociétés médicales ses programmes scientifiques et fait publier les comptes rendus scientifiques des médecins de l'hôpital dans *L'Union médicale du Canada*. Mais plusieurs médecins de l'institution ne partagent pas l'enthousiasme de certains de leurs confrères à l'endroit de la discussion et de la diffusion des travaux cliniques.

En 1934, le bureau médical déplore la faible participation des médecins à ses assemblées. Le standard exigé par l'American College of Surgeons est de 75 % alors que la participation ne s'élève qu'à 30 %. On décide alors d'imposer des sanctions aux récalcitrants, mais cela ne donne guère de résultats. Des mesures draconiennes sont enfin prises en 1938 pour «que tous les médecins de l'institution assistent aux assemblées scientifiques». Il est décidé que lors de telles assemblées, tenues le deuxième jeudi du mois, les activités médicales et chirurgicales seront suspendues, de même que les visites des salles, à partir de 11 h 30. De plus, le conseil médical tiendra désormais compte de la participation des médecins «quand il s'agira d'une promotion[15]». De telles mesures n'auront pas les effets escomptés puisqu'en 1941 un membre du bureau déplore que «le bureau médical créé de par sa charte même en vue de la discussion de questions d'ordre purement scientifique s'en désintéresse complètement pour s'attacher aux choses administratives[16]». Du reste, le bureau médical demande aux médecins d'apporter plus de soins dans la présentation des travaux scientifiques publiés dans *L'Union médicale du Canada* parce que cela fait «une mauvaise publicité pour l'Hôpital Notre-Dame[17]» En contrepartie, certains médecins de l'institution s'attirent des éloges de la part des bureaux médicaux. Il en est ainsi du docteur Marion, chef du service d'obstétrique, qui mène des recherches sur les moyens d'atténuer les douleurs de l'accouchement par l'emploi synergique de la morphine, de la spasmalgine ou du démérol avec un somnifère. L'occasion est cependant trop belle pour ne pas glisser une petite remarque incisive à l'endroit de certains médecins: «Souhaitons que cet exemple fera germer le désir de la recherche au sein de notre personnel médical[18]».

Une plus grande visibilité des activités scientifiques de l'hôpital constitue l'un des soucis constants des autorités médicales qui s'insère dans une stratégie plus générale de promotion de l'image de l'hôpital. Une motion du bureau médical recommandait en 1933 la mise en place d'un comité de propagande formé de représentants du bureau médical, du conseil médical, du bureau d'administration ainsi que du surintendant dans le but «de faire paraître dans les journaux, et de bonne manière, les faits et gestes de notre institution[19]». Une telle préoccupation incite aussi les autorités médicales à encourager la venue d'associations provinciales, nationales ou internationales dans les différentes branches d'une médecine qui se spécialise rapidement. L'American College of Surgeons, la Canadian Association of Clinical Surgeons ou la Société médicale de Montréal seront reçues à maintes reprises à l'hôpital.

Depuis la fondation de l'Hôpital Notre-Dame, il y a toujours eu quelques membres de l'hôpital qui publiaient leurs travaux dans la revue *L'Union médicale du Canada*. Jusqu'aux années cinquante, une quarantaine de publications paraissent annuellement dans cette revue. Pour ce qui est de la diffusion des travaux scientifiques à l'étranger, le rayonnement demeure assez faible, si l'on se fie à la liste des publications parues entre 1935 et 1945. Durant cette période, la plupart des travaux sont publiés dans des revues ou des bulletins québécois ou présentés dans des associations québécoises ou canadiennes. Les congrès de l'Association des médecins de langue française et la revue *L'Union médicale du Canada* demeurent les canaux privilégiés de publication. Il y a eu, certes, quelques exceptions, comme les deux communications présentées en 1936 par J.-U. Gariépy à la Canadian Association of Clinical Surgeons, celles présentées par A. Laquerrière en 1935 à la Société française d'électrothérapie et de radiologie ou encore quelques communications présentées par A. Lesage à la Société française de dermatologie. Seulement deux «travaux et publications scientifiques des médecins de l'Hôpital Notre-Dame[20]» franchissent le 45e parallèle. La situation ne s'est guère améliorée pendant le second conflit mondial qui a certes en partie retardé une plus grande diffusion des activités cliniques.

Dès la fin des hostilités, les membres du personnel médical seront fortement encouragés à effectuer des voyages d'études «pour y suivre le mouvement scientifique» et certaines sommes seront mises à la disposition des postulants. Au cours de l'année 1947, sept médecins de l'hôpital sont simultanément en congé de perfectionnement aux États-Unis ou en Europe. L'année suivante, la présence de médecins de l'hôpital dans les congrès canadiens, américains et européens est nettement plus importante, même si la majorité des travaux sont présentés localement dans les différentes sociétés médicales montréalaises ou régionales. C. Bertrand présente une communication à la Neuro-surgical Society of America en octobre 1948; J. Brahy publie un article sur la tuberculose dans *The Journal of American Medical Association* en septembre 1948; P. Dontigny qui travaille sur l'hypertension publie un article dans l'*American Journal of Medical Sciences*. E. Gagnon publie dans le *British Journal of Surgery*; A. Guilbeault présente les résultats de 15 ans de travaux poursuivis à la clinique de BCG de Montréal au Congrès international du BCG de Paris en juin 1948 et P. Masson publie un article dans la revue viennoise *Mikroskopie*. Ce mouvement, amorcé au début des années cinquante, vers une plus grande diffusion à l'étranger des travaux effectués par les médecins rattachés à l'Hôpital Notre-Dame s'accentuera de façon irréversible jusqu'à aujourd'hui. Malgré ces publications, l'organisation scientifique de l'hôpital laisse alors encore à désirer, et si certains médecins font un sérieux effort pour donner plus d'ampleur à la recherche clinique ou chirurgicale à l'hôpital, plusieurs font l'objet de réprimandes de la part des autorités. Ainsi, par exemple, le docteur Reagan de l'American College of Surgeons, à la suite d'une visite de l'hôpital en 1949, porte un jugement sévère: tenue de dossiers médiocre; absence de diagnostics pré-opératoires; autopsies en nombre insuffisant, lesquelles ne sont pas toujours faites par des anatomopathologistes compétents; médiocre enseignement des sciences médicales de base tant à l'hôpital qu'à l'université[21].

Cependant, les autorités médicales de l'Hôpital Notre-Dame réagissent promptement et, dès l'année suivante, les règlements concernant le personnel médical sont révisés de façon à constituer «un puissant levier pour rehausser encore le prestige scientifique de [l']hôpital[22]». Il est donc décidé d'organiser des réunions hebdomadaires obligatoires dans chaque service. L'analyse du travail permettra de relever les cas qui présentent un problème de diagnostic ou de traitement et d'étudier les causes des décès, des infections et des complications «de façon à assurer à nos malades le rendement d'une expérience de plus en plus considérable acquise par cette étude[23]».

Dans le but «de favoriser l'avancement scientifique de l'institution[24]», les autorités médicales avaient décidé, en 1948, d'étudier la possibilité de hausser les critères d'admissibilité à la pratique médicale au sein de l'institution. Ce ne sera pourtant que deux ans plus tard que sera exigé de la part des candidats le titre de *fellow* ou de «membre associé» du Collège royal des médecins et chirurgiens du Canada[25]. Toujours en 1950, des séminaires de chirurgie, dirigés par le docteur E. Gagnon, sont institués dans le but d'«instruire les internes, [de] les habituer à préparer et à présenter un travail scientifique[26]». L'année suivante, des assemblées scientifiques hebdomadaires sont mises sur pied et l'on projette d'organiser, avec le service d'anatomie pathologique, des séances clinico-pathologiques jugées «indispensables pour l'avancement de la science médicale[27]». Mais deux ans plus tard sont renouvelées les doléances habituelles: peu de médecins assistent aux séances anatomo-cliniques et il est difficile d'obtenir des travaux de la part des chefs de service. Malgré les nombreux efforts consentis, les résultats ne répondent pas toujours aux désirs des autorités médicales. Pourtant la faute n'est pas simplement imputable au désintérêt des praticiens. Les problèmes financiers s'accumulent, le manque chronique d'espace menace la qualité des services et hypothèque sérieusement les possibilités de développement de l'activité scientifique de l'hôpital[28].

À partir des années cinquante, les standards de l'American College of Surgeons, à défaut d'être tous atteints, seront de mieux en mieux respectés. L'affiliation de l'Hôpital Notre-Dame à l'Université de Montréal et l'octroi d'un statut académique à l'Institut du cancer en 1959, qui assure à l'institution un maximum de permanence et de continuité dans la poursuite de ses travaux de recherche ainsi qu'une participation active à l'enseignement et à la formation de chercheurs, couronneront de nombreuses années d'efforts.

Le spécialiste et l'omnipraticien

Jusqu'au premier tiers du XXᵉ siècle, bien peu de médecins peuvent se réclamer du titre de spécialiste même si nombreux sont ceux qui se consacrent presque exclusivement à un secteur précis au sein de l'hôpital. Il en est ainsi des praticiens qui se sont voués dès la fin du XIXᵉ siècle à la gynécologie[29] (Brennan, Harwood), à l'oto-rhino-laryngologie et à l'ophtalmologie (Foucher) ou encore à la radiologie (Panneton, L. Parizeau). Mais généralement, la pratique soutenue dans un secteur médical ne cantonnait pas le praticien au seul exercice de cette spécialité. La plupart des médecins de l'hôpital possédaient un cabinet privé et revêtaient l'habit de l'omnipraticien. Certes, depuis le début du siècle, le mouvement vers la spécialisation était déjà fortement amorcé dans certaines facultés américaines et européennes et suivait en quelque sorte l'évolution considérable des sciences médicales et des sciences connexes. Mais la plupart des étudiants canadiens-français désireux de se perfectionner dans une branche précise de la médecine devaient se résoudre à s'inscrire dans une université ou un hôpital en territoire américain ou européen.

À partir de 1927, année où est rendu obligatoire l'internat pour les étudiants de cinquième année, le processus de spécialisation de la fonction médicale au sein de la structure hospitalière s'amplifie considérablement. Les médecins de l'Hôpital Notre-Dame, qui siègent en majorité au conseil de la faculté, ont largement appuyé le Collège des médecins dans l'adoption d'une telle mesure[30]. L'étudiant en médecine se voit donc désormais contraint de faire un stage d'un ou deux ans dans les différents services de l'hôpital. Deux objectifs étaient alors poursuivis: permettre à l'étudiant d'acquérir une expérience étendue de la pratique médicale au sein de l'hôpital et lui offrir la possibilité de s'orienter vers un champ spécialisé conforme à ses goûts et à ses intérêts. Les étudiants désireux de se spécialiser dans une discipline précise pouvaient alors se voir offrir des facilités pour effectuer des stages en Europe ou aux États-Unis. Ces étudiants joueront d'ailleurs un rôle important dans la reconnaissance des spécialités médicales et chirurgicales et ne manqueront pas d'opposer leurs perceptions de la pratique médicale à celles de leurs aînés souvent plus enclins à défendre une conception traditionnelle du médecin généraliste.

Certes, le processus de spécialisation médicale soulèvera des controverses très vives sur le rôle que doit désormais jouer le médecin. Alors que plusieurs médecins, souvent les plus jeunes, considèrent la spécialisation comme un élément essentiel à la maturité professionnelle de la médecine et à son efficacité diagnostique et thérapeutique, d'autres, et ils sont encore nombreux, privilégient la vocation traditionnelle du médecin «omniscient». Le docteur B.-G. Bourgeois, chef du service de chirurgie à l'Hôpital Notre-Dame de 1929 à 1943 et membre du conseil de la faculté de médecine de l'Université de Montréal, fait partie de ce dernier groupe. La spécialisation médicale risquait, à ses yeux, de diminuer le savoir général théorique et pratique du médecin ou du chirurgien: «Tout chirurgien doit être un omnipraticien du bistouri, à la fois urologue, orthopédiste, angiologue et avoir une expérience du traitement des maladies les plus diverses[31].» Seule concession, il reconnaît la spécificité des pratiques médicales et chirurgicales, démarcation qui avait constitué dès le début du XIXe siècle le premier mouvement vers une spécialisation de l'art de soigner.

Il ne s'agit pourtant pas d'un combat d'arrière-garde propre à une société québécoise plutôt portée à ce moment-là à privilégier les valeurs traditionnelles. Le débat avait également cours dans d'autres grandes facultés occidentales, tant aux États-Unis qu'en Europe[32]. Jusqu'à la fin de la Deuxième Guerre mondiale, les avis sur les bienfaits et les mérites de la spécialisation demeurent partagés. L'attitude de certains médecins de l'Hôpital Notre-Dame reflète *grosso modo* le climat qui régnait dans l'ensemble de la profession médicale. Certes, nul ne niait la nécessité d'acquérir des connaissances précises en certains domaines devenus de plus en plus complexes, tels que l'obstétrique, la gynécologie ou l'ophtalmologie, spécialités qui seront d'ailleurs les premières reconnues au début du XXe siècle. Se sont étendues aussi la gastro-entérologie, la neurologie, la dermatologie, la cardiologie, etc. En ce qui regarde certaines spécialités — anesthésie, radiologie, électrothérapie —, bien des médecins s'interrogeaient sur la démarcation à établir entre technique médicale et art médical. Néanmoins, la plupart des médecins d'hôpitaux admettent la nécessité de développer certaines branches de la médecine au sein des institutions hospitalières et des facultés de médecine.

> Un hôpital universitaire doit avoir dans son personnel enseignant des médecins pour qui la tuberculose d'une part, la cardiologie, la gastro-entérologie, la dermatologie, etc., d'autre part, n'ont guère de secret, et l'institution qui ne le comprend pas encore recule au lieu d'avancer[33].

L'auteur de cette remarque défend l'idée d'un développement des spécialités même s'il n'est «pas en faveur de la spécialisation à outrance comme la chose se pratique encore ailleurs[34]». Les résistances à la sectorisation de la médecine proviennent surtout des médecins en pratique privée et principalement des médecins de campagne qui se plaignent de la perte de clientèle occasionnée par le recours aux spécialistes des hôpitaux. Mais le mouvement est irréversible. Les associations liées à des branches spécifiques s'étaient multipliées depuis les années vingt: Montreal Ophtalmological Society (1920), Société des radiologistes canadiens (1923), Société de chirurgie (1928), Société canadienne-française d'électrologie et de radiologie médicale (1928), Société de phtisiologie (1930), Société de gastro-entérologie (1933), etc.[35]

Il n'en demeure pas moins que la médecine clinique, telle qu'elle est pratiquée au sein des institutions hospitalières jusqu'aux années quarante, est encore tributaire des qualités cliniques et intuitives du praticien. Certes, les analyses de laboratoire et les examens radiographiques prendront, à partir des années trente, de plus en plus le relais dans l'établissement du diagnostic et du pronostic. Mais le médecin demeure encore le pivot central et essentiel de l'examen clinique. Constituée d'une juste dose d'art et de science, la pratique médicale sera encore empreinte pour une large part de l'omniscience du praticien.

Le processus de spécialisation au sein de l'institution est intimement lié aux contraintes issues de l'évolution des savoirs de même qu'aux nouvelles exigences d'une clientèle qui se transforme. L'accroissement d'une clientèle provenant de plus en plus des classes moyennes, et donc en mesure de payer les coûts de l'hospitalisation, entraîne inévitablement une augmentation du volume des soins spécialisés. On ne saurait négliger cette transition fondamentale de l'institution qui passe d'une structure de soins généraux destinés à des indigents plutôt passifs qui contribuaient à la formation et au progrès des sciences médicales à une structure de soins spécifiques destinés à une classe moyenne plus exigeante qui détermine en quelque sorte la nécessité de favoriser la spécialisation et d'augmenter l'efficacité des méthodes diagnostiques et thérapeutiques. Les objectifs de l'institution à partir de ce moment-là se définissent de plus en plus en fonction de la clientèle et échappent en partie aux membres du personnel médical hospitalier.

L'évolution des services médicaux et chirurgicaux

Les nouveaux bâtiments de l'Hôpital Notre-Dame accroissaient considérablement les possibilités de développement des services médicaux et chirurgicaux. Cependant, notent les autorités,

> l'hôpital agrandi est encore beaucoup trop petit et nous devons bien à regret, refuser un grand nombre de malades faute de lits [...] À ce point de vue, notre sort tel qu'il existait quand nous habitions, rue Notre-Dame, ne s'est pas amélioré[36].

On peut s'étonner d'une telle affirmation. L'hôpital ne s'était-il pas considérablement agrandi avec les pavillons de la rue Sherbrooke? Ne doublait-il pas sa superficie d'accueil? Certes, mais le nouvel hôpital, peu après son ouverture, «marche à pleine capacité soit pour [le] service de chambres privées, soit pour [le] service demi-payant ou soit pour [les] services publics[37]». L'affluence des patients à l'Hôpital Notre-Dame, au-delà des besoins engendrés par l'industrialisation et l'urbanisation, est le résultat de multiples facteurs qui n'échappent pas à la perspicacité du surintendant Mercier:

> Non seulement de nos jours, le malade riche ou pauvre n'éprouve plus aucune répugnance d'entrer [*sic*] dans un hôpital moderne pour s'y faire soigner mais il y est attiré et par son médecin qui l'y dirige et par certitude qu'il ne saurait être traité suivant des données scientifiques du jour, que dans telle institution où tout ce que la science a apporté de perfectionnement en médecine et en chirurgie et à leurs spécialités, a pu mettre à la disposition du public. Le progrès et le développement scientifique des sciences médicales nous forcent d'un autre côté à perfectionner continuellement les installations de laboratoires et de service de physiothérapie qui sont devenues essentielles, soit pour la recherche des maladies, soit pour la mise en pratique des méthodes appropriées à leurs traitements. Ces installations nouvelles demandent des espaces considérables, ce qui fait que nous sommes non seulement à l'étroit pour ce qui regarde l'hospitalisation de nos malades, mais aussi pour l'installation des agents physiques et des instruments scientifiques médicaux en général[38].

L'essentiel des revendications des autorités médicales concernant l'organisation de l'hôpital reprendra à peu de chose près jusque dans les années cinquante les arguments invoqués par Mercier. À partir des années vingt, l'ouverture de nouveaux services spécialisés et mieux adaptés aux besoins de la clientèle se fait pressante.

Les laboratoires seront aussi touchés, nous le verrons, par de multiples réorganisations et la direction en incombera désormais à des hommes de laboratoire embauchés à plein temps. Les services chirurgicaux, on s'en doute, se complexifient et les méthodes opératoires nécessitent de coûteux et de constants rajustements. De même, le service d'anesthésie sera l'objet d'incessantes restructurations. Les services de médecine deviennent si importants que les autorités doivent bientôt les subdiviser en sous-services autonomes. Les changements apportés à chacun des services sont fréquents et récurrents: modification des règlements, des horaires, du personnel, des locaux, de l'enseignement, des instruments, etc.

Le nouveau service d'obstétrique ouvert en 1924 est incontestablement celui qui est promis au plus bel avenir au sein de l'Hôpital Notre-Dame. Même si l'accouchement à la maison avec l'assistance du médecin privé ou de la sage-femme demeure encore à cette époque au Québec la façon la plus courante de donner naissance, les besoins de maternités au sein des hôpitaux généraux sont élevés. Le service d'obstétrique de l'Hôpital Notre-Dame, dirigé par le docteur E.-A.-R. de Cotret, connaît, comme l'indique le graphique 9, une progression importante durant ses cinq premières années d'activité, passant de 170 accouchements en 1925 à 409 en 1930. Quinze ans plus tard, les cas d'obstétrique ont quadruplé avec 1750 admissions. Le nombre moyen d'accouchements plafonnera lors de la décennie 1950 avec une moyenne d'environ 1800 par année.

GRAPHIQUE 9

Accouchements à l'Hôpital Notre-Dame, 1930-1965

Accouchements

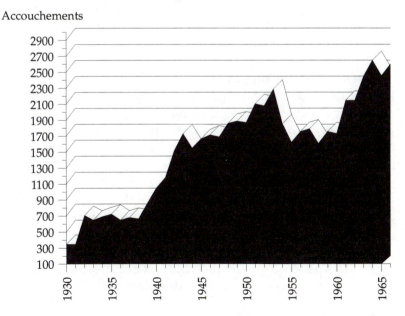

S'ajouteront également les services de chirurgie urologique (1926), de pédiatrie (1930), de bronchoscopie (1931) et de stomatologie (1932). En 1932, le service de neurologie remplace le dispensaire des maladies nerveuses et mentales. Deux ans plus tard sera créé un service de métabolisme basal. En outre, entre 1925 et 1932, le service externe de médecine élargit son champ d'intervention avec la création de nouveaux dispensaires. Le dispensaire d'obstétrique est mis sur pied en 1925. L'année suivante, une chambre de clinique dentaire est aménagée à l'intérieur des dispensaires. Deux ans plus tard s'ajoute l'organisation de la clinique des accidents du travail qui faisait suite à la loi provinciale régissant les accidents du travail, mise en vigueur le 1er septembre 1928. Dès sa première année de fonctionnement, la clinique reçoit plusieurs centaines d'ouvriers victimes d'accidents.

La création de nouveaux dispensaires est encore parfois le résultat d'initiatives individuelles. Tel est le cas du dispensaire de «physiothérapie dermatologique» mis sur pied par le docteur Archambault en 1927 grâce à une somme de 25 000 $ amassée avec l'aide des médecins de l'hôpital; cet argent servira à acheter les instruments de physiothérapie et de dermatologie. Cette clinique utilisera abondamment les agents physiques tels que le radium, les rayons X et les rayons ultraviolets. Le docteur Archambault y dispensera en 1932 un cours de perfectionnement en dermato-syphiligraphie.

L'essor des services externes exige désormais de la part des autorités médicales une meilleure coordination. Les membres du bureau médical décident en 1932 de modifier les consultations générales de médecine et de chirurgie pour les remplacer par des «centres de spécialités» qui regrouperont les malades selon le type d'affection. C'est ainsi que sont mises en place de nouvelles sections dans les services externes: orthopédie, urologie médico-chirurgicale, maladies rénales, maladies des vaisseaux, maladies pulmonaires, maladies du diabète et de la nutrition, maladies cardiaques et maladies du tube digestif.

Sous la pression constante du processus de spécialisation qui affine le champ d'intervention du praticien, la segmentation des services généraux devient de plus en plus nécessaire au sein du service interne. La création d'une section d'allergie en 1942 relançait l'évolution des services offerts à l'hôpital; elle est suivie un an plus tard par l'ouverture de six nouvelles sections réparties de la façon suivante: quatre reliées au service de médecine (cardiologie, nutrition, affections pulmonaires et endocrinologie); une au service d'urologie (vénérologie) et une au service d'oto-rhino-laryngologie (broncho-œsophagologie et chirurgie du larynx). Sont aussi mis sur pied, respectivement en 1944 et en 1945 dans la section de chirurgie, une clinique de la main et un service d'oxygénothérapie.

L'hôpital est désormais apte à admettre toutes les catégories de patients, depuis les nouveau-nés jusqu'aux patients âgés. Sans faire l'apologie du progrès médical, force nous est de reconnaître que les soins gagnent en spécificité et en efficacité. Néanmoins, un tel développement des services ne s'est pas fait sans rencontrer de nombreuses difficultés. Les services demeurent encombrés, le nombre et la qualité des équipements laissent à désirer, les ressources en personnel sont insuffisantes. Alors que les besoins et les exigences techniques et scientifiques grandissent au sein des institutions hospitalières et que les dépenses engagées sont énormes, les modes de financement, comme nous l'avons déjà souligné, s'avèrent inadéquats. Le manque de ressources financières à la fois de l'institution et de son *alma mater*, la faculté de médecine de l'Université de Montréal, contribuera à freiner l'évolution scientifique et sociale de l'institution.

Il demeure que de 1924 au début des années cinquante, l'hôpital a connu des bouleversements profonds. Les modes de financement se sont modifiés au profit d'une intervention de plus en plus marquée de l'État; le type, le statut social et le nombre de la clientèle se sont considérablement transformés; les services se sont perfectionnés, ramifiés et spécialisés; la gestion du personnel s'est complexifiée; le processus de professionnalisation s'est accentué; etc. La réorganisation complète de tous les services a nécessité l'acquisition et le renouvellement d'appareils et d'équipements perfectionnés qui absorbent des sommes considérables. Néanmoins, jusqu'à la Deuxième Guerre mondiale, l'hôpital progresse lentement, les soins ont tendance à plafonner, la recherche ne se développe pas comme certains le souhaiteraient et le manque d'espace demeure un souci constant.

De la fin du deuxième conflit mondial jusqu'à la décennie 1960, sept nouveaux services internes sont implantés à l'hôpital, progrès remarquable si l'on considère les sempiternelles difficultés d'ordre économique et le toujours chronique manque d'espace que doivent surmonter les autorités de l'hôpital. Heureusement, les dirigeants politiques viennent à la rescousse. La création en 1946 d'un service social à l'Hôpital Notre-Dame fait suite à l'octroi d'une somme de 10 000 $ par le gouvernement provincial. De même, la mise sur pied d'une clinique psychiatrique en 1949 par le docteur R. Amyot est rendue possible grâce à une subvention provinciale et fédérale. La création de ces deux services met en évidence les besoins pressants d'une diversification des services offerts en milieu hospitalier, notamment en ce qui a trait aux services paramédicaux. Le bureau d'administration de l'Hôpital Notre-Dame accorde une somme équivalente pour l'organisation d'un nouveau service de neurochirurgie, dirigé par le docteur C. Bertrand. Ouvert en 1947, il s'agit du premier service du genre dans un hôpital francophone de Montréal. L'année suivante, le docteur J.-L. Léger y introduit, vraisemblablement pour la première fois en Amérique du Nord, l'artériographie cérébrale. Toujours en 1948 est fondé le service de biochimie, dirigé par P. Riopelle et J. Labarre, discipline devenue autonome quelques années auparavant. Un service de cystoscopie est inauguré en 1950 pour la clientèle externe. L'année suivante, une réorganisation du service de médecine entraîne la création de nouvelles sections: section cardio-pulmonaire, section des maladies endocriniennes, du diabète et des troubles métaboliques et une section de gastro-entérologie. En 1952, l'ophtalmologie et l'oto-rhino-laryngologie deviennent des services autonomes. Première spécialité instaurée à l'Hôpital Notre-Dame dès 1880, l'ophtalmologie y demeurera une discipline novatrice. Dès 1930, on y soignait les cataractes, les glaucomes, le strabisme et les mastoïdites. L'hôpital deviendra un centre reconnu de formation en ophtalmologie. En 1957, le docteur Matthieu pratique, grâce à la banque d'yeux de l'Hôpital Notre-Dame, la première greffe de la cornée.

En 1953, les autorités accordent l'espace et les subsides nécessaires à la formation du service de médecine physique qui correspond encore une fois au développement considérable des sciences dites pures. Les relations entre, d'une part, la chimie, la physique, les mathématiques et, d'autre part, les disciplines médicales, telles que la radiologie, l'endocrinologie ou la cancérologie, sont de plus en plus étroites. Les microscopes électroniques et le rein artificiel sont mis au point par des ingénieurs. Le médecin de service côtoie maintenant quotidiennement le biochimiste, le chimiste et le microbiologiste. Enfin, en 1958 est créé le service de rhumatologie. Parmi les faits liés à ces progrès, mentionnons le raffinement de l'investigation clinique qui voit son champ sans cesse élargi. La radiologie devient une spécialité hautement complexe à laquelle s'ajoutent l'angiographie, l'artériographie pulmonaire et cérébrale qui permettent d'examiner de façon plus détaillée le fonctionnement des organes. De même, l'endoscopie, la bronchoscopie, la gastroscopie, la rectoscopie et la cystoscopie étendent le domaine de l'exploration visuelle. La biopsie précise l'état d'un tissu organique et la nature de la tumeur. Les dosages biologiques et les épreuves fonctionnelles permettent d'évaluer le fonctionnement des différents organes. Le radium utilisé depuis 1922 à l'Hôpital Notre-Dame est secondé par la «bombe au cobalt», acquise par l'Institut du cancer grâce à un don de la fondation McConnell en 1954 pour le traitement du cancer. Une telle énumération dans le cadre d'un ouvrage général sur l'histoire de l'Hôpital Notre-Dame ne peut évidemment rendre compte des efforts des acteurs principaux et des problèmes qui ont dû être surmontés dans la mise sur pied de chacun des services.

C'est donc surtout après la Seconde Guerre mondiale que l'hôpital se transformera, sous la pression du processus de médicalisation de la société occidentale, en un complexe hospitalier répondant aux nouvelles normes d'une société fortement industrialisée et hautement avancée sur le plan technologique. La transformation des valeurs sociales fera alors de la santé un droit fondamental et un enjeu pour la population et les autorités concernées. Certes, les choses avaient commencé à changer dès le grand déménagement en 1924, mais c'est définitivement au début des années cinquante que la précision diagnostique, l'efficacité thérapeutique, l'enseignement et la recherche scientifique deviennent les fonctions essentielles de l'hôpital. L'idéal de charité n'est plus alors qu'une valeur circonscrite à l'éthique personnelle. En 1950, plus de deux millions de personnes vivent dans la région de Montréal. L'hôpital est alors confronté au double défi de répondre à la fois aux exigences techniques de la médecine moderne et de fournir des soins efficaces à une masse considérable de citoyens de plus en plus exigeants. Doit-on y voir une illustration de cette «machine à guérir» soumise à des règles économiques et productives impératives comme le soulignait Michel Foucault[39]? En partie. Il est certain que l'hôpital, dès ses débuts, mais encore bien davantage à partir des années cinquante, a pour principales finalités de soigner des maladies plutôt que des malades, de réparer des fractures plutôt que de réconforter des patients. Cela n'enlève rien aux intervenants de l'époque, à tous ces médecins consciencieux et généreux ni à toutes ces infirmières chaleureuses qui, dans l'exercice quotidien de leurs tâches, s'efforçaient d'adoucir le séjour des infortunés. Il n'empêche que la structure des soins hospitaliers se trouve alors orientée par de nouvelles finalités et de nouvelles contraintes qui mécanisent davantage encore le rapport de dépendance disciplinaire entre le patient et l'institution, entre le soigné et le soignant.

De nouvelles sections orientées vers la recherche

Si la mise sur pied de nouveaux services spécialisés favorise quelques activités de recherche clinique, le développement scientifique de l'Hôpital Notre-Dame se fait surtout par l'intermédiaire de structures de recherche plus ou moins autonomes qui y sont attachées. L'Institut du cancer fondé en 1941, la clinique des maladies pulmonaires et thoraciques constituée en 1949 et le centre d'ortophonie créé en 1957 seront des voies privilégiées pour faire avancer la recherche médicale.

L'Institut du cancer de l'Hôpital Notre-Dame

Tout au long de la première moitié du XXe siècle, la communauté médicale internationale, et particulièrement les États-Unis[40], a accordé une attention considérable au diagnostic, au au contrôle et traitement du cancer. De nombreuses sociétés ont été formées pour encourager la lutte contre cette maladie; la participation financière de sociétés privées et publiques ont permis l'accroissement des recherches médicales; une nouvelle nomenclature de la maladie a précisé les types de tumeurs, leur mode de développement et les moyens de les contrôler; une thérapeutique plus efficace basée les thérapies radioactives, la chimiothérapie, les thérapies hormonales et les interventions chirurgicales a permis de guérir certains cancers. Mais en dépit de tous les gains de la recherche médicale tout au long du XXe siècle, le taux de mortalité lié à cette maladie n'a cessé de s'accroître de façon importante dans les sociétés occidentales.

Les nombreux cas de cancer traités à l'hôpital et le progrès des recherches sur le diagnostic et la thérapeutique de cette maladie ont fortement contribué à sensibiliser les autorités médicales et gouvernementales à la nécessité d'intervenir de façon coordonnée et efficace aux chapitres de la recherche et de la pratique clinique. L'administration fédérale, reconnaissant l'importance d'intensifier les recherches et les interventions en ce domaine, avait mis sur pied en 1937 la Canadian Society for the Control of Cancer, société qui deviendra en 1945 la Canadian Cancer Society[41]. Parmi les médecins québécois les plus actifs en ce domaine, le docteur L.-C. Simard, chef du service d'anatomie pathologique de l'Hôpital Notre-Dame, s'intéressait depuis le début des années trente au cancer et avait publié en 1938 un article dans l'*American Journal of Cancer*[42]. Devant le peu de ressources consacrées à cette grave maladie, notamment le cancer du sein, Simard décide de fonder en 1941, après quelques démarches fructueuses auprès des autorités de l'Hôpital Notre-Dame, une clinique des tumeurs. Cette clinique externe, organisée selon le modèle recommandé par l'American College of Surgeons[43], constitue alors la base de ce qui allait bientôt devenir l'Institut du cancer de Montréal[44]. Le Centre anticancéreux se chargeait d'établir un diagnostic précis, d'élaborer un programme de traitement approprié et de surveiller les cancéreux déjà traités. Il recevra, deux ans après sa fondation, la reconnaissance de l'American College of Surgeons.

Par suite de l'acte d'incorporation de 1947, le Centre anti-cancéreux devient l'Institut du cancer de Montréal (ICM), lequel «sera contrôlé par un bureau de sept administrateurs dont quatre devront nécessairement faire partie du conseil d'administration de l'Hôpital Notre-Dame[45]». Le docteur Simard en devient alors le directeur général. Le contrat d'affiliation avec l'hôpital ne sera toutefois signé qu'en 1949. L'Institut, affilié à l'Université de Montréal en 1958, se verra accorder l'année suivante un statut académique qui lui permettra de dispenser un enseignement dans cette spécialité et de diriger des candidats aux études supérieures. Cela assurait à l'Institut une continuité dans la poursuite de ses travaux de recherche ainsi qu'une participation active à l'enseignement et à la formation de chercheurs en cancérologie.

Les objectifs que poursuit l'ICM sont nombreux: dépistage, diagnostic, traitement, surveillance, service social, éducation publique[46] et médicale, recherches fondamentales et anatomo-cliniques[47]. En 1951, l'Institut regroupe une clinique de dépistage, un centre de diagnostic et de surveillance, un service social, un service éducatif ainsi qu'un laboratoire de recherche. La clinique de dépistage fonctionne toute l'année, sauf en juillet et août, et se tient chaque jeudi à compter de 17 heures. Un médecin, un chirurgien, un gynécologue, un dermatologue, un oto-rhino-laryngologiste et un radiologiste ainsi que six infirmières assurent l'examen des patients. Quant au centre de diagnostic, «il fonctionne toute l'année, de 9 heures du matin jusqu'à midi et parfois jusqu'à une heure de l'après-midi, tous les mercredis[48]». Entre 1948 et 1953, la croissance des consultations est constante passant de 700 à plus de 1200.

Le docteur L.-C. Simard qui assumait la direction du volet clinique et social, pouvait difficilement assumer en plus la direction de la recherche scientifique de l'Institut. Il fait donc appel en 1950 à un chercheur attaché à l'Université de Montréal et spécialisé dans l'étude du cancer, le docteur A. Cantero[49]. Le docteur Simard lui offre l'installation d'un laboratoire d'une superficie de 140 mètres carrés, soit le double de la surface dont dispose Cantero à l'Université de Montréal. Celui-ci dirigera la recherche scientifique et les laboratoires jusqu'en 1967. Le choix du docteur Simard s'avère excellent puisque le docteur Cantero contribuera largement à la renommée de l'ICM. Sous sa direction scientifique, de nombreux jeunes chercheurs — Daoust,

Lamirande, etc. — pourront acquérir la formation et l'expérience nécessaires à la poursuite de leur carrière de cancérologue.

> L'Institut est donc, à l'origine, une véritable école de formation et d'autoformation: préparation de communications et répétitions publiques, apprentissage et maîtrise de la langue française, discussion «houleuse» des textes et rédaction de multiples versions des articles, etc. Pour leur part, les premiers collaborateurs du docteur Cantero s'initient à la recherche sur le cancer et poursuivent, parallèlement à leurs activités de recherche, leur formation universitaire et scientifique[50].

Le laboratoire de recherche de l'ICM devient en 1950 «le seul laboratoire au Canada qui soit organisé pour faire uniquement des recherches sur le cancer[51]». Il bénéficiera du soutien financier d'organismes externes voués à l'encouragement de travaux en ce domaine. Ainsi, l'ICM reçoit, en 1950, de l'Institut national du cancer une subvention de 40 000 $ ainsi que des subventions du gouvernement provincial et de la Cancer Research Society. En 1951, treize projets de recherche s'attaquent à des études physico et biochimiques de la cellule hépatique en voie de cancérisation, à l'analyse de l'action des substances cytotoxiques et à l'application de la polarographie comme méthode de dépistage. Deux ans plus tard, les projets de recherche se divisent en cinq volets:
    1. Étude morphologique de la cellule néoplastique;
    2. Activités enzymatiques des particules cytoplasmiques: les mitochondries;
    3. Distribution et métabolisme des mononucléotides;
    4. Étude du métabolisme intermédiaire des hydrates de carbone dans la cellule hépatique en voie de cancérisation;
    5. Action d'irradiation sur les particules cytoplasmiques.
    De tels projets sont subventionnés par l'Institut national du cancer, le Damon Runyon Memorial Fund for Cancer Research de New York, la Cancer Research Society of Montreal et le Département de la défense nationale. Les chercheurs de l'ICM présentent la même année des communications scientifiques au Congrès de l'ACFAS (Lamirande, Allard, Cantero, Daoust), au

Cancer Club[52] de Montréal (Weber, Lamirande), au congrès du Damon Runyon Cancer Research Fellows de New York (Daoust, Lamirande) ainsi qu'au National Cancer Institute de Bethesda (Cantero[53]).

Malgré d'intenses activités de recherche et l'obtention de différents fonds de recherche, l'ICM demeure tout au long des années cinquante, comme le souligne pertinemment Fournier[54], dans une position relativement instable. Ses chercheurs n'ont aucune sécurité d'emploi et ils ne possèdent aucun véritable statut leur permettant de remplir des fonctions d'enseignement à la faculté de médecine. En 1959, une entente conclue entre l'ICM, l'Institut national du cancer et l'Université de Montréal permettra à l'ICM d'assurer «un maximum de permanence et de continuité dans ses travaux de recherche en cancérologie» et «d'offrir aux hommes de science qui se consacrent aux recherches une sécurité et des appointements convenables, en même temps qu'une large mesure d'indépendance professionnelle[55]». L'Institut national du cancer s'engageait à octroyer des fonds à l'ICM pour les recherches fondamentales ainsi qu'à l'Université de Montréal pour lui permettre d'intégrer des chercheurs en cancérologie. L'Université s'engageait en retour à conférer des titres universitaires aux chercheurs et à autoriser leur enseignement à la faculté[56]. Toujours en 1959, le docteur Cantero reçoit une subvention de 78 000 $ de l'Institut national du cancer, subvention qui représente alors la plus grosse somme accordée par celle-ci à des chercheurs québécois[57].

Le travail de l'ICM s'accroissant rapidement, l'organisation de diverses cliniques spécialisées devient une impérieuse nécessité. L'acquisition d'un appareil au cobalt en 1954, don de la fondation McConnell, rend possible le traitement de certaines tumeurs malignes. Mais, comme le traitement du cancer exige un diagnostic précoce de la maladie, il était nécessaire, parallèlement à la sensibilisation du public, d'établir une clinique de dépistage dotée d'un laboratoire de cytologie exfoliatrice. L'octroi de subventions de la part des gouvernements du Québec et du Canada permet la création, en 1959, d'une telle clinique.

La clinique des maladies pulmonaires et thoraciques

Fondée en mars 1949, grâce à une subvention fédérale, par le docteur J. Prévost, la clinique des maladies pulmonaires et thoraciques est vouée au dépistage et au diagnostic de ce type de maladies ainsi qu'à l'enseignement et à la recherche. Cette clinique est mise sur pied à une époque où la plupart des pneumologues étaient avant tout des spécialistes de la tuberculose. Or le docteur Prévost décide de former une équipe multidisciplinaire qui, loin de se borner à la tuberculose, s'efforcera d'étudier les principales maladies thoraciques. Il réunit donc une équipe constituée des docteurs J.-P.-M. Ricard, chirurgien, A. Mackay, pneumologue, J. Léger, allergiste, E. Gagnon, chirurgien thoracique et P. Brodeur, radiologiste. Favorisant ainsi l'étude de toute la gamme des pathologies propres à cette spécialité et stimulant la mise au point de nouvelles méthodes diagnostiques et thérapeutiques, le docteur Prévost a largement contribué à faire de la pneumologie une spécialité autonome au sein de la médecine interne. Dès la fondation de la clinique, il convainc les autorités provinciales non seulement de faire don à l'Hôpital Notre-Dame d'un appareil radiologique, mais aussi d'octroyer les fonds nécessaires pour généraliser les examens pulmonaires radiologiques gratuits à tous les patients de l'hôpital. Les champs d'intervention d'une telle clinique sont importants: étude de la fibrose pulmonaire, des infections respiratoires, des maladies immunologiques (asthme bronchique) et des maladies industrielles (silicose, amiantose, etc.). Les membres de la clinique seront à maintes reprises appelés à servir d'experts auprès de la Commission de la santé et de la sécurité du travail.

Plusieurs collaborateurs de Prévost iront se perfectionner dans différents domaines relatifs à la pneumologie. Tel est le cas du docteur A. Mackay qui se rend aux États-Unis, à la fin des années quarante, étudier une toute nouvelle technique diagnostique, l'endoscopie médicale. Il contribuera à implanter ce procédé aujourd'hui bien connu. Évidemment, les travaux réalisés par le groupe de recherche dirigé par Prévost font l'objet de communications à l'Hôpital Notre-Dame ainsi que dans les congrès nationaux et internationaux de médecine interne et de pneumologie. La proportion des travaux scientifiques liés à la clinique des maladies pulmonaires est considérable; ils comptent pour près de 44 % de l'ensemble des travaux présentés à l'hôpital ou à l'extérieur, soit 101 sur 231. L'efficacité de la clinique des maladies pulmonaires et thoraciques est telle que les cliniques de pneumologie de l'Hôtel-Dieu de Montréal et de l'Hôpital Saint-Luc seront constituées selon le modèle de celle de l'Hôpital Notre-Dame.

D'autres recherches de pointe sont menées à l'hôpital. Par exemple, le docteur C. Bertrand, chef du service de neurochirurgie, met au point en 1954 une nouvelle méthode de chirurgie cérébrale stéréotaxique pour le traitement de la maladie de Parkinson. Quatre ans plus tard, le docteur A. Lanthier, chargé du laboratoire d'endocrinologie, entreprend des travaux de recherche sur la synthèse des hormones stéroïdiennes. En 1961, le docteur B. Lebœuf, chargé du laboratoire de métabolisme et de nutrition, entreprend des travaux de recherche sur le métabolisme des lipides.

Des sections spécialisées

Outre la clinique des maladies pulmonaires et le Centre anticancéreux, l'hôpital s'était aussi doté de nouvelles sections qui relevaient des grands services généraux. Indice d'une spécialisation croissante des soins, l'hôpital possède en 1951 une section de cardiologie dirigée par le docteur A. Deguise assisté des docteurs G. Barry et P. David; une section de nutrition dirigée par L.-H. Gariépy assisté des docteurs A. Gratton et F. Joncas; une section de gastro-entérologie et de médecine générale dirigée par le docteur R. Dufresne; une section d'endocrinologie qui s'occupe des maladies endocriniennes, du diabète et des troubles métaboliques dirigée par C.-E. Grignon assisté des docteurs J. Grignon et P. Dontigny; une section d'allergie dirigée par le docteur J. Léger; une section de broncho-œsophagologie et de chirurgie du larynx dirigée par le docteur V. Latraverse et enfin une section de blennorragie dirigée par L. Sylvestre assisté du docteur J.-P. Éthier. S'ajouteront dans les années suivantes les services de médecine physique (1953), de rhumatologie (1958), de néphrologie (1958) et de psychiatrie (1960).

La création d'un centre de l'ouïe et de la parole en 1957 constitue alors une première canadienne. Fondé grâce à une importante contribution du ministère de la Santé nationale et du Bien-être social, il est initialement dirigé par le docteur F. Montreuil, alors chef du service d'oto-rhino-laryngologie. Le centre engage une équipe d'orthophonistes, d'audiologistes et de psychologues qui travaillent en étroite collaboration pour établir le diagnostic et le traitement des pathologies de l'ouïe et de la parole. Ce centre aura aussi pour tâche de faciliter la réadaptation des laryngectomisés.

On ne saurait non plus passer sous silence le développement considérable de la pharmacologie à partir des années quarante. Une meilleure connaissance des fonctions physiologiques ainsi que la multiplication des travaux sur l'origine biochimique de la maladie permettent aux chercheurs de s'orienter vers de nouvelles voies qui conduiront à la découverte de nouvelles substances pharmaceutiques. Avec, entre autres, la mise au point des antibiotiques tels que la pénicilline en 1942[58], des anti-coagulants à partir de 1942[59], des sulfamides, des antihistaminiques, des hormones, des enzymes ou des neuroleptiques, la science pharmaceutique permet de modifier considérablement l'approche thérapeutique. À partir de 1949, l'industrie pharmaceutique introduit dans la recherche de nouvelles molécules de synthèse, ce qui aboutira à l'abandon progressif des médicaments magistraux au profit des produits manufacturés[60]. La pharmacie est devenue une discipline hautement spécialisée qui nécessite l'embauche de personnel qualifié. Nous y reviendrons.

L'émergence d'un nouveau personnel spécialisé

Des sœurs hospitalières aux infirmières laïques

En raison de l'augmentation du nombre des patients hospitalisés, les religieuses ne pouvaient plus assurer à elles seules les soins aux malades. Il faut dire aussi que les tâches devenaient de plus en plus spécialisées et que la multiplication des interventions thérapeutiques exigeaient un personnel mieux formé. Mais malgré la présence croissante du personnel laïque, le contrôle général des soins aux malades relevait toujours des sœurs grises. Il était alors devenu impossible à la supérieure de voir à l'administration générale de la communauté et au fonctionnement des services médicaux. Deux ans après l'ouverture du nouvel hôpital, les autorités médicales avaient senti le besoin d'encadrer davantage les soins hospitaliers en créant le poste d'hospitalière en chef[61]. Celle-ci se voit attribuer le droit de siéger au conseil médical, avec voix délibérative, chaque fois qu'elle le désire ou lorsqu'elle est convoquée par le secrétaire. Bien sûr, ses fonctions s'exercent sous la direction du conseil médical.

L'hospitalière est alors responsable du service paramédical de l'hôpital. Elle dirige tout le personnel paramédical et peut garder un contact plus immédiat avec les malades. Le poste est occupé pour la première fois par sœur Mailloux. L'hospitalière en chef détient un pouvoir important au sein de l'hôpital. Elle contrôle les soins infirmiers et possède, jusqu'à la décennie 1950, le droit exclusif d'engager et de congédier les infirmières et les techniciennes. Des critères moraux guident parfois l'embauche de l'une ou le congédiement de l'autre. Par exemple, le bureau médical s'étonne en 1940 qu'une infirmière très qualifiée ait été congédiée. La raison invoquée par l'hospitalière est claire: mariée depuis peu, cette infirmière n'était plus jugée apte à remplir pleinement son rôle. C'est aux religieuses qu'incombait encore, 80 ans après la fondation de l'hôpital, la responsabilité de «maintenir autour du malade le climat moral et spirituel, si important pour son retour à la santé[62]». L'hospitalière en chef doit enfin résoudre les conflits qui ne peuvent manquer de survenir entre les infirmières.

Deux catégories de religieuses participent alors aux activités quotidiennes de l'hôpital: les religieuses infirmières diplômées et les religieuses techniciennes. Elles sont aidées par des infirmières laïques diplômées et de nombreuses étudiantes infirmières laïques. En 1943, les soins sont assurés par 10 religieuses diplômées, 87 infirmières laïques et 207 élèves infirmières[63]. Deux ans plus tard, parmi les 90 infirmières diplômées qui font du service à l'hôpital et à l'école, 56 assument le travail des spécialités et 34 secondent le travail des religieuses hospitalières. La contribution des 200 élèves infirmières qui prodiguent des soins aux malades de l'hôpital est considérable et permet aux patients de recevoir une assistance soutenue[64]. Devant l'augmentation importante de la clientèle et l'incessante spécialisation des soins, les autorités de l'hôpital se voient bientôt contraintes de procéder à l'embauche de nombreuses infirmières qualifiées. À partir de 1960, la progression du nombre des infirmières diplômées au sein de l'hôpital est remarquable: si les 180 infirmières présentes en 1960 paraissent suffire aux besoins, il en faudra beaucoup plus huit ans plus tard, puisqu'on en dénombre alors 415. Certes, les sœurs grises perdaient progressivement de leur pouvoir sur leurs consœurs, mais elles conserveront néanmoins jusqu'à leur départ en 1974 le contrôle du service du «nursing» et de l'école d'infirmières.

L'accroissement considérable du volume des soins à l'hôpital, l'évolution des moyens diagnostiques et thérapeutiques, surtout après la Seconde Guerre mondiale, ainsi que la loi de 1944 qui diminuera graduellement le nombre des heures de travail admissibles pour les employés, rendent nécessaires l'embauche et la formation d'un personnel spécialisé et diversifié. Les horaires de travail aussi seront modifiés; la journée sera divisée en trois périodes de huit heures au lieu des deux périodes de douze heures précédentes[65]. De 1946 à 1956, le personnel s'accroîtra de 34 %.

Jusque dans les années quarante, c'est un «système individuel centralisé» qui prévaut, l'essentiel des responsabilités relevant de l'hospitalière en chef[66]. Mais à partir de 1950, une telle structure axée sur une direction individuelle ne correspond plus guère aux besoins accrus de structuration des soins infirmiers. Aussi décide-t-on de créer un bureau des soins infirmiers qui assumera «la responsabilité de l'organisation, de la direction, de la surveillance, de la coordination et de l'évolution des soins infirmiers». Encore une fois, les sœurs grises y tiennent un rôle clé mais elles devront désormais partager la direction du service[67]. La nomenclature se modifiera au fil des années et de nouveaux postes s'ajouteront aux fonctions existantes: directrices, directrices adjointes, etc. Par ailleurs s'implantera durant les années cinquante un nouveau système de coordination des soins infirmiers qui divise les niveaux d'intervention: d'une part, organisation de trois blocs horaires de huit heures sous la direction d'une chef d'équipe et, d'autre part, mise en œuvre d'un système qui «morcelle les soins entre plusieurs spécialités», système fonctionnel qui met à profit le travail d'équipe et qui aurait pour avantage de «responsabiliser» l'infirmière[68].

La religieuse hospitalière pouvait confier une part de ses responsabilités à l'infirmière désignée comme chef d'équipe. Ce système facilitait également l'intégration des jeunes diplômées à l'équipe hospitalière ainsi que le partage des responsabilités avec les infirmières auxiliaires, catégorie nouvellement créée. Le nouveau système horaire, tout en modifiant la structure des soins hospitaliers, a notamment permis de soustraire les infirmières à la lourde obligation d'être «presque en tout temps» à l'hôpital. À partir de là, peu d'infirmières résideront à l'hôpital[69].

De nouvelles ressources humaines

Antérieurement à une telle réorganisation des effectifs, l'hôpital bénéficiait parfois, pour le soin et le bien-être des malades, d'une aide spontanée apportée par les associations bénévoles. En 1929, une association de gardes-malades bénévoles composée «de jeunes filles des meilleures familles de Montréal [venaient] à l'Hôpital Notre-Dame tous les matins et prêt[ai]ent leur concours[70]» aux employées de l'hôpital. La Catholic Junior League s'occupait de faire circuler à l'Hôpital Notre-Dame, parmi les malades des salles communautaires, les quelques volumes de la petite bibliothèque de l'hôpital[71], qui sera réorganisée en 1942 grâce à l'initiative des dames patronnesses. Ces dernières se chargeront toujours d'offrir le traditionnel dîner de Noël.

Au personnel traditionnel attaché aux soins des patients s'ajoutent bientôt de nouvelles ressources humaines. Le gouvernement provincial accorde en 1946 une subvention de 10 000 $ pour l'établissement d'un service social à l'hôpital[72]. Les patients pourront désormais profiter des services de travailleurs sociaux. À partir des années cinquante, de nouveaux services paramédicaux se développent. Des physiothérapeutes, ergothérapeutes, inhalothérapeutes, audiologistes et orthophonistes se joindront au personnel médical pour assurer toute une gamme de soins nouveaux.

Notes

1. Vogel montre bien que la logique de la spécialisation médicale au sein des institutions hospitalières dans les premières décennies du XXe siècle remet en question un ensemble de procédures et exerce des pressions constantes vers une rationalisation des activités. (M. J. Vogel, *The Invention of the Modern Hospital: Boston, 1870-1930*, p. 88.)

2. Les internes seniors sont de jeunes médecins qui effectuent leur cinquième année de médecine. Sur le développement de l'internat, voir C. Déziel, *L'enseignement clinique à l'Hôpital Notre-Dame de 1880 à 1924.*

3. PVCMHND, 12 juin 1930.

4. *Ibid.*

5. *Ibid.*, 30 décembre 1930.

6. RAHND, 1930-1934, p. 44.

7. *L'Union médicale du Canada*, 1935, p. 597.

8. *Ibid.*

9. *Ibid.*, p. 600. Selon le docteur Lesage, le premier ministre Taschereau, à une question d'un journaliste sur les revendications des médecins d'hôpitaux, aurait répondu «Pensez-vous qu'il y aurait plus de morts si les médecins se mettaient en grève?» Une telle réponse soulève l'ire du docteur Lesage qui lui adresse la remarque suivante: «Lorsqu'on songe au travail formidable que représentent, en une seule année, 146 000 visites et examens méticuleux pour les indigents dans les services internes de l'Hôpital Notre-Dame seulement, et 130 312 consultations externes dans les dispensaires, sans compter les autres items mentionnés au tableau statistique que je vous adresse, on n'a pas le droit, il me semble, de déprécier la valeur des médecins qui sacrifient le meilleur de leur cerveau et de leur temps, gratuitement, pour le public et les indigents en particulier» (*ibid.*, 1935, p. 609).

10. La collaboration entre les hôpitaux montréalais deviendra de plus en plus importante. Par exemple, en 1950, un comité composé des représentants de tous les hôpitaux de la métropole est formé par le Conseil des hôpitaux de Montréal pour entreprendre des démarches auprès du ministère de la Santé dans le but d'obtenir une augmentation des subsides accordés pour l'hospitalisation des malades indigents. Une délégation composée de représentants de l'Hôpital Saint-Luc, de l'Hôpital Notre-Dame, de l'Hôpital Royal Victoria, de l'Hôpital général de Montréal et du Jewish General Hospital rencontre, le 1er mars 1951, le ministre de la Santé pour lui demander de porter la contribution à 7 $ par patient par jour mais le ministre promet plutôt une augmentation à 6 $. (Voir PVBMHND, 21 septembre 1953, et RAHND, 1950, p. 34.)

11. *L'Union médicale du Canada*, 1935, p. 610.

12. *Ibid.*, p. 846. (En italique dans le texte.)

13. RAHND, 1935-1937, p. 30-31.

14. *Id.*

15. PVBMHND, 28 octobre 1938.

16. *Ibid.*, 30 mai 1941. L'année suivante, il est souligné que «l'enquêteur de l'American College of Surgeons a trouvé que le nombre des assemblées

régulières du bureau médical était tout à fait insuffisant et devait être revisé». On en propose une par mois et la direction du bureau médical voit à ce qu'on puisse procéder à la discussion scientifique des dossiers (PVBMHND, 26 juin 1942). Une autre assemblée tenue le 26 octobre 1943 souligne que, à la suite de la «diminution notable des cas d'assistance publique, il devient difficile de se cantonner à la discussion de ces seuls dossiers et qu'il faudra un jour ou l'autre aborder les dossiers des malades privés». L'assemblée n'y voit aucun inconvénient, car cela est permis par l'American College of Surgeons.

17. *Ibid.*, 28 avril 1939.

18. RAHND, 1944-1945, p. 53.

19. PVBMHND, 28 avril 1933 et 29 décembre 1933.

20. Voir RAHND, 1935-1937, p. 98-123.

21. PVBMHND, 19 septembre 1949. Sur l'enseignement des sciences de base et le développement de la recherche à la faculté de médecine de l'Université de Montréal, voir D. Goulet, *Histoire de...*, *op. cit.*

22. RAHND, 1950, p. 57

23. *Ibid.*

24. *Ibid.*, 1948, p. 51.

25. *Ibid.*, 1950, p. 57.

26. *Ibid.*, p. 76.

27. *Ibid.*, 1951, p. 76.

28. Un rapport de l'American College of Surgeons contient des commentaires élogieux sur l'Hôpital Notre-Dame mais on souligne l'espace «absolument inadéquat» de l'institution (*ibid.*, 1951, p. 62).

29. Le docteur F. Buller, en 1876, a été le premier médecin à être attaché comme spécialiste (opthalmologiste et otologiste) à l'Hôpital général de Montréal (D. Goulet et A. Paradis, *Trois siècles d'histoire médicale au Québec...*, p. 458). Dans ce même hôpital, le docteur Blackader ouvre la première clinique pédiatrique en 1882. En 1883, deux autres spécialités y sont reconnues: (gynécologie) W. Gardner et (laryngologie) G. Major (M. Abbott, *A History of Medicine in the Province of Quebec*, p. 82). L'anesthésiste Nagle du Royal Victoria a été aussi, en 1912, le premier anesthésiste spécialisé au Québec (D. S. Lewis, *History of the Royal Victoria Hospital, 1887-1947*, p. 145).

30. Sur ce point et les suivants, voir D. Goulet, *Histoire de...*, *op. cit.*

31. Propos recueillis par L. Deslauriers, *Essai sur l'histoire de l'Hôpital Notre-Dame, 1880-1980.*

32. Voir à ce propos G. Rosen, *The Specialization of Medicine, with Particular Reference to Ophtalmology.*

33. J.-E. Dubé, «De la spécialisation médicale», p. 957.

34. *Ibid.*, p. 955.

35. Sur la fondation des associations médicales au Québec, voir D. Goulet et A. Paradis, *op. cit.*, p. 307-383.

36. RAHND, 1925, p. 32 et 35.

37. *Ibid.*, p. 35.

38. *Ibid.*, p. 35-36.

39. Voir M. Foucault *et al.*, *Les machines à guérir. Aux origines de l'hôpital moderne.*

40. La première société américaine vouée à la lutte contre le cancer est l'American Cancer Society fondée à New York en 1913. Réorganisée en 1936, elle deviendra en 1945 The American Cancer Society. Le budget de cette société qui était de 10 000 $ en 1933 augmentera 20 ans plus tard à 19 750 000 $. Sur les développements de la recherche sur le cancer, voir G.-T. Pack et M.-A. Irving, «A half century of effort to control cancer. An appraisal of the problem and an estimation of accomplishments», dans L. Davis (dir.), *Surgery, Gynecology & Obstetrics with International Abstracts of Surgery*, p. 59-161.

41. M. Fournier, «Entre l'hôpital et l'université: l'Institut du cancer de Montréal», dans M. Fournier *et al.* (dir.), *Science et médecine au Québec: perspectives sociohistoriques*, p. 171-199.

42. L.-C. Simard, «Tumour of the palm having the structure of a mix tumour of the salivary glands», *American Journal of Cancer*, référence donnée par M. Fournier *et al.* (dir.), *op. cit.*, p. 174.

43. Une lettre de l'American College of Surgeons adressée au docteur Lessard soulignait en 1931 que la meilleure façon de combattre le cancer est d'organiser dans les hôpitaux généraux des cliniques du cancer. Un comité formé par l'American College of Surgeons sur le traitement du cancer avait établi un standard pour ses cliniques et l'association fournissait un questionnaire sur le traitement du cancer et l'organisation d'une telle clinique. (Voir PVBMHND, 23 juin 1931.)

44. Sur l'évolution de l'Institut du cancer, voir M. Fournier *et al.* (dir.), *op. cit.* et D. Goulet, *Histoire de…, op. cit.*, p. 361-364.

45. RAHND, 1948, p. 28.

46. En 1951, des conférences sur le cancer sont données à Saint-Jérôme, Montréal, Grand-Mère et Berthier.

47. RAHND, 1951, p. 106.

48. *Ibid.*, p. 102.

49. Gastro-entérologue, le docteur Cantero s'oriente dans les années trente vers la cancérologie. En 1937, il entreprend des recherches expérimentales comme chercheur autonome, dans une cage d'ascenseur désaffectée à l'Université de Montréal, sur le rôle des glandes endocrines dans le développement des tumeurs mammaires chez la souris. Au début des années quarante, ses conditions de travail se sont améliorées et il entreprend des travaux sur la pathologie expérimentale des tumeurs et la carcinogénèse chimique. (Voir R. Daoust, «Antonio Cantero 1902-1977», p. 71.)

50. M. Fournier *et al.* (dir.), *op. cit.*, p. 176.

51. RAHND, 1951, p. 106.

52. Le Cancer Club est inauguré à Montréal en septembre 1953.

53. RAHND, 1953, p. 137. Le National Cancer Institute a été inauguré en 1937.

54. M. Fournier *et al.* (dir.), *op. cit.* Voir aussi D. Goulet, *Histoire de…, op. cit.*

55. M. Fournier *et al.* (dir.), *op. cit.*, p. 179.

56. *Ibid.*, p. 180.

57. *Ibid.*

58. La pénicilline, découverte par le britannique A. Fleming en 1929, est fabriquée de façon industrielle à partir des années quarante. L'année suivante,

le vénérologue américain J. F. Mahoney découvre l'efficacité de la pénicilline contre la syphilis.

59. En 1942, le médecin suédois J. Lehmann découvre les propriétés anticoagulantes du dicoumarol. La cortisone est synthétisée en 1948 par T. Reichstein et L.-H. Sarett.

60. Sur l'histoire des produits pharmaceutiques, voir J.-C. Dousset, *Histoire des médicaments des origines à nos jours*.

61. RAHND, 1926, p. 28.

62. *Ibid.*, 1950, p. 25.

63. «Pendant l'année scolaire, 850 heures de cours ont été servies à nos élèves. Sur ce nombre, 250 heures ont été données par des médecins et théologiens, et 645 heures, par les institutrices de notre école. Les deux tiers sont consacrés à la surveillance du travail pratique de nos élèves dans les départements» (*ibid.*, 1943, p. 98).

64. *Ibid.*, 1944-1945, p. 79-81.

65. La directrice de l'école d'infirmières mentionnait en 1943 que le bureau d'administration «accorde la semaine de six jours aux infirmières diplômées; aux élèves du service de jour, deux heures de repos de plus par semaine, et à celles du service de nuit, une nuit entière de repos après un mois de travail» (*ibid.*, 1943, p. 98).

66. A. Petitat, *Les infirmières. De la vocation à la profession*, p. 342.

67. AHND, Régie interne, 5e partie, p. 1.

68. A. Petitat, *op. cit.*

69. *Ibid.*, p. 178.

70. RAHND, 1929, p. 48.

71. *Ibid.*

72. *Ibid.*, 1946-1947, p. 30.

CHAPITRE VIII

La transformation
des pratiques médicales

L'émergence d'une médecine basée sur l'instrumentation technologique

Jusqu'au début des années soixante, le développement des méthodes d'investigation clinique est considérable, particulièrement après le second conflit mondial. Certes, la visite clinique au lit du malade demeure une pratique familière accompagnée du rituel traditionnel: prise du pouls, de la température, auscultation, percussion et examen de la langue, de la gorge, etc. Encore aujourd'hui, le médecin procède à de tels examens dans son cabinet. Mais ce qui se transforme à cette époque, c'est la codification de ce rituel clinique où s'insèrent notes cliniques, feuilles d'examen, dossiers des malades, etc. Se modifieront aussi les horaires des cliniques, les temps de visites du médecin, l'espace de consultation et le nombre des intervenants auprès du patient. De même, les allées et venues du patient à la salle de radiographie, au service de cardiologie ou au laboratoire deviendront des aspects routiniers du séjour à l'hôpital. Le lit du patient ne constitue plus l'espace privilégié du diagnostic ou de la thérapeutique. À cela s'ajoute aussi la médiatisation technique de l'observation clinique et de la thérapeutique, tels le gastroscope[1] qui permet d'explorer l'intérieur de l'estomac et l'électrocardiographe acquis par l'hôpital en 1921, appareil de mesure du courant électrique produit par le cœur qui permet de diagnostiquer certaines anomalies cardiaques[2]. À partir des années trente, de nouveaux appareils sophistiqués font leur apparition: l'électroencéphalogramme pour la mesure de l'activité cérébrale[3]; l'angiocardiographie pour la mise en évidence radiologique des cavités du cœur et des gros vaisseaux[4]. Durant la décennie 1950, la mise au point du cathéter permettra d'explorer l'intérieur du cœur et du système respiratoire[5]. La relation médecin-malade sera de plus en plus médiatisée par une instrumentation spécialisée et sophistiquée, même si le diagnostic continue de s'appuyer sur un savant dosage d'observations, de savoirs et d'intuition. Certains ne manquent pas d'ailleurs de soulever les problèmes que pose ce nouvel environnement technico-médical, tel l'écrivain Jules Romains qui, dans son livre *Hommes, médecins, machines* publié en 1959, s'interroge sur les aspects éthiques d'une pratique médicale de plus en plus technique.

Nous avons montré précédemment que l'essor des laboratoires, de la radiologie, de l'électrologie dans les premières décennies du XXe siècle avait modifié le rapport du malade avec le clinicien. Mais cette modification dans l'exercice de la clinique à l'Hôpital Notre-Dame demeure, toutes proportions gardées, relativement modeste. Or, de 1930 à 1960, les transformations de la médecine clinique à l'intérieur d'un hôpital général de l'envergure de l'Hôpital Notre-Dame sont considérables. La grande majorité des patients subiront des examens radiologiques ou verront leur urine ou leur sang prendre le chemin du laboratoire. En outre, il ne s'agit plus seulement d'ausculter le cœur, mais d'enregistrer ses battements, non plus seulement de tâter le pouls, mais d'en mesurer la pression, ni de se borner à analyser le taux d'urée dans le sang, mais d'en doser le taux de sucre et de vérifier le nombre de leucocytes, ni même de prédire un cancer, mais de vérifier histo-chimiquement la tumeur, etc. Au développement de l'exploration clinique correspondent la complexité de la symptomatologie, la précision des nosologies et le raffinement du diagnostic.

De nouveaux procédés d'investigation clinique

En 1926, l'Hôpital Notre-Dame décide d'établir une réglementation précise concernant les dossiers des malades hospitalisés. Définis d'après les normes fixées par l'omniprésent
American College of Surgeons, ces règlements précisent la codification des examens cliniques et des analyses de laboratoire qui
ont servi à établir le diagnostic final. Il est décidé de nommer à
cette fin un médecin assisté d'une religieuse archiviste qui
veilleront à la classification des dossiers. À partir de ce moment,
les médecins de l'hôpital sont tenus de noter le nom du malade,
son histoire personnelle et familiale, les symptômes observés,
les examens cliniques, les examens anatomopathologiques des
pièces enlevées lors de l'opération, les rapports spéciaux relevant des laboratoires ou du service de radiologie, le diagnostic
provisoire, l'évolution de la maladie, le diagnostic final, la
condition du départ et enfin un rapport d'autopsie s'il y a décès
du patient. Une telle réglementation, qui ne sera pas rigoureusement respectée avant un certain temps, s'insère dans la logique d'une médecine hospitalière structurant ses services
médicaux en fonction de rôles diagnostique, thérapeutique et
scientifique.

Déjà en 1930, les cliniciens possédaient un arsenal technique complémentaire aux procédés classiques d'investigation
clinique. Le sphygmomanomètre, appareil servant à mesurer la
pression artérielle qui commence à être utilisé à l'Hôpital Notre-
Dame dans les années vingt, s'ajoute à la trousse quotidienne
du clinicien. L'hôpital avait fait en 1924 la précieuse acquisition
d'un électrocardiographe qui rend compte avec précision de la
pulsion cardiaque. L'usage de cet instrument se répand si rapidement que, six ans plus tard, les internes de l'hôpital doivent
en apprendre l'utilisation pour suppléer, en cas de besoin, les
médecins internes.

Nous ne pouvons ici énumérer tous les nouveaux instruments acquis entre 1924 et 1960 par les services d'ophtalmologie, d'oto-rhino-laryngologie, de broncho-œsophagie, de
dermatologie, d'urologie, et autres. Les demandes d'achat
d'instruments de tous genres ou les plaintes sur les carences en
instruments ponctuent les procès-verbaux du bureau médical.

En outre, la technologie évolue à un rythme effréné et certains instruments diagnostiques deviennent vite désuets. L'on se plaint généralement que «l'instrumentation coûte cher[6]». Lorsque l'hôpital refuse, faute de moyens, d'acquérir certains instruments spécifiques pour un service interne, il n'est pas rare que les médecins en supportent eux-mêmes la dépense. De plus, certains médecins se chargent d'amasser des fonds pour doter leur service des nouveaux équipements jugés indispensables. Le docteur Archambault réussit avec l'aide de ses collègues à amasser la somme de 25 000 $ destinée à organiser le dispensaire de physiothérapie dermatologique. La clinique d'agents physiques pour le traitement des maladies de la peau, inaugurée le 4 octobre 1928, met à profit les utilisations médicales du radium, des rayons X, des rayons ultraviolets ou des rayons Grantz, etc.[7].

La réorganisation de la pratique clinique à l'hôpital passe aussi par l'acquisition de tout matériel susceptible de faciliter la tâche du médecin. L'hôpital achète, par exemple, une collection de transparents de l'Hôpital Saint-Louis de Paris pour le dispensaire de dermato-syphiligraphie dans le but de faciliter le diagnostic des affections syphilitiques et cutanées et de favoriser l'enseignement de cette discipline[8]. En 1929 est publié le «formulaire de l'Hôpital Notre-Dame qui réunit, sous le plus petit volume possible, toutes les préparations médicamenteuses reconnues les plus efficaces, ainsi qu'une foule d'autres renseignements utiles et variés, renseignements précieux aux médecins internes et aux gardes-malades[9]». Le docteur Gariépy qui a préparé ce formulaire y reprend et classifie toutes les prescriptions que lui ont fournies les différents chefs de service.

Sans qu'il nous soit possible d'établir de liens directs entre l'augmentation des patients payants à l'hôpital et l'acquisition de nouveaux instruments diagnostiques ou thérapeutiques, mentionnons néanmoins qu'il y a une concordance entre les deux. Au moment où il est décidé d'augmenter le nombre des chambres privées, le conseil d'administration approuve des déboursés de 27 721 $ pour l'achat des nouveaux instruments demandés par le corps médical[10]. Il faut dire que les besoins sont pressants. Du reste, l'efficacité des interventions cliniques et chirurgicales devient de plus en plus une question de moyens techniques et de ressources instrumentales. Nous le verrons en ce qui concerne les laboratoires, la radiologie et l'anesthésie. Or plusieurs indices montrent qu'alors même que l'hôpital s'efforce de se doter d'une instrumentation relativement conforme aux exigences de la science des années quarante, la population accorde de plus en plus de crédit à l'efficacité des soins hospitaliers. Le trésorier de l'hôpital s'en fait ainsi l'écho:

> Si la population continue de réclamer en aussi grand nombre les services d'hospitalisation au lieu d'être traitée à domicile, votre Bureau devra sans doute songer, avant longtemps, à élaborer un programme d'agrandissement après la guerre[11].

À l'évolution du savoir médical se juxtaposait la nécessité d'améliorer les moyens d'exploration clinique et les procédés thérapeutiques. Aussi en 1949 se plaint-on, malgré les efforts de l'administration, de la diminution des crédits accordés à l'achat d'instruments, d'outillage et d'ameublement — 36 809 $ contre 56 000 $ en 1948 — et souligne-t-on «que les appareils de chirurgie et de médecine sont constamment améliorés et [qu'il] est vital pour un hôpital bien administré de posséder un outillage des plus modernes[12]». Soulignons néanmoins que de 1945 à 1953, le pourcentage des dépenses liées aux accessoires médicaux par rapport aux dépenses totales subit une légère hausse, passant de 0,5 % à 0,8 %[13].

L'Hôpital Notre-Dame, en se dotant d'une panoplie d'appareils issus du développement de la technologie médicale américaine et européenne, modifiait sensiblement l'orientation de sa pratique hospitalière. En premier lieu, l'introduction de cette technologie confirme l'importance accordée au traitement des cas aigus au détriment des convalescents et des incurables. À partir de 1930, une telle orientation devient irréversible et s'exprime de multiples façons: tentative de diminution de la durée de séjour à l'hôpital[14], augmentation du nombre des patients privés et semi-privés, diversification des moyens diagnostiques et des traitements, spécialisation des services, etc. En second lieu, la relation entre le médecin et le patient devient de plus en plus instrumentale, même s'il ne faut pas y voir encore l'apparition de cette médecine technocratique et impersonnelle qui deviendra le lot de certains grands hôpitaux généraux.

L'essor de la médecine de laboratoire

Les laboratoires à partir des années trente constituent des instruments de plus en plus essentiels à la médecine hospitalière. La méthode diagnostique et le pronostic sont fréquemment établis à partir des tests d'urine, de sang et des sécrétions. De même, les analyses post-chirurgicales et les autopsies deviennent des éléments familiers tant au clinicien qu'au chercheur. Contrairement à la période précédente, la plupart des médecins de l'hôpital, au début des années trente, ont été initiés aux investigations bactériologiques et microscopiques. Nul ne met alors en doute la réalité des germes ou la nécessité d'une vérification de la numération globulaire ou du dosage du cholestérol du liquide sanguin. Les laboratoires font de plus en plus partie de l'équipement standard des hôpitaux généraux. En 1933, sur les 589 hôpitaux fonctionnant au Canada, parmi lesquels se retrouvent de nombreux petits établissements spécialisés, 299 possèdent un laboratoire clinique[15].

Mais si les laboratoires sont nécessaires à l'efficacité diagnostique et pronostique, ils constituent aussi des éléments indispensables à l'avancement des connaissances médicales. Trois facteurs jouent en faveur de l'organisation de laboratoires bien outillés et suffisamment pourvus en personnel qualifié: l'efficacité diagnostique, les besoins de la recherche médicale et la nécessité d'un enseignement clinique basé sur de telles analyses. Les autorités médicales de l'Hôpital Notre-Dame s'efforceront donc, dans la mesure de leurs moyens, d'aménager des laboratoires qui répondent aux normes de la pratique hospitalière moderne. Le surintendant O.-F. Mercier, qui fut l'un des premiers à promouvoir la constitution d'une médecine associée à la technologie médicale, s'en fait l'écho en ces termes lors de la présentation du premier rapport annuel du nouvel hôpital:

> Le progrès et le développement scientifique des sciences médicales nous forcent à perfectionner continuellement les

installations de laboratoires et du service de physiothérapie qui sont devenues essentielles, soit pour la recherche des maladies, soit pour la mise en pratique des méthodes appropriées à leurs traitements. Ces installations nouvelles demandent des espaces considérables, ce qui fait que nous sommes non seulement à l'étroit pour ce qui regarde l'hospitalisation de nos malades, mais aussi pour l'installation des agents physiques et des instruments scientifiques que comporte de nos jours la mise en pratique des sciences médicales en général[16].

Les besoins étaient si grands que, dès les premières années d'installation, l'espace se révèle déjà insuffisant pour répondre aux nouveaux besoins engendrés par l'évolution des techniques d'analyse. Néanmoins, le nouveau laboratoire, comprenant quatre pièces contiguës et un amphithéâtre pour les autopsies, situé au rez-de-chaussée de l'aile A, constitue une amélioration sensible par rapport à celui de l'ancien hôpital. En 1924, il y manquait encore le gaz et l'eau chaude, mais ces lacunes furent bientôt corrigées.

Le directeur du laboratoire, le docteur Derome, occupe simultanément d'autres fonctions à l'extérieur de l'hôpital et ne peut consacrer tout son temps au laboratoire. Quant à son assistant, le docteur Bertrand, il reçoit en 1925 une bourse de la faculté de médecine de l'Université de Montréal pour poursuivre ses études en France[17]. Derome se retrouvant seul avec le docteur Paré, le conseil médical décide d'engager une «laborantine[18]» qui se chargera des tâches routinières telles que la cueillette des échantillons d'urine ou de sang dans les chambres privées. Mais la décision du conseil médical d'imposer, à la demande du docteur Desloges, directeur du Conseil d'hygiène, la séro-réaction de Bordet-Wassermann à tous les malades des salles et des dispensaires rend encore plus impératifs la restructuration du personnel de laboratoire et l'engagement d'un chef de laboratoire qui pourra y consacrer tout son temps.

Les autorités médicales recherchent en fait un spécialiste de laboratoire européen qui «apporterait beaucoup de prestige et de réputation à l'Hôpital Notre-Dame» et qui aurait «toute l'autorité voulue pour diriger et aider [les] jeunes médecins qui sont actuellement à faire des études de laboratoire en France[19]».

Les jeunes médecins en question étaient les docteurs L.-C. Simard[20] et A. Bertrand. Le Québec ne possédant pas encore un tel spécialiste de laboratoire, les autorités décident de se tourner vers la France qui avait, depuis l'ouverture de l'Institut Pasteur en 1888, formé de nombreux chercheurs en bactériologie. Parmi ceux-ci se trouvait un excellent homme de laboratoire qui s'était fait reconnaître mondialement par ses travaux dans le domaine de l'histo-pathologie. Le docteur Pierre Masson occupait le poste de médecin-chef de l'Institut d'anatomie pathologique de l'Université de Strasbourg lorsque, sur la recommandation de la faculté de médecine de Paris, l'Hôpital Notre-Dame et la faculté de médecine de l'Université de Montréal lui offrent conjointement le poste de chef de laboratoire de l'hôpital et la chaire d'anatomie pathologique de l'université[21].

En attendant l'entrée en fonction de Masson, le conseil médical décide, «vu l'importance de plus en plus considérable que prend le développement de notre institution, vu la nécessité de plus en plus impérieuse d'avoir au laboratoire un personnel médical des plus entraînés et qui puisse collaborer tous les jours avec les différents services de l'hôpital[22]», de réorganiser le laboratoire. Celui-ci est alors divisé en deux sections, un laboratoire d'anatomie pathologique dirigé par le docteur Masson, assisté du docteur L.-C. Simard[23], et un laboratoire de bactériologie, chimie et sérologie sous la direction du docteur W. Derome, assisté du docteur A. Bertrand[24]. En fait, les autorités médicales accordaient une importance plus grande à l'anatomie pathologique qu'à la bactériologie. Le choix d'un pathologiste réputé repose sur la volonté de promouvoir la recherche et le prestige de l'hôpital. Les travaux bactériologiques étaient alors considérés par les autorités de l'hôpital plus comme une technique diagnostique que comme une discipline de recherche. En février 1927, le docteur Pierre Masson est officiellement nommé directeur général des laboratoires et chef du service d'anatomie pathologique.

La présence de Masson et la séparation des laboratoires entraînent une modification des attitudes à l'endroit des examens de laboratoire et une meilleure structuration du service. Par suite de la réorganisation du laboratoire d'anatomie pathologique, le conseil médical décide que «toutes les pièces chirurgicales, sans exception, collectées après les opérations, devront toujours être envoyées au laboratoire[25]». Les pièces histo-pathologiques envoyées au laboratoire et pouvant faire l'objet d'un rapport histologique ou d'une utilisation à des fins scientifiques doivent être accompagnées d'un résumé succinct de l'observation du malade. De même, pour ce qui est des décès de patients dans les salles communes, il faut pratiquer le plus grand nombre possible d'autopsies, en accord avec les règlements provinciaux. Les pressions sur les chirurgiens pour qu'ils respectent ces prescriptions s'intensifient et favorisent grandement les travaux de recherche. Cependant, au sein de l'Hôpital Notre-Dame, tous ne voient pas la nécessité de telles analyses et de nombreuses plaintes souligneront le fait que plusieurs pièces anatomiques enlevées au cours des opérations ne sont pas envoyées au laboratoire et que plusieurs patients décédés ne font l'objet d'aucune autopsie.

Le pathologiste Masson s'efforcera de modifier, sans toujours y parvenir, de telles attitudes. Dans un message adressé au surintendant de l'hôpital daté du 11 avril 1933, il fait remarquer que l'autopsie n'a sa pleine efficacité qui si elle est pratiquée en présence des cliniciens mêmes qui ont suivi l'évolution de la maladie. Il recommande donc que pour tout décès survenu entre 16 heures et 9 heures, l'autopsie (didactique) ait lieu entre 9 et 11 heures et que pour tout décès survenu entre 9 heures et 16 heures, l'autopsie (de contrôle) ait lieu entre 11 heures et 17 heures. De tels horaires visaient à favoriser l'assistance des cliniciens aux pratiques anatomopathologiques. Mais en 1939, le docteur Masson se plaindra encore du délai trop grand qui sépare la réception des cadavres et l'heure du décès.

Une autre initiative est prise pour favoriser le développement scientifique. La recherche anatomopathologique demandait un certain nombre d'animaux de laboratoire que l'hôpital se procurait à l'extérieur et qui représentaient des frais assez importants. En 1928, l'hôpital décide d'en faire plutôt l'élevage et aménage un local à cette fin «dans le vieux garage en arrière de l'hôpital[26]». La même année, l'on décide de faire appel aux internes pour pratiquer les autopsies les samedis et les dimanches sous la supervision du chef de laboratoire.

L'efficacité et la compétence du docteur Masson ne tardent pas à être reconnues par les autres institutions. L'Hôtel-Dieu de Montréal demande, en mai 1927, la permission d'employer le docteur Masson quelques heures par semaine au laboratoire d'anatomie pathologique. Le conseil médical de l'Hôpital Notre-Dame «est d'avis qu'il y aurait sûrement intérêt de concentrer le travail d'anatomie pathologique de tous nos hôpitaux dans un laboratoire central sous la direction du professeur Masson[27]». Il est finalement décidé que le professeur Masson dirigera les laboratoires d'anatomie pathologique et fera les examens histo-pathologiques de tous les malades hospitalisés à l'Hôpital Notre-Dame ainsi que des malades des dispensaires de l'Hôtel-Dieu, de l'Hôpital Sainte-Justine et de l'Hôpital Notre-Dame[28]. L'entente était fort avantageuse pour Masson qui se voyait accorder la permission d'utiliser le matériel ainsi recueilli pour son enseignement universitaire. Du même coup, l'évolution des travaux de laboratoire en sera favorisée.

Mais si l'influence de Masson est importante en anatomie pathologique, c'est au docteur A. Bertrand que revient le mérite d'avoir développé la bactériologie à l'Hôpital Notre-Dame. D'après son propre témoignage, le docteur Masson ne s'y intéressait «que de loin, préférant laisser aux chefs de section pleine et entière liberté d'action[29]». Le laboratoire de bactériologie-chimie-sérologie acquiert davantage d'autonomie à partir de 1927. Il subit alors des modifications qui visent surtout à augmenter le nombre des analyses nécessaires à l'établissement du diagnostic et à la production de certains vaccins. Par exemple, lors de l'épidémie de fièvre typhoïde de 1927, un entéro-vaccin antityphique est préparé au laboratoire de bactériologie de l'Hôpital Notre-Dame sous la direction du professeur Boez. Le vaccin est distribué aux médecins et au personnel de l'hôpital et le restant est vendu «au public au prix de 1 $ par boîte de trois capsules[30]». Le surintendant affirme pourtant dans le rapport annuel de 1927 que le vaccin, préparé par le personnel de laboratoire et plusieurs religieuses, a été «distribué gratuitement à tous les pauvres et aux institutions publiques qui le demandaient[31]».

Généralement, le rôle quotidien du laboratoire de bactériologie-chimie-sérologie est de pourvoir aux demandes d'examens des différents services de l'hôpital. Les cliniciens, au début des années trente, se tournent résolument vers le laboratoire, comme en fait foi la résolution adoptée au conseil médical qui demande la permanence du laboratoire les dimanches et les jours fériés. En 1931, les autorités décident de diviser les laboratoires en trois sections — pathologie, sérologie et bactériologie, métabolisme — et recommandent l'engagement d'un «chef médecin qualifié en chimie biologique (théorie et technique) qui assumerait la responsabilité de tout le travail scientifique». Il est prévu que celui-ci, «aidé d'un personnel suffisant, devra être présent de neuf heures du matin à cinq heures de l'après-midi» et qu'il devra voir à ce que «les examens d'urgence soient faits sans délai[32]». Or c'est à une infirmière chargée de faire les prélèvements de sang que l'on confie l'exécution, «en dehors des heures de travail du laboratoire (nuits et jours de fête), des examens d'urgence[33]».

Les tâches sont variées et se diversifient en fonction du développement des nouvelles techniques d'analyse mises au point dans les nombreux laboratoires de recherche occidentaux. La section de métabolisme demande bientôt de nouvelles analyses du sang, des urines et du liquide céphalo-rachidien. Mais, se plaint-on, «d'une façon générale, les analyses d'urine du laboratoire de l'hôpital sont beaucoup moins complètes que celles que l'on pratique ailleurs[34]». Aussi demande-t-on au docteur Bertrand, en 1932, de voir à ce que soit désormais faite la recherche de l'acétone et des pigments biliaires dans les analyses d'urine du laboratoire de l'Hôpital Notre-Dame. La même année, Bertrand se voit confier le mandat de s'enquérir auprès du professeur Murray, de l'Université McGill, des notions les plus récentes concernant la culture des gonocoques.

Les autorités sont nettement soucieuses d'améliorer cette section de la médecine hospitalière. Certains impératifs poussent à un recours accru au laboratoire. En 1933, le docteur Bourgeois souligne l'importance de faire subir un examen clinique complet avant toute opération chirurgicale[35]. Peu après, le conseil médical décide de rendre obligatoire, chez les infirmières travaillant parmi les contagieux, la vaccination contre la diphtérie et la fièvre typhoïde[36]. De plus, il est décidé que certains patients atteints de paludisme et hospitalisés pendant de longues périodes à l'hôpital devront se soumettre à des examens spécifiques quotidiens du sang, notamment l'analyse de la formule leucocytère[37].

En 1932, les laboratoires déménagent dans la partie sud du sixième étage de l'aile C. Un espace temporairement adéquat permet une organisation plus efficace. L'engagement du chimiste P. Riopel au laboratoire, l'addition de nouveaux aides et la décision prise l'année suivante d'obliger les internes à faire un stage en bactériologie et en anatomie pathologique atténuent grandement la carence de personnel. Mais, durant les décennies suivantes, les choses évoluent vite, trop vite. La courbe des services offerts ne peut suivre celle de la demande, problème récurrent depuis les débuts de l'hôpital auquel sont confrontés maintenant les laboratoires comme les autres services. La progression des examens qui avait été plutôt lente entre 1924 et 1937 connaît une hausse constante jusqu'en 1955 pour ensuite faire un bond important jusqu'en 1960. Qu'on en juge par les chiffres présentés dans le graphique 10. De 5802 analyses en 1923, dont près de la moitié sont des tests d'urine et des tests de la constante d'Ambard, le nombre d'examens se diversifie et grimpe à 8327 en 1925. Le nombre des analyses d'urine augmente de 2412 à 4967, comptant pour plus de 50 % des examens de laboratoire et des examens histologiques, lesquels grimpent de 50 à 238. Aux analyses de sang, à la constante d'Ambard, aux hémocultures, aux tests de Wassermann et aux examens cytologiques s'étaient ajoutés, à partir de 1924, les tests de glycémie et d'azotémie dans le sang, les réactions de Botello et les analyses du taux de cholestérol. Quinze ans plus tard, le recours aux laboratoires devient tel que le nombre d'analyses quintuple pour passer à 40 000 examens. En 1950, les analyses de laboratoire ont presque triplé, totalisant 114 368 analyses, et elles doublent à nouveau en l'espace de 10 ans avec 213 448 analyses en 1960. En à peine 25 ans, le nombre d'analyses s'est accru d'un facteur de 8,6. Comparativement, le nombre total d'admissions entre 1935 et 1960 ne fait que doubler. Pourtant, sans la limitation des possibilités d'expansion des laboratoires en raison du manque d'espace, l'accroissement des analyses aurait été encore plus important. En effet, comme l'indique le graphique 10, le nombre des examens de laboratoire monte en

GRAPHIQUE 10

Examens de laboratoire, Hôpital Notre-Dame, 1918-1960

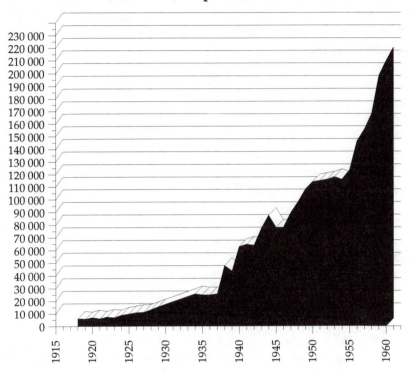

flèche à partir de 1960, soit dès l'ouverture de nouveaux locaux. En 1950, l'Hôpital Notre-Dame atteint un point de saturation dans les examens: plus d'une trentaine d'analyses différentes sont réalisées dans ses laboratoires, ce qui retarde les hospitalisations et accentue l'encombrement. Pour la seule année 1951, les laboratoires de bactériologie, d'hématologie, de métabolisme basal et d'analyse du sang, dirigés par le docteur A. Bertrand, effectuent 91 479 analyses.

Un tel accroissement des pratiques de laboratoire, qui dépasse largement la simple pression démographique, répondait certes aux nouveaux impératifs de la science médicale et au développement de la symptomatologie, du diagnostic et de la thérapeutique. La transition importante de la médecine clinique vers une médecine qui dépend de plus en plus des laboratoires nécessitera la reconnaissance de nouveaux signes de la maladie indiscernables avec les seuls moyens traditionnels d'investigation clinique, reconnaissance qui fait appel à un microscope auquel seulement quelques spécialistes de laboratoire ont accès. Bien sûr, le clinicien interroge encore son patient, il l'ausculte et le tâte toujours et cherche encore d'un regard attentif quelques signes révélateurs de la maladie. Mais, désormais, l'expertise de l'omnipraticien se doit d'être validée ou confirmée par l'épreuve du laboratoire. La précision du diagnostic et du pronostic et l'efficacité de la thérapeutique en dépendent, de même que la réputation du clinicien et de l'hôpital.

Les Simard, Masson et Bertrand ont fait des efforts considérables pour se tailler la place qui leur revient dans la pratique hospitalière. Mais si, généralement, dans la mesure des moyens disponibles, les membres du bureau médical et du conseil médical se montrent favorables à l'expansion des laboratoires, tous ne partagent pas cet enthousiasme, du moins en ce qui regarde l'anatomie pathologique. On aurait tort en effet de croire que le recours au laboratoire d'anatomie pathologique de la part des cliniciens et des chirurgiens est systématique. Le docteur Bertrand rapporte que, vers 1940,

> l'examen histologique d'une pièce anatomique était laissé au bon vouloir du chirurgien. Comme à cette époque on entendait dans les couloirs ou dans les assemblées des aphorismes comme ceux-ci: «La radiographie pulmonaire ne remplacera jamais le stéthoscope; les examens de laboratoire lorsqu'ils ne viennent pas corroborer la clinique sont dangereux», il y avait assez peu d'examens de laboratoire demandés. Si l'on relève le travail de l'année 1940: 274 examens post-chirurgicaux et 214 autopsies[38.]

Les procès-verbaux du conseil médical et du bureau médical témoignent aussi des réticences de certains chirurgiens à se laisser convaincre du bien-fondé des examens anatomopathologiques. Encore en 1946, le docteur Simard rappelle qu'un examen macroscopique et microscopique doit être fait de toutes les pièces enlevées lors d'une intervention chirurgicale, mais il affronte les objections de plusieurs médecins qui mettent en évidence les dépenses occasionnées. De telles résistances s'expliquent en partie par le désintérêt général pour la recherche scientifique chez les élites médicales et universitaires. Comme le souligne pertinemment M. Fournier, les conditions de la recherche scientifique (au sens actuel) au lendemain de la Seconde Guerre mondiale sont mauvaises: «formation scientifique incomplète, faiblesse des budgets de recherche et exiguïté des locaux, absence de sécurité d'emploi pour les chercheurs, faible organisation des milieux scientifiques québécois et canadiens, etc.[39]».

De telles lacunes avaient évidemment des répercussions sur la recherche médicale, notamment en un milieu hospitalier où les fonctions premières demeurent le soin des malades et l'enseignement médical. Il y a bien eu quelques initiatives isolées, telles les recherches des docteurs P. Masson et L.-C. Simard sur la pathologie des tumeurs à partir de 1927 et sur la maladie cutanée de Paget[40] et celles du docteur A. Bertrand, entreprises durant les années trente sur une nouvelle méthode de sérodiagnostic de la syphilis[41].

À partir des années quarante, l'impulsion est néanmoins donnée et les activités de laboratoires deviennent partie intégrante de la routine hospitalière. Malgré la grave crise qui ébranle l'institution en 1951, elles ne cesseront de prendre de l'ampleur. Les chefs de laboratoire, sous la direction de L.-C. Simard, A. Bertrand et P. Riopel, préparent un cours supérieur et un cours de perfectionnement d'anatomie pathologique, de bactériologie et de chimie clinique dont le but avoué est «de former des spécialistes pour les hôpitaux de la province[42]». Le besoin est tellement criant que l'Association des anatomopathologistes de la province de Québec, fondée en 1945 et incorporée en 1948, déplore le fait que «le nombre des anatomopathologistes reconnus soit tout à fait insuffisant[43]». Un inventaire effectué par l'Association révélait qu'il y avait moins de 35 anatomopathologistes reconnus dans la province, et ce pour 3000 lits d'hôpital. Elle déplore aussi le fait que «trop souvent l'anatomopathologiste est considéré non pas comme un consultant, mais comme un simple technicien auquel on soumet des spécimens avec les informations les plus incomplètes[44]». Aussi demande-t-elle «que la situation du pathologiste dans la hiérarchie médicale soit équivalente à celle de tout spécialiste clinicien consultant, et qu'il ne soit pas considéré comme un super-technicien ni par ses collègues, ni par l'administration hospitalière qui retient ses services[45]».

De telles revendications sont courantes de la part des spécialistes qui se voient marginalisés au sein de la profession médicale, surtout en ce qui concerne les pratiques de laboratoire[46].

Ces pratiques sont d'ailleurs de plus en plus spécialisées, au point d'exiger la création de nouvelles sections. Un nouveau laboratoire d'hormonologie[47] mieux équipé est ouvert en 1958. L'année suivante, le docteur Simard fonde la section de cytologie exfoliatrice qui n'a cessé de progresser depuis et qui a formé de nombreux cytotechniciens. Pourtant, quelques années plus tôt, le professeur Masson manifestait un certain mépris à l'endroit de cette technique.

Enfin, au fur et à mesure que l'on avance dans le XXe siècle, l'individualisme du clinicien en milieu hospitalier fait place à un travail d'équipe où les relations entre le personnel médical et le personnel paramédical deviennent étroites. De plus, la pression des autorités médicales hospitalières soucieuses de la qualité des services et de la réputation de leur hôpital s'exerce de façon directe sur le praticien qui se doit d'utiliser les moyens techniques mis à sa disposition. C'est donc de cette transition essentielle au sein de l'Hôpital Notre-Dame que témoignent les statistiques mentionnées plus haut.

Le développement de la radiologie

La radiologie deviendra, au cours des décennies suivant le déménagement, l'un des moyens diagnostiques les plus utilisés. Dès 1924, les autorités médicales décident d'en favoriser le développement. L'hôpital ne possède pas encore ses propres appareils qui sont alors fournis par le docteur Panneton qui assume toujours la direction du service[48]. Les membres du conseil médical, qui désirent assurer une autonomie au service de radiologie et le rentabiliser, demandent à l'administration l'octroi d'une somme de 8000 $ destinée à pourvoir l'hôpital d'appareils de radiodiagnostic et de radiothérapie. L'accroissement des demandes de radiographies rend pressant l'agrandissement des locaux et l'acquisition de nouveaux instruments. Le bureau d'administration en décide autrement et l'hôpital devra se contenter des appareils prêtés par le docteur Panneton. Une telle entente suscite un certain mécontentement chez les autorités médicales qui désirent réorganiser un service vétuste depuis un certain temps.

En 1929, le docteur Panneton se plaint de l'impossibilité d'augmenter le rendement du service, et ce malgré l'engagement d'un assistant, le docteur Léonard, et de deux gardes-malades affectées à ce service. Le manque d'espace rend aussi dangereuse l'utilisation d'instruments qui augmentent les danger d'irradiation. Le service de radiologie, à l'instar des autres services auxiliaires, faisant l'objet de constantes récriminations, les autorités médicales insistent auprès du bureau d'administration afin qu'il accorde les fonds nécessaires à la réorganisation du service de radiologie «de la même manière que tous les autres services de l'institution, l'hôpital devant être propriétaire de tous les appareils nécessaires au bon fonctionnement de ce service[49]».

Il est alors décidé, pratique courante à l'époque, de s'enquérir auprès des radiologistes de l'Hôpital général de Montréal de l'organisation de leur service de radiologie. En outre, le docteur A. Lesage, lors d'un voyage en France, demande avis auprès de certains radiologues français et propose, lors d'une assemblée du conseil médical, un plan de réorganisation «afin d'avoir un service de radiologie aussi moderne et aussi pratique que possible[50]» et qui possédera «une instrumentation neuve et moderne[51]». Il est aussi décidé de modifier le mode de rémunération du radiologiste qui recevait ses honoraires à l'acte et de lui offrir un salaire fixe. Les revenus du service devront désormais être versés à l'hôpital. Consulté à cette fin, le docteur Panneton, tout en acceptant le principe d'une réorganisation en profondeur du service, s'élève vigoureusement contre le principe du radiologiste salarié. Considérant le radiologiste non comme un simple technicien mais plutôt comme un thérapeute, Panneton craint que, par une telle mesure, l'on en arrive à «abaisser le niveau professionnel, à diminuer le prestige du médecin, à lui enlever son initiative et son ambition; à faire du médecin, fier et indépendant, un simple rond-de-cuir[52]».

Ces propos, on le constate, soulignent de façon éclatante les problèmes de reconnaissance d'une discipline en formation. La tension entre le conseil médical et le docteur Panneton est assez grande pour que celui-ci fasse part de son intention de démissionner, menace qu'il ne mettra cependant jamais à exécution. Mais celle-ci indispose suffisamment les membres du conseil médical pour qu'ils acceptent avec candeur une «résignation[53]» qui n'avait pourtant rien d'officiel. Une fois le docteur Panneton évincé, le conseil médical se met en quête d'un candidat extérieur au poste de chef salarié du service de radiologie. Estimant que «le développement [du] service, sous la haute direction de ce spécialiste, apporterait certainement à l'hôpital, en plus de la science, une large part de bénéfice[54]», le conseil embauche, en 1931, l'un des pionniers de la radiologie française, le docteur A. Laquerrière.

Quelques mois après son arrivée, on procède à une réorganisation importante du service d'électroradiologie: achat d'instruments[55], aménagement de nouveaux locaux, nomination d'assistants à temps plein, etc. De plus en plus sensibilisé aux problèmes causés par l'exposition aux radiations et profitant des nouveaux progrès techniques qui améliorent la prévention, l'Hôpital Notre-Dame décide de mettre en place un nouveau système de protection des personnes exposées. Des cuves de plomb servent désormais d'écrans protecteurs. L'Hôpital Notre-Dame se dotait ainsi d'un service spécialisé considéré par les intéressés comme l'un «des plus modernes et des plus scientifiques[56]».

Mais alors même que la radiologie gagne en reconnaissance en tant que spécialité médicale, certains problèmes de dédoublement sont soulevés par la parenté des activités exercées au sein de certains autres services. L'on se demandait par exemple si le service de cardiologie devait à l'avenir relever de l'électroradiologie ou bien du service de cardiologie. Il n'était pas rare aussi que des praticiens, tout en se montrant favorables à l'utilisation des rayons X dans le diagnostic des fractures et de certains traumatismes, affichent un scepticisme marqué, sinon un mépris évident, face à certaines innovations radiologiques considérées comme des embarras techniques dans l'exercice de leur art. Quelques-uns affirmaient même un peu péremptoirement que «la radiographie pulmonaire ne remplacera[it] jamais le stéthoscope[57]».

Dès le début des années trente, les activités du service de radiologie sont déjà passablement diversifiées. En plus des radiographies habituelles de la plupart des régions du squelette (pied, jambe, bras, crâne, colonne vertébrale, etc.), le service est en mesure de faire des examens radiologiques des poumons, du cœur et de l'aorte, de l'œsophage, de l'estomac et du tube diges-tif, de la vésicule biliaire, de l'appareil urinaire, etc. à des tarifs variant de 10 $ à 15 $ pour les malades des salles privées, de 7 $ à 10 $ pour les malades des salles semi-privées et de 4 $ à 5 $ pour les malades des salles communes. Le personnel paramé-dical est alors surtout composé de jeunes techniciennes qui reçoivent une formation pratique sommaire sous la direction des radiologistes. Certains médecins qui s'interrogent sur la valeur de cette pratique proposent d'embaucher plutôt des gardes-malades qui ont, selon eux, l'avantage de bien connaître l'anatomie. Mais les contraintes financières favorisent l'emploi à peu de frais de ces jeunes techniciennes. En 1940, le service d'électroradiologie compte trois radiologistes, cinq techni-ciennes, une sténodactylo et une préposée aux dossiers. Ce sont généralement de jeunes femmes célibataires qui occupent ces postes, les femmes mariées étant jugées, par les sœurs hospi-talières responsables de l'embauche du personnel non médical, inaptes à bien remplir leurs devoirs. Certaines employées qui se mariaient étaient même congédiées parce qu'elles ne pouvaient pas, expliquaient les religieuses, «rendre les mêmes services qu'auparavant pour des raisons physio-pathologiques[58]». Outre cette précarisation arbitraire de l'emploi, les techniciennes exercent un métier fort dangereux. Les traitements radiothé-rapiques exigent des temps d'exposition prolongés, les modes de protection ne sont pas toujours très efficaces et les séances journalières sont fort nombreuses. Une technicienne en physio-thérapie exposée fréquemment au radium et aux rayons X se voit diagnostiquer une grave anémie. La diminution de ses glo-bules rouges et de son taux d'hémoglobine est telle qu'on lui accorde un congé de plusieurs semaines[59].

À la fin de la Seconde Guerre mondiale, le service de radiologie est bel et bien intégré à la pratique clinique et nul praticien ne saurait plus le bouder. Une réorganisation complète du service est alors amorcée sous la direction des docteurs D. Léonard et P. Brodeur qui ont succédé au docteur Laquerrière, retenu en France pendant le conflit mondial. De nombreux appareils sont ajoutés, deux assistants spécialisés en électroradiologie sont recrutés et de nouvelles techniciennes «d'expérience» sont embauchées. À partir de ce moment, le service connaîtra une spécialisation constante et un accroissement considérable de ses activités, malgré les requêtes des autorités pour que soit réduit le recours à la radiographie dans les cas non urgents. Les conséquences sur la demande et sur le coût inquiètent les administrateurs. Un exemple suffira à illustrer l'augmentation de la demande. En seulement trois ans, soit entre 1945 et 1948, le nombre des examens radiologiques s'accroît de 66 %, passant de 8809 à 14 629 examens. L'une des causes de cette augmentation est sans conteste la popularisation des assurances-hospitalisation, comme la Croix-bleue[60], qui paient les coûts des examens radiologiques à des fins diagnostiques. Le graphique 11 donne un aperçu de la progression des examens radiologiques, plus particulièrement marquée à partir de 1945. Le service représente néanmoins une source de revenus appréciable pour l'hôpital et l'on comprend que les autorités aient voulu conserver les sommes reçues et engager des radiologistes salariés. Par exemple, de 1945 à 1953, la part des revenus que rapporte le service de radiologie passe de 7,5 % à 9 % des revenus totaux de l'hôpital. Seul les revenus de la pharmacie rapportent davantage avec 8,7 % et 10 % des revenus. En 1950 et 1951, le service de radiologie rapporte 159 511 $ et 184 114 $ respectivement.

L'accroissement de la demande exerce des pressions considérables au chapitre des besoins en personnel, en équipements et en services. L'Hôpital Notre-Dame essaie de faire face à la situation dans la mesure de ses possibilités. En 1946, une technicienne en radiologie est engagée pour répondre aux urgences la nuit. Deux ans plus tard, deux nouvelles infirmières sont engagées. En 1949, à la suite de la fondation de la clinique des maladies du thorax, le docteur J. Prévost «réussit à convaincre les autorités provinciales de faire don à l'Hôpital Notre-Dame d'un appareil radiologique et de fonds nécessaires pour généraliser

GRAPHIQUE 11

Examens radiologiques, 1944-1965

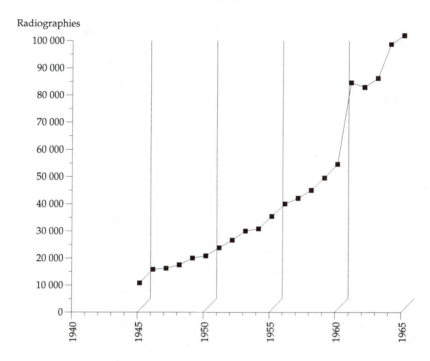

les examens pulmonaires radiologiques gratuits[61]». En 1951, l'Hôpital Notre-Dame est le premier hôpital parmi les hôpitaux canadiens-français à faire des angiocardiographies[62]. L'hôpital se dote aussi d'un orthodiagramme qui effectue des dessins en grandeur réelle des organes examinés en radioscopie.

Au début des années cinquante, la radiologie est devenue une dimension essentielle de la pratique hospitalière. Des collaborations étroites se nouent entre certains services. Ainsi, le service de neurochirurgie pratique des radiographies du crâne et de la colonne vertébrale, des artériogrammes, des myélogrammes, etc. Le service de neuropsychiatrie crée en 1950 un laboratoire d'électroencéphalographie. Trois ans plus tard, plus de 600 examens y seront effectués. Sous la direction de J.-L. Léger dès la fin des années cinquante, le service de radiologie suivra les progrès de la science radiologique tant sur le plan de la spécialisation accrue de son personnel que sur le plan de la précision de son matériel. En cela, les autorités hospitalières se conformaient aux développements inhérents à une spécialité qui atteint, dans les années cinquante, un niveau d'organisation professionnelle suffisant pour en faire un champ médical structuré et autonome. En décembre 1952, le bureau médical fait lecture d'une lettre de l'Association des radiologistes de la province de Québec qui revendique le contrôle des agents radioactifs et de «tout acte radiologique» accompli dans une institution hospitalière[63], revendication qui aurait été impensable dix ans auparavant.

Vers une spécialisation des activités chirurgicales

La chirurgie connaît dans le monde occidental un développement considérable entre 1930 et 1950. Nous avons déjà souligné les effets du perfectionnement de l'anesthésie et des méthodes d'asepsie sur la pratique chirurgicale durant les deux premières décennies du XXe siècle. Or, certains procédés d'anesthésie et les méthodes d'asepsie opératoire n'en étaient alors qu'à leur début. De nombreuses transformations théoriques et techniques ne manqueront pas de modifier les salles d'opération, les modes d'intervention, les trousses instrumentales et la structure du personnel. La chirurgie comme elle est pratiquée aujourd'hui prend en grande partie ses racines dans l'essor des techniques chirurgicales qui, surtout après la Deuxième Guerre mondiale, permettent de multiplier les types d'interventions sur l'ensemble du corps humain: chirurgie thoracique, neurochirurgie, chirurgie de organes moteurs, chirurgie plastique, etc.

La chirurgie à l'Hôpital Notre-Dame (1924-1940): un renforcement des acquis

Les premières années qui suivent le grand déménagement sur la rue Sherbrooke n'ont guère modifié sur le fond la pratique chirurgicale à l'hôpital. Divisé en deux sections, le service de chirurgie est dirigé conjointement par les docteurs Mercier et Parizeau qui se partagent de façon égale les 104 lits disponibles répartis dans 4 salles. À la suite du décès du docteur Mercier en 1929, la direction des deux services sera confiée au docteur B.-G. Bourgeois qui restera en poste jusqu'en 1943[64]. Les modifications apportées aux techniques chirurgicales jusqu'aux années quarante touchent surtout la forme des interventions sans véritablement modifier les fondements de la pratique. Les techniques d'asepsie déjà employées se renforcent; les appendicectomies, les amygdalectomies et les hystérectomies sont plus nombreuses, mais les modes d'interventions sont sensiblement les mêmes; certaines techniques d'anesthésie s'ajoutent aux précédentes, mais elles n'ont pas encore les attributs d'une spécialité reconnue au sein de l'hôpital. Il s'agit en quelque sorte, entre 1924 et 1940, d'une tranquille consolidation des acquis.

Amélioration notable, les chirurgiens de l'hôpital pouvaient désormais compter sur une salle d'opération conforme aux progrès techniques et aux nouvelles règles prescrites dans les grands hôpitaux. Précédemment éclairée par la lumière naturelle, la salle d'opération est dotée, à partir de 1926, de lampes «scialitiques». De l'avis du surintendant Mercier, «ces lampes à éclairage merveilleux, ne projetant pas d'ombre, procurent un grand confort au chirurgien et lui facilite son travail[65]». Il n'était pas rare à cette époque que l'on emploie de telles louanges pour qualifier les avantages de l'électricité. Quant au confort, celui-ci était relatif puisqu'un tel éclairage dégageait une forte chaleur qui, parfois, incommodait les chirurgiens. Équipée d'une table d'opération à articulation, d'appareils de stérilisation efficaces, d'un plancher en terrazo, etc., la salle d'opération était généralement réservée aux grandes opérations. Attenantes à celle-ci, une salle préopératoire recevait les futurs opérés et une salle de désinfection avait été aménagée. La grande salle d'opération ne constituait pas le seul lieu d'interventions chirurgicales; les petites interventions étaient encore pratiquées dans les salles communes. En outre, les services d'oto-rhino-laryngologie et de gynécologie disposaient de leur propre salle d'opération.

Mieux organisée et plus spacieuse, la salle d'opération n'est pourtant pas encore le théâtre structuré et hiérarchisé que nous connaissons aujourd'hui. L'accroissement et la spécialisation des interventions, ainsi que l'allongement de la durée de l'intervention, nécessitent de constants rajustements. Ainsi, l'allongement de la durée des opérations sous anesthésie accentue les besoins de structuration, notamment en ce qui concerne la régularité des interventions et la collaboration entre anesthésistes et chirurgiens. La pratique chirurgicale devient de plus en plus dépendante d'une équipe spécialisée. Les soins préopératoires et postopératoires qui se complexifient ajoutent aux problèmes d'organisation. Aussi, en 1926, le conseil médical décide-t-il que tous les chirurgiens devront remplir une fiche sur laquelle ils indiqueront les premiers soins à donner après l'opération. Deux ans plus tard, il est décidé d'imposer un examen médical complet avant chaque opération.

Le bureau d'administration décide en 1929 de donner son aval à un projet de construction de nouvelles salles d'opération. L'année suivante, un projet de réorganisation de la structure du service de chirurgie est élaboré par le docteur Bourgeois. Il donne lieu à la fusion des deux services existants et à l'organisation de deux sections de chirurgie dont l'une est confiée au docteur C.-A. Gagnon, assisté des docteurs A. Bellerose et C. Hébert, et l'autre au docteur L. Blagdon, assisté des docteurs J.-U. Gariépy et R. Doré. Ces chirurgiens sont rattachés au service selon un ordre hiérarchique basé sur l'ancienneté. Ces deux sections sont subordonnées au service interne de chirurgie qui est placé sous la direction du chirurgien en chef B.-G. Bourgeois. Ce dernier exerce un contrôle sur le service en effectuant une visite hebdomadaire en compagnie des chirurgiens responsables des deux sections au cours de laquelle «tous les cas sont étudiés individuellement[66]». La réforme du service de chirurgie prévoit aussi des dispositions concernant le service de consultation externe de médecine industrielle, qui est assuré à 11 heures tous les jours de la semaine par les chirurgiens de service. Quant au dispensaire de chirurgie, il continuera à offrir des soins à partir de 9 heures du lundi au samedi. Un nouveau service de chirurgie d'urgence est aussi mis sur pied; il est assuré du lundi au dimanche par le personnel régulier du service de chirurgie.

Le service de chirurgie donne généralement satisfaction aux autorités médicales, même si certains problèmes surviennent à l'occasion. Ainsi les amygdalectomies comportent à cette époque des risques assez importants. Un rapport de l'hôpital déplore «les mortalités regrettables survenues durant cette opération», mais souligne que «si les accidents sont inévitables, il est possible de les réduire[67]». Les difficultés de cette opération sont surtout liés à une anesthésie «extrêmement dangereuse». Aussi est-il décidé que désormais

> aucun adulte ne devra être opéré d'amygdales sous anesthésie générale à moins d'avoir été hospitalisé la nuit précédente; aucun enfant ne devra être opéré d'amygdales à moins d'être entré à l'hôpital depuis deux heures au moins et aucun individu ne devrait être opéré à moins d'avoir été examiné médicalement[68].

En 1934, un comité spécial, composé des docteurs L. Blagdon, J.-F. Houle, L. Gérin-Lajoie, P. Panneton et C. Hébert, est chargé de réviser les règlements des salles d'opération. Les recommandations du comité prévoient une réglementation plus sévère et des mesures aseptiques plus strictes. Par exemple, les religieuses devront à l'avenir revêtir le vêtement chirurgical aseptique et il sera interdit à la religieuse chargée de la salle d'opération de «passer d'une salle septique à une salle aseptique sans, au préalable, avoir changé de costume[69]». Le comité demande que les étudiants qui assistent aux opérations soient complètement isolés par une cloison vitrée; dans le cas contraire, ils devront revêtir le bonnet, la blouse et le masque. Les étudiants admis près de la table d'opération devront porter le costume stérilisé. Le costume du personnel de la salle opératoire comprendra un couvre-chef, un masque, une blouse et une paire de bottes. Le service de chirurgie devra posséder de la ouate stérilisée en quantité suffisante pour les pansements postopératoires ainsi que de la gaze neuve pour chaque opération. Les chirurgiens et anesthésistes seront tenus de se présenter un quart d'heure avant l'opération. Il est aussi suggéré que seules les gardes-malades diplômées soient affectées à la salle d'opération. Le comité suggère enfin des mesures visant à faire respecter le silence dans les salles d'opération. Les recommandations du comité sont entérinées par le conseil médical et de nouveaux fonds sont alloués par le conseil d'administration pour l'amélioration des salles.

Certaines innovations, telles que le port obligatoire du masque opératoire ou l'achat d'un bistouri électrique en 1935, feront peu à peu partie des pratiques et des équipements standard, mais d'autres ajustements s'avéreront nécessaires. Ainsi constate-t-on que le masque opératoire utilisé ne donne pas entière satisfaction. Certaines suppurations survenant peu après les opérations seraient dues «à l'insuffisance des masques employés[70]». Quant au bistouri électrique, il semble que certaines défectuosités techniques en aient retardé l'usage. D'autres problèmes se révèlent plutôt cocasses. Le docteur Bourgeois doit, par suite d'une difficulté dans l'approvisionnement en eau stérilisée, faire bouillir l'eau et ensuite la faire refroidir dans la neige avant d'effectuer des interventions chirurgicales.

La chirurgie à l'Hôpital Notre-Dame (1940-1960): un développement accéléré

Après la Seconde Guerre mondiale, les services de chirurgie feront l'objet de nouveaux règlements visant à rendre plus rigoureuses les règles concernant le fonctionnement des salles d'opération, les procédures d'anesthésie et les procédés d'asepsie. En 1946, un comité médico-anesthésico-chirurgical, composé des docteurs J.-U. Gariépy, J.-F. Houle, R. Dufresne et du directeur médical, J.-R. Boutin, proposera une série de recommandations qui seront entérinées par le conseil médical le 10 avril 1946. Selon ces recommandations, toute intervention sous anesthésie générale sera précédée d'un examen préopératoire qui, au «strict minimum», devra comporter un examen clinique du cœur, des poumons, du pouls, de la respiration, de la température et de la tension artérielle, ainsi que d'une série d'examens de laboratoire qui devront comprendre, pour tout adulte de plus de 25 ans, des analyses des urines et du niveau d'azotémie et de glycémie. Chaque feuille d'opération devra indiquer le diagnostic préopératoire et le motif qui justifie l'intervention. La préparation du malade — rasage, désinfection, etc. — doit être effectuée la veille de l'intervention pour accélérer la rotation des opérations. Les conditions d'accessibilité à la salle d'opération deviennent alors plus sévères et, outre le personnel chirurgical, seuls les médecins ont le droit d'assister aux interventions. Toute autre personne doit obtenir une autorisation du directeur médical.

Les règles d'asepsie sont renforcées. L'équipe chirurgicale doit revêtir avant de pénétrer dans le bloc opératoire le costume stérilisé complet composé d'un masque, d'un couvre-chef, d'une blouse et de souliers stérilisés. Chose nouvelle, le chirurgien doit inscrire au dossier le protocole opératoire immédiatement après chaque opération et est responsable de l'envoi des pièces anatomopathologiques au laboratoire. Le chirurgien doit rigoureusement inscrire au dossier l'évolution postopératoire de l'opéré, son état lors de son congé et la durée approximative de la convalescence. Les règlements stipulent de plus que seuls les chirurgiens de carrière reconnus ainsi que ceux «qui possèdent au moins le titre d'assistant universitaire à l'enseignement clinique» ont le droit d'opérer à l'Hôpital Notre-Dame. Soulignons que la pose des plâtres et les curetages utérins sont considérés comme des interventions chirurgicales[71].

Deux ans plus tard, soit en 1948, un «comité d'asepsie» formé des docteurs J.-U. Gariépy, A. Bertrand, R. Simard, C. Bertrand, J.-F. Houle et de l'hospitalière des salles d'opération, sœur Laurette Proulx, présentent certaines recommandations pour améliorer la prévention des infections opératoires, recommandations qui reflètent les nouvelles exigences très sévères d'une chirurgie qui accroît ses modes d'interventions et qui, conséquemment, multiplie les risques d'infection. Essentiellement, le comité propose:

— de rendre obligatoire la déclaration, au bureau du directeur médical, de toutes les infections postopératoires, lesquelles pourront être l'objet d'une enquête;

— d'établir un contrôle rigoureux et mensuel, par le laboratoire, de la stérilisation des instruments, des vêtements, des champs opératoires, du matériel de suture, etc., ainsi que de la «valeur stérilisante des fours à chaleur sèche»;

— d'employer une technique uniforme d'asepsie pour tout le personnel qui approche les tables d'opération: chirurgiens, assistants, internes, gardes-malades, infirmiers, etc.;

— de maintenir le comité d'asepsie en permanence, qui jouira d'une autorité reconnue par le conseil médical pour procédér aux enquêtes concernant les infections[72].

D'autres recommandations tout aussi strictes concernent les objets stérilisés et l'aseptisation des mains: après un lavage préliminaire des mains à l'eau chaude et au savon, le brossage des mains, d'une durée minimale de 10 minutes, doit couvrir les ongles, les interstices digitaux ainsi que les plis cutanés, et ce jusqu'aux plis du coude. Les mains doivent ensuite être passées à l'alcool et asséchées sans essuyage. Les brosses doivent être stérilisées à l'autoclave et ne doivent servir qu'une seule fois entre chaque stérilisation. Chaque nouvel interne et chaque nouvelle garde-malade doivent être initiés à cette procédure. Selon les directives du comité, le patient sera l'objet, la veille de l'opération, d'un rasage de la zone opératoire et d'un lavage de la peau au «savon vert» de la région ombilicale et des «plis inguineux», après quoi sera appliqué un champ stérile. À la salle d'opération, il sera à nouveau soumis à un lavage de la peau au savon vert, à un rinçage à l'eau stérilisée, à un «décapage» de la peau avec un mélange d'alcool et d'éther et à une application d'une solution antiseptique telle la teinture alcoolisée. Le personnel qui procède à la préparation du champ opératoire doit porter des gants qu'il retirera au moment de revêtir l'uniforme chirurgical aseptique. Les compresses contenant du sulfate de baryum et les tampons doivent être comptés avant et après l'opération, mesure qui permet d'éviter leur oubli dans la cavité abdominale. Enfin, tous retireront les vêtements ayant servi durant l'opération dans la salle d'opération[73]. L'ensemble des directives énumérées ci-dessus valaient pour la totalité des blocs opératoires: service de chirurgie, de gynécologie, d'oto-rhino-laryngologie et d'ophtalmologie. De telles mesures préventives, qui témoignent du chemin parcouru depuis l'introduction des procédures antiseptiques et aseptiques par le docteur Mercier durant les premières décennies du XXe siècle, répondaient amplement aux exigences formulées par l'American College of Surgeons et par tous les corps chirurgicaux des grands hôpitaux occidentaux.

Si les procédures aseptiques engendrent des dépenses importantes — achat de tampons, compresses, ouates, produits stérilisés, etc. —, les salles d'opération constituent toutefois une source appréciable de revenus pour l'hôpital. En 1950, celles-ci rapportent 111 302 $, représentant 5,3 % des revenus totaux de l'hôpital. L'année suivante, cette part grimpe à 135 452 $, soit

5,4 % des revenus. De 1945 à 1953, la proportion des revenus des salles d'opération passe de 4 % à 6,3 %. Il faut dire que l'augmentation du nombre d'interventions est importante durant cette période, et cette tendance s'accentuera jusqu'en 1960 (voir le graphique ci-dessous).

GRAPHIQUE 12

Opérations chirurgicales, 1935-1965

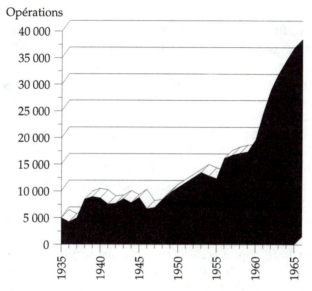

LA SPÉCIALISATION DES SERVICES CHIRURGICAUX

Les années quarante marquent les véritables débuts de la spécialisation chirurgicale telle que nous la connaissons aujourd'hui. Certes, il y avait bien eu, en 1926, la création d'un nouveau service de chirurgie en urologie dirigé par le docteur B.-G. Bourgeois, de même qu'un service chirurgical en gynécologie et en oto-rhino-laryngologie, mais la plupart des interventions chirurgicales étaient réalisées par des chirurgiens généraux. Soulignons d'ailleurs que le service de chirurgie n'instaure la résidence qu'en 1944[74]. À compter de la fin du second conflit mondial, la chirurgie connaîtra un nouvel essor dans tout le monde occidental.

En 1943, une section de broncho-œsophagologie est mise sur pied et l'Hôpital Notre-Dame organise un service de chirurgie du larynx. Déjà en 1945, il est question d'instaurer la chirurgie plastique à l'hôpital. Ce service sera finalement créé en 1948, en même temps que le service de chirurgie de la main. En 1946, le bureau d'administration accorde une somme de 10 000 $ pour la création d'un service de neurochirurgie à l'hôpital. L'organisation en est confiée au docteur C. Bertrand, de retour d'un stage à Oxford, en Angleterre. L'année suivante, en collaboration avec ce dernier, le neuroradiologue J.-L. Léger introduit, pour la première fois en Amérique du Nord, l'artériographie cérébrale dans le service de neurochirurgie, pour l'investigation du traumatisme crânien[75].

En 1948, les services de chirurgie de l'Hôpital Notre-Dame (chirurgie générale, thoracique, plastique, neurochirurgie) sont jugés suffisamment développés et conformes aux normes scientifiques contemporaines pour recevoir une attestation du Collège royal des médecins et chirurgiens du Canada[76]. Deux ans plus tard, le service de chirurgie reçoit la même reconnaissance de l'American College of Surgeons pour son programme d'internat[77]. Il faut noter que les autorités médicales avaient fait un effort constant pour satisfaire aux exigences scientifiques de l'American College of Surgeons. Par exemple, en 1949, le service de chirurgie impose à son personnel des réunions bihebdomadaires pour «étudier les cas du service, les dossiers et discuter les mortalités[78]». S'ajoutent à celles-ci une réunion mensuelle où il est demandé «à tous les chirurgiens et à leurs internes de faire l'analyse des revues[79]». Remplir les exigences difficiles de la science chirurgicale et parfois même les dépasser, et ce malgré les incessantes difficultés économiques, devient désormais une préoccupation de l'hôpital. La fonction scientifique de l'Hôpital Notre-Dame, à l'aube de la décennie 1960, ne saurait plus être mise en veilleuse. Elle deviendra jusqu'à aujourd'hui l'une de ses caractéristiques les plus évidentes.

Par suite du perfectionnement de l'anesthésie et de la réorganisation de ce service à l'Hôpital Notre-Dame, le service de chirurgie se voit augmenté, au début des années cinquante, d'une section spéciale de chirurgie thoracique et cardiaque. Il faut souligner ici qu'avant la mise au point de la circulation extracorporelle à l'aide du cœur-poumon artificiel[80], les possibilités d'interventions cardiovasculaires étaient généralement limitées au péricarde[81]. La mise au point de cet appareil par le docteur J. Gibbon, qui l'utilise pour la première fois sur un être humain en 1953, rend possibles de nouvelles interventions. Le docteur E.-D. Gagnon est, au début des années cinquante, l'un des premiers chirurgiens canadiens à effectuer une opération à cœur ouvert dans le cas d'une sténose mitrale. Déjà en 1952, les chirurgiens de l'Hôpital Notre-Dame auront pratiqué 52 chirurgies cardiovasculaires, domaine particulièrement difficile qui fera plus tard la renommée de l'hôpital. Entre 1950 et 1952, quelque 56 patients subissent ce que l'on appelle dans le jargon médical des «commissurotomies», opérations délicates effectuées sur les valvules du cœur. En 1952, le docteur C.-E. Hébert émettait l'opinion fort juste, que «l'ère 1950-1960 sera celle de la chirurgie du cœur, de la chirurgie traumatique et des malformations congénitales[82]». L'avenir, nous le verrons dans le prochain chapitre, lui donnera raison. En 1953, les chirurgiens réalisent 272 interventions chirurgicales thoraciques réparties comme suit: 28 interventions intracardiaques, 19 interventions sur les gros vaisseaux, 60 interventions intra-pleurales et 165 extra-pleurales.

De nombreuses interventions chirurgicales intra-abdominales sont aussi effectuées en 1953, soit: 612 interventions gynécologiques, 396 appendicectomies, 293 interventions sur les voies biliaires, 147 sur les intestins, 102 sur l'estomac et 74 interventions obstétricales. Plusieurs interventions concernent la région des organes génitaux, la colonne vertébrale et les membres. Le champ d'intervention de la chirurgie ne cessera de s'étendre jusqu'à nos jours et englobera presque tous les organes du corps humain. Par exemple, la chirurgie des yeux connaît des progrès considérables. La première greffe de cornée effectuée à l'Hôpital Notre-Dame par le docteur Mathieu, en 1957, grâce à la nouvelle banque d'yeux, annonçait ce qui allait, conjointement avec la chirurgie cardiaque, devenir l'une des innovations chirurgicales majeures dans les décennies soixante-dix et quatre-vingt: les transplantations d'organes.

Entre 1945 et 1960, la spécialisation des activités chirurgicales amène l'introduction de nouvelles procédures et de nouveaux codes opératoires et permet la diversification des instruments chirurgicaux. Cependant, un tel déploiement et un tel raffinement de la chirurgie n'étaient possibles que dans la mesure où, d'une part, les sciences expérimentales médicales — physiologie, neurologie, endocrinologie, etc. — et paramédicales — biophysique, biochimie, pharmacologie — étaient suffisamment développées et où, d'autre part, les procédés de stérilisation, de transfusion et surtout d'anesthésie s'étaient améliorés et avaient atteint un niveau de perfectionnement qui en faisait des services spécialisés et hautement sophistiqués.

Le développement de l'anesthésie

Au moment où le service de chirurgie emménage dans ses nouveaux locaux, le service d'anesthésie est encore plutôt mal défini au sein de la structure hospitalière. Non perçue comme une spécialité, l'anesthésie est considérée comme une tâche subalterne que doivent assumer l'interne de service et quelques médecins de l'hôpital. En l'absence d'une structure définissant les attributions, les rémunérations et les responsabilités de chacun des anesthésistes, le service donne lieu à de nombreux conflits et à de constantes récriminations. Il n'est pas rare, par exemple, que le service de chirurgie soit dans l'impossibilité de trouver un anesthésiste pour le service de nuit. Une clause donnant au patient le choix de l'anesthésiste entraîne aussi des frictions entre les intéressés. En outre, le mode de rémunération en usage pour les médecins de l'hôpital — honoraires pour les cas privés et gratuité pour les autres — convient mal à un service ayant à faire face aux demandes de tous les services chirurgicaux. De plus, certains conflits d'intérêts provoquent des retards importants dans la planification des interventions chirurgicales.

C'est pourquoi les autorités médicales décident, en 1927, de procéder à une réorganisation complète du service d'anesthésie. L'anesthésie devient alors un service auxiliaire du service de chirurgie. Les anesthésistes seront désormais des salariés de l'hôpital placés sous la direction du surintendant et ils devront à tour de rôle assurer un service de garde hebdomadaire. Cette restructuration, qui survient au moment où augmente le nombre de grandes interventions chirurgicales et où les procédés d'anesthésie se complexifient (cyclopropane,

Campagne de souscription annoncée dans La Presse, *en 1930: elle rapportera plus de 1 250 000 $ en une semaine.*

Des membres de l'Association des dames patronnesses, en 1930.

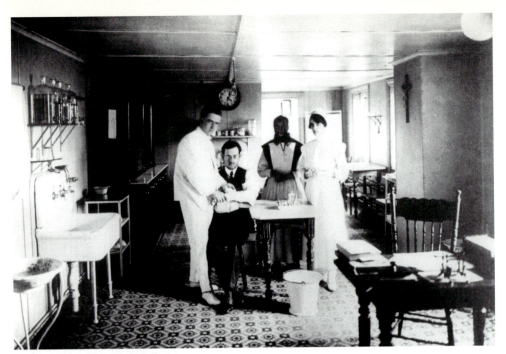

Le dispensaire de chirurgie, 1905.

L'Hôpital Saint-Paul pour maladies contagieuses (à l'emplacement de l'actuel Pavillon Lachapelle). Au fond, la résidence des religieuses et des infirmières. 1905.

illon Deschamps, première aile 1922

Le nouvel Hôpital Notre-Dame, rue Sherbrooke, 1922. Une aile construite en 1930 complétera l'édifice.

Un groupe de médecins de l'hôpital en 1930. Trois d'entre eux seront doyens de la Faculté de médecine de l'Université de Montréal.

La pharmacie, en 1929.

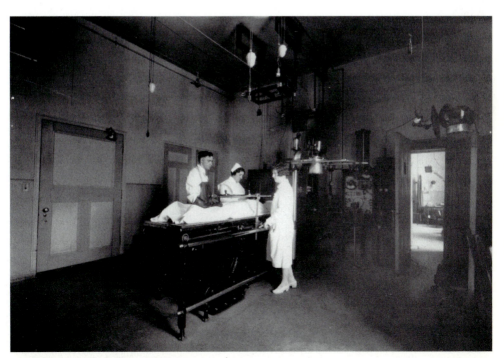

Le laboratoire de radiologie, en 1929.

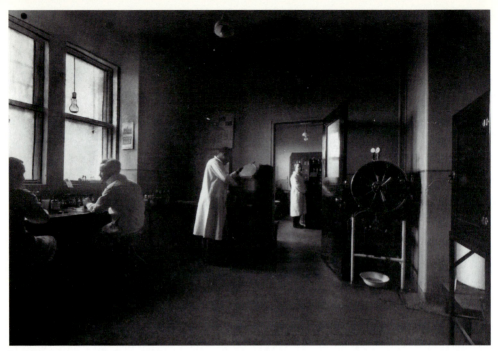

Le laboratoire central, en 1929.

La bibliothèque médicale vers 1950.

Les cuisines. 1930.

La buanderie. 1930.

L'Hôpital Notre-Dame occupe, en 1990, plus des trois quarts du quadrilatère sur lequel il est situé.

protoxyde d'azote, etc.), constitue l'un des premiers pas vers l'autonomie du service. Mais les problèmes ne sont pas pour autant résolus. En 1929, aucun service d'anesthésie n'est assuré la nuit et il n'est pas rare que les anesthésistes se présentent en retard à la salle d'opération. L'année suivante, une réunion spéciale du conseil médical est convoquée pour remédier aux nombreuses plaintes dont fait l'objet le service: problème d'assiduité, absence d'anesthésistes pendant les services de nuit, absence injustifiée, problème de qualification des anesthésistes, etc. Les services d'urgence sont parfois paralysés, comme le rapporte le conseil médical: «Il n'y a actuellement que deux anesthésistes sur quatre qui sont qualifiés pour administrer l'anesthésie par le gaz, ce qui rend le service d'urgence tout particulièrement difficile[83].»

Le conseil médical décide alors de nommer un responsable du service, le docteur Houle, et d'instituer des voyages d'études post-universitaires pour permettre aux membres du service de parfaire leurs connaissances de l'anesthésie. Leur est accordé à cette fin un montant de 100 $. Il est aussi résolu d'engager un autre anesthésiste à temps plein (le docteur Laurendeau) et deux anesthésistes à temps partiel (les docteurs Brosseau et Racicot), lesquels seront assistés par des infirmières. Ces mesures se justifient par le fait que les interventions chirurgicales requérant une anesthésie générale sont de plus en plus nombreuses. Par exemple, entre les mois d'avril et de décembre 1930, près de 2000 opérations, dont 646 amygdalectomies, nécessitent la présence d'un anesthésiste[84]. Mais la pratique anesthésique demeure encore perçue comme une section subalterne des activités chirurgicales. Une preuve nous en est donnée par la décision du conseil médical en 1930 de diminuer les dépenses engagées pour la rémunération des anesthésistes en utilisant à l'occasion «les services d'infirmières comme anesthésistes, sous la direction de médecins spécialisés[85]».

En 1939, un règlement du Collège des médecins et chirurgiens stipule que l'anesthésie ne peut être administrée que par un médecin. Si les internes sont encore autorisés à pratiquer l'anesthésie, sous réserve d'une approbation du chef du service, pour tous les cas d'urgence des salles communes, les infirmières, par contre, se voient interdire l'accomplissement d'un tel acte médical. Cependant, le conseil médical considère que lors d'une «anesthésie à la reine», il suffit qu'un médecin diplômé soit présent dans la salle d'accouchement. Malgré une réglementation plus sévère, le docteur Latraverse, oto-laryngologiste de l'hôpital, se plaint, quatre ans plus tard, des problèmes causés par le manque de formation des anesthésistes qui se révèlent incapables d'exécuter de façon sûre l'anesthésie intra-trachéale nécessaire aux laryngectomies.

> À cause de cette déficience, au cours du présent mois, deux patients privés, hospitalisés pendant deux à quatre semaines et prêts à être opérés ont quitté l'hôpital. Ils auraient été un excellent apport à l'hôpital tant du point de vue financier qu'au point de vue prestige scientifique[86].

Le service d'anesthésie a peine à suivre l'évolution des techniques chirurgicales des différentes spécialités de l'hôpital. De nombreuses anesthésies sont alors effectuées au cyclopropane. L'hôpital avait dû se doter en 1939 d'un troisième appareil pour répondre à la demande croissante de ce type d'anesthésie. Les besoins en anesthésies locales et générales sont énormes. Certaines opérations nécessitent des procédés anesthésiques complexes et délicats — tels que l'anesthésie au «penthotal continu» — que peut certes employer l'anesthésiste en chef[87] mais que ne sont pas toujours en mesure d'appliquer les autres anesthésistes de l'hôpital.

Au début des années cinquante, le service d'anesthésie de l'Hôpital Notre-Dame est subdivisé en sous-services: anesthésie de routine, salles de soins préopératoires et postopératoires, service d'oxygénothérapie et clinique de la douleur[88]. Le personnel se compose alors de six anesthésistes, de deux élèves et d'un résident. Au moment où les anesthésies sont considérées de plus en plus comme relevant d'une spécialité autonome et hautement sophistiquée, les restrictions deviennent de plus en plus nombreuses.

Le docteur Lamoureux, dans une allocution prononcée à l'Hôpital Notre-Dame en 1949, définissait l'anesthésiste comme «un homme de science, un médecin, un spécialiste qui connaît parfaitement les agents et leurs propriétés physiologiques, les

méthodes et les techniques anesthésiques» ainsi que les
«fonctions du corps humain et la disposition du système nerveux[89]». Soucieux de convaincre son auditoire, l'auteur ajoute:
«L'anesthésiologiste est un pharmacologiste, un anatomiste, un
physiologiste et un biochimiste[90].» Rien de moins! L'enthousiasme du docteur Lamoureux est révélateur du statut encore
précaire de l'anesthésiste au sein de l'hôpital. En tant que représentant d'une fonction encore mal reconnue, il doit en surva-
loriser les attributs. Néanmoins, le docteur Lamoureux définit
avec précision le rôle central qu'est appelé à jouer l'anesthésiste
dans le domaine chirurgical.

Il faut dire que les activités anesthésiques deviennent de
plus en plus importantes au sein de l'hôpital. Le nombre des
anesthésies, entre 1948 et 1952, tourne autour de 7300, et plus
du tiers de ces activités sont liées à la chirurgie générale. La
variété des agents anesthésiques utilisés selon trois formes
générales d'intervention — anesthésie générale, rachianesthésie
et anesthésie locale — s'est aussi considérablement accrue. Le
penthotal[91] est alors le plus utilisé, avec près du tiers des
opérations, suivi du curare, du cyclopropane[92] et du protoxyde
d'azote avec respectivement 18,1 %, 16 % et 12,8 % des cas.
L'usage de l'éther demeure encore passablement courant pour
des anesthésies mineures, utilisé dans 7,2 % des interventions.
Des produits tels que le trichloréthyle, le vinéthylène[93], la
novocaïne, la pontocaïne ou la nupercaïne sont aussi utilisés.

Un code rigoureux de procédures établi selon des critères
scientifiques précis définit alors les interventions anesthésiques
en relation conjointe et constante entre tous les membres de
l'équipe chirurgicale: «L'organisation d'un service moderne
d'anesthésie doit tout de suite mettre à sa base l'idée de groupe
et non l'idée individuelle[94].» Les tâches de l'anesthésiste
deviennent de plus en plus spécialisées:

> En plus des devoirs principaux de l'anesthésiste, d'admi-
> nistrer tous les genres d'anesthésie, tels que l'anesthésie par
> inhalation, l'anesthésie rachidienne, l'anesthésie intra-
> veineuse, l'anesthésie régionale, l'anesthésie rectale,
> l'anesthésie par infiltration, etc., on lui confie encore ce
> qu'on nomme des devoirs associés, et ce sont les soins pré-
> opératoires, per-opératoires et post-opératoires[95].

Le docteur Lamoureux s'efforcera de mettre en pratique de telles prescriptions. Ainsi le rapport des activités du service d'anesthésie pour l'année 1952 souligne l'importance de la visite préopératoire afin d'assurer au patient une sécurité plus grande et le choix d'un anesthésique conforme au type d'intervention chirurgicale. Les activités de l'anesthésiste pendant et après l'opération se sont aussi complexifiées: fluido-thérapie; transfusions; médications inhibitrices, stimulantes et sédatives; contrôle du pouls, de la pression artérielle et de la respiration; etc., activités qui demandent, on le comprend, une connaissance de la thérapeutique circulatoire et respiratoire ainsi que des effets physiologiques des anesthésiants. Ses activités se prolongent jusqu'à la salle de réanimation où il doit assurer la surveillance des opérés et les accidentés. En 1950, le service d'anesthésie ne satisfait pas encore à toutes les exigences, mais cela ne saurait tarder. Le docteur Lamoureux définit les nouveaux défis de la spécialisation:

> L'anesthésie sous *toutes* ses formes, dans toutes ses techniques, dans *tous* ses genres, soins pré-, per-, et post-opératoires combinés avec l'oxygénothérapie dans une salle de réanimation bien organisée, enseignement, clinique de la douleur, statistiques, recherches, publications, tels sont les devoirs de l'anesthésie moderne qui en font une véritable spécialité[96].

Dix ans plus tard, de telles conditions seront remplies. La «science du sommeil» avait alors acquis suffisamment de maîtrise pour permettre au chirurgien de faire reculer les frontières de son intervention.

Les recherches en pharmacologie et en physiologie ont largement contribué à améliorer l'efficacité et la sécurité des anesthésies générales. L'étude cinétique des gaz inertes a, par exemple, grandement amélioré la connaissance de l'anesthésie par inhalation. De même, une meilleure compréhension des facteurs métaboliques mis en jeu par les anesthésiques ainsi que du phénomène du choc opératoire, doublée d'une amélioration des techniques de transfusion sanguine et d'administration de l'oxygène, a largement favorisé la progression d'une anesthésie plus sûre et mieux contrôlée qui a permis les interventions prolongées et délicates, comme la chirurgie cardiovasculaire et la grande chirurgie thoracique. L'anesthésie et la chirurgie ne cesseront d'ailleurs de se perfectionner en une constante interaction.

Les problèmes de la transfusion sanguine: des pratiques circonstancielles à la pratique standardisée

Parallèlement à l'anesthésie sur laquelle reposent certaines interventions chirurgicales, les problèmes liés à la transfusion sanguine[97] s'avèrent, on le conçoit aisément, de première importance. La sécurité et la réussite de certaines opérations dépendaient des techniques d'approvisionnement en sang et de transfusion. Jusqu'à l'arrivée de la Croix-Rouge qui assurera l'approvisionnement en sang à l'Hôpital Notre-Dame à partir de 1949, les problèmes seront nombreux.

C'est au début des années trente qu'est fondée la première banque de sang à l'hôpital[98]. Une démarche en ce sens avait été faite par le conseil médical qui souhaitait, devant «la nécessité fréquente de pratiquer la transfusion sanguine chez certains malades hospitalisés», trouver facilement «des donneurs de sang appropriés[99]». Nous ne savons que peu de choses sur son fonctionnement. Signalons simplement que l'on faisait appel soit à un «donneur professionnel», soit à un membre de la famille du patient à qui l'on offrait une légère rémunération. En 1933, une lettre du Conseil des hôpitaux proposait de fixer le tarif des «donneurs professionnels» pour chaque transfusion à 20 $[100]. Le docteur Bertrand propose de prendre «en quantité, du sang des membres d'une famille pour servir de donneur à l'un des leurs[101]». Des membres de certains mouvements populaires sensibilisés aux besoins des hôpitaux se portaient parfois volontaires. C'est le cas notamment des Chevaliers de Colomb qui offrent leurs services à l'Hôpital Notre-Dame[102].

Généralement, les membres du conseil favorisent les donneurs bénévoles plutôt que les donneurs professionnels. Mais les premiers ne peuvent combler tous les besoins alors que les seconds ne peuvent servir, en raison des coûts engendrés, qu'en situation d'urgence. Il fallait envisager d'autres solutions. Parmi celles-ci, certaines ne manquent pas d'étonner. Le docteur

Gariépy, lors d'une réunion du bureau médical en 1938, fait référence aux expériences effectuées sur une grande échelle par le chirurgien soviétique S. S. Judine qui utilise du sang de cadavre pour les transfusions[103]. Le docteur Simard propose plutôt l'utilisation du sang placentaire recueilli immédiatement après les accouchements. Hésitant devant ces propositions, le conseil médical décide de former un comité pour étudier «les moyens à prendre pour recueillir du sang[104]» à coût réduit. Peu de temps après, le docteur Bertrand, qui s'était informé de la technique de conservation du sang placentaire utilisée par le docteur Goodhall au Saint Mary's Hospital, fait rapport au bureau médical. Mais l'on se montre peu convaincu puisque cette technique exigeait un personnel bien formé pour garantir un sang aseptique. De toute façon, s'interroge un médecin du conseil, le sang placentaire n'appartient-il pas à l'enfant? La discussion prenait parfois des allures byzantines[105]. Finalement, le bureau rejette l'utilisation du sang placentaire qui avait le désavantage de ne fournir qu'une petite quantité de sang. Quant au sang de cadavre, les «donneurs» sont rares — peu de morts subites surviennent à l'hôpital — et les risques de contamination sont élevés. Les autorités médicales doivent donc se reporter sur les moyens précédents. Quatre ans plus tard, le problème fait à nouveau l'objet de discussions au bureau médical et de nouvelles solutions sont proposées. Le docteur Simard demande: «Les saignées thérapeutiques, fréquemment exécutées en médecine, du moins par le passé, peuvent-elles être de quelque utilité comme sang conservé[106]?» Non, répond le docteur de Guise, un tel sang «serait d'un emploi dangereux». Quant au docteur Bertrand, il rappelle à ses confrères «le danger des transfusions, même de faible volume, avec du sang de groupes différents[107]». Encore une fois, les autorités doivent se reporter aux solutions précédentes: donneurs professionnels, donneurs bénévoles et membres de la famille du patient.

De telles discussions sont la conséquence d'une augmentation considérable des besoins en sang au début des années quarante. Il s'agit en fait de la première crise d'approvisionnement qui affecte sérieusement l'hôpital. Soulignons qu'entre 1942 et 1943, le nombre de transfusions s'accroît de 67 %, grimpant de 780 à 1302[108]. Quelques accidents ne manquent pas de se produire à la suite d'une erreur de groupe, d'une incompatibilité ou d'une infection. L'augmentation des besoins est telle qu'en 1948, le laboratoire ne peut plus répondre aux demandes d'analyse du facteur rhésus. Aussi n'est-ce pas sans soulagement que, l'année suivante, les autorités médicales — particulièrement les chirurgiens — accueillent la prise en charge par la Croix-Rouge canadienne de la collecte de sang, de la détermination des groupes sanguins ainsi que de la distribution du sang. Les banques de sang des hôpitaux désormais alimentées par la Croix-Rouge permettront de répondre aux besoins grandissants. En 1951, la banque de sang de l'hôpital, sous la direction du laboratoire d'hématologie, manipulera 7716 bouteilles de sang et 48 bouteilles de plasma sanguin. Deux ans plus tard, le même service effectue, grâce à une subvention du Conseil national de recherche scientifique, certains travaux liés à «la transfusion de sang irradié». Selon le docteur Bertrand, ces recherches ont «permis d'obtenir du point de vue clinique des résultats surprenants qui se sont manifestés par une guérison plus rapide de la plupart des patients transfusés[109]». L'Hôpital Notre-Dame était alors le seul hôpital canadien à utiliser ce nouveau traitement des infections.

Les maladies et leur traitement

Les catégories de patients et les principales maladies

Irréversiblement tourné vers une augmentation des activités diagnostiques, thérapeutiques et scientifiques, l'Hôpital Notre-Dame s'efforcera de réduire la durée de séjour des patients pour accroître le nombre des admissions. Au terme de la période étudiée ici, c'est-à-dire au début des années soixante, l'Hôpital Notre-Dame est un complexe hospitalier hautement spécialisé correspondant aux grands hôpitaux urbains contemporains. Mais l'Hôpital Notre-Dame conserve encore longtemps une certaine vocation «philanthropique» si l'on considère qu'encore en 1959 le quart des 18 000 patients hospitalisés sont des patients considérés comme «indigents[110]», c'est-à-dire jugés incapables de payer leurs frais d'hospitalisation[111]. Quant aux patients semi-privés, constituant 51 % de la clientèle, ils ne supportaient qu'une partie des coûts d'hospitalisation. Or avec seulement 13 % de la clientèle — constituée des patients privés — qui paie la totalité de ses frais d'hospitalisation, l'on comprend que les autorités médicales et administratives aient jugé nécessaire d'abaisser la durée de séjour des patients.

La multiplication et la précision des moyens diagnostiques et thérapeutiques ne pouvaient que favoriser la réduction de la durée moyenne des soins à l'hôpital. De même, la spécialisation des hôpitaux permettait à l'institution de placer les convalescents et les malades chroniques dans des institutions mieux adaptées à ce type de clientèle. De plus, l'amélioration des services externes, l'ouverture d'un service d'obstétrique et la diminution du nombre des infections postopératoires ont contribué à raccourcir le séjour des patients à l'hôpital. En 1925, le séjour moyen s'élève à 19 jours alors que, 25 ans plus tard, il s'est abaissé à 14 jours (voir le graphique 13). La diminution de la proportion des patients non payants et l'augmentation des patients semi-privés ont aussi contribué à réduire la durée globale de séjour puisque les patients des salles communes demeurent plus longtemps à l'hôpital que les autres patients. Malgré ces écarts de durée, il reste que, dans l'ensemble, tous les patients profitaient de l'évolution des traitements et que leur séjour était d'autant raccourci que le traitement était efficace et précis.

Contrairement à l'idée généralement répandue, il n'y a pas véritablement d'apparition de nouvelles maladies au cours de la première moitié du XXe siècle, telles que le cancer ou les troubles cardiovasculaires. Ces maladies existaient depuis longtemps et étaient bien connues des médecins au XIXe siècle. En 1881, l'hôpital avait accueilli 12 patients atteints de cancer. Simplement, le progrès des connaissances sur la physiologie humaine et sur l'environnement cellulaire du corps humain a permis de préciser l'étiologie, de classifier de façon plus exacte les maladies, de raffiner le diagnostic, le pronostic et, par voie de conséquence, la thérapeutique. Un simple coup d'œil sur un traité de classification internationale des maladies (CIM[112]) rend évident l'extraordinaire enrichissement, tout au long du XXe siècle, du vocabulaire médical et de la nosologie des maladies. Les dossiers médicaux de l'Hôpital Notre-Dame ne font pas exception. Les grandes

GRAPHIQUE 13

Durée moyenne de séjour
à l'Hôpital Notre-Dame, 1924-1960

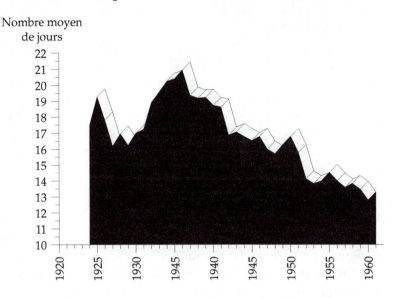

classifications dont nous avons fait état précédemment — maladies zymotiques, maladies constitutionnelles, etc. — sont modifiées, élargies ou sont remplacées par de nouvelles catégories telles que les maladies des glandes endocrines, de la nutrition et du métabolisme. Mentionnons, à titre d'exemple, les «maladies infectieuses et parasitaires» qui regroupent 136 sous-divisions. Bref, à l'acuité de l'investigation correspond la complexification de la nosologie.

Probablement est-ce cet alourdissement nosologique qui a poussé les autorités de l'Hôpital Notre-Dame à ne plus inscrire dans le rapport annuel, à partir des années trente, la liste des maladies soignées à l'hôpital. Ce retrait prive l'historien de données essentielles et rend impossible le type d'analyse effectuée pour la période précédente. Nous disposons cependant de données suffisantes pour rendre compte succinctement des principales maladies soignées à l'hôpital, de l'évolution des soins ainsi que des principales thérapeutiques qui ont marqué cette phase de l'histoire de l'institution.

Nous avons vu précédemment que les maladies contagieuses infectieuses constituaient les pathologies les plus importantes traitées à l'Hôpital Notre-Dame. Or l'amélioration des mesures d'hygiène et les politiques d'intensification de la vaccination en territoire québécois, ainsi que la fermeture de l'Hôpital Saint-Paul et la prise en charge des contagieux par l'Hôpital Saint-Luc en 1933 entraînent une nette diminution du nombre des maladies contagieuses soignées à l'Hôpital Notre-Dame au profit d'une augmentation des cas d'accidents et de traumatismes et des maladies fonctionnelles telles que les maladies de l'appareil digestif ou des organes génito-urinaires. Mais peu à peu, les deux grandes formes de pathologies du XXᵉ siècle, maladies cardiovasculaires et cancers, occuperont un espace grandissant au sein de l'univers hospitalier.

Les statistiques fiables quant aux principaux types de cancer soignés à l'Hôpital Notre-Dame ne débutent qu'en 1942. Elles révèlent une nette prédominance des cancers du sein et du col de l'utérus, suivis par les cancers de la peau, de l'estomac, du côlon et du rectum. Le nombre de cas de cancer du poumon ne devient important qu'à partir de 1950. Ce sont donc les femmes qui sont les plus représentées puisque les cancers du sein et du col de l'utérus constituent pour, l'année 1943, plus de 38 % de tous les cas traités à l'Hôpital Notre-Dame. La proportion diminue en 1953 avec 22 %, mais elle demeure importante. Jusqu'à la fin de la Seconde Guerre mondiale, la moyenne annuelle des consultations de dépistage au Centre anticancéreux, environ 200, est relativement basse. Mais bientôt, les efforts de sensibilisation au dépistage précoce de la maladie qui permet d'accroître les possibilités de guérison donnent des résultats. Le graphique 14 montre bien l'accroissement considérable des consultations entre 1945 et 1952.

Phénomène intéressant, alors que, au cours de la période précédente, on enregistre globalement un plus grand nombre d'admissions masculines que d'admissions féminines, la situation s'inverse à compter de 1925; on compte cette année-là 2589 femmes comparativement à 2087 hommes. Ce renversement, illustré dans le graphique 15, marque le début d'une nette tendance vers un accroissement de l'écart entre les admissions féminines et masculines, écart qui sera particulièrement

GRAPHIQUE 14

Consultations au Centre anticancéreux, 1942-1963

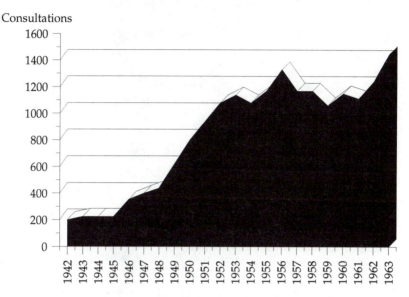

important au début des années cinquante. Si, en 1930, il y avait 2799 femmes admises à l'hôpital contre 2023 hommes, 20 ans plus tard, 7392 femmes sont admises à l'hôpital contre seulement 4512 hommes. Ainsi, en 1953, on compte presque deux fois plus de femmes admises que d'hommes, soit 8175 femmes comparativement à 4569 hommes pour un écart de 3606. Le développement de l'obstétrique et de la gynécologie explique un tel écart. En effet, la somme des admissions dans ces deux services est de 3994 admissions. Les 1696 cas de gynécologie représentent 10,6 % de tous les malades hospitalisés à l'Hôpital Notre-Dame en 1953. Mais une telle proportion d'admissions pour des troubles gynécologiques ne manque pas de soulever un certain nombre de questions. Y a-t-il là surmédicalisation ou réponse objective à des besoins réels[113]? Ces données sont aussi révélatrices de la transformation de la fonction de l'Hôpital Notre-Dame qui modifie sensiblement sa mission auprès de la population francophone de Montréal. Autrefois surtout confinée à sa fonction d'hôpital d'urgence, l'institution privilégie désormais une approche plus spécialisée sur le plan des services médicaux.

GRAPHIQUE 15

Clientèles féminine et masculine, 1924-1960

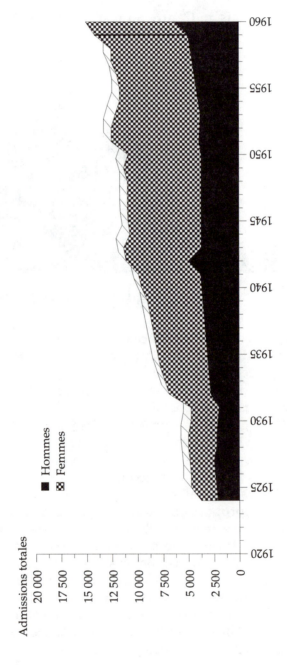

La pharmacie de l'Hôpital Notre-Dame: une réorganisation qui s'impose

Jusqu'en 1940, les remèdes préparés à la pharmacie sont encore largement tributaires de la pharmacopée et des recettes traditionnelles, même si de nombreuses et nouvelles préparations tirées de produits végétaux et minéraux étaient utilisées pour des besoins thérapeutiques précis. L'orientation de la recherche pharmaceutique a favorisé un isolement des principes actifs purs de certaines plantes médicinales, remplaçant peu à peu l'emploi classique des extraits entiers des plantes médicinales. Cela a eu pour effet de permettre l'instauration de traitements plus rationnels et plus efficaces. De plus, la recherche pharmaceutique adopte alors graduellement une approche chimique, et de nombreux médicaments seront mis au point grâce aux travaux conjoints des chimistes, biochimistes, physiologistes, pharmacologues et cliniciens. Le médicament devient ainsi de plus en plus associé à une maladie spécifique, et plus rares sont les prescriptions de médicaments polyvalents aptes à soulager un grand nombre de maladies.

La pharmacie de l'Hôpital Notre-Dame se procure, au fur et à mesure de leur apparition sur le marché, de nouveaux produits qui transforment considérablement les possibilités d'interventions thérapeutiques. Alors que le formulaire préparé en 1929 par le docteur L.-H. Gariépy à partir des prescriptions qui lui ont été fournies par les chefs de service renferme 54 préparations pharmaceutiques, celui préparé par le docteur G. Hébert, 12 ans plus tard, en comprend 740. Jusque dans années quarante, les sœurs grises sont responsables de la pharmacie. C'est à elles que revient la tâche de réaliser les préparations nécessaires et d'exécuter les prescriptions. Par exemple, ce sont les religieuses qui sont chargées de préparer les milliers de «capsules d'entéro-vaccin[113]» utilisées pour enrayer l'épidémie de fièvre typhoïde de 1927. Jusqu'à la Seconde Guerre mondiale, les «apothicairesses» sont certes encore en mesure de répondre à la plupart des demandes des médecins de l'hôpital. Mais ensuite, la multiplication des produits de synthèse manufacturés par les grandes compagnies pharmaceutiques remplace les médicaments magistraux, ce qui rend insuffisant un type de savoir clinico-pharmaceutique acquis sur le terrain. La complexification des préparations pharmaceutiques, la spécialisation des thérapeutiques et le volume de la demande obligent donc à la fois l'engagement d'un personnel spécialisé et la réorganisation du service de pharmacie.

Le conseil médical forme en 1941 un «comité de pharmacie», composé des docteurs A. DeGuise, G. Hébert et J.-R. Boutin, pour étudier les possibilités de réaménagement du service. Le rapport du comité est assez sévère quant à la compétence du personnel en place et au fonctionnement du service. Certains reproches sont adressés à sœur Alexandrine Drouin qui est alors responsable de la pharmacie. Elle a bien 15 années d'expérience pratique, mais elle ne détient aucun diplôme et maîtrise fort mal l'anglais. Ses préparations sont basées sur la consultation du Codex, de la pharmacopée britannique ou américaine et sur les informations reçues des laboratoires extérieurs. Quant aux sept assistantes, religieuses et laïques, elles possèdent une expérience inégale, variant de quelques mois à huit ans, mais généralement leurs connaissances théoriques et pratiques sont assez rudimentaires. Enfin, la religieuse de garde la nuit ne possède aucune compétence dans le domaine de la pharmacie.

D'autres doléances sont faites à l'endroit du fonctionnement général du service. Le rapport souligne que l'intégrité de la prescription n'est pas toujours respectée et que l'on utilise parfois des substituts sans que soit prévenu le médecin. En outre, il arrive que la quantité du produit demandé soit fixée arbitrairement et que le produit soit remis dans un récipient autre que l'original. Le rapport cite l'exemple du cacodylate de sodium qui a été envoyé à l'infirmière dans une boîte de bivatol[115]. Le comité constate par ailleurs que les prescriptions des médecins sont «très souvent mal faites et non complétées[116]». Cela ne facilite guère le travail des préposées à la pharmacie. Il est aussi fait mention d'irrégularités dans la fabrication des sérums, notamment en ce qui concerne l'usage d'une eau parfois contaminée qui favorise le développement de toxines susceptibles de provoquer des réactions chez le patient. L'usage d'une eau fraîchement distillée permettra de résoudre le problème. Le comité conclut son rapport en exigeant une réorganisation radicale du service de pharmacie, réorganisation qui doit tenir compte des exigences formulées par l'American College of Surgeons en ce qui regarde les pharmacies d'hôpitaux: engagement d'un pharmacien chimiste à demi-temps qui exercerait un contrôle sur tout ce qui touche les achats, ventes et préparations des produits; engagement d'une personne compétente pour le service de nuit; formation d'un comité de pharmacie permanent; établissement de règles strictes de procédures concernant les prescriptions.

En pratique toutefois, la réorganisation tarde. Même si l'hôpital décide d'engager une «religieuses pharmacienne diplômée» qui prend la direction de la pharmacie, l'on se plaint encore en mars 1942 que le rapport soit «resté sans réponse[117]». Peu après, l'hôpital engage la première pharmacienne laïque diplômée, Mlle P. Benfante, qui assumera la direction et la réorganisation du service. En 1948, trois nouvelles infirmières sont affectées au service de pharmacie. Le rôle des religieuses dans la préparation des médicaments diminue graduellement. En 1952, une nouvelle réorganisation permet l'établissement d'un horaire plus étendu, l'adjonction de personnel spécialisé, la mise en place d'un meilleur contrôle des préparations pharmaceutiques et l'augmentation de la production. Un simple regard sur le graphique 16 qui montre l'accroissement considérable du nombre de prescriptions pharmaceutiques entre 1940 et 1960 suffit à nous convaincre de la nécessité de ces réformes. À partir des années cinquante, l'Hôpital Notre-Dame possède un service de pharmacie conforme aux exigences d'un grand hôpital général de plus de 700 lits.

Les nouvelles thérapeutiques

Au cours de la première moitié du xxe siècle, de nombreux produits pharmaceutiques dont la fabrication s'appuie sur la chimie de synthèse font leur apparition. À partir de 1903, année où est mis en marché le véronal, les barbituriques deviendront des sédatifs très populaires; en 1935 sont commercialisés les sulfamides, médicaments particulièrement efficaces pour le traitement des maladies infectieuses, intestinales et urinaires; à la fin des années trente apparaissent les premiers histaminiques[118]; au début des années quarante, à la suite de la découverte de la

GRAPHIQUE 16

Prescriptions pharmaceutiques, 1925-1965

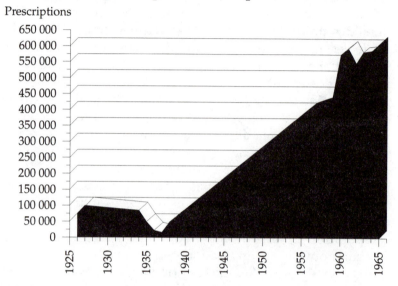

Prescriptions

pénicilline par Fleming et des nouveaux travaux menés sur cette substance, les premiers antibiotiques sont introduits dans la thérapeutique[119]; en 1944, Waksman découvre l'action bactéricide de la streptomycine qui sera largement utilisée dans le traitement de la tuberculose; en 1948 apparaissent les anticoagulants; la même année est découverte l'action anti-inflammatoire de la cortisone[120]; enfin, l'utilisation des psychotropes tels que les antidépresseurs ou les tranquillisants débute durant la décennie 1950. D'autres produits résultent de la découverte de certains principes actifs de plantes médicinales déjà connues. Par exemple, à partir de la scopolamine isolée de la mandragore qui possède des propriétés antispasmodiques sera synthétisée la butylscopolamine connue sous le nom de Buscopan[121].

La thérapeutique pharmaceutique mise en application à l'Hôpital Notre-Dame suit, à quelques années près, la découverte de ces nouveaux produits. Le décalage entre la découverte et l'usage de certains médicaments à l'hôpital est souvent lié aux coûts et à la disponibilité du produit. Heureusement, il arrive que certaines compagnies pharmaceutiques apportent leur soutien, notamment en ce qui regarde l'équipement technique de la pharmacie. Par exemple, la compagnie Poulenc et Frères du Canada fait cadeau à l'hôpital d'un appareil pour le dosage des sulfamidés[122].

La période 1924-1940 reste marquée par des pratiques thérapeutiques éclectiques dans lesquelles se côtoient pharmacopée traditionnelle et pharmacopée moderne. Rien d'étonnant à cela si l'on considère que les recherches chimiques permettaient d'analyser et de vérifier les propriétés de plusieurs plantes médicinales traditionnelles. La commercialisation de l'aspirine, au début du XXe siècle, est rendue possible grâce à l'étude des principes salicyliques du saule. Mentionnons aussi la digitale qui n'est pas encore remplacée par une substance élaborée en laboratoire. Certaines pratiques thérapeutiques apparemment désuètes et qui relevaient de pratiques traditionnelles reçoivent des confirmations scientifiques. Ainsi, dans les années trente, plusieurs médecins de l'hôpital prescrivent systématiquement du foie (bœuf, veau, porc) pour le traitement des patients souffrant d'anémie. Mais sait-on qu'en 1934 les Américains G. R. Minot, W. P. Murphy et G. H. Whipple obtiennent le prix Nobel de médecine pour la découverte d'un produit de synthèse et la mise au point à partir de 1926 d'une diète basée sur le foie pour soigner l'anémie? Les progrès de la chimie, de la biochimie[123], de la physique et de la physiologie ajouteront aux nombreuses ressources de la nature de nouveaux médicaments de synthèse. L'action thérapeutique des rayons X sur les tumeurs cancéreuses a suscité de nombreux espoirs même si les possibilités de guérison d'une tumeur par la radiothérapie, qui dépendent de sa sensibilité aux rayons utilisés, avaient déçu plus d'un radiothérapeute. Néanmoins, la découverte, au début des années cinquante, des effets palliatifs de certains isotopes dans le traitement des tumeurs abdominales et de certaines tumeurs des poumons ranime bien des espoirs. La mise au point de procédés spectaculaires d'interventions thérapeutiques tels que les antibiotiques, l'insuline, la dialyse rénale[124], les traitements radioactifs, la chirurgie cardiaque, les interventions chirurgicales d'urgence, etc., diversifie considérablement les modes de traitement et transforme le paysage thérapeutique.

La thérapeutique pratiquée à l'Hôpital Notre-Dame à partir de 1940 s'oriente résolument vers les nouvelles découvertes de la science médicale et paramédicale[125]. Évidemment, il faut un certain temps pour que les grands acquis de la nouvelle thérapeutique s'implantent, suivant les effectifs dans les spécialités concernées, le coût des équipements, les locaux mis à la disposition des praticiens, les cas reçus à l'hôpital et les besoins du milieu. La fonction d'urgence de l'hôpital délimite en quelque sorte certains choix thérapeutiques: chirurgie d'urgence, radiothérapie, physiothérapie, etc. Par exemple, après l'adoption d'une nouvelle loi sur les accidents du travail, une clinique spécialisée dans le traitement des accidentés du travail est mise sur pied en 1927. De même, l'incidence des maladies pulmonaires telles que la tuberculose incite l'hôpital, avec l'aide des autorités gouvernementales, à créer des cliniques spécialisées qui, en plus du dépistage, verront au traitement des patients par tous les moyens thérapeutiques à leur disposition[126]. En 1925, le Bureau d'hygiène de la province de Québec, par l'intermédiaire du docteur Lessard, accorde à l'hôpital une somme de 1600 $ pour l'achat du dernier appareil de radioscopie et pour le traitement à l'aide du pneumothorax[127]. La découverte des antibiotiques, notamment celle de la streptomycine en 1944, permettra de guérir de façon spectaculaire les tuberculeux. Une clinique spécialisée dans les maladies vénériennes est aussi parrainée par les autorités gouvernementales qui paient les médicaments, notamment le salvarsan proposé par l'Allemand P. Ehrlich en 1910 et le stovarsol proposé, douze ans plus tard, par le biochimiste français E. Fourneau. En 1943, le vénérologue américain J. F. Mahoney démontre l'efficacité de la pénicilline dans le traitement de la syphilis, médicament que ne tarderont pas à utiliser les médecins de l'hôpital.

L'augmentation du nombre des cas de cancer et les possibilités nouvelles de dépistage[128] et d'interventions thérapeutiques orientent l'hôpital, avec la création du Centre anticancéreux, vers l'avant-garde diagnostique, préventive et thérapeutique en ce domaine. De même, l'essor de la grande chirurgie thoracique, un peu plus tard dans le siècle, permettra à l'institution d'élargir ses interventions thérapeutiques. Cependant, celles-ci sont aussi déterminées par les liens étroits qui unissent l'hôpital à la faculté de médecine de l'Université de Montréal. Outre l'éducation, la mission de la faculté, conjointement avec ses hôpitaux affiliés, est de promouvoir la recherche médicale. Certaines pratiques diagnostiques et thérapeutiques de pointe adoptées à l'Hôpital Notre-Dame relèvent de cette affiliation scientifique.

Cependant, le développement de l'arsenal thérapeutique n'est pas exempt de certains engouements ou de certaines modes qui entraînent une utilisation parfois abusive de nouveaux produits. C'est le cas des antibiotiques qui, en révolutionnant la thérapeutique contre les maladies infectieuses et en rendant bénignes des maladies autrefois mortelles, gagnent rapidement la faveur des praticiens. Mais encore faut-il qu'ils soient employés à bon escient. Ainsi, notera le comité de pharmacie de l'hôpital, la pénicilline est employée «sans discernement[129]». Or la sur-utilisation de certains antibiotiques est à l'origine d'un phénomène bien connu aujourd'hui, l'antibiorésistance. Certaines bactéries, entre autres les staphylocoques et les entérobactéries, présentent une grande capacité de résistance et d'adaptation aux antibiotiques. La méconnaissance de ce processus et l'efficacité apparente des antibiotiques contre les maladies infectieuses favorisait alors les prescriptions abusives.

Certaines interventions chirurgicales connaissent aussi une popularité parfois douteuse. Ainsi en est-il des appendicectomies réalisées dans les hôpitaux généraux occidentaux au début des années cinquante. Le service chirurgical de l'Hôpital Notre-Dame ne fait pas exception. Un rapport du service d'anatomie pathologique de l'Hôpital Notre-Dame soulignait en 1951 que, parmi les 114 appendicectomies pratiquées à l'hôpital, 27 % des organes enlevés ne présentaient aucune lésion anatomopathologique. Ces statistiques, ajoutait le directeur du service, «ne sont pas sans laisser une mauvaise impression[130]». On le comprend.

Par ailleurs, les «agents physiques» (rayons X, rayons ultraviolets, courants électriques, etc.) ont offert, tout au long du XXe siècle, des possibilités thérapeutiques fort intéressantes qui ont contribué à étendre l'utilisation de la radiothérapie et de la physiothérapie. Les autorités médicales de l'Hôpital Notre-Dame se sont toujours montrées sensibles aux nouveautés thérapeutiques. Déjà en octobre 1928, elles avaient décidé de créer une nouvelle clinique d'agents physiques pour le traitement des maladies de la peau. Le service de dermatologie recourait quotidiennement au radium, aux rayons X, aux rayons ultraviolets et aux rayons Grantz[131]. Les rayons ultraviolets servaient à soigner certaines maladies cutanées[132]. Cette clinique sera, quelques années plus tard, assimilée au service d'électroradiologie. L'hôpital s'était aussi doté d'un service de physiothérapie qui regroupait les activités électrothérapeutiques, massothérapeutiques et mécanothérapeutiques. La clientèle était en grande partie composée d'accidentés du travail.

En 1931, le service d'électroradiologie offre des traitements variés: radiothérapie, mécanothérapie, électroponcture, électro ou diathermo-coagulation, gymnastique électrique généralisée, traitement de l'obésité à l'aide de bains de lumière, de douches et de séances de mécanothérapie, etc. L'usage de ces différentes techniques était certes supervisée par le radiologiste de l'hôpital, mais certains incidents curieux ne manquaient pas de se produire. Par exemple, en novembre 1936, «une employée, par mégarde, a perdu quatre aiguilles de radium d'une très grande valeur et offrant des dangers de radiation. Après trois jours de recherche, des experts les ont trouvées dans l'incinérateur[133].»

On le voit, les normes de sécurité n'étaient pas, comme aujourd'hui, toujours rigoureusement respectées.

La radiologie thérapeutique connaît aussi une popularité croissante à partir des années vingt, surtout en ce qui se rapporte au traitement des tumeurs cancéreuses. La technique d'irradiation des parties infectées soulève de nombreux débats lors des réunions scientifiques de l'Hôpital Notre-Dame et de la Société médicale de Montréal. Par exemple, alors que le docteur Marin défend l'efficacité des rayons X dans le traitement de l'acné, la plupart de ses confrères européens rejettent ce type d'intervention. Certains médecins prônent aussi l'irradiation préventive d'une région comportant des risques de développement d'une tumeur. Le radiologiste de l'hôpital, le docteur Laquerrière, s'y oppose fermement: «Ne distribuons pas des séances dans le simple but de prévenir des événements qui ne se produiront peut-être jamais; d'ailleurs, ajoute-t-il, rien n'autorise à penser qu'un tissu irradié soit prémuni contre le cancer[134]». Aussi met-il en garde certains praticiens contre les abus de cette thérapeutique: «Les rayons X sont une arme très puissante; usons-en largement; mais comme pour tout médicament puissant, il ne faut pas en abuser[135]». Un tel avertissement n'est pas anodin. Les praticiens des hôpitaux, face au nombre croissant de tumeurs cancéreuses, n'avaient pas alors les choix thérapeutiques d'aujourd'hui.

Des études statistiques ne tarderont pas à démontrer l'inefficacité de certains de ces traitements, et le nombre des interventions, qui s'élève à 8458 en 1945, s'abaisse à 4771 en 1948. D'autres facteurs que l'inefficacité expliquent ce fléchissement des activités radiothérapeutiques. L'utilisation des rayons X dans le traitement du cancer requérait un équipement sophistiqué et entraînait des traitements longs et onéreux. Désormais conscients des dangers d'une exposition prolongée aux rayons X, les radiologistes demandaient des appareils d'intensité plus grande permettant de réduire la durée des séances et le nombre de traitements. Enfin, les activités du service se sont surtout tournées vers l'utilisation radiodiagnostique des rayons X; entre 1945 et 1950, les examens connaissent un accroissement important, passant de 8809 à 19 511. Mais la baisse du nombre de séances radiothérapeutiques n'est que temporaire. En 1948, le ministère de la Santé accorde une subvention pour l'achat d'un «appareil de rœntgenthérapie profonde à 400 kilo-volts[136]», appareil qui servira au traitement des tumeurs cancéreuses. Trois ans plus tard, l'hôpital acquiert une «bombe à cobalt» pour le traitement des cancéreux. Ces derniers étaient généralement confiés aux soins des spécialistes attachés à l'Institut du cancer de Montréal (ICM). L'implantation de ces deux nouveaux procédés radiothérapeutiques occasionne une montée en flèche du nombre de patients traités au service de radiologie. Mais outre le traitement des tumeurs, le service de radiologie permet, dans les cas de fractures, de préciser l'intervention thérapeutique et de protéger l'hôpital contre d'éventuelles poursuites judiciaires.

L'ICM, au cours de la première décennie de son existence, avait accueilli en moyenne 400 patients par année. Cette moyenne grimpe pour la décennie suivante à plus de 1000 patients. Hormis ses fonctions de dépistage et de recherche, l'ICM s'appliquait à soigner cette maladie considérée depuis longtemps comme incurable. Durant les années cinquante, une équipe de spécialistes de tous les horizons de la médecine — chirurgie, dermatologie, obstétrique, gynécologie, neurologie, pédiatrie, pathologie, orthopédie, etc. — et du monde scientifique — biophysique, biochimie, chimie organique, histochimie, physique — ont uni leurs efforts pour étudier l'une des grandes maladies de notre siècle. Les traitements se faisaient généralement par des interventions chirurgicales telles que la résection ou l'amputation des tissus et des organes atteints. D'autres traitements s'offraient aussi. La «radiothérapie profonde» donnait de bons résultats. Utilisée pour la première fois au Canada, la «rœntgenthérapie rotatoire» pour les cancers du poumon et de l'œsophage est introduite à l'ICM en 1953. L'efficacité de tels traitements dépendait, comme aujourd'hui, du dépistage précoce de la maladie, mais ils assuraient pour certaines formes de cancer une survie moyenne de cinq ans. Les besoins thérapeutiques sont tels que l'Hôpital Notre-Dame décide d'ouvrir en 1950, grâce à l'aide du gouvernement provincial, un troisième poste de thérapie du cancer[137]. Parallèlement, la chimiothérapie, qui n'a pas encore fait son entrée dans la thérapeutique active anticancéreuse, fait l'objet d'un projet spécial de l'ICM. Subventionnés par le Département de la défense nationale, les chercheurs de l'ICM étudiaient aussi l'action cytotoxique d'un extrait d'*aspargillus flavus* sur les tumeurs spontanées ainsi que sur la leucémie des souris.

Au début des années cinquante, le nouveau service de neuropsychiatrie offre deux importants modes d'intervention thérapeutique: l'insulinothérapie et, à son laboratoire d'électroencéphalographie inauguré en septembre 1950, les électrochocs. En 1950 sont réalisés à l'hôpital 1532 traitements aux électrochocs et 874 séances d'insulinothérapie. Le traitement aux électrochocs sera particulièrement contesté durant les années soixante et soixante-dix, notamment par les partisans du courant antipsychiatrique institué par les Britanniques Ronald Laing et David Cooper. Le service dispose aussi des services d'un psychologue qui partage son temps entre les entrevues, les tests d'intelligence (Weschler-Bellevue, Bell-Ottawa, Bêta) et les tests de personnalité (Rorschach, Burneuter-Ottawa).

L'Hôpital Notre-Dame avait conservé tout au long de la première moitié du XXᵉ siècle un rôle quant aux soins prodigués aux accidentés du travail. Conjointement avec le service externe de médecine industrielle et le dispensaire de chirurgie équipé pour panser les blessés, poser les plâtres et donner les premiers soins, l'hôpital étend considérablement son service d'urgence. Les grands blessés sont généralement amenés par le service ambulancier et, lorsque nécessaire, envoyés à la salle d'opération. L'utilisation de sérum, l'amélioration de l'anesthésie et des techniques de transfusion sanguine ainsi que le perfectionnement des techniques opératoires améliorent les chances de succès. Durant la Seconde Guerre mondiale, l'hôpital fait l'acquisition de tentes spéciales pour les grands brûlés[138]. Ces cas font l'objet de quelques discussions scientifiques au bureau médical, discussions qui ont pour but de préciser les traitements nécessaires. L'hôpital fait aussi l'acquisition de tentes et de masques à oxygène. Une salle d'oxygénothérapie installée en 1950 servira plus efficacement les besoins engendrés par les cas d'asphyxie.

À partir des années cinquante, le service de radiologie déjà surchargé délaisse l'électrothérapie et la physiothérapie, lesquelles seront désormais placées sous la responsabilité d'un nouveau service de médecine physique et de réhabilitation. Une telle ramification des services devient courante alors que ceux-ci connaissent une importante évolution thérapeutique. Les interventions chirurgicales, nous l'avons vu, se diversifient avec un taux de réussite considérablement amélioré. De même, les services de neurologie, d'oto-rhino-laryngologie, de gynécologie et d'obstétrique, d'urologie ou de stomatologie profitent des acquis thérapeutiques apportés par des recherches physiopathologiques, biochimiques ou biophysiques. Deux exemples parmi d'autres: la découverte de l'insuline rendait possible le contrôle du diabète alors que la pénicilline permettait de traiter efficacement la syphilis. La commercialisation de l'insuline entraîne la création d'un service du diabète en 1932 sous la direction du docteur L.-H. Gariépy, service qui sera responsable de tous les cas de diabète traités à l'hôpital et chargé de procéder aux examens courants dans le traitement de cette affection — glycémie, analyses et dosage des urines, azotémie, cholestérol et réserve alcaline[139] — en plus de fournir les doses d'insuline nécessaires aux patients. La pénicilline permettra de diminuer considérablement le nombre de syphilitiques à l'hôpital: entre 1950 et 1953, ce nombre chute de 108 à 30. De nouveaux médicaments sortent régulièrement des laboratoires de recherche des grandes industries pharmaceutiques. Celles-ci offrent parfois gracieusement leur nouveau produit en échange d'un petit service de la part des praticiens. Par exemple, une industrie pharmaceutique a fourni à l'Hôpital Notre-Dame 7000 comprimés de sulfadiazine[140], produit qui ne présentait qu'une faible toxicité, pour des essais chimiques. En retour, les médecins devaient remplir des formulaires spéciaux destinés à des vérifications statistiques.

Soulignons enfin que le taux de mortalité à l'Hôpital Notre-Dame diminue de moitié entre 1930 et 1950, passant de 4 % à 2 %, et ce malgré l'augmentation du nombre des grandes interventions chirurgicales. Même s'il faut interpréter avec prudence de telles données, elles témoignent néanmoins d'une pratique hospitalière qui répondait en matière d'efficacité aux standards des grands hôpitaux occidentaux.

Notes

1. Le gastroscope est mis au point par un médecin londonien, W. Hill, en 1911. Une nouvelle version plus flexible sera conçue en 1932.

2. Le premier électrocardiographe est conçu en 1903 par un physiologiste hollandais, le docteur W. Einthoven, lauréat du prix Nobel de médecine en 1924.

3. C'est le psychiatre allemand H. Berger qui introduit cet appareil en 1929.

4. Cette technique fait son apparition en 1938.

5. Les docteurs W. Forssmann, D. W. Richards et A. F. Cournand obtiennent le prix Nobel de médecine en 1956 pour leurs travaux sur l'exploration physiopathologique du ventricule droit.

6. RAHND, 1927, p. 28.

7. *Ibid.*, 1928, p. 28.

8. *Ibid.*, 1926, p. 52.

9. *Ibid.*, 1929, p. 54.

10. *Ibid.*, 1938-1943, p. 33-34.

11. *Ibid.*, p. 35.

12. *Ibid.*, 1949, p. 37.

13. *Ibid.*, 1953, p. 41. Parmi les problèmes relevés par le président de l'hôpital, au début des années cinquante, figurent les coûts élevés relatifs au perfectionnement constant des laboratoires même si ceux-ci rapportent plus de 132 000 $, soit 6,3% des revenus totaux de l'hôpital. De 1945 à 1953, la progression est constante, la part passant de 5 % à 7,5 % des revenus totaux de l'hôpital.

14. Une résolution du bureau médical datée du 29 janvier 1932 mentionne qu'il est impérieux «de signaler au directeur de la santé, aux membres de l'exécutif et au conseil de ville de Montréal, la nécessité d'ouvrir dans le plus bref délai possible des maisons de convalescents afin de mieux utiliser pour les cas aigus les hôpitaux déjà existants». En 1935, l'hôpital est prié de ne pas dépasser une limite de séjour de 90 jours: «Le but de cette invitation est d'établir une sélection entre les cas aigus et les cas chroniques. Les malades de la première catégorie séjournent dans nos hôpitaux à 2 $ par jour tandis que les malades de la seconde catégorie pourraient être hospitalisés dans des hospices au prix moins élevé de 1,34 $» (PVCMHND, 25 mars 1936). Mais, encore en 1946, le surintendant réclame la diminution du temps de l'hospitalisation (RAHND, 1946-1947, p. 68).

15. G. H. Agnew, *Canadian Hospitals, 1920 to 1970. A Dramatic Half Century*, p. 5.

16. RAHND, 1925.

17. Le docteur Bertrand séjournera en Europe pendant un an et sera de retour au printemps de 1926 (PVCMHND, 30 juin 1926).

18. Cette dénomination en usage à l'époque désigne les techniciennes de laboratoire.

19. *Ibid.*, 17 avril 1925.

20. Le docteur L.-C. Simard était à Strasbourg où il travaillait sous la direction de Masson. Il y restera un an, soit jusqu'en 1926. Simard fut le premier anatomopathologiste canadien-français à se consacrer entièrement à cette discipline et pendant longtemps le seul à exercer à temps plein cette fonction. Les autres anatomopathologistes étaient français: Masson à l'Université de Montréal et Berger à l'Université Laval.

21. *Ibid.*

22. PVCMHND, 30 juin 1926.

23. Le docteur A. Bernier viendra prêter main-forte aux docteurs Simard et Masson en 1930.

24. Dans son projet initial, le conseil médical souhaitait toutefois nommer le docteur Bertrand chef du laboratoire de bactériologie. Mais le docteur Derome ne l'entendait pas ainsi et il réussit à conserver un poste qu'il occupait depuis plus de 20 ans.

25. *Ibid.*, 13 octobre 1926.

26. PVCMHND, 8 février 1928.

27. *Ibid.*, 12 mai 1927.

28. L'Université McGill avait inauguré un tel institut en 1924 (S. B. Frost, *McGill University for the Advancement of Learning*, vol. II, p. 165). En 1928, c'est au tour de l'Université Laval de se doter d'un institut d'anatomie pathologique qui réunit tout le matériel des hôpitaux affiliés à l'institution

(C.-M. Boissonnault, *Histoire de la faculté de médecine de Laval: contribution à l'histoire de la médecine au Canada français*, p. 368).

29. A. Bertrand, *Les laboratoires de l'Hôpital Notre-Dame.*

30. PVCMHND, 3 mars 1927.

31. RAHND, 1927, p. 38-40.

32. *Rapport des laboratoires de l'Hôpital Notre-Dame*, 29 septembre 1931.

33. *Ibid.*

34. PVBMHND, 25 novembre 1932.

35. *Ibid.*, 20 octobre 1933.

36. *Ibid.*

37. Certaines habitudes prises en une période où les analyses de laboratoire étaient peu fréquentes doivent aussi être changées. Ainsi en 1931, le docteur Bertrand institue un protocole de prélèvement des échantillons pour l'examen bactériologique: utilisation de tubes stérilisés; maintien des tubes dans une position verticale pour éviter la contamination des bouchons et rangement dans une «glacière»; indication sur une fiche de l'origine du produit et de la nature de l'examen.

38. A. Bertrand, *op. cit.*, p. 2. L'auteur ajoute que le personnel était composé de deux techniciens, formés à l'Hôpital Notre-Dame par les docteurs Masson et Simard. Le premier s'occupait des préparations histologiques alors que le second était préposé à la salle d'autopsie. Le matériel était «réduit à un strict minimum: 3 couteaux Virchow; 3 étuves, 2 microtomes Stiassnie, 1 hotte de récupération du toluol et alcool qui explosait de temps à autre, 2 microscopes Zeiss et une table de travail en lave du Vésuve».

39. M. Fournier *et al.* (dir.), *Science et médecine au Québec: perspectives sociohistoriques*, p. 178.

40. Cette maladie, qui affecte le plus souvent les seins, prend une forme eczématique et constitue un stade élémentaire de la cancérisation. Le docteur L.-C. Simard avait fait sa thèse de doctorat à la faculté de médecine de l'Université de Montréal sur ce sujet en 1930. (Voir M. Fournier *et al.* [dir.], *op. cit.*, p. 174.)

41. «La recherche médicale à l'Hôpital Notre-Dame», *Rapport du comité de la recherche médicale, Hôpital Notre-Dame*, 7 avril 1969, document ronéotypé.

42. RAHND, 1951, p. 61 et 99.

43. «La situation des anatomo-pathologistes dans la province de Québec», *Bulletin de l'Association des médecins de langue française du Canada*, 1950, p. 1.

44. *Ibid.*, p. 2.

45. *Ibid.*, p. 4.

46. L'Association des anatomopathologistes, lors de la troisième assemblée spéciale du Comité d'affaire tenue le 24 février 1951, propose l'organisation d'un service central de diagnostic anatomopathologique où seront effectuées les biopsies et les analyses des pièces chirurgicales envoyées par les hôpitaux de la province. L'Association propose qu'en retour «tout hôpital d'environ 200 lits ou plus, qui usera du privilège de ce service devra prendre également, sans délai, les mesures appropriées afin de s'assurer les services d'un pathologiste compétent pour prendre charge de leur propre service de pathologie».

47. Créé dès 1951 sous le nom de laboratoire d'hormonologie, il prendra l'appellation de laboratoire d'endocrinologie en 1961.

48. Il conservera la direction du service jusqu'en 1931.

49. PVCMHND, 13 décembre 1929.

50. *Ibid.*, 1er octobre 1930.

51. *Ibid.*, 30 décembre 1930.

52. *Ibid.*

53. *Ibid.*, 9 février 1931.

54. *Ibid.*, 30 décembre 1930.

55. Le service disposait d'un appareil à radiographie profonde, d'un appareil à radiothérapie moyen et d'un appareil à diagnostic de la maison Gaiffe et Pilon de Paris ainsi que de certains appareils américains: table à diagnostic, appareil pour l'urologie et les fractures et *bed side unit* (*ibid.*, 27 avril 1931).

56. *Ibid.*

57. A. Bertrand, *op. cit.*, p. 2.

58. PVCMHND, 17 janvier 1940. Voir aussi Y. Belzile, *Syndicalisme et conditions de travail chez les employés de l'Hôpital Notre-Dame...*

59. *Ibid.*, 18 mai 1931.

60. Sur ce point, voir le chapitre X.

61. L. Deslauriers, *Essai sur l'histoire de l'Hôpital Notre-Dame, 1880-1980.*

62. RAHND, 1951, p. 94.

63. PVBMHND, 15 décembre 1952.

64. C'est le chirurgien J.-U. Gariépy qui prendra la direction du service en 1943.

65. RAHND, 1926, p. 50.

66. PVCMHND, 12 mars 1930.

67. *Correspondances de l'Hôpital Notre-Dame*, «Amygdalectomie», le 12 mars 1933.

68. *Ibid.*

69. *Ibid.*, lettre du comité au secrétaire du conseil médical, le 4 décembre 1934. On notera qu'une telle mesure — impliquant que les religieuses troquent le costume religieux pour la tenue chirurgicale, avec tout ce que cela symbolise de subordination du signifiant religieux au signifiant fonctionnel-médical — est un indicateur de l'ampleur de la médicalisation de l'espace hospitalier.

70. PVCMHND, 15 mars 1939.

71. *Ibid.*, 10 avril 1946.

72. *Rapport du comité d'asepsie*, Hôpital Notre-Dame, 10 juin 1948.

73. *Ibid.*

74. RAHND, 1944-1945, p. 53. Jusque dans les années soixante, la section de cardiologie fait partie du service de médecine et non pas du service de chirurgie.

75. L. Deslauriers, *Essai sur...*, *op. cit.*, p. 104. À la fin des années cinquante, C. Bertrand mettra au point un dispositif tout à fait original de chirurgie stéréotaxique du cerveau pour le traitement de la maladie de Parkinson.

76. RAHND, 1948, p. 51.

77. *Ibid.*, 1950, p. 77.

78. *Ibid.*, 1949, p. 69.

79. *Ibid.*

80. Le cœur-poumon artificiel remplace ces deux organes pendant l'intervention chirurgicale.

81. Le docteur J.-P.-M. Ricard avait procédé à la première péricardectomie en 1939 à l'Hôpital Notre-Dame.

82. RAHND, 1952, p. 95.

83. PVCMHND, 12 mars 1930.

84. Certaines opérations deviennent de plus en plus populaires auprès du corps chirurgical. L'histoire de la pratique chirurgicale n'est pas exempte de quelques «vogues». Les appendicectomies, les amygdalectomies et les hystérectomies en sont des exemples connus.

85. PVCMHND, 21 novembre 1930.

86. *Correspondances de l'Hôpital Notre-Dame*, lettre du docteur Latraverse au directeur médical R. Boutin, le 31 mai 1944.

87. Une visite de la Canadian Gynecology Travel Society à l'hôpital donne lieu à une démonstration du savoir-faire de l'anesthésiste en chef. Une hystérectomie pratiquée par le docteur L. Gérin-Lajoie se déroule sous une anesthésie au «penthotal continu» réalisée par le directeur du service assisté d'une infirmière qui surveille la malade et donne «l'oxygène au besoin» (*Extraits des chroniques de l'Hôpital Notre-Dame*, 4 octobre 1944, p. 25).

88. C'est en 1944 que l'anesthésie est constituée en service indépendant à l'Hôpital Royal Victoria. (Voir S. D. Lewis, *History of the Royal Victoria Hospital, 1887-1947*, p. 146.)

89. RAHND, 1949, p. 115.

90. *Ibid.*

91. Le penthotal (penthiobarbital) découvert vers 1948 est un barbiturique administré par voie intraveineuse. Il s'agit du fameux «sérum de vérité».

92. Le cyclopropane préparé pour la première fois par Freund en 1882 avait été proposé comme anesthésique général par les pharmacologues canadiens G. H. W. Lucas et V. E. Henderson en 1928. Il ne commencera à être largement utilisé comme anesthésique général que vers 1935. Cet agent sera très efficace pour anesthésier les diabétiques. (Voir H. K. Beecher et C. Ford, «Anesthesia: Fifty years of progress», L. Davis [dir.], *Fifty Years of Surgical Progress 1905-1955*, p. 229-230.

93. Durant la décennie 1920, l'anesthésie connaîtra un important développement. Même si le médecin américain A. B. Luckhardt propose l'anesthésie à l'éthylène en 1918, ce gaz ne sera utilisé comme anesthésique qu'à partir de 1923. Le Canadien W. E. Brown a été l'un des premiers à rendre compte de ses expérimentations (mars 1923) sur l'éthylène comme anesthésique général. (Voir *ibid.*, p. 229.) L'anesthésie péridurale est proposée pour la première fois par le chirurgien espagnol F. Pages Piravé en 1921. Soulignons aussi que c'est en 1923 que les frères Mayo ouvrent à Rochester aux États-Unis un service spécialisé d'anesthésie.

94. *Ibid.*, p. 116.

95. *Ibid.*, p. 117.

96. RAHND, 1950, p. 119.

97. La première transfusion sanguine directe chez un humain est effectuée par G. W. Crile en 1905. Avec la résolution du problème d'incompatibilité, de telles transfusions deviendront, quelques années plus tard, une pratique courante.

98. Il est fait mention dans les procès-verbaux du conseil médical du 3 décembre 1941 de la création d'une nouvelle banque de sang. Mentionnons que c'est en 1935 qu'eut lieu à Rome le premier congrès international de transfusion sanguine.

99. PVCMHND, 13 octobre 1926.

100. *Ibid.*, 7 juin 1933.

101. *Ibid.*

102. *Ibid.*, 15 mai 1936.

103. *Ibid.*, 24 février 1938. C'est en 1930 que Judine débute ses transfusions de sang prélevé sur des sujets récemment décédés.

104. *Ibid.*

105. *Ibid.*, 3 juin 1938.

106. *Ibid.*, 27 février 1942.

107. En 1900, le médecin autrichien K. Landsteiner montre qu'il existe au moins trois types différents de sang humain, les groupes A, B et O, et que certains se révèlent incompatibles. Il en est ainsi, entre autres, des groupes A et B. Deux ans plus tard, ce même chercheur découvrira le groupe AB. Le facteur rhésus sera découvert par K. Landsteiner et A.-S. Wiener en 1940.

108. RAHND, 1938-1943, p. 87.

109. *Ibid.*, 1953, p. 111.

110. Comme nous l'avons vu, une partie importante de cette catégorie de patients ne sont pas en fait des indigents au sens de miséreux ou «mendiants», dénués de toutes ressources et vivant de la charité, mais plutôt des travailleurs, gens de métier, employés, ayant en temps normal un salaire ou revenu, dont certains sont au chômage. Le certificat d'indigence atteste simplement que ces travailleurs n'ont pas les ressources suffisantes pour supporter les coûts élevés d'hospitalisation. La fonction philanthropique ou charitable de l'hôpital recoupe, en fait, une fonction sociale de conservation du capital humain — voire de sa reproduction dans le cas de la gynécologie — et de réinsertion des forces de production — après des accidents du travail, etc. — dans les circuits socio-économiques.

111. Rappelons que les subventions gouvernementales ne couvrent en réalité qu'un pourcentage des coûts engagés pour traiter les patients indigents.

112. La classification internationale des maladies qui sert au classement des données statistiques sur la morbidité et la mortalité et à l'indexation des dossiers d'hôpitaux par maladie et par opération est adoptée au Canada en 1966. (Voir *Classification internationale des maladies, adaptée*, huitième révision, Ottawa, Imprimeur de la Reine, 1970, vol. I.)

113. Comme nous l'avons vu, pour la période 1880-1924, la majorité des femmes hospitalisées à l'Hôpital Notre-Dame le sont pour des problèmes gynécologiques. L. Brodeur a montré que cela correspond à la fois à des problèmes réels et à une médicalisation de la femme liée à l'importance que la

politique de santé des milieux dominants et nationalistes de l'époque attache à la préservation du capital humain et donc à sa fonction de reproduction. Cette tendance n'a fait que s'accentuer avec l'ouverture du service d'obstétrique en 1925. Le fait que la clientèle féminine devienne dominante montre qu'à l'entretien et à la conservation de la force de travail s'ajoute la gestion de la reproduction du capital humain. Ce serait donc se méprendre que de penser que, de 1880 à 1924, l'hôpital n'assure qu'une fonction charitable et philanthropique. Sur l'importance de la prise en charge de la clientèle composée des victimes d'accidents du travail dès l'ouverture de l'institution, voir D. Goulet et O Keel, «Santé publique, histoire des travailleurs et histoire hospitalière: sources et méthodologie», p. 74 et suiv.

114. RAHND, 1927, p. 38-40.

115. *Ibid.*, p. 94.

116. *Ibid.*

117. PVCMHND, 25 mars 1942.

118. C'est en 1937 que D. Bovet de l'Institut Pasteur met au point les premiers antihistaminiques.

119. L'utilisation clinique et thérapeutique de la pénicilline débute lorsque les travaux de H. Florey et E. Chain permettent de la produire en quantité suffisante (1939). Soulignons que Fleming, Florey et Chain recevront conjointement le prix Nobel de médecine en 1945. Le terme antibiotique pour décrire les substances qui détruisent les bactéries sans affecter les autres formes vivantes est introduit par A. Waksman en 1941.

120. P. Showalter Hench montre en 1948 que la cortisone peut servir à soigner l'arthrite rhumatismale.

121. J.-C. Dousset, *Histoire des médicaments des origines à nos jours*, p. 264.

122. RAHND, 1943, p. 64.

123. Le premier congrès international de biochimie se tient à Cambridge en 1949.

124. C'est le médecin hollandais W. Kolff qui a introduit en 1943 le premier appareil à hémodialyse rénale. Ce ne sera toutefois qu'en 1964 qu'un tel appareil pourra être utilisé au foyer par le patient. Peu après, l'Hôpital Notre-Dame offrira un tel service.

125. Ainsi, le docteur G. Hébert présente en 1955 un nouveau «formulaire» sous le nom de Guide thérapeutique de l'Hôpital Notre-Dame. La pertinence de ce guide a par la suite été reconnue par les autres hôpitaux universitaires et il devint le Guide thérapeutique universitaire.

126. Les actions de l'hôpital pour organiser des cliniques sur la tuberculose, les maladies vénériennes, les accidents du travail, s'inscrivent pleinement de ce point de vue dans le cadre de la politique de santé du Bureau provincial d'hygiène qui, dans la ligne du Conseil d'hygiène de la province (1887) qui l'avait précédé, s'efforce de consolider un système de santé publique par le développement d'une médecine préventive et sociale. (Voir G. Desrosiers *et al.*, *Vers un système de santé publique au Québec...*)

127. PVCMHND, 5 février 1925.

128. Déjà en 1928, G. Papanicolau conçoit un test diagnostique du cancer de l'utérus, dénommé «Pap test».

129. PVCMHND, 5 février 1925.

130. PVBMHND, 18 juin 1951.

131. RAHND, 1928, p. 32.

132. En 1893, le physicien danois N. Finsen montre que les rayons ultra-violets ont la propriété de guérir une maladie de la peau appelée *lupus vulgaris*. Ses travaux lui vaudront le prix Nobel de médecine en 1903.

133. *Extraits des chroniques de l'Hôpital Notre-Dame*, s.d., p. 21.

134. *L'Union médicale du Canada*, 1935, p. 45.

135. *Ibid.*

136. RAHND, 1948, p. 77.

137. *Ibid.*, 1950, p. 43.

138. *Ibid.*, 1943, p. 56

139. PVCMHND, 24 janvier 1934.

140. Il s'agit de la para-amino-phényl-sulfamido-pyrimidine qui est de la famille des sulfamides utilisés contre des infections staphylocciques, pneumococciques ou streptococciques.

CHAPITRE IX

Un nouvel hôpital au service d'une nouvelle clientèle: l'accroissement de la clientèle à revenu moyen

Les quotidiens montréalais avaient fait l'éloge des nouveaux édifices de l'Hôpital Notre-Dame. Mettant en valeur l'organisation moderne de l'institution, ils assuraient le public que, désormais, les patients pourraient jouir du confort nécessaire à un rapide rétablissement. Déjà en 1925, le surintendant Mercier est heureux d'annoncer que l'hôpital «marche à pleine capacité soit pour notre service de chambres privées, soit pour notre service demi-payant ou soit pour nos services publics[1]». Mais la demande est telle que l'Hôpital Notre-Dame se retrouve encore une fois dans «la malheureuse obligation de refuser nombre de malades quotidiennement, faute de lits[2]». Mercier ne cache pas sa déception de ne pas être en mesure de faire face à la demande de la population:

> À ce point de vue, notre sort tel qu'il existait quand nous habitions rue Notre-Dame, ne s'est pas amélioré: au contraire, attirés par la magnifique installation et la réputation toujours grandissante de notre maison et de son personnel, la proportion de nos demandes a été plus considérable que la proportion d'agrandissement de nos pouvoirs d'hospitalisation, et malgré que nous ayons pratiquement doublé le nombre de lits, nous éprouvons la sensation tous les

jours d'être encore plus à l'étroit que nous l'étions dans notre ancien immeuble[3].

Les raisons d'un tel accroissement de la demande sont complexes et nombreuses. Parmi ces raisons, mentionnons l'augmentation de la population de la ville de Montréal, qui passe, entre 1901 et 1921, de 267 730 à 618 506 habitants. De même, l'urbanisation et la hausse du nombre des ouvriers fournissent une clientèle tellement importante que l'hôpital, comme nous l'avons déjà dit, se voit contraint de se spécialiser dans les soins d'urgence[4]. Soulignons aussi que l'accès au nouvel hôpital est relativement aisé puisque les tramways de la rue Ontario, de la rue Amherst et de l'avenue Papineau facilitent le transport vers l'hôpital. Mais deux autres facteurs sont invoqués par Mercier, qui contribueront largement à accroître et à diversifier la clientèle de l'hôpital.

> Non seulement de nos jours, le malade riche ou pauvre n'éprouve plus aucune répugnance d'entrer [sic] dans un hôpital moderne pour s'y faire soigner mais il y est attiré et par son médecin qui l'y dirige et par la certitude qu'il ne saurait être traité suivant des données scientifiques du jour, que dans telle institution où tout ce que la science a apporté de perfectionnement en médecine et en chirurgie et à leurs spécialités, a pu mettre à la disposition du public[5].

Le docteur Mercier résume en quelque sorte les modifications essentielles qui marqueront les rapports qu'entretient la population avec le système hospitalier: diminution des résistances face à une institution jusqu'alors peu valorisée, rapport de plus en plus étroit entre le médecin privé et les institutions hospitalières et développement d'une science médicale qui multiplie ses possibilités diagnostiques et thérapeutiques. Nul doute que l'augmentation de la demande de chambres privées et semi-privées à l'Hôpital Notre-Dame entre 1924 et 1960 résulte, outre les considérations financières, de la combinaison de ces facteurs. À partir des années trente, de nombreux médecins préfèrent envoyer leurs patients à l'hôpital plutôt que de leur offrir des soins à domicile. Comme le souligne D. Rosner, les facilités offertes par les institutions hospitalières rehaussaient leur statut d'hommes qui soignent[6]. En échange de certains privilèges hospitaliers, nombreux seront les médecins de pratique privée qui recommanderont l'hospitalisation de leurs patients. L'espace grandissant qu'occupent les individus de la classe moyenne en tant que consommateurs des soins hospitaliers, phénomène amorcé durant les décennies 1920 et 1930 et qui s'accélère après la Seconde Guerre mondiale, correspond à un processus global d'accentuation de la médicalisation des sociétés occidentales et participe de la mise en place d'une nouvelle économie du progrès médical et de la production des soins de santé[7].

Les types de clientèle

Le nouvel hôpital de la rue Sherbrooke avait été aménagé d'après les recommandations des membres des bureaux médicaux et des sœurs hospitalières. Ceux-ci étaient en mesure de proposer une disposition des locaux en fonction du type de clientèle et des nouveaux besoins engendrés par l'évolution des soins. Des améliorations notables sont apportées à l'aménagement des salles réservées aux patients indigents. Plutôt que de loger ces patients dans de grandes salles communes comme on le faisait dans l'ancien hôpital, on avait décidé de les répartir au premier étage de l'hôpital en une douzaine de petites salles contenant chacune de 8 à 16 lits. La capacité totale d'accueil de patients indigents est alors de 120 à 155 lits. Cependant, les autorités avaient sous-estimé la demande de lits pour cette catégorie de patients. Durant les dix années qui suivent le déménagement, les autorités se retrouvent dans l'obligation d'augmenter la capacité d'accueil de ce type de patients à 481 lits avec l'addition de nouvelles ailes à l'édifice principal. Le troisième étage de l'hôpital loge les patients semi-privés répartis dans des chambres de 3 et 4 lits pour une capacité d'accueil de 60 lits. Les trois étages supérieurs comprennent plus de 80 chambres à un lit réservées aux patients privés[8]. La répartition de la clientèle ne change guère dans sa forme mais se modifie en volume. Jusqu'à la fin des années cinquante, l'hôpital gardera ses salles communes, privées et semi-privées, mais les capacités d'accueil des trois catégories de patients subissent des transformations importantes. Selon des données qui ne sont disponibles qu'à partir de 1934[9], l'Hôpital Notre-Dame peut alors admettre 627 patients répartis comme suit: 481 patients dans les salles communes, 58 dans les salles semi-privées et 88 dans les chambres privées. Trois ans plus tard, le nombre maximal de patients dans les salles communes diminue à 472, les chambres semi-privées profitent d'une légère augmentation de 10 lits. L'hôpital n'ajoute qu'une seule nouvelle chambre privée. Les lits réservés aux indigents représentent alors 75 % des capacités d'admission. Soulignons que les demandes de chambres privées sont inférieures à la capacité d'accueil puisque le taux d'occupation n'a été que de 66 % contre 91 % pour les salles communes[10]. La proportion des patients indigents atteint un plafond en 1937 avec 82 % des admissions. À compter de ce moment, l'hôpital augmentera considérablement son service semi-privé au détriment de son service public. L'année 1938 marque donc le début d'un déclin irréversible du pourcentage des patients indigents admis à l'Hôpital Notre-Dame.

Depuis la loi sur l'assistance publique de 1921, les frais d'hospitalisation des patients indigents étaient répartis également entre l'hôpital, le service d'assistance publique de la province et la municipalité où résidait depuis au moins six mois le patient. Lorsque celui-ci résidait dans la ville de Montréal, le bureau d'hygiène procédait à une enquête sur ses ressources ou sur celles de ses proches parents. Dans les cas d'urgence, l'enquête se déroulait après l'admission. Les patients à qui l'on reconnaissait le statut d'indigent jouissaient aussi de la gratuité des consultations aux dispensaires de l'Hôpital Notre-Dame. Toutefois, ceux-ci se voyaient parfois contraints de fournir une légère contribution pour les médicaments. L'Hôpital Notre-Dame, tout comme les autres hôpitaux généraux, se retrouvait donc dans la difficile obligation d'instituer un système d'enquête pour contrôler les déclarations des patients. En 1932, un tel système est mis en place par le bureau médical pour «connaître l'état pécuniaire des patients et pour contrer les pseudo-indigents[11]». Rappelons que c'était le service d'assistance publique qui fixait le tarif d'hospitalisation des indigents. Le gouvernement provincial exerçait aussi un contrôle sur les malades admis en vertu de la loi sur les accidents du travail et les accidents de rue. Quant aux vétérans, aux matelots et aux Amérindiens, ils relevaient du gouvernement fédéral. De nombreuses difficultés financières, nous l'avons déjà souligné dans les chapitres précédents, résulteront d'un tel système.

Les capacités d'accueil de patients semi-privés seront l'objet de deux hausses importantes: une première durant la guerre de 1939-1945 et une autre au cours des années qui suivent la fin du conflit. En 1942, les autorités décident de transformer 55 lits publics en lits semi-privés. L'année suivante, l'hôpital accorde 424 lits aux indigents, 153 aux patients semi-privés et 93 aux patients privés. L'augmentation du nombre de lits semi-privés entre 1937 et 1946 est de 163 % alors que la diminution du nombre de lits publics est de 22 %. Soulignons enfin qu'en 1946, les lits semi-privés et privés comptent pour 42,5 % de la capacité d'accueil de l'hôpital, alors qu'ils ne représentaient 15 ans plus tôt que 23 % de celle-ci. Inversement, la proportion des lits publics diminue de 77 % à 57,5 %. Entre 1946 et 1952, l'hôpital ne réserve plus que 367 lits aux indigents, mais augmente à 179 le nombre de lits semi-privés tout en conservant ses 93 lits réservés aux patients privés.

L'analyse du nombre annuel de patients hospitalisés selon chacune des catégories montre une nette diminution des admissions d'indigents au profit des patients semi-privés et privés. On ne peut toutefois se reporter aux statistiques des années de guerre puisque l'hôpital met alors une centaine de lits à la disposition des militaires dont les frais d'hospitalisation sont payés par la Défense nationale. L'Hôpital Notre-Dame héberge quotidiennement une moyenne de 100 militaires. Il n'en demeure pas moins que la tendance vers une augmentation des patients semi-privés devient irréversible jusqu'à l'adoption de la loi sur l'assurance-hospitalisation. Les statistiques des admissions de la période d'après-guerre montrent un accroissement considérable des patients privés et surtout des patients semi-privés au détriment des patients indigents. Même après le départ des militaires, le nombre de patients semi-privés dépasse celui des patients publics. En 1946, l'hôpital accueille 5850 patients semi-privés, 4367 patients indigents et 2445 patients privés[12]. Dix ans plus tard, le nombre de patients semi-privés s'est accru de façon telle qu'ils représentent à eux seuls plus du double des patients indigents: 7704 patients semi-privés contre 3704 patients indigents. Ces derniers, qui ont constitué pendant plus de 50 ans près de 70 % de la clientèle de l'hôpital, ne forment plus que 26,5 % des patients hospitalisés[13].

Une telle transformation des capacités d'accueil des trois catégories de patients reflète en grande partie la progression du niveau de vie d'une large fraction de la population et la montée graduelle de la classe moyenne. Or cela correspond sur le plan économique au dynamisme financier engendré par l'économie de guerre et à la relative prospérité qui a suivi l'arrêt des hostilités. Le surintendant général de l'Hôpital Notre-Dame expose avec perspicacité en 1943 les facteurs de transformation et d'accroissement de la clientèle hospitalière:

> Les industries de guerre ont doublé le nombre des accidentés du travail. Les campagnes d'éducation publique en hygiène et médecine préventive, la demande générale d'hospitalisation pour les futures mères, la pénurie du personnel domestique à domicile, la disparition du chômage et l'amélioration des conditions financières, la crise inquiétante du logement — voilà autant de facteurs qui viennent compliquer à l'heure actuelle le problème hospitalier [...] Depuis le début du conflit mondial actuel, la disparition du chômage et le relèvement des conditions financières ont diminué sans cesse le nombre des indigents qui fréquentent les dispensaires[14].

Évidemment, de nombreux autres facteurs abordés tout au long de cet ouvrage ont aussi été déterminants. Nous avons déjà souligné, par exemple, l'écart entre le coût réel d'hospitalisation des patients de l'assistance publique et les sommes versées par les autorités municipales et provinciales, écart qui occasionne de sérieux problèmes financiers à l'Hôpital Notre-Dame[15] et qui, en 1948, place les médecins de l'hôpital devant un dilemme: doit-on refuser un plus grand nombre de malades ou bien interrompre le progrès scientifique[16]? Les administrateurs et les autorités médicales affrontant les soucis financiers n'en affirment pas moins résolument la vocation traditionnelle de l'hôpital:

> Notre hôpital n'est pas une organisation commerciale et, même si nous prenions toutes les précautions possibles, les malades doivent quand même recevoir les traitements humanitaires qu'ils attendent d'une institution comme la nôtre[17].

Mais une telle déclaration de principe n'est pas respectée dans les faits puisque le pourcentage des patients indigents continuera à diminuer sensiblement. C'est donc en regard de l'écart entre les coûts réels et les coûts fixés par les dirigeants municipaux et provinciaux que doivent être comprises les mesures prises par les autorités de l'Hôpital Notre-Dame pour réduire le taux d'hospitalisation des indigents. Les autorités médicales en rejettent le blâme sur les élus municipaux et provinciaux:

> Le capital humain représente une valeur économique qu'il serait de mauvaise politique de négliger [...] Souhaitons que nos gouvernants comprennent de plus en plus que la santé économique d'une nation est intimement liée à la santé physique des individus qui la composent[18].

Une telle représentation mercantiliste ou populationniste des rapports entre santé collective ou publique et santé économique de la nation rappelle les énoncés des hygiénistes qui, depuis la fin du XVIIIe siècle en Europe et depuis le XIXe siècle au Québec, se voulaient les gardiens de la santé collective au nom des intérêts de l'État et de la société. Mais peut-on reprocher aux autorités de l'hôpital de diminuer, après la Seconde Guerre mondiale — alors que la demande de soins payants demeure très forte —, le nombre de lits réservés aux indigents pour accroître le rendement financier des chambres privées et semi-privées? Une telle mesure crée un certain mécontentement parmi la population qui voit sans cesse croître les coûts d'hospitalisation, comme le souligne le président de l'Hôpital Notre-Dame:

> De toute part s'élève comme une clameur, la plainte que le coût d'hospitalisation s'élève de nos jours, à un niveau astronomique, mais on néglige inconsciemment ou mali-

cieusement de faire connaître au public les raisons qui rendent prohibitive à un grand nombre de malades, la possibilité de se faire traiter dans nos hôpitaux[19].

Le débat prend des allures politiques puisque, selon les autorités, la faute en est imputable aux autorités provinciales qui refusent de verser une juste part pour l'hospitalisation des malades indigents. L'hôpital se voit donc contraint d'augmenter les coûts d'hospitalisation.

Une durée de séjour difficile à contrôler

Nombreux sont les patients indigents qui souffrent de maladies chroniques ou dont l'état nécessite une longue convalescence qu'ils ne peuvent, faute de ressources, s'offrir à la maison. Les autorités de l'hôpital se plaindront régulièrement de l'encombrement occasionné par ces patients incurables. Lorsqu'en 1939, le directeur médical demande aux médecins «de faire tout en leur pouvoir pour diminuer la moyenne d'hospitalisation[20]», le docteur Gérin-Lajoie répond qu'au service de gynécologie, les malades «restent plus longtemps à cause des mauvaises conditions familiales et du manque de maisons de convalescence[21]». En 1944, le bureau médical déplore que la durée moyenne d'hospitalisation soit supérieure à celle que l'on trouve dans les autres hôpitaux de la ville: 17,2 jours à l'Hôpital Notre-Dame contre 14 dans les autres institutions[22].

De 1944 à 1957, la durée moyenne de séjour des indigents oscille entre 25 et 30 jours, alors que celle des patients privés et semi-privés est approximativement de 11 jours (voir le graphique 17). Les causes en sont nombreuses: manque d'institutions de convalescence et d'établissements réservés aux incurables[23], extension des assurances-hospitalisation privées qui rendent possible une hospitalisation prolongée, augmentation du nombre de grandes opérations chirurgicales, hospitalisation des cancéreux et des grands traumatisés, etc. Les autorités invoquent aussi certaines causes sociales liées aux transformations de la société moderne: crise du logement, insuffisance des ser-

GRAPHIQUE 17

Durée moyenne de séjour selon la catégorie de patients, 1914-1965

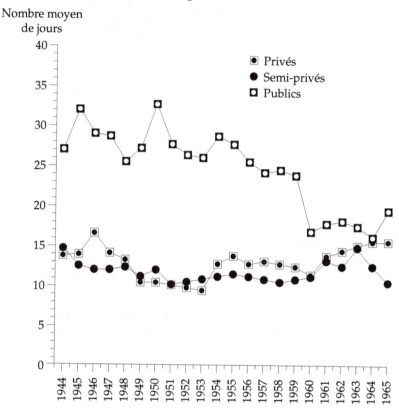

vices domestiques, jeunes mères «privées de secours maternel» ou encore «conditions de vie moderne qui ne permettent plus le retour à la maison d'un malade impotent ou même convalescent[24]». Les accidents d'automobile constituent après la Seconde Guerre mondiale une cause d'hospitalisation et surtout d'occupation prolongée des lits de l'Hôpital Notre-Dame. Commentant la durée moyenne de séjour à l'hôpital en 1953, qui est de 18 jours, le directeur médical souligne que:

> Cette moyenne d'hospitalisation est beaucoup trop longue mais il faut savoir qu'il est très difficile d'évacuer plus tôt

nos grands blessés de l'automobile qui ont subi trop souvent des fractures multiples et qui ne peuvent être traités
convenablement à domicile ou dans des maisons de convalescence: la seule solution que nous puissions espérer, pour
le moment, c'est que d'autres grands hôpitaux fassent plus
équitablement leur part auprès des grands blessés de
l'automobile[25].

En fait, l'Hôpital Notre-Dame était victime de son excel-
lente réputation sur le plan des soins d'urgence. Les autorités
de l'hôpital se plaignent en 1952 que les policiers de la ville de
Montréal font trop largement appel à ses services. Les demandes d'urgence sont si nombreuses que les patients sont installés
«temporairement dans les corridors», situation qui nous rappelle l'état des salles d'urgence d'aujourd'hui. Il est donc décidé
de faire des démarches auprès des autres hôpitaux métropo-
litains «afin de les convaincre d'assumer leur responsabilité en
acceptant davantage cette classe de malades[26]».

D'autres solutions sont proposées par les autorités hospitalières pour raccourcir le séjour moyen: agrandir l'institution,
ouvrir des hôpitaux pour les convalescents et les malades chroniques[27], augmenter le personnel de l'hôpital, répartir de façon
plus équitable les admissions d'urgence entre les hôpitaux de la
ville, suivre les progrès de la science médicale et instaurer une
meilleure collaboration entre le personnel médical et le personnel auxiliaire. De telles mesures s'avéraient cependant
coûteuses et difficiles à appliquer à court terme.

Une clientèle qui se diversifie

Dès les années 1900, l'Hôpital Notre-Dame reçoit, outre les
matelots, un petit nombre de malades provenant de la campagne québécoise, des autres provinces canadiennes et des
États-Unis. En 1926, seulement 11 malades provenant de «municipalités étrangères» y ont été traités. Vingt ans plus tard, près
du tiers des 14 382 patients admis à l'hôpital, soit 3124 patients,
viennent de l'extérieur de la ville et 155 de l'extérieur du
Québec. Encore à cette époque, la majorité des patients sont
catholiques. Le processus de spécialisation des services

médicaux offerts à l'hôpital avait entraîné une certaine décentralisation des soins. Les petits hôpitaux de province n'ont pas toujours les équipements et les spécialistes nécessaires au traitement que requiert l'état du malade. L'Hôpital Notre-Dame non plus, mais il est en mesure de répondre adéquatement à bien des demandes d'interventions thérapeutiques encore inédites en région. Les autorités médicales en font d'ailleurs état: «Des patients des endroits aussi les plus éloignés comme la Gaspésie, l'Abitibi, le Lac Saint-Jean, sont adressés à l'Hôpital Notre-Dame pour y recevoir des traitements ou subir des opérations qu'ils ne pourraient recevoir ailleurs[28].»

En 1952, aux règlements de l'Hôpital Notre-Dame qui reprennent les mêmes dispositions concernant l'admission des malades de toutes catégories, indépendamment de la nationalité, de l'âge ou de la religion, dispositions en vigueur depuis l'ouverture du nouvel hôpital, s'ajoutent quelques restrictions en ce qui a trait à l'admission de malades atteints de certains types d'affections. Le nouveau règlement prévoit que, dans les cas de narcomanie, d'alcoolisme, de contagion, de maladies mentales et de maladies incurables, les patients ne peuvent être admis sans l'autorisation du directeur médical.

Une médicalisation accrue de la vie quotidienne des patients à l'hôpital

L'aménagement d'un nouvel hôpital selon des normes hospitalières rigoureuses, les efforts faits par les autorités pour réduire la durée de séjour des patients, l'augmentation du nombre de patients semi-privés et privés, la spécialisation accrue du personnel, des diagnostics et des thérapeutiques transforment progressivement les conditions de séjour des patients. Si la vie quotidienne des malades hospitalisés subit des modifications notables entre 1924 et 1960, c'est surtout à partir de la Seconde Guerre mondiale que le paysage hospitalier commence à ressembler à celui d'aujourd'hui. Soulignons que les sources disponibles rendent malheureusement peu compte des conditions de séjour des patients. Il nous est donc impossible d'en brosser un tableau précis.

Le souci de procurer un environnement adéquat aux malades hospitalisés avait contribué, du moins en partie, à l'établissement des normes de construction du nouvel hôpital. Les différents pavillons de la rue Sherbrooke bénéficient alors

> d'une exposition au soleil maxima de tous les côtés, de même que d'une ventilation ou aération naturelle aussi complète qu'il est possible de l'obtenir. La grande étendue de verdure du parc Lafontaine, en face, lui assure pendant les mois d'été, un air constamment tamisé et purifié[29].

La dernière expression est curieuse, mais elle reflète la persistance de certaines représentations de l'air et la valorisation toujours présente d'une ventilation à la fois source de purification et de protection contre les forces morbides de la maladie. Les patients profitent aussi de larges solariums et de terrasses ouvertes où ils peuvent, hiver comme été, s'exposer au soleil et prendre un peu d'air frais. Les offices religieux sont célébrés dans une chapelle pouvant contenir une centaine de fidèles. Les paillasses recouvrant les lits de fer ont été remplacées par des matelas beaucoup plus confortables. Au début des années cinquante, l'hôpital comptera de plus en plus de lits orthopédiques qui sont mieux adaptés aux soins spécifiques de certains patients. Dès l'ouverture du nouvel hôpital, chaque salle possède des installations sanitaires conformes aux nouveaux standards de propreté et d'hygiène requis dans tout hôpital moderne.

Le nouvel emplacement de l'édifice et l'aménagement de petites salles communes ont certainement grandement contribué à améliorer le confort des patients, qui demeure toutefois précaire avec les problèmes persistants d'encombrement qui jalonneront l'expansion de l'hôpital jusqu'en 1960. Il faut dire que l'aménagement dans des édifices neufs n'a pas résolu tous les problèmes d'infrastructure. Par exemple, des vices de construction touchant le mécanisme de fermeture des fenêtres sont invoqués par un médecin de l'hôpital pour expliquer certains décès survenus durant l'hiver:

> Des malades ont fait des complications parfois mortelles dues à des refroidissements et d'autres ont quitté l'hôpital parce qu'à certains moments la température des chambres

était trop froide [...] des complications mortelles ont dû être attribuées à cet état de chose[30].

Évidemment, une telle plainte reçoit une réponse immédiate et les autorités voient à ce que tout soit fait pour corriger la situation. Le confort des patients, plus nombreux que prévu, et les conditions d'hygiène sont aussi parfois affectés par la promiscuité. Le personnel hospitalier doit redoubler d'efforts pour donner les soins nécessaires aux patients des salles communes, quoique l'augmentation du personnel et les nouveaux outils mis à leur disposition compensent en partie l'augmentation de la clientèle. En 1935, l'hôpital compte 3 chapelains, 45 religieuses, 100 médecins et internes, 50 infirmières diplômées et 190 étudiantes infirmières[31]. Quinze ans plus tard, on dénombrera à l'hôpital 779 employés et 223 étudiantes infirmières.

L'éternelle carence de locaux et d'espace force les médecins à placer «les agités, les délirants, les agonisants et les cas spéciaux à proximité des salles, souvent dans les salles mêmes[32]». Il n'est pas rare non plus que l'on se plaigne du bruit que font le personnel et les visiteurs. En 1938, le bureau médical est saisi d'une série de récriminations concernant notamment les dossiers médicaux qui «circulent comme des romans» et l'état général des salles communes où «l'on manque de politesse, de propreté, de tranquillité». Le bureau médical fait appel à l'hospitalière en chef pour qu'elle voie à ce que l'on ne «hurle plus le chapelet dans les corridors». Mesure insuffisante puisque l'on propose, quelques semaines plus tard, de supprimer «la récitation du chapelet à haute voix[33]». L'année suivante, le même bureau interdit au personnel et à tous les malades et visiteurs de fumer dans les salles communes[34]. Interdiction est faite aussi de cracher dans les salles et les corridors. En 1940, une motion, non adoptée cette fois-ci, est déposée au bureau médical pour que «les radios soient interdites dans les salles publiques et semi-publiques[35]».

Certaines initiatives pour améliorer le soin des patients ou pour combler certaines lacunes en matière d'instruments se heurtent parfois à des résistances. En 1945, l'hôpital ne possède toujours pas de «bassines» individuelles ni de thermomètres individuels pour les malades des salles communes. Phénomène «presqu'inexplicable [*sic*] en 1945[36]», souligne un médecin du bureau. Aussi demande-t-il au conseil médical de recommander au bureau d'administration l'achat de ces instruments, mais ce dernier oppose un refus catégorique.

La même année, l'alimentation des patients fait l'objet d'une enquête à la suite de griefs formulés par des patients. Un comité est formé et, sur ses recommandations, il est décidé d'engager une diététicienne laïque diplomée, décision prise «pour le plus grand bien de la clientèle[37]». Les problèmes liés au service culinaire ne sont pas pour autant résolus. Depuis les débuts de l'hôpital, la vaisselle était lavée «par de petites bonnes», mais avec le volume de la clientèle en 1947, le bureau médical, qui décidément se mêle de tout, propose que l'hôpital se procure des laveuses mécaniques. Mais, faute de locaux, il faudra attendre encore quelques années. Le service d'alimentation doit cependant se moderniser. Un chariot chauffé est mis à l'essai, et, jugé satisfaisant, l'on décide d'en commander six autres. Il est par ailleurs décidé qu'une religieuse s'occupera d'exercer une surveillance générale sur la cuisine des régimes en attendant une réorganisation prévue pour l'année suivante.

On reconnaît alors de plus en plus l'importance de la nutrition dans l'organisation des soins thérapeutiques. On décide donc d'engager trois diététiciennes diplômées et de former un comité de nutrition composé des docteurs C.-E. Grignon, A. Gratton, A. Guilbeault et R. Dufresne. Les diététiciennes se voient confier, sous la direction du comité, la tâche de contrôler les régimes des patients de l'hôpital. Les différents types de régimes de l'hôpital sont complexes et tiennent compte des besoins caloriques des adultes et des enfants selon qu'ils sont alités, en exercice léger, modéré, etc. Sont contrôlés aussi les quantités quotidiennes nécessaires, les types d'aliments et la teneur du régime en protides, en lipides, en glucides, en vitamines, etc. Différentes diètes doivent aussi être préparées: diète liquide médicale, diète liquide postopératoire, diète hypocelluleuse, hypoazotée, hypograisseuse, etc. Le service de diététique doit aussi élaborer différents régimes pour les nourrissons et les enfants. Face aux nouvelles exigences, l'hôpital décide, au début des années cinquante d'engager de nouvelles diététiciennes. Les membres du bureau médical ne cachent pas leur satisfaction devant l'amélioration du nouveau service: «L'Hôpital Notre-Dame est sûrement un des hôpitaux où la nourriture est la meilleure[38]».

Progressivement, durant la période 1924-1960, la vie quotidienne des patients sera organisée selon des normes de plus en plus strictes qui correspondent le plus souvent aux besoins engendrés par l'évolution du savoir médical. Le dossier de chaque patient doit être rigoureusement tenu, les examens soigneusement effectués, les horaires scrupuleusement respectés et, dans les cas de diète, la nourriture étroitement surveillée. Cette structuration de la vie du patient coïncide en partie avec la structuration croissante de l'univers médical et hospitalier. N'est plus admis qui veut, ne peut sortir qui l'entend. Durant la période 1880-1924, les écarts étaient nombreux et les règles appliquées de façon très large. La différence au cours de la période suivante se situe moins dans la réglementation elle-même que dans l'observation de celle-ci. Nous aurions pu montrer à loisir, en ce qui a trait à la première période de l'hôpital, les exceptions faites aux directives prônées par le bureau médical ou le conseil d'administration. De telles exceptions sont encore courantes entre 1924 et 1939, mais elles deviennent beaucoup moins fréquentes entre 1939 et 1960.

Les autorités médicales, paramédicales et administratives ont généralement fait montre d'un souci réel et soutenu pour améliorer la qualité de vie à l'hôpital et offrir aux patients les soins que requiert leur état. Cependant, il n'est pas certain que ces élites aient bien pressenti les enjeux et les conséquences futures d'une spécialisation des soins qui modifiera considérablement au sein des grandes institutions hospitalières les rapports sociaux et humains. La relation instrumentale qui s'établit progressivement entre le soignant et le soigné, l'environnement strictement médicalisé du malade, la visite rapide et l'attitude souvent froide d'un médecin débordé constituent déjà, à partir des années quarante, des éléments qui atteignent insidieusement la dimension humaine de la maladie et qui contiennent le germe de certains aspects déshumanisants et négatifs des grandes structures hospitalières d'aujourd'hui.

La vie quotidienne devient de plus en plus segmentée et quadrillée non seulement par une redistribution de l'espace et une nouvelle organisation du temps — horaires de plus en plus strictement définis, locaux spécialisés, etc. —, mais aussi par l'imposition de mesures de contrôle plus sévères sur la circulation des individus, la qualité des services et des soins et le comportement du personnel et des patients. De telles règles ont toujours plus ou moins implicitement existé, mais ce qui se modifie entre 1924 et 1960, c'est l'imposition de codes disciplinaires de moins en moins dépendants de prescriptions morales, mais plus largement assujettis aux pratiques d'observation, d'analyse et de contrôle de la maladie[39]. Ne se plaint-on pas, en 1938, que le chapelet quotidien nuit au bien-être physique des patients?

Notes

1. RAHND, 1925, p. 34.

2. *Ibid.*

3. *Ibid.*

4. Il est à noter que, dès le début, l'Hôpital Notre-Dame se définissait comme un «hôpital d'urgence», où «étaient admis de préférence, les cas aigus et les accidents» notamment pour « les travailleurs de notre Port». Voir à ce propos D. Goulet et O Keel, «Santé publique, histoire des travailleurs et histoire hospitalière: sources et méthodologies». Ce mouvement fait partie d'une tendance plus générale, bien qu'il y ait des décalages sensibles selon les provinces ou les pays. À partir des dernières décennies du XIXe siècle, l'urbanisation et l'industrialisation vont assurer progressivement aux hôpitaux, «par le biais d'une des voies de la socialisation de la maladie, celle du rapport qui se tisse entre santé et travail», une pleine adhésion du public. (Voir F. Rousseau, *La croix et le scalpel. Histoire des Augustines et de l'Hôtel-Dieu de Québec (1639-1892),* p. 290.)

5. RAHND, 1925, p. 36.

6. Voir D. Rosner «Business at the bedside: Health care in Brooklyn, 1890-1915», dans Reverby et D. Rosner (dir.), *Health Care in America: Essays in Social History,* p. 123.

7. D. Gagan souligne qu'en 1948, en Ontario, près de 90 % des naissances et 40 % des décès ont lieu à l'hôpital («For "patients of moderate means": The transformation of Ontario's public general hospitals, 1880-1950», p. 155). Au Québec, 41,3 % des décès ont eu lieu à l'hôpital en 1951, ce qui est à peu près identique à l'Ontario. Ce taux montera jusqu'à 55,5 % en 1961 (*Annuaire du Québec,* 1966-1967, p. 336-337, et N. Perron, *Un siècle de vie hospitalière au Québec,* p. 119). Par contre, en 1948, le pourcentage d'accouchement ayant eu

lieu à l'hôpital n'est que de 41 %. Cependant, il y a eu, en une dizaine d'années, une progression considérable, car cette proportion n'était que de 10,5 % en 1935 (*Enquête sur les services de santé*, Québec, ministère de la Santé, 1948, t. II). En une vingtaine d'années, l'accouchement à l'hôpital se généralisera au Québec. (Voir N. Perron, *op. cit.*, p. 112, et D. Goulet et O. Keel, «Santé publique...», *op. cit.*, p. 74.)

8. On aménage aussi au deuxième étage une petite maternité d'une dizaine de lits.

9. Les rapports annuels de la période 1924-1960 ne mentionnent les capacités d'accueil qu'à partir de 1934, et ce jusqu'en 1953. Aucune donnée n'est disponible pour la période 1924-1934.

10. Quelques années auparavant, les autorités constataient que des médecins ou chirurgiens de l'Hôpital Notre-Dame envoyaient leur clientèle privée dans d'autres hôpitaux parce que, semble-t-il, le prix des chambres y était moins élevé qu'à l'Hôpital Notre-Dame (PVBMHND, 29 avril 1927).

11. *Ibid.*, 29 avril 1932.

12. D. Gagan (*op. cit.*, p. 155) mentionne qu'en 1948, les indigents ne constituent plus que 10 % des patients hospitalisés dans les hôpitaux publics ontariens alors que, 10 ans plus tôt, les malades payants ne constituaient que 56 % de la clientèle hospitalière. En 1948, les indigents hospitalisés à l'Hôpital Notre-Dame comptent encore pour 36 % de la clientèle. Gagan montre, pour les hôpitaux ontariens, qu'une grande partie des malades classés comme indigents sont en fait des malades non payants, venant de la classe inférieure des travailleurs et qui, à la différence des «*patients of moderate means*», n'ont pas de ressources suffisantes pour supporter les coûts d'hospitalisation. Il s'agit le plus souvent de travailleurs pauvres et non pas d'invalides, d'impotents ou de gens vivant dans un dénuement complet, ce que laisse entendre le plus souvent le terme d'indigent (*ibid.*, p. 166, 172 et 174). Gagan souligne d'ailleurs que l'on classe, en Ontario, comme indigents même les malades payants qui sont incapables de payer pour leur hospitalisation plus de 7 $ par semaine. Il s'agit donc clairement d'une clientèle (travailleurs) qui a quelques ressources, bien que très limitées, et non pas d'indigents au sens propre du terme. Comme nous l'avons montré, il en va de même pour la clientèle des indigents dans les hôpitaux du Québec, et particulièrement à l'Hôpital Notre-Dame. Une partie de cette clientèle serait mieux définie comme non payante que comme indigente. De multiples institutions d'assistance, de type asile ou refuge, bien distinctes des hôpitaux et vouées à l'accueil des pauvres en tant qu'«assistés sociaux», existent depuis longtemps à Montréal. Bien entendu, les hôpitaux accueillaient aussi des indigents de ce type, mais uniquement lorsqu'un problème de santé justifiait l'hospitalisation et le traitement — et non s'il s'agissait d'un problème social d'assistance.

13. Soulignons qu'en 1956, l'hôpital héberge dans sa pouponnière plus de 1500 bébés. Nous les avons exclus de nos calculs.

14. RAHND, 1938-1943, p. 85-86.

15. Selon le rapport annuel de 1952, la perte nette moyenne est de 6 $ par indigent hospitalisé.

16. RAHND, 1948, p. 49.

17. *Ibid.*, 1950, p. 30.

18. *Ibid.*, 1948, p. 49. Ces relations entre santé de la population et santé économique de la nation sont soulignées dès le début par les dirigeants de l'Hôpital Notre-Dame, ce qui n'est pas surprenant quand on sait que le surintendant de l'hôpital, le docteur Lachapelle, fut dès 1888 président du Conseil d'hygiène de la province et qu'il mettra en œuvre une politique fondée sur les mêmes principes «populationnistes». F. Rousseau mentionne que cette relation entre santé et productivité sociale était également bien affirmée au début du siècle par les autorités et les médecins de l'Hôtel-Dieu de Québec. Ceux-ci, en 1901, avaient passé un règlement sur les opérations qui obligeait les médecins à consulter leurs confrères à propos des opérations graves, c'est-à-dire celles qui «*sont de nature à mettre en péril la vie d'un malade ou à le rendre moins utile à la société*» (F. Rousseau, *op. cit.*, p. 290, passage du règlement souligné par l'auteur).

19. RAHND, 1951, p. 21.

20. PVBMHND, 26 mai 1939.

21. *Ibid.*

22. Aux États-Unis, le séjour moyen dans les hôpitaux généraux passe de 12,5 jours en 1923 à 7 jours en 1970, nettement plus court qu'à l'Hôpital Notre-Dame où il passe de 16 jours en 1923 à 12 jours en 1965. (Voir P. Starr, *The Social Transformation of American medicine*, p. 158.) Gagan (*op. cit.*, p. 155) mentionne qu'en 1948, la moyenne de la durée d'hospitalisation dans les hôpitaux généraux ontariens est de 12 jours alors qu'elle se situait autour de 36 jours en 1880 .

23. La carence de lits pour les soins aigus est aussi un problème en Ontario. (Voir D. Gagan, *op. cit.*, p. 177.)

24. RAHND, 1946-1947, p. 68; 1951, p. 58-59.

25. *Ibid.*, 1953, p. 92.

26. *Ibid.*, 1952, p. 40.

27. Depuis longtemps déjà, les autorités de l'hôpital demandaient l'ouverture de nouveaux hôpitaux pour convalescents. En 1932, les membres du bureau médical et du conseil d'administration signalent au Conseil de ville de Montréal «la nécessité d'ouvrir dans le plus bref délai possible des maisons de convalescents afin de mieux utiliser pour les cas aigus les hôpitaux déjà existants» (*ibid.*, 1932, p. 43).

28. *Ibid.*, 1952, p. 104.

29. Extrait d'un rapport de la firme d'architectes Stevens & Lee.

30. PVBMHND, 21 mai 1926.

31. RAHND, 1935-1937, p. 45.

32. PVBMHND, 12 février 1938.

33. *Ibid.*, 29 avril 1938.

34. *Ibid.*, 26 mai 1939.

35. *Ibid.*, 29 mars 1940.

36. *Ibid.*, 6 juin 1945.

37. *Ibid.*, 8 juillet 1945.

38. RAHND, 1951, p. 34.

39. Soulignons que ces prescriptions morales étaient combinées depuis l'ouverture de l'hôpital à des normes disciplinaires répondant aux exigences médicales: par exemple, les malades devaient accepter de servir de cobayes pour l'enseignement clinique.

TROISIÈME PARTIE

La période contemporaine: 1960-1980

CHAPITRE X

L'universalisation
des soins hospitaliers

L'instauration du régime d'assurance-hospitalisation au Québec en 1961 avait été précédée, durant les années quarante et cinquante, par une série d'enquêtes et d'études gouvernementales entreprises dans le but de résoudre les problèmes des hôpitaux quant à leur financement et à leur capacité d'accueil. Toutefois, jusqu'en 1961, la seule contribution gouvernementale statutaire prévisible sur laquelle peuvent compter les hôpitaux québécois est l'octroi de subsides par le Service de l'assistance publique pour l'hospitalisation des indigents. Et encore, nous l'avons déjà souligné, les montants offerts par le gouvernement ne couvrent pas l'ensemble des coûts engendrés par cette catégorie de patients. Toutefois, le recours régulier à des moyens de pression sur les autorités gouvernementales force ces dernières à consentir un versement ponctuel de sommes d'argent additionnelles[1]. Mais la confusion que provoque une telle situation rendra nécessaire une remise en question du système hospitalier en général. Au-delà des problèmes hospitaliers liés au financement et à l'accessibilité des services, c'est la notion de sécurité sociale qui deviendra l'objet de l'ensemble de ces études, notion qui prend ainsi le pas sur les questions de coût des services et de répartition des budgets.

Tout de même, l'idée de prise en charge des soins de santé par le gouvernement du Québec et la participation plus directe de l'État commencent à être considérées plus sérieusement dès les années quarante. Le cheminement sera toutefois lent entre l'idée théorique et abstraite de prise en charge et son application concrète. Or les besoins étaient criants. En 1958, seulement 36,3 % des Québécois étaient alors protégés par un régime d'assurance-maladie privé et, parmi ces derniers, 60 % n'étaient couverts que d'une manière limitée[2].

L'assurance-hospitalisation et l'assurance-maladie: deux solutions au problème constant du déficit

L'arrivée au pouvoir des libéraux de Jean Lesage en 1960 et le déclenchement consécutif de la Révolution tranquille, marqueront l'adhésion, en janvier 1961[3,] du Québec au programme d'assurance-hospitalisation fédéral. Cette décision est acceptée très favorablement par le bureau d'administration de l'Hôpital Notre-Dame. En vertu de cette entente,

> l'hospitalisation et tous les services auxiliaires sont gratuits en salle publique; les malades des chambres semi-privées et privées réalisent une diminution de 75 à 85 % dans les déboursés qu'ils ont à faire lors du paiement de leur compte, sans parler de ceux qui détiennent une co-assurance [régime privé[4]].

Il s'agit d'un changement majeur par rapport à la loi sur l'assistance publique qui ne payait qu'une partie des coûts d'hospitalisation des indigents. Cependant, loin de résoudre tous les problèmes des coûts d'hospitalisation, cette réforme du financement des soins de santé servira plutôt de tremplin vers une ultime étape de la prise en charge du système hospitalier par l'État[5]. Conséquence de la mise en application du régime d'assurance-hospitalisation, la loi 2, adoptée en 1962, vise à rationaliser la gestion hospitalière[6]. En 1961 avaient déjà été créées la commission d'étude Bédard sur les hôpitaux psychiatriques et la commission royale d'enquête Hall sur les services de santé. Mais alors que le gouvernement subventionnera automatiquement et directement les coûts d'hospitalisation et de soins de santé, les administrations hospitalières ne feront désormais appel aux souscriptions que pour se doter d'un nouvel équipement ou pour garnir les fonds de recherche.

Les commissions d'enquête et les comités d'étude gouvernementaux vont se succéder pendant la décennie 1960 et privilégieront deux voies principales de réforme: l'universalité et la gratuité totale de l'hospitalisation et des soins de santé ainsi que la régionalisation des services. Cette dernière mesure visait à décongestionner les grands centres hospitaliers afin de leur permettre d'intensifier la spécialisation de certains secteurs. Cette décentralisation du système de santé ne se fera toutefois pas sans difficultés, compte tenu du type varié de clientèle et de la diversité des institutions concernées. De plus, la distinction entre les notions de services de santé et de services sociaux sera de moins en moins nette, corollaire d'une tendance générale de la société québécoise vers la médicalisation, la prévention et la réhabilitation. Les traditionnelles notions de charité et d'assistance publiques sont bientôt remplacées par les concepts de justice sociale et de droit à l'accessibilité des soins[7]. Enfin, les représentants et fonctionnaires de l'État en viennent à considérer comme de plus en plus importants les liens qui unissent la santé de la population à la productivité et au rendement au travail et, conséquemment, à la puissance économique du Québec. Il y a donc lieu pour l'État de se préoccuper de cette question, d'où la nouvelle notion de bien-être social qui remplacera celle d'assistance publique[8].

Constitué en 1961 pour étudier les problèmes financiers résultant du nouveau programme d'assurance-chômage au Québec, le comité Boucher reliera le recours à l'assurance-chômage au mauvais état de santé de la population et celui de l'assistance sociale à la faiblesse économique du Québec d'alors[9]. De son côté, la commission Hall recommandait au gouvernement fédéral l'instauration d'un programme national public et universel d'assurance-maladie dont les frais seraient partagés avec les provinces consentantes. Ce nouveau projet annoncé lors de la lecture du discours du Trône de 1965 couvre l'ensemble des services de santé[10]. Sitôt cette nouvelle diffusée, le premier ministre provincial Lesage charge l'actuaire Claude

Castonguay d'étudier la possibilité de doter le Québec d'un tel programme d'assurance-maladie. Les cadres d'étude du travail de ce haut fonctionnaire québécois sont élargis considérablement l'année suivante lorsqu'il devient président de la commission Castonguay-Nepveu sur la santé et le bien-être social au Québec récemment mise sur pied. Son mandat est très vaste:

> Il s'agit de faire une étude globale de l'ensemble des systèmes de santé et de bien-être social, incluant l'instauration d'un régime public d'assurance-maladie, la réorganisation de tout le système hospitalier et de façon plus générale de dispensation des soins sanitaires et sociaux, la réorganisation des professions, en ce qui a trait à la formation des agents de distribution de soins et de recherche, le développement des spécialités professionnelles, les modes de rétribution, en particulier pour les médecins, les rapports entre les organisations professionnelles et l'État, la réorganisation des diverses législations relatives à l'aide sociale, et la formulation d'une politique générale d'intégration et de participation de la population à la définition de ses besoins et à la gestion des établissements, et de la régionalisation des systèmes de distribution des services[11].

En raison de l'ampleur de la tâche qui lui incombe, la commission ne peut remettre son rapport final qu'à la fin de l'année 1972. Le travail de cette commission a grandement orienté les politiques du gouvernement en matière de santé et d'affaires sociales. Une de ses premières conséquences a été la création de la Régie de l'assurance-maladie en 1969, recommandée par la commission en 1967. Cette nouvelle régie sera responsable de la mise en place du système d'assurance-maladie au Québec en 1970[12]. Celle-ci prend alors la relève de la loi sur l'assistance médicale adoptée en 1966 pour compléter le régime fédéral de l'assurance-hospitalisation. Les recommandations du comité Boucher et de la commission Castonguay-Nepveu seront aussi à l'origine de l'adoption d'autres mesures sociales à compter des années 1969 et 1970. Mentionnons, entre autres, la loi sur l'aide sociale votée en 1969 qui regroupe les lois déjà existantes sur l'aide aux aveugles, aux invalides, aux personnes âgées de plus de 60 ans et aux mères nécessiteuses[13]. Ou encore la création du ministère des Affaires sociales, en 1970, qui deviendra

> l'initiateur, l'organisateur, le coordonnateur, le planificateur, l'administrateur et l'évaluateur de l'ensemble des politiques et des programmes placés sous sa responsabilité. Il centralise l'ensemble des décisions et des budgets de santé et d'assistance. Au cours de la décennie 1970, le mi-nistère s'adjoint neuf organismes: le Conseil des affaires sociales et de la famille, le Conseil consultatif de pharmacologie, l'Office des personnes handicapées du Québec, le Fonds de recherche en santé du Québec, la Corporation d'hébergement du Québec, le Comité de la santé mentale du Québec, le Conseil québécois de la recherche sociale, la Régie de l'assurance-maladie du Québec et la Régie des rentes du Québec[14].

Le ministère de la Santé et celui de la Famille et du Bien-être social ont fusionné en 1970. Conformément au cadre prévu par la loi 65 sur les services de santé et les services sociaux (1971) sont créés les conseils régionaux de la santé et des services sociaux (CRSSS) ainsi que les centres locaux de services communautaires (CLSC) qui s'implanteront à partir de 1972.

Le régime d'assurance-maladie, malgré les conflits de travail et le taux élevé d'inflation durant la décennie 1970, sera d'une remarquable efficacité. Cependant, au début des années quatre-vingt, l'accroissement considérable des coûts de santé et l'émergence de nouveaux conflits de travail, en marge de la crise économique la plus grave depuis celle des années trente, combinés à l'encombrement des patients dans les salles d'urgence, soulèvent quelques interrogations quant à l'opportunité de maintenir l'universalité des soins de santé. Prend forme chez quelques fonctionnaires et politiciens l'idée d'un ticket modérateur pour certaines visites à l'hôpital. Enfin, on songera à une éventuelle nouvelle réforme du système des soins de santé et des services sociaux[15]. Le programme de cette réforme a été révélé à la fin de 1990 par le ministre québécois de la Santé, Marc-Yvan Côté. Depuis, une partie importante en a été appliquée, mais le programme n'est pas encore entièrement instauré.

Un nouveau mode de financement: le rôle accru de l'État

Au début des années soixante, les administrateurs de l'Hôpital Notre-Dame accueillent favorablement et avec satisfaction l'annonce de l'entrée en vigueur du programme d'assurance-hospitalisation au Québec. Tout de même, le surcroît de travail imposé par cette réforme est important compte tenu des préparatifs requis pour son application fixée à l'Hôpital Notre-Dame au 1er janvier 1961. Mais si certains s'inquiètent des répercussions de la gratuité des soins sur la fréquentation de l'hôpital[16], les autorités, après les quelques ajustements d'usage, se montrent plutôt satisfaites du plan d'assurance-hospitalisation[17].

La première difficulté liée à l'inscription d'une institution au programme d'assurance-hospitalisation est alors l'élaboration d'un budget conforme aux normes de la loi sur les hôpitaux. Le problème provient surtout du fait que les sommes prévues par la loi ne correspondent pas aux montants calculés par l'hôpital. De plus, certaines catégories de dépenses ne sont pas comprises dans le budget type de la loi et, considérées comme non admissibles, restent donc à la charge de l'institution. Il en est ainsi des frais partageables et du paiement des intérêts sur la dette, ainsi que du remboursement de cette dernière. L'inexpérience des administrateurs dans ce domaine est alors reconnue:

> L'application de la loi porte en outre au grand jour l'incurie administrative des établissements hospitaliers qui par exemple, en 1961, n'ont pas de budget financier dans 80 % des cas, y compris pour les plus grands hôpitaux d'enseignement universitaire à Montréal. Le gouvernement s'efforce donc de rationaliser l'administration générale des hôpitaux et le ministère de la Santé, en mettant sur pied un système comptable, les rudiments d'une planification des ressources et des dépenses[18].

Désormais, les institutions hospitalières devront se plier au cadre administratif et budgétaire imposé par le gouvernement québécois désireux d'assurer la planification des ressources et de satisfaire les besoins d'une population ayant largement accès aux services de santé. Les administrateurs s'adaptent tant bien que mal à la situation:

> Cette deuxième année d'opération sous un régime d'assurance-hospitalisation nous a permis d'acquérir une meilleure expérience dans le domaine de la révision du budget. Nous sentons déjà l'intérêt suscité chez tous nos chefs de service, qui manifestent le désir d'une très grande collaboration envers le gouvernement de la province de Québec. Tous nos officiers administratifs supérieurs ont gracieusement prêté leur concours en acceptant de faire partie des nombreux comités conjoints créés à la demande des associations hospitalières et des autorités provinciales, dans le but de solutionner les nombreux problèmes qui persistent, en dépit de la bonne volonté de chacun. Une atmosphère de compréhension règne au sein de toutes les discussions et permet d'espérer les plus heureuses réalisations[19].

Les difficultés relationnelles entre les instances gouvernementales et l'administration de l'Hôpital Notre-Dame s'aplanissent rapidement grâce notamment à la création, en 1963, du poste d'administrateur délégué qui allégera les tâches du directeur général. Le titulaire de ce nouveau poste, le docteur Paul Bourgeois, aura principalement pour tâche de représenter officiellement l'hôpital auprès des gouvernements et des associations professionnelles et médicales. Quant au nouveau directeur général, Lucien Lacoste, auparavant directeur des services administratifs, il sera responsable de la régie interne et de la gestion de l'hôpital. Les négociations entre l'administrateur délégué et le gouvernement provincial ne sont pas toujours faciles. Il y a souvent désaccord entre la demande de fonds de l'hôpital et l'enveloppe proposée par le ministère de la Santé. Il faut dire que les demandes des administrateurs de l'Hôpital Notre-Dame entraient parfois en compétition avec celles des autres institutions. La croissance de l'Hôpital Notre-Dame est alors limitée par les contraintes du budget fixé par le gouvernement. En outre, les fonds accordés n'empêchent même pas l'accroissement du déficit de l'hôpital puisque l'assurance-hospitalisation ne rembourse pas tous les coûts et même n'accorde pas toujours le plein montant pour les dépenses admissibles.

Les tensions entre les parties seront plus vives en 1967 lorsqu'un nouveau programme de contrôle des coûts est proposé par le gouvernement. L'exaspération des administrateurs est d'autant plus vive qu'ils se considèrent comme les plus aptes à assurer une saine planification financière des soins hospitaliers.

> Depuis 1961, les autorités gouvernementales, le Service de l'assurance-hospitalisation et les institutions hospitalières se sont affrontés à qui mieux mieux pour présenter chacun leur conception particulière des moyens à prendre pour solutionner le problème de l'augmentation croissante des coûts... Les hôpitaux dirigés bénévolement par des hommes d'affaires, des industriels et des professionnels n'ont jamais protesté contre le contrôle du coût. Ils sont convaincus cependant qu'un excellent contrôle ne peut découler que d'une planification bien établie[20].

L'entrée en vigueur du régime de l'assurance-maladie en octobre 1970 soulève bien des interrogations. Le président du Conseil des médecins et dentistes reproche à l'État de s'approprier «les destinées du régime de la santé jusqu'à maintenant fondé sur l'initiative des individus et des corporations[21]». Quant à l'avocat Henri-Paul Lemay, président de la corporation de l'hôpital, il reconnaît qu'il est «trop tôt pour juger de la portée du régime d'Assurance-maladie, instauré en octobre dernier[22]», mais se montre inquiet des répercussions de l'accroissement de la clientèle hospitalière:

> Ayant déjà atteint un niveau de saturation, les services de l'hôpital Notre-Dame répondent difficilement aux demandes que les patients sont en droit de formuler. Il serait souhaitable que des centres de diagnostic soient constitués dans les plus brefs délais afin que des institutions de l'envergure de Notre-Dame puissent remplir les véritables rôles qui leur ont été assignés, à savoir, diagnostic et traitements spécialisés, enseignement et recherches.

Il demeure néanmoins que la situation financière de l'hôpital au début des années soixante-dix sera nettement plus stable que précédemment puisque 97 % de ses revenus proviennent du gouvernement.

La structure administrative de l'hôpital subit quelques modifications à l'occasion de l'implantation du nouveau régime d'assurance-maladie. Les représentants de la ville de Montréal, de la communauté des sœurs grises et des sulpiciens ne figurent plus parmi les membres du bureau d'administration. Dorénavant, seuls 4 membres de ce bureau seront élus par les gouverneurs à vie contre 15 auparavant. Le bureau comprend un président, nommé par le lieutenant-gouverneur en conseil, un vice-président élu par les gouverneurs à vie et un secrétaire qui est aussi le directeur général de l'hôpital. Les 11 autres membres sont élus parmi les gouverneurs à vie, le Conseil des médecins et dentistes, l'assemblée des usagers, l'ensemble du personnel non professionnel, les médecins résidents et internes et les membres du Conseil consultatif des professionnels. Le bureau compte aussi un délégué de l'Université de Montréal. Le personnel administratif se dénomme désormais personnel de direction. Une nouvelle entité est créée: le comité exécutif du Conseil des médecins et dentistes, composé d'un président, d'un vice-président, d'un secrétaire-trésorier, d'un directeur médical, d'un président du comité médical aviseur, de quatre médecins de l'institution et d'un directeur général.

Une nouvelle expansion immobilière: réaménagement des locaux et accroissement de la clientèle

Nous avons déjà souligné que l'entrée en vigueur de la loi sur l'assurance-hospitalisation avait été suivie d'une hausse considérable de la fréquentation de l'Hôpital Notre-Dame et de l'utilisation de ses services.

L'application de cette loi à compter du 1er janvier 1961 et l'accroissement de l'espace disponible grâce à l'ouverture du pavillon Lachapelle au cours de l'année précédente contribuent à faire hausser le nombre de jours d'hospitalisation de 26,4 % par rapport à 1960. Certaines mesures correctives d'urgence doivent être apportées. L'année même de l'ouverture du pavillon Lachapelle, l'hôpital — qui connaissait depuis quelques années des périodes plus ou moins longues d'interruptions d'activités dans certains services, consécutivement aux travaux de construction en cours — est contraint de «procéder à la redistribution géographique des différents services cliniques[23]» et de réaménager ces services en fonction d'une clientèle accrue. L'usure et la désuétude de certains bâtiments exigent de telles dispositions:

> Les craintes que nous entretenions au sujet du pavillon «D», construit en 1902, nous ont incité à évacuer les malades pour y installer des services auxiliaires ne devant fonctionner que le jour. Certains travaux d'améliorations dans le pavillon Deschamps ont tenté de supprimer la marge qui existait entre les commodités de 1924 et celles qui sont exigées en 1961, ce qui explique qu'à certains moments et malgré la mise en service d'un grand nombre de lits supplémentaires, plusieurs de ceux que nous avions déjà n'ont pu être utilisés[24].

Ces travaux de réaménagement en vue d'une réorganisation plus adéquate de l'espace disponible se poursuivront jusqu'en 1963. Les travaux principaux touchent le pavillon Deschamps, alors que sont réaménagés les laboratoires, les services de pédiatrie, de psychiatrie, de cardiologie, de neurologie et de neurochirurgie. De plus, on agrandira les services de réhabilitation, de radiologie, les cliniques externes et le service de photographie et de l'illustration médicale.

Malgré les travaux en cours, l'Hôpital Notre-Dame fonctionne à pleine capacité en 1962 et met «à la disposition du public se prévalant des bénéfices de l'assurance-hospitalisation la totalité de ses services spécialisés et auxiliaires[25]». Par contre, le docteur R. Amyot, président du bureau médical, se plaint des problèmes causés par le manque d'espace pour les services internes, pour les consultations externes et surtout pour l'urgence médico-chirurgicale qui, «sur le plan social et médical, rend des services incalculables à la population[26]». En 1963, la hausse du nombre de patients admis à l'hôpital est de 17,9 %, avec 25 846 admissions, alors que le taux d'occupation de l'hôpital atteint un pourcentage inégalé de 92,4 % contre 85,3 % en 1962. Le taux d'occupation grimpera jusqu'à 95 % en 1964 et 1965. De plus, on enregistre une augmentation de 34 % du nombre des examens de laboratoire qui dépassent les 600 000.

Les nombreux changements apportés dans l'organisation spatiale de l'hôpital et dans son fonctionnement, la hausse soudaine et massive de la fréquentation et les conséquences de l'entrée en vigueur de l'assurance-hospitalisation inciteront les administrateurs à recourir, dès 1961, à la compagnie américaine Woods & Gordon, firme experte dans la gestion et l'administration hospitalières. Il s'agit en fait de planifier les besoins en espace de l'hôpital, en lien avec les besoins de la clientèle, des médecins et des chercheurs de l'hôpital. Il faut également prévoir les besoins futurs en soins et la manière de les intégrer aux structures déjà établies.

À compter de 1964, on constate une fois de plus à l'Hôpital Notre-Dame l'exiguïté et l'insuffisance des locaux disponibles, en particulier de ceux qui sont réservés à la recherche. C'est donc principalement pour l'enseignement et la recherche médicale que l'on revendique davantage d'espace[27]. Mais il y a aussi «la saturation des cliniques externes, provoquée par les urgences» qui faisait «entrevoir avec effroi la nouvelle demande créée par le Bill 21 étendant aux assistés sociaux la gratuité des soins médicaux[28]». Rappelons que le taux d'occupation de l'hôpital est alors de 95 %.

Ce ne sera toutefois pas avant 1966 que les projets d'agrandissement se mettront en branle. Le 29 septembre 1966, l'Hôpital Notre-Dame reçoit la visite du ministre de la Santé et du Bien-être social, du ministre d'État à la Santé et du sous-ministre de la Santé, MM. J.-P. Cloutier, R. Boivin et J. Gélinas:

> À la suite de la visite de l'hôpital, les membres du conseil d'administration et les officiers de la corporation ont synthétisé les besoins urgents, immédiats et futurs de l'Hôpital Notre-Dame. Ils ont profité de la circonstance pour réitérer l'ordre chronologique de nos demandes, les raisons qui les ont motivées et l'impossibilité pour l'Hôpital Notre-Dame de continuer, dans les conditions actuelles, à rendre les services exigés par le gouvernement de la province de Québec. Nous leur avons souligné, au moyen

de plans, préparés depuis un certain temps, les modifications ou constructions physiques nécessaires par l'importance accrue de notre hôpital dans la réforme de l'enseignement et l'impossibilité d'exploiter pleinement le potentiel que nous avons déjà dans le domaine de la recherche, reconnue comme étant à la base des progrès de la médecine. Chiffres en main, nous leur avons prouver [sic] que nous ne pouvons assumer une plus grande part du fardeau imposé par l'élargissement des bénéfices de sécurité sociale, notamment, l'assurance-maladie et le bien-être. L'honorable ministre de la Santé nous a rappelé que le gouvernement de la province de Québec est conscient de la collaboration de Notre-Dame qu'il considère comme un hôpital d'avant-garde, au premier rang des institutions communautaires[29].

Cette démarche s'est révélée en partie fructueuse. Un ordre en conseil daté du 16 novembre 1966 autorise les administrateurs à engager un architecte et un ingénieur en vue de préparer des esquisses et un programme pour le réaménagement, la construction et l'agrandissement de l'institution dans les plus brefs délais. De fait, en octobre 1966, une entente avait déjà été conclue entre l'hôpital et la firme Wood & Tower en vue de modifier les bâtiments de l'hôpital et de concevoir de nouvelles constructions[30]. Toutefois, cette autorisation ne constitue nullement une autorisation d'entreprendre les travaux ni même un engagement à ce propos de la part du gouvernement. Entretemps, certaines mesures ponctuelles permettent le réaménagement de certains immeubles. En prévision de l'instauration prochaine des cégeps, une propriété à l'arrière de l'hôpital est acquise pour y loger les élèves en résidence, de manière à libérer l'ancienne partie de l'école d'infirmières pour y installer les services auxiliaires.

Au cours des années 1967 et 1968, l'attitude adoptée par les autorités de l'hôpital concernant son expansion immobilière se rapproche davantage de la conciliation que de l'affrontement, même si le projet fait l'objet de nombreux débats. L'extrait suivant en fait foi:

Depuis plusieurs années, vos administrateurs connaissent l'impact du programme de l'assurance-hospitalisation, de la réforme de l'enseignement et des différentes commissions royales d'enquêtes, fédérales ou provinciales. Ils se rendent compte plus que tout autre que construire en 1968 est un problème difficile. L'architecte ne suffit plus, un nouveau métier est en train d'apparaître, on lui donne déjà un nom, preuve certaine de sa naissance, le PROGRAMMISTE [*sic*]. Ce concept, représenté à Notre-Dame par notre équipe de médecins et conseillers supérieurs, doit en être un de synthèse, ouvert à toutes les suggestions, confrontant les opinions et essayant avec sagesse de dégager des solutions de bon sens qui soient aussi des solutions d'avenir[31].

C'est toutefois en 1968 que les transformations internes sont les plus significatives: «Les transformations intérieures qui ont été apportées à son fonctionnement ont été profondes et représentent des progrès que nous croyons dignes de mention[32]», souligne un dirigeant de l'hôpital. L'hôpital acquiert en 1968 la conciergerie Le Maisonneuve qui deviendra plus tard le pavillon L.-C. Simard destiné aux patients externes. L'espace libéré par la fermeture de l'école d'infirmières par suite de la réorganisation du système d'enseignement du nursing permet d'y loger temporairement l'Institut du cancer. Les locaux occupés auparavant par ce dernier serviront à l'hématologie, à la biochimie, à l'endocrinologie et à d'autres laboratoires de médecine. De plus, on projette d'aménager des chambres qui accueilleront une cinquantaine de convalescents dans l'ex-pavillon des infirmières, le pavillon Mailloux. À la suite d'une enquête sur les différents services d'urgence dans la ville de Montréal, une importante réorganisation de la clinique d'urgence de l'hôpital est mise en branle. Ces travaux nécessiteront des déboursés de 1 394 586 $. Malgré ces améliorations notables, le docteur J.-L. Léger, président du bureau médical, envisage toujours une expansion éventuelle de l'hôpital.

Au cours des années soixante-dix, malgré des contraintes financières imposées par le gouvernement, d'autres réaménagements importants sont réalisés, qui portent notamment sur les laboratoires de pathologie et de microbiologie, de biochimie, d'endocrinologie et d'hématologie. De plus, tous les locaux attribués à l'Institut du cancer sont réorganisés. Enfin, l'hôpital parvient à se porter acquéreur de terrains situés au sud de l'hôpital pour compléter ses aménagements. Ces divers travaux et achats auront coûté à l'hôpital la rondelette somme de 3 960 649 $. Par contre, les autres projets d'agrandissement font l'objet d'un veto gouvernemental: «Pourtant ils étaient destinés à fournir les espaces nécessaires à la recherche, à l'enseignement et aux services médico-hospitaliers[33]», se désole un médecin de l'hôpital. Cette interruption de l'expansion immobilière de l'hôpital sera de courte durée.

En 1972, le gouvernement autorise les administrateurs de l'hôpital à investir une somme de 6 000 000 $ dans le réaménagement progressif de plusieurs services de l'hôpital. Or la loi sur les services de santé et les services sociaux, adoptée à la toute fin de l'année 1971 qui classait l'Hôpital Notre-Dame parmi les centres hospitaliers ultra-spécialisés, orientera sensiblement la teneur des travaux d'aménagement. En 1973, une somme de 141 000 $ est consacrée à la mise sur pied d'un laboratoire de néphrologie, d'une unité de soins intensifs intermédiaires et d'un centre de prothèse maxillo-faciale. De plus, le secrétariat et le bureau d'admission des cliniques externes, ainsi que le service de l'illustration médicale, font l'objet de réaménagements.

Des conflits de travail au sein de l'hôpital, une pénurie d'infirmières et un taux d'inflation très élevé durant les années suivantes hypothéqueront sérieusement le nouveau projet de construction et d'aménagement accepté par le bureau d'administration de l'hôpital en octobre 1975[34]. Le nouveau projet de construction prévoyait un agrandissement d'environ 6440 mètres carrés et des réorganisations de locaux couvrant 18 400 mètres carrés, le tout représentant des travaux d'une valeur de 9 500 000 $; il ne sera jamais mis à exécution.

Entre 1975 et 1980, les autorités de l'hôpital privilégieront des projets plus modestes: transformations de la salle d'urgence; relocalisation des spécialités; regroupement des unités de soins intensifs médicaux et chirurgicaux; réorganisation des consultations externes; etc. L'incendie majeur, le premier de l'histoire de l'hôpital, survenu le 30 mai 1980 à la centrale de stérilisation et au service d'inhalothérapie, forçant l'évacuation de 300 patients, occasionne des pertes matérielles considérables.

Ces deux services seront peu après réaménagés. Une des conséquences de ces transformations, outre l'efficacité accrue des
services, est l'augmentation du nombre de lits qui grimpe de
790 à 960 entre 1976 et 1977. Quant au taux d'occupation, il
passe de 68,6 % en 1976 à un pourcentage variant entre 84 et
90 % annuellement par la suite.

De nouvelles sources de revenus

L'accroissement des dépenses durant les décennies 1960 et
1970 n'est pas seulement la conséquence d'une rémunération à
la hausse par suite de l'embauche de nouveaux employés et de
nouveaux médecins, mais est aussi attribuable à l'augmentation
des salaires. La progression des activités d'enseignement et de
recherche influe par ailleurs de plus en plus sur le budget global de l'Hôpital Notre-Dame. Ce type d'activités, jusqu'alors
plutôt limité, prend de plus en plus d'importance dans les activités quotidiennes du centre hospitalier. Or l'hôpital doit aménager et construire des locaux pour ces activités spécialisées et
procéder à l'achat de coûteux équipements. La recherche pure
et la technologie de pointe exigent des sommes importantes. Il y
a toutefois une concertation entre les institutions et l'on évite
généralement le dispersement des équipements et le gaspillage
des fonds.

La croissance des admissions constitue évidemment un
autre important facteur du gonflement du budget annuel de
l'hôpital, et ce même si la hausse survenue entre 1960 et 1980
n'est guère importante en comparaison des accroissements
précédents. Du reste, l'hôpital est même contraint de fermer des
lits à plusieurs reprises et son taux d'occupation chute de 95 à
68 % durant les années soixante[35].

La part des subsides gouvernementaux sur l'ensemble des
revenus sera fort importante. Ainsi, tant pour les services internes que pour les cliniques externes, l'assurance-hospitalisation verse 6 900 000 $ à l'hôpital en 1961 alors que la Régie de
l'assurance-maladie accorde, en 1980-1981 une somme de
72 500 000 $, soit un facteur d'accroissement de 10,5. Au tout
début, le programme de l'assurance-hospitalisation ne couvre
pas l'ensemble des dépenses de l'hôpital pour les cliniques et

les services. Mais, grâce aux multiples démarches des hôpitaux auprès des autorités gouvernementales, plus rares sont les catégories de patients non couverts à l'origine par l'assurance. Les sommes tirées de l'assurance-hospitalisation comptent, en 1961, pour 72 % des revenus de l'hôpital. Ce pourcentage s'accroîtra pour atteindre un maximum de 97 % en 1970, alors que 24 857 000 $ des 25 626 186 $ de revenus proviennent de ce programme. Dès l'année suivante, cette proportion tombe à 83 % et ne dépassera à nouveau les 90 % qu'en 1974 et 1976. Pour les années suivantes, soit jusqu'en 1980-1981, le pourcentage variera entre 83 % et 89 %. La contribution du Service de l'assurance-hospitalisation et de la Régie de l'assurance-maladie dans le total des revenus s'accroît. C'est donc pendant la décennie 1960 que la part des subsides gouvernementaux dans les revenus totaux de l'hôpital croît le plus pour atteindre un sommet en 1970. Notons que le pourcentage demeure relativement stable et qu'il ne retombera jamais au-dessous de 80 %. La moindre participation de l'État au chapitre des revenus de l'hôpital à compter des années soixante-dix ne découle aucunement d'un désengagement de la part du gouvernement provincial, mais s'explique surtout par la hausse des compléments de revenus tels que les subventions de recherche provenant d'organismes privés ou publics.

Si les subsides gouvernementaux comptent pour beaucoup dans les revenus, ce sont les salaires qui occupent le premier rang des dépenses de l'hôpital. L'achalandage et la spécialisation des soins à l'hôpital exigent l'embauche de personnel supplémentaire, alors même que les revendications syndicales font réduire le nombre d'heures de travail. Entre 1963 et 1973, la masse salariale représente entre 68 % et 73 % des dépenses de l'institution. Mais à compter de 1973 — les salaires constituent alors 68,3 % des dépenses — s'amorce une baisse significative puisque le taux tourne autour de 50 % en 1975 et se maintient jusqu'au début des années quatre-vingt autour de 57 %. Plusieurs raisons expliquent ces fluctuations de la masse salariale durant la décennie 1970: fermeture de lits, coupures de postes, grèves répétées chez certaines catégories d'employés.

Le poste «avantages sociaux» du budget n'apparaît pas avant 1971 parmi les dépenses de l'hôpital. Ceux-ci totalisent alors 758 336 $, représentant 3 % du budget des dépenses. En 1980, la part des avantages sociaux dans les dépenses de l'hôpital correspond à tout juste 25 % du total des salaires versés aux employés: ainsi, les dépenses sont de 94 169 000 $; parmi celles-ci, 50 859 000 $ sont versés en salaires aux employés, soit 54 % du budget, et 12 698 000 $ leur reviennent également en avantages sociaux, soit 13 % du budget des dépenses. Si l'on additionne les montants alloués aux avantages sociaux à ceux des salaires des employés, pour l'année 1980-1981 par exemple, et que l'on compare ce total à l'ensemble des dépenses pour la même année, on constate alors que 67 % des dépenses de l'hôpital vont en salaires et avantages sociaux qui accaparent donc plus des deux tiers du budget. Cela nous ramène à la part du budget consacrée aux salaires au tout début des années soixante.

Notes

1. Par exemple, lors de la construction de nouveaux immeubles hospitaliers en vertu d'une loi fédérale de 1948 qui autorise l'octroi des sommes d'argent aux provinces dans ce but, grâce au programme de subventions à la santé.

2. F. Lesemann, *Du pain et des services: la réforme de la santé et des services sociaux au Québec*, p. 22.

3. On a beaucoup écrit sur les mérites et les bienfaits des réformes apparues lors de la Révolution tranquille au début des années soixante au Québec. De nombreuses initiatives sociales, économiques et politiques ont en effet été prises au cours de cette période. (Voir, par exemple, R. Comeau (dir.), *Jean Lesage et l'éveil d'une nation. Les débuts de la révolution tranquille*, et P.-A. Linteau et al., *Histoire du Québec contemporain: le Québec depuis 1930*.) Par ailleurs, on peut noter que, dans le domaine de la santé, depuis la loi sur l'assistance publique de 1921, l'État québécois intervenait de manière croissante dans le domaine de la santé publique. (Voir à ce sujet M. Farley et al., «Les origines de l'action publique dans le domaine de la santé au Québec: une critique du modèle explicatif par l'intervention de l'État à partir de la Révolution tranquille», communication au congrès de l'Association canadienne d'histoire de la science, de la médecine et de la technologie, Kingston, 1984; reprise dans P. Keating et O. Keel [dir.], *Médecine, santé et société au Québec: XIXe et XXe siècles*. Sur l'importance de l'intervention de l'État dans le domaine de la santé publique à compter des années vingt, voir G. Desrosiers et al., *Vers un système de santé publique au Québec...*)

4. RAHND, 1960, p. 34.

5. Par ailleurs, le gouvernement provincial s'engage de plus en plus dans le domaine social en 1961, en créant, par exemple, le ministère de la Famille et du Bien-être social, la Commission des allocations sociales et celle sur l'administration et l'organisation d'institutions du secteur hospitalier.

6. «La loi des hôpitaux, adoptée en 1962, donne la latitude au ministère de la Santé de décider de l'opportunité d'une construction ou d'un agrandissement.» Plus loin: «La loi des hôpitaux (1962) exige qu'un hôpital public ait un conseil d'administration ayant autorité complète sur la gestion de l'hôpital [...] La loi des hôpitaux démocratise la formation du conseil d'administration. Elle fixe les obligations du conseil d'administration et laisse aux corporations certaines responsabilités. Toutefois, cette loi accorde au ministère de la Santé suffisamment de droits pour limiter l'autonomie des hôpitaux.» (Voir N. Perron, *Un siècle de vie hospitalière au Québec. Les Augustines de l'Hôtel-Dieu de Chicoutimi.*)

7. «L'approche gouvernementale et les attitudes de la population évoluent aussi considérablement. Diverses études font prendre conscience de la pauvreté et de la misère au milieu de l'abondance des villes; on découvre également la réalité de la misère rurale et tous les problèmes liés au développement inégal des régions. Les vieilles notions d'indigent et de charité publique font place à celles de droits des citoyens et de justice sociale. Comme la pauvreté et l'inégalité des revenus ne peuvent être vaincues qu'à condition de s'en prendre à toutes les facettes du problème, on estime qu'il faut intégrer les mesures dans un ensemble cohérent pour en assurer l'efficacité: interventions à court terme, comme l'aide sociale, mais aussi mise en place de politiques et de mesures correctives à plus longue échéance» (P.-A. Linteau *et al.*, *op. cit.*, p. 580-581).

8. *Ibid.*, p. 580.

9. L'étude que réalise ce comité concerne de nombreux aspects de l'assistance publique: «Les échelles de taux d'allocations selon les régions économiques; le régime des taux fixes et de régime basés sur le budget du groupe familial; les modes de collaboration des œuvres privées avec les services publics de bien-être; l'ensemble du problème de l'assistance à domicile; les implications financières et sociales de la prévention et de la réadaptation. Ce comité explore prioritairement les causes de l'accroissement des coûts sociaux» (H. Anctil et M.-A. Bluteau, «La santé et l'assistance publique au Québec, 1886-1986», p. 101).

10. «Le Régime d'assistance publique du Canada (RAPC), instauré en 1966, soutient pour la première fois directement les provinces dans leurs programmes d'assistance, par le moyen des programmes à frais partagés (50/50). Du même coup, il tend progressivement à normaliser les régimes à travers le Canada et à amener les provinces, par le moyen de l'incitation financière, à créer de nouveaux programmes. Dès cette date, les programmes sociaux connaissent un essor considérable» (F. Lesemann, *op. cit.*, p. 78-79).

11. *Ibid.*, p. 85-86.

12. Rappelons qu'en 1944 «le gouvernement social-démocrate de la Saskatchewan est le premier à doter cette province d'un régime public

obligatoire de couverture des soins non hospitaliers de santé» (*ibid.*, p. 54). L'Alberta lui emboîtera le pas l'année suivante.

13. H. Anctil et M.-A. Bluteau, *op. cit.*, p. 105.

14. *Ibid.*, p. 117.

15. «Ce système fait l'objet de nombreuses critiques. La première est liée au coût des programmes. Au Canada, entre 1961 et 1976, les dépenses combinées au titre de la sécurité sociale, incluant les soins de santé, passent de 3 à presque 25 milliards de dollars, soit une progression de plus de 600 %. Le gouvernement du Québec, quant à lui, consacre à ce secteur une proportion croissante de ses dépenses, qui atteint 39 % en 1983-1984. De plus, on critique la qualité des soins et des services reçus; dans le secteur hospitalier en particulier, la bureaucratisation, la dépersonnalisation et la régionalisation incomplète des services créent souvent des conditions difficiles pour les usagers et pour le personnel. Les longues listes d'attente témoignent à la fois de l'inefficacité des services, de l'insuffisance des ressources et des problèmes que pose la surconsommation» (P.-A. Linteau *et al.*, *op. cit.*, p. 587). Ainsi, à travers une réforme du système de la santé, c'est tout le concept de l'État-providence qui est remis en question.

16. Mentionnons qu'avec l'émergence d'un engagement étatique beaucoup plus direct dans le milieu hospitalier et socio-médical, certains médecins — et des auteurs après eux — ont crié à la disparition de la médecine libérale.

17. Après une année à l'essai, le président de la corporation de l'Hôpital Notre-Dame, J. Leman, livre ses commentaires: «Une première année d'expérience dans la préparation d'un budget, même si elle a été salutaire, n'a pas moins exigé un travail considérable et soutenu de la part de tous les officiers supérieurs de l'hôpital. Les discussions ont accaparé le maximum de leur temps et de leurs efforts.» Il remercie également le premier ministre Lesage et le ministre de la Santé, Alphonse Couturier, «pour la diligence apportée à comprendre et à solutionner nos problèmes les plus urgents. Nous voyons avec plaisir se dissiper les nuages du début. Nous les assurons que nous sommes de plus en plus satisfaits du plan d'assurance-hospitalisation et que nous avons foi en l'avenir» (RAHND, 1961, p. 12 et 15).

18. F. Lesemann, *op. cit.*, p. 24.

19. Allocution du président Leman lors de l'assemblée générale annuelle de 1962, RAHND, 1962, p. 12.

20. *Ibid.*, 1967, p. 13-14.

21. *Ibid.*, 1970, p. 24. Ce même sentiment d'exaspération s'était manifesté déjà en 1964, alors que, au sujet du renouvellement des conventions collectives, des membres du bureau d'administration déclaraient que les hôpitaux avaient l'impression de n'être plus en mesure de faire valoir leurs points de vue dans la discussion des contrats collectifs et l'organisation hospitalière» (PVBAHND, 10 septembre 1964).

22. RAHND, 1970, p. 6.

23. *Ibid.*, 1960, p. 29.

24. *Ibid.*

25. *Ibid.*, 1962, p. 11.

26. *Ibid.*, p. 32.

27. Le docteur L.-C. Simard, président du bureau médical, prévient les dirigeants de l'hôpital en 1964: «Le danger qui l'attend est qu'il devienne un grand hôpital d'urgence, un grand hôpital sans doute, mais un simple grand hôpital de traitement, où l'on risque de tirer gloriole des grands nombres de cas reçus et traités, au lieu d'être le milieu où s'élabore la pensée médicale, où s'inventent, par la recherche, les méthodes et les techniques nouvelles et d'où rayonne un enseignement qui fait école» (*ibid.*, 1964, p. 36-37).

28. *Ibid.*, 1965, p. 17.

29. *Ibid.*, 1966, p. 17.

30. Ces études et ces recours à des experts externes illustrent la complexité des choix qui respectent les directives et les budgets gouvernementaux et qui, finalement, tiennent compte des orientations futures des besoins et des coûts.

31. *Ibid.*, 1967, p. 14-15.

32. RAHND, 1968, p. 13.

33. *Ibid.*, 1970, p. 24.

34. Ils auront aussi des répercussions sur la fréquentation de l'hôpital. Les taux d'occupation sont à la baisse: 63,8 % en 1974 et 64,3 % en 1975. Ces taux sont les plus bas jamais enregistrés par l'hôpital, représentant respectivement pour chaque année 21 586 et 23 382 admissions pour 257 171 et 258 950 jours d'hospitalisation.

35. Les grèves d'employés, d'infirmières et de médecins y ont contribué, de même que la fermeture de nombreux lits durant l'été, allant jusqu'au tiers de la capacité afin d'économiser le plus d'argent possible, a ajouté à cette baisse du taux de fréquentation de l'hôpital.

CHAPITRE XI

La spécialisation des soins

À partir de 1960, le paysage médical en territoire québécois se modifie considérablement. Dans la foulée de nombreux pays industrialisés dont le produit national brut augmente après la Deuxième Guerre mondiale, le Québec se dotera peu à peu d'une structure d'accessibilité aux soins de santé correspondant à un certain idéal démocratique. À la suite des lois sur l'assurance-hospitalisation et sur l'assurance-maladie, l'Hôpital Notre-Dame voit ses besoins progresser. Mais, fort heureusement, les bases de son expansion sont déjà solidement établies. En effet, le développement de sa structure médicale, la spécialisation des soins, l'embauche de personnel qualifié, le déploiement de la recherche et le caractère de plus en plus multidisciplinaire de l'enseignement ont permis, nous l'avons vu, de répondre adéquatement aux nouveaux besoins engendrés par une démocratisation accrue des soins.

L'Hôpital Notre-Dame affermira durant la période 1960-1980 son rôle «de centre de diagnostic et de traitements spécialisés, d'enseignement et de recherche[1]». La nouvelle Loi sur les services de santé et les services sociaux (*bill* 65), votée en 1971, classe l'hôpital comme «centre hospitalier ultra-spécialisé» où se retrouvent des spécialités telles que la neurochirurgie, la cobalt-thérapie, la chirurgie cardiaque, l'hémodialyse rénale, etc.[2] Mais, tout en s'efforçant d'offrir l'éventail de soins le plus large possible, les autorités concernées — l'Hôpital Notre-Dame, l'Université de Montréal et le ministère des Affaires sociales — décident conjointement en 1973 de favoriser le développement de trois grands secteurs: la cancérologie, la science neurologique et la transplantation d'organes.

Cependant, au début de la décennie 1960, l'évolution de l'hôpital est encore menacée par deux problèmes aigus familiers aux administrateurs: le financement et le manque d'espace. Le premier exige une solution externe (programme étatique de financement des soins hospitaliers) et le second une solution interne (agrandissement des locaux). L'ouverture du pavillon E.-P. Lachapelle en 1960 donne à l'hôpital l'espace nécessaire pour combler les nouveaux besoins. Non seulement l'hôpital met-il à la disposition du public un total de 1131 lits, augmentant ainsi la capacité d'accueil des services internes mais alourdissant la tâche des laboratoires et des services auxiliaires, mais il offre aussi aux chefs de service la possibilité de réaménager les espaces de soins et de recherche.

Durant les trois années qui suivent l'inauguration du nouveau pavillon, d'importantes transformations sont réalisées au pavillon Deschamps qui abrite les services de pédiatrie, de neurologie et de dermatologie anciennement installés à l'Hôpital Saint-Paul. Les laboratoires et le service de radiologie connaissent une expansion remarquable et se dotent des équipements souhaités depuis déjà un certain temps par le personnel. Cependant, quelques années après l'ouverture du pavillon Lachapelle, il est déjà impossible de répondre à toutes les demandes des chefs de service.

Pourtant, les autorités avaient cru faire preuve de prévoyance en calculant l'espace nécessaire. Le docteur P. Bourgeois, directeur général de l'hôpital, déclarait péremptoirement lors de l'inauguration que cette nouvelle construction satisferait aux besoins de l'hôpital jusqu'en l'an 2000. Mais, déjà en 1964, le docteur Bourgeois soumet au gouvernement, avec l'appui des administrateurs de l'hôpital, un ambitieux plan de réaménagement qui doit s'échelonner sur plusieurs années. Il prévoyait notamment l'achat d'immeubles voisins de l'hôpital pour y localiser certains services paramédicaux, le prolongement du pavillon Lachapelle vers le sud pour y loger des salles d'opération, des services d'urgence, des cliniques externes, des chambres de compression et des postes de radiodiagnostic. Le projet comprenait aussi la construction d'une tour de plusieurs étages qui aurait l'avantage de regrouper tous les laboratoires de l'hôpital.

Un second projet est présenté quatre ans plus tard par le président de la corporation, J. Leman. Celui-ci prévoyait la construction d'un centre de diagnostic et de traitements pour les malades ambulants, un édifice destiné aux sciences cliniques pour les laboratoires de routine et de recherche, de nouveaux édifices pour les services généraux, le service de santé mentale et l'Institut du cancer et, enfin, des ajouts aux services d'urgence et de radiologie. Ces deux grands projets ne se concrétiseront jamais. Les fonds demandés dépassaient largement l'enveloppe budgétaire que le gouvernement avait prévu consacrer à l'Hôpital Notre-Dame, et les campagnes de souscriptions publiques ne pouvaient à elles seules couvrir les dépenses envisagées.

De tels projets illustrent à la fois la demande sans cesse grandissante d'espace dans un hôpital en constante expansion et l'accroissement considérable des besoins techniques et logistiques engendrés par le progrès des sciences médicales. L'impossibilité de mettre en œuvre ces grands plans de développement ne reflète pourtant pas une quelconque stagnation de l'hôpital durant les années postérieures à 1960. Bien au contraire. En 1968, des réaménagements majeurs sont effectués. Les laboratoires de recherche de l'Institut du cancer sont transférés dans l'ancienne résidence des infirmières, agrandie de deux nouveaux étages. Les laboratoires de bactériologie sont relocalisés dans l'ancienne chapelle de l'hôpital et le service de pathologie est installé dans le local des résidents. Les espaces ainsi libérés pourront recevoir les services d'hématologie, de biochimie, d'endocrinologie et certains laboratoires du service de médecine. De plus, l'acquisition en 1968 de la conciergerie située sur la rue Alexandre-de-Sève permet, entre autres choses, d'accueillir des malades chroniques et des convalescents.

L'expansion des services

À partir de 1960, l'organisation des soins médicaux se transforme sensiblement. Les progrès de la médecine scientifique sont considérables tant au chapitre des acquis technologiques qu'au chapitre de la représentation de l'organisation du vivant. Tout au long de la première moitié du XXᵉ siècle, la recherche clinique, principalement orientée vers le fonctionnement complexe de la cellule, avait mobilisé de nombreux chercheurs. Par la suite, des travaux sur la structure moléculaire permettent d'envisager des interventions diagnostiques et thérapeutiques jusque-là insoupçonnées. Des composantes physiques et cellulaires de l'organisation du vivant et des phénomènes pathologiques, les chercheurs multiplient les études sur ses composantes chimiques. L'étude de la structure chromosomique fournit des réponses à certaines questions concernant les anomalies congénitales, permet d'identifier certains agents responsables de maladies graves et laisse entrevoir une manipulation génétique de prévention. Même la définition clinique de la mort admise depuis plusieurs siècles se trouve modifiée: l'Académie de médecine de France devient en 1966 le première société médicale à se référer à l'inactivité cérébrale plutôt qu'à l'arrêt cardiaque comme critère de la mort clinique. La représentation du vivant est dès lors mise en cause.

Cependant, la pratique hospitalière quotidienne incite de plus en plus de praticiens et de chercheurs à s'interroger sur l'enchaînement des nombreux facteurs qui provoquent la maladie. Si, d'une part, l'on recherche en laboratoire une cause précise responsable de telle ou telle maladie, d'autre part, la pratique quotidienne réaffirme le rôle complexe joué par les facteurs psychologiques, l'environnement, etc. La période 1960-1980 marque en quelque sorte une modification de la pratique médicale et de ses fondements anthropologiques et philosophiques. Certes, l'accent est mis, à l'Hôpital Notre-Dame comme dans la plupart des hôpitaux occidentaux, sur la technologie médicale et la recherche de l'agent causal en vue d'une intervention précise. Mais, au début des années soixante-dix, de plus en plus de praticiens et de chercheurs s'efforcent à trouver des solutions globales à des problèmes médicaux qui, jusque-là, n'étaient abordés qu'en fonction d'interventions spécifiques et directes.

Vers une spécialisation accrue des services

La pratique médicale à l'hôpital au cours des années soixante et soixante-dix suit, à peu de chose près, les développements techniques et scientifiques de la médecine moderne. L'on imagine aisément ce que cela peut comporter en matière de coûts, d'organisation et de spécialisation des services ainsi qu'en matière de collaboration entre les différents services diagnostiques, thérapeutiques et de recherche. Nous présentons donc dans les prochains paragraphes les principales composantes d'un hôpital qui devient un complexe hospitalier hautement spécialisé.

Le service de médecine s'est tellement étendu que l'on décide d'ajouter trois nouvelles sections — unité de soins intensifs, unité de soins coronariens et unité de chocs — pour fournir plus adéquatement des traitements aux patients nécessitant des soins d'urgence. L'unité de soins intensifs est réservée initialement aux patients en état de choc cardiogénique ou septique. Mais sa fonction s'élargit peu à peu avec le traitement de certaines pathologies sérieuses telles que les pneumopathies. Sous la responsabilité d'un cardiologue, les soins médicaux sont assurés par plusieurs spécialistes de l'hôpital.

Les premières unités de soins coronariens ont été établies aux États-Unis au début des années soixante. En 1968, l'Hôpital Notre-Dame organise une unité de ce type dont la direction est confiée au docteur Y. Goulet. L'objectif premier de cette unité est de diminuer le pourcentage de mortalité post-infarctus par la surveillance constante des signes vitaux des patients et par l'application immédiate d'une thérapie efficace au moindre signe de défaillance. Grâce à la collaboration des services d'anesthésie, de cardiologie et de chirurgie cardiaque, l'unité des soins coronariens disposera bientôt d'une équipe de réanimation cardiaque, et ce 24 heures sur 24. L'électrocardiographie et la phonocardiographie avaient été pendant longtemps les seules méthodes d'investigation du système cardiaque. Le service de cardiologie, sous la direction du docteur P. David, se dote, en 1963, d'un échographe et d'un cathéter cardiaque permettant la création d'un laboratoire d'hémodynamique. Des techniques nouvelles de cathétérisme cardiaque y seront employées durant les années suivantes. Les soins cardiovasculaires d'urgence sont aussi prodigués de façon de plus en plus structurée, ce qui permet des interventions rapides et efficaces. Ainsi, un programme de réanimation cardiaque est instauré en 1965. Depuis lors, le «code 129» qui résonne dans les corridors de l'hôpital commande un branle-bas de combat général: cardiologues, anesthésistes, inhalothérapeutes et autres s'empressent alors de porter secours au patient.

Signe que le service de chirurgie a considérablement accru la spécificité de ses interventions, le rapport annuel de 1979-1980 contient un pléonasme significatif en l'expression «spécialités chirurgicales ultra-spécialisées[3]». Quelques années auparavant avaient été constituées une «unité de soins intensifs intermédiaires chirurgicaux[4]», dont le but était de regrouper certaines activités de chirurgie générale, d'orthopédie et de chirurgie thoracique, une unité d'hémodialyse et une unité métabolique. En ce qui regarde l'ophtalmologie, rappelons que c'est en 1961 que sont effectués les premiers traitements chirurgicaux de la rétinopathie et du décollement de la rétine.

À partir de 1960, l'hôpital compte 36 salles d'opération installées au sous-sol du nouveau pavillon Lachapelle. La description qu'en fait le docteur Bourgeois témoigne, en regard des salles antérieures, de la complexité des nouveaux blocs opératoires:

> [Les salles] sont pourvues d'un système électrique à l'épreuve des étincelles («shock proof») ainsi que d'un équipement à filtration et à conditionnement d'air. L'oxygène et la succion sont centralisés dans les murs. Une génératrice puissante permet de faire face aux pannes d'électricité et maintient en action, le cas échéant, plus de 25 % de tout le système électrique. Il faut noter aussi que les salles d'opérations possèdent un système électrique d'urgence, à batteries. Ces services sont vérifiés toutes les semaines et nous donnent entière satisfaction[5].

Mais la technologie chirurgicale évolue tellement entre 1965 et 1980 que ces installations seraient aujourd'hui considérées comme désuètes.

Durant les décennies 1960 et 1970, la chirurgie cardiaque met au point de nouvelles interventions dans le domaine des maladies coronariennes: pontages, anévrisectomies, etc. À la fin des années soixante-dix, parmi les 1021 interventions chirurgicales effectuées sur le système cardiaque, plus de 300 sont réalisées à l'aide d'un procédé complexe de circulation extracorporelle. En 1970, la section de chirurgie expérimentale contribue à une évolution majeure des techniques opératoires et entre de plain-pied dans un champ qui permet de nombreux espoirs: les greffes d'organes. Grâce aux travaux du docteur P. Daloze, les deux premières greffes humaines du foie en territoire canadien sont pratiquées en 1970 à la salle d'opération expérimentale de l'Hôpital Notre-Dame. Il poursuivait ainsi les travaux entrepris par le docteur T. Starzl en 1963, qui avait effectué les premières transplantations du foie à l'université du Colorado. Toujours en 1970, neuf transplantations rénales y sont aussi réalisées. Soulignons que c'est l'Hôpital Notre-Dame qui a introduit les techniques de transplantation dans les hôpitaux canadiens-français. Entre 1968 et 1980 y sont exécutées plus de 170 greffes du rein et 7 greffes du foie.

Mais de telles interventions ne pouvaient se faire sans la résolution de certains problèmes complexes tels que la conservation des organes et le dépistage précoce des phénomènes de rejet et d'infection. La principale difficulté engendrée par les transplantations d'organes découlait du phénomène de rejet occasionné par une réaction immunitaire de l'organisme face à un organe étranger. Quelques travaux seront orientés vers la recherche des solutions les plus appropriées, comme l'utilisation de certains médicaments immunosuppresseurs qui réduisent les réactions immunitaires de l'organisme. Les premières transplantations de rein sont réalisées en 1960 par une équipe du Peter Bent Brigham Hospital grâce aux travaux du Britannique R. Calne sur les immunosuppresseurs[6]. Les transplantations d'organes demeureront véritablement les grands acquis chirurgicaux des années soixante-dix et quatre-vingt, ce qui, en 1990, est mis en évidence par le choix des lauréats du prix Nobel de médecine, les docteurs Joseph Murray et Donall Thomas pour leurs travaux qui ont permis de rendre routinières certaines greffes d'organes.

Aux services déjà existants s'ajoute le service de psychiatrie en 1960 qui répondra à des besoins de plus en plus aigus liés à la fois au développement de la discipline et aux effets d'une société plus sensible et «plus ouverte» face aux maladies mentales. La révolution culturelle des années soixante et soixante-dix entraîne une critique de plus en plus sévère des interventions psychiatriques et favorise une approche plus polyvalente de la maladie mentale et des problèmes liés à la toxicomanie et à la consommation de certaines drogues dangereuses. La psychiatrie telle qu'elle sera pratiquée à l'Hôpital Notre-Dame ne fera pas exception. Victime de son prestige, selon le président de la corporation, le service de psychiatrie de l'Hôpital Notre-Dame reçoit au début des années soixante-dix un nombre élevé de patients.

La structure des soins hospitaliers illustre aussi le chemin parcouru depuis 1950. Les activités médicales de l'Hôpital Notre-Dame en 1980 sont réparties en dix services distincts — anesthésie, chirurgie, médecine, médecine générale, médecine dentaire, gynécologie-obstétrique, ophtalmologie, pédiatrie, psychiatrie et radiologie — auxquels s'ajoutent les sections d'anesthésie, de microbiologie, de pathologie, de physique biomédicale, etc. Soulignons aussi que chaque service est subdivisé en spécialités. Le service de chirurgie regroupe les spécialités suivantes: chirurgie cardiovasculaire et thoracique, chirurgie générale, neurochirurgie, orthopédie, oto-rhino-laryngologie, plastie et urologie. Quant au service de médecine, il regroupe les sections d'allergie, de cardiologie, de dermatologie, d'endocrinologie, de gastro-entérologie, d'hématologie, de médecine interne, de néphrologie, de neurologie, de pneumologie et de rhumatologie. Le service de radiologie comprend les sections de radiodiagnostic, de radiothérapie et de médecine nucléaire.

L'Institut du cancer de Montréal et le Centre d'oncologie de l'Hôpital Notre-Dame

Affilié à l'Université de Montréal en 1958, l'Institut du cancer de Montréal a non seulement contribué au développement de la radiothérapie à l'Hôpital Notre-Dame, mais a aussi largement contribué à l'avancement des travaux cliniques reliés à l'étiologie et à la thérapeutique du cancer. Conséquemment à la loi 65 de 1971 qui réorganise les services de santé, l'ICM doit redéfinir ses objectifs. Une concertation entre le ministère, l'Hôpital Notre-Dame, l'Université de Montréal et l'ICM oriente les objectifs principaux vers la recherche fondamentale et clinique et vers l'enseignement.

C'est l'Hôpital Notre-Dame qui se voit dorénavant confier la responsabilité des soins aux cancéreux. Un centre d'oncologie, dirigé par le docteur Y. Méthot, est constitué pour assurer la coordination des activités cliniques en cancérologie. Aux divers types de cancer correspondent de nombreuses spécialités: hématologie, endocrinologie, urologie, anatomopathologie, etc. Celles-ci sont dès lors rattachées au nouveau centre d'oncologie. Les activités y seront variées: traitements de chimiothérapie, chirurgicaux et radiologiques, soins palliatifs, réhabilitation maxillo-faciale, dépistage, information et prévention, enseignement, etc. En 1980, le Centre d'oncologie de l'Hôpital Notre-Dame est le plus important du genre dans la province de Québec.

Malgré les modifications structurelles des services associés à la lutte contre le cancer persiste une étroite collaboration des cliniciens de l'hôpital et des chercheurs de l'ICM, notamment en ce qui concerne l'étiologie, la prévention et le traitement. À la fin de la décennie 1970, les recherches sont variées et complexes: étude comparative de la structure des chromosomes dans les tissus sains et cancéreux, étude du rôle du virus herpès dans l'étiologie du cancer du col utérin, étude des modes de traitement par la chimiothérapie, étude du rôle des produits industriels et de la cigarette dans le cancer du poumon, etc.

Une analyse du développement de l'hôpital durant les décennies 1960 et 1970 fait ressortir non seulement la multiplication des nouveaux services, la spécialisation des soins et l'extrême raffinement des procédés diagnostiques, mais aussi l'accroissement vertigineux de certaines activités médicales. Cette remarquable croissance est largement illustrée par les activités de laboratoire dont le volume des tests et des analyses, pour la seule période du 1er avril 1978 au 31 mars 1979, dépasse les 20 millions tandis que le nombre d'examens radiologiques atteint 150 000. En 1965, les 815 657 analyses de laboratoire effectuées à l'hôpital constituaient déjà un nombre considérable, mais, elles seront 24 fois plus nombreuses en 1979.

Cette capacité des laboratoires de réaliser tant d'analyses est attribuable à la mise au point de procédés de haute technologie. La spécialisation des laboratoires est un phénomène caractéristique de tous les hôpitaux modernes, mais c'est l'automatisation précoce et le développement de l'informatique qui, sous l'impulsion de Jules Labarre, chef du service de biochimie, qui font l'originalité des services de laboratoire de l'Hôpital Notre-Dame. Premier hôpital québécois à se doter d'un tel système, il en fait une démonstration publique lors de sa participation aux activités du pavillon «Thème de la santé» à l'Expo 67. Certains se rappelleront que l'hôpital y présentait alors son «Multi-12/60», appareil sophistiqué capable d'effectuer en quelques dizaines de minutes la somme de travail hebdomadaire de plusieurs techniciens. Sept ans plus tard, l'hôpital acquiert des appareils encore plus complexes et performants. À l'ère de l'informatique, la rapidité de mise en marché de nouveaux appareils biomédicaux est parfois stupéfiante. Le nouveau SMAC, alors dernier-né des auto-analyseurs, qui est relié à un ordinateur de type Varian-73, permet de régulariser le volume des analyses, isole les résultats anormaux, compile et imprime les résultats. Ce système permet d'obtenir un maximum d'informations diagnostiques à partir des analyses chimiques. Les procédés informatiques seront peu à peu implantés dans d'autres services de l'hôpital: radiothérapie, anesthésie, neurologie, hémodialyse, etc. L'efficacité et la rapidité qu'apporte l'informatique se répercutent sur la capacité de répondre adéquatement aux besoins diagnostiques croissants de la population et sur le développement de la médecine préventive.

Les répercussions de la technologie médicale sur les activités hospitalières se reflètent particulièrement sur le service de radiologie. Après son réaménagement dans les nouveaux locaux du pavillon Lachapelle en 1960 s'ajoute à ses deux services existants, le radiodiagnostic et la radiothérapie, un nouveau service de médecine nucléaire. Sept ans plus tard, ce dernier met à contribution les récents travaux des physiciens sur les ultrasons. À partir de ces recherches sera mise au point une nouvelle méthode de radiodiagnostic, l'échographie[7]. Grâce à ce procédé d'investigation, les médecins de l'Hôpital

Notre-Dame pourront explorer le cœur, l'abdomen et vérifier l'état du fœtus pendant la grossesse.

Les recherches sur le laser durant les années soixante-dix augmentent aussi les possibilités d'investigation en radiologie diagnostique avec la mise au point du scanneur ou tomodensitomètre, appareil qui sera acquis par l'hôpital en 1977 grâce au soutien financier de la fondation McDonald-Stewart et de la fondation Notre-Dame. Cet appareil, qui explore l'organisme au moyen de rayons X, recueille et reconstitue l'information sur un écran à l'aide d'un ordinateur. Il permet une investigation beaucoup plus précise que la radiographie puisque l'ordinateur détecte les variations infimes de densité des tissus, variations précieuses qui servent à orienter le diagnostic. Le stéthoscope n'est plus désormais que le premier maillon d'une longue chaîne d'investigations cliniques.

La réorganisation de la recherche et de l'enseignement

L'affiliation à l'Université de Montréal

En 1960, l'Hôpital Notre-Dame et l'Université de Montréal décident de s'affilier officiellement. Même si les deux institutions entretenaient des liens très étroits depuis la fondation de l'hôpital, celui-ci n'était alors pas considéré officiellement comme un hôpital universitaire. L'affiliation confirmait, par un statut juridique, une union de fait. Les deux institutions travailleront désormais conjointement pour modifier et coordonner les programmes d'enseignement. Précédemment, ceux-ci relevaient des chefs de service et de l'administration médicale de l'hôpital. Les cours étaient loin d'être uniformes dans chacun des hôpitaux de la ville. L'affiliation permettra la mise en œuvre d'une réforme importante de l'enseignement médical — organisation nouvelle et uniforme des programmes de formation — ainsi que le rapprochement des activités de recherche et des activités d'enseignement. Désormais, l'Hôpital Notre-Dame se voit contraint de maintenir dans ses principaux services — neurochirurgie, Institut du cancer, clinique des étudiants, centre de recherche, etc. — un niveau scientifique encore plus élevé. L'affiliation à l'université comportait enfin l'avantage non négligeable d'attirer des chercheurs de haut niveau ce qui, en retour, contribuait à l'excellence des soins prodigués.

Certaines réformes ont marqué l'évolution de l'enseignement durant les décennies 1960 et 1970. En 1964, des postes à plein temps «géographique» sont créés. Les titulaires de ces postes doivent poursuivre leur enseignement, leur recherche et leur pratique au sein même de l'hôpital, ce qui assure l'hôpital d'une présence stable et continue du corps professoral. En 1967, la création des unités d'enseignement dans le service de médecine permet aux étudiants de participer sous la direction des résidents et des chefs de service à l'examen et au traitement des malades.

L'enseignement médical dispensé à l'hôpital recevra jusqu'en 1980 l'approbation de nombreux organismes: le Collège des médecins et chirurgiens de la province de Québec et l'American Medical Association pour la formation des internes et des résidents de diverses spécialités, le Collège royal des médecins et chirurgiens du Canada pour la formation des médecins et chirurgiens spécialistes, l'American College of Surgeons pour les chirurgiens spécialistes et enfin l'Association médicale canadienne pour la formation des internes. Mais le mandat de l'hôpital dépassait grandement celui de la formation médicale proprement dite. Les disciplines paramédicales sont aussi fortement représentées. L'hôpital assure la formation des internes en pharmacie d'hôpital et en chirurgie dentaire, des résidents en administration hospitalière, des stagiaires en service social, en physiothérapie, en ergothérapie, en technologie médicale ou en technologie radiologique, la plupart sous le parrainage des facultés concernées de l'Université de Montréal. Mentionnons aussi les nombreux contrats d'enseignement qui lient progressivement à partir de 1970 l'hôpital à plusieurs cégeps de la province.

Depuis lors, l'Hôpital Notre-Dame représente l'un des centres d'enseignement les plus importants du Canada. De nombreux spécialistes, travaillant dans plusieurs branches médicales et paramédicales et originaires de divers pays, ont reçu et recevront une formation spécialisée dans cette institution.

D'importantes transformations de l'enseignement infirmier

La tâche des infirmières s'est suffisamment modifiée durant les décennies précédentes pour que l'hôpital se décide de créer, en 1960, avec l'aide de sœur Mance Décarie, une école d'infirmières auxiliaires. Dès la première année, une vingtaine d'étudiantes sont inscrites[8]. Les diplômées assisteront les infirmières pour ce qui est des soins médicaux généraux et spécialisés. L'ouverture d'une telle école faisait suite à l'introduction du système d'équipes instauré dans les hôpitaux. La complexité des technologies, l'essor et la multiplication des services et le découpage des tâches expliquent, en partie, l'apparition de ce nouveau type d'infirmière. Mais dix ans après la fondation de cette école et à la suite des recommandations conjointes de la commission royale d'enquête Hall sur les soins de santé au Canada et de la commission Parent sur l'éducation, la formation des infirmières est retranchée des écoles hospitalières pour être transférée, dans le cas des infirmières auxiliaires, aux écoles polyvalentes qui donnent un enseignement de niveau secondaire.

Toujours dans le cadre des réformes politiques et sociales des années soixante, le bureau d'administration acceptait en 1968 de transférer au cégep du Vieux-Montréal son enseignement infirmier ainsi que les dossiers des jeunes aspirantes ayant fait une demande d'admission à l'École d'infirmières de l'Hôpital Notre-Dame[9]. Cette dernière ferme ses portes au printemps 1970, après avoir formé 3071 infirmières. La formation des infirmières relèvera désormais du réseau d'éducation publique, c'est-à-dire des cégeps qui sont rattachés au ministère de l'Éducation.

La fermeture des écoles d'infirmières liées à un hôpital répondait à des exigences déjà formulées dans le rapport Weir (1932). Ce dernier voulait soustraire de la formation des infirmières le poids trop lourd que représentait le temps consacré à la pratique. Le rapport Parent (1965) abondait aussi dans le même sens. Finalement, «le fait que, dès 1971, les études supérieures en nursing seront à toutes fins pratiques inaccessibles aux diplômées des écoles d'hôpital ont motivé cette décision[10]». Les sœurs qui perdaient dès lors tout contrôle sur les écoles d'infirmières ne seront d'ailleurs que peu représentées comme enseignantes dans les nouveaux cadres d'enseignement. Les hôpitaux continueront toutefois à jouer un rôle dans la formation des infirmières puisque c'est à l'intérieur de leurs murs que se donnera l'enseignement clinique pour les étudiantes et étudiants en techniques infirmières des cégeps.

La mise en place de cette nouvelle structure d'enseignement s'est-elle faite au profit d'un meilleur enseignement théorique et pratique? À cette question, André Petitat apporte une réponse nuancée:

> Il faut donc se rendre à l'évidence: le déplacement dans les cégeps n'a pas signifié une inflation en termes absolus du temps affecté aux études théoriques, mais uniquement une augmentation relative. Et cette augmentation relative n'est possible qu'à la faveur d'une chute vertigineuse de la pratique, puisque le temps passé dans les départements est réduit de 4000 heures à environ 900 [...] Le nouveau programme marque un retour en force des sciences de la nature. Alors que celles-ci n'avaient cessé de s'effacer au profit des sciences humaines, voici qu'elles les supplantent à nouveau, avec un net accent sur la biologie [...] Cet effondrement n'est pas seulement quantitatif, mais aussi qualitatif. Alors que dans les années soixante les étudiantes de 3e année effectuaient des mini-stages dans des unités spécialisées (neurochirurgie, physiologie rénale, physiothérapie, chirurgie dentaire, soins intensifs, soins coronariens, etc.) les étudiantes des cégeps s'en tiennent à l'expérience clinique de base (médecine, chirurgie, obstétrique, pédiatrie, psychiatrie) ce qui oblige les hôpitaux à organiser eux-mêmes la formation clinique spécialisée[11].

Les années soixante et soixante-dix constituent une période où les inquiétudes sont fortes quant à l'orientation des pratiques hospitalières, notamment en ce qui concerne les risques d'une déshumanisation des soins. Participent à ce débat les infirmières qui s'interrogent non seulement sur leur rôle dans la structure hospitalière, mais aussi sur l'efficacité de la fragmentation et de la spécialisation croissantes des soins. Certaines critiques formulées par des membres de la profession infirmière ne sont pas dépourvues d'une dimension politico-économique: on vise en partie la mise à l'écart des auxiliaires dont la fonction s'appuie largement de cette division des pratiques. De telles inquiétudes ne concernent pas seulement les relations entre les infirmières et les auxiliaires; elles s'insèrent dans une profonde remise en question du statut général de l'infirmière, notamment en ce qui touche ses rapports avec le savoir médical: «Qui sommes-nous? Où allons-nous?» s'interrogent les participants du congrès d'orientation des infirmières de 1979. Selon une participante, «la profession infirmière est la profession du secteur de la santé dont l'image est la plus confuse[12]». Sujet encore brûlant d'actualité.

Il y a crise aussi face à l'attribution des tâches qu'impose un budget insuffisant. L'assurance-hospitalisation du Québec détermine depuis 1961 le nombre d'heures de soins dans les différents services et spécialités et fixe selon un barème établi le budget approprié pour remplir ces fonctions. Cette estimation des fonds alloués ne correspond pas dans tous les cas aux besoins des hôpitaux. Ceux-ci doivent alors fonctionner au-delà des normes définies par le ministère:

> Les restrictions budgétaires imposées nous semblent alarmantes face à la qualité des soins à maintenir et aux besoins de plus en plus nombreux et complexes auxquels notre service doit faire face 24 heures par jour, 365 jours par année[13].

À partir des années soixante-dix, de nombreux changements seront apportés à la structure des soins infirmiers, comme le PRN (*personnel requis nursing*), notamment pour faciliter l'évaluation objective et quotidienne des soins et la justification des besoins en personnel dans les unités de soins aigus et de soins prolongés. L'infirmière était devenue, avec le personnel médical, la pierre angulaire du système hospitalier moderne.

Des innovations scientifiques majeures

Jusqu'à la fin des années cinquante, les activités de recherche à l'Hôpital Notre-Dame avaient surtout été le fruit d'initiatives isolées de la part de certains médecins désireux d'accroître le savoir médical lié à leur discipline. Mais dans les années soixante, devant la multiplication des travaux de recherche menés à l'hôpital, travaux qui suivent en quelque sorte le mouvement général amorcé dans les autres grands hôpitaux généraux canadiens, la direction du bureau médical et le bureau d'administration décident de concerter leurs efforts pour structurer et financer ces activités. En deux décennies, l'Hôpital Notre-Dame met en place une structure de recherche et d'enseignement de très haut niveau.

La première initiative prise en ce sens est la formation d'un comité, présidé par le docteur L.-C. Simard, chargé d'évaluer sur les plans scientifique, administratif et déontologique les projets de recherche soumis aux organismes gouvernementaux. La seconde initiative fait suite à la décision du conseil d'administration de créer un fonds interne de recherche appelé Fonds Notre-Dame. Le président de la corporation Notre-Dame reprend à peu de chose près une argumentation classique du monde médical depuis la fin du XIXe siècle, mais qui, dans le contexte d'une véritable démocratisation des soins hospitaliers, prend tout son sens:

> Seuls les grands centres hospitaliers universitaires comme l'Hôpital Notre-Dame où les équipes de recherche sont constamment au travail peuvent faire profiter les malades des derniers perfectionnements et des découvertes les plus récentes dans le traitement des maladies [...] Ignorer ce fait équivaudrait à refuser aux malades les soins les plus perfectionnés que la science médicale met à leur disposition[14].

Les initiatives des autorités médicales sont fructueuses. L'établissement d'un centre de travaux pharmacologiques et thérapeutiques à l'Hôpital Notre-Dame par le pharmacologue J. Labarre en 1961 correspond *grosso modo* aux récents perfectionnements de la recherche pharmaceutique. Le centre, composé de chercheurs en pharmacologie clinique, de biochimistes, de pharmaciens et nombreux techniciens, est alors relié à l'Université de Montréal. Ses activités, dirigées par le Service des aliments et drogues du Département de la santé nationale, sont tournées en partie vers les travaux de recherche liés à la qualité et à la stabilité des préparations pharmaceutiques, à leurs transformations dans l'organisme, à leurs manifestations physiopathologiques et à leur toxicité.

Toujours en 1961, le docteur B. Lebœuf, responsable du laboratoire de métabolisme et de nutrition, entreprend des travaux de recherche sur le métabolisme des lipides. L'année suivante, le docteur J. Hardy introduit à l'Hôpital Notre-Dame une nouvelle technique de chirurgie hypophysaire par voie trans-sphénoïdale à partir d'un contrôle radioscopique télévisé, méthode appliquée au traitement des cancers métastatiques avancés du sein et de la prostate, au traitement de la rétino-pathie diabétique ainsi que des syndromes endocriniens et tumoraux d'origine hypophysaire. Le docteur Hardy applique, toujours en 1962, en collaboration avec le docteur Bertrand, à la chirurgie stéréotaxique humaine les méthodes d'exploration électrophysiologique utilisées en laboratoire sur l'animal pour enregistrer l'activité cellulaire dans les structures profondes du cerveau. En 1964, le docteur Bertrand se livre à des travaux sur la standardisation de l'électronystagmographie et crée, avec l'aide du docteur F. Montreuil, le laboratoire de labyrinthologie.

L'intérêt croissant des médecins de l'hôpital pour la recherche expérimentale et clinique nécessite bientôt la mise sur pied d'une structure de financement et de coordination. Le bureau médical décide donc de fonder en 1962 le comité de la recherche médicale qui aura pour fonction d'évaluer, des points de vue scientifique, administratif et éthique, les projets de recherche soumis aux organismes gouvernementaux. C'est le docteur L.-C. Simard qui en devient le premier président. Ce comité évaluera une soixantaine de projets en 1966 et une cinquantaine en 1967. L'année suivante, les sommes versées par les organismes subventionnaires s'élèvent à 200 000 $.

La plupart des travaux de recherche effectués à l'Hôpital Notre-Dame sont liés à des activités cliniques et sont dirigés par des médecins qui, le plus souvent, assument ces tâches à temps partiel et bénévolement. Il est certain que de telles activités favorisent grandement la qualité de la formation des résidents. Elles répondent au souci des autorités de contribuer au prestige du corps professoral de la faculté de médecine de l'Université de Montréal. Néanmoins, les problèmes d'espace tout au long des années soixante entravent sérieusement le développement de la recherche clinique. Certains chercheurs ayant obtenu des fonds de recherche ont dû quitter l'hôpital, faute d'espace adéquat, pour s'installer dans d'autres institutions. C'est ainsi qu'en 1964, le bureau médical demande au comité de recherche médicale de faire une enquête approfondie sur les besoins en espace, en personnel et en subventions. Un mémoire formulé l'année suivante par le comité mentionne que l'espace accordé à la recherche est de 2760 mètres carrés alors que les besoins jusqu'à la décennie 1970 se chiffreront à 9200 mètres carrés[15]. Par conséquent, le comité recommande la construction d'une nouvelle aile. C'est en partie par suite de ces recommandations que les projets de construction du docteur Bourgeois et de J. Leman, dont nous avons fait état précédemment, ont été élaborés.

Parallèlement, de nouvelles activités scientifiques sont mises en branle. Par exemple est fondé en 1966, à l'instigation du docteur M. Parent, un laboratoire de chirurgie expérimentale. Ce laboratoire permet à de jeunes chirurgiens de mettre au point de nouvelles techniques chirurgicales; le docteur P. Daloze y effectuera une centaine de greffes du rein et du foie chez le chien, qui permettront la réalisation de ces interventions chirurgicales délicates chez l'humain. Des travaux de recherche sont aussi entrepris en 1973 au nouveau laboratoire de néphrologie aménagé dans le pavillon Deschamps. De telles activités s'étendent à un nombre de plus en plus important de secteurs. Pour l'année 1973, soixante-trois projets sont subventionnés par les organismes gouvernementaux et la fondation Notre-Dame. En 1979, le budget total de la recherche à l'Hôpital Notre-Dame est de 1 150 000 $. De tels budgets rendent compte de l'accroissement du volume des recherches menées à l'Hôpital Notre-Dame durant la décennie 1970. Le docteur A. Lanthier, alors directeur du centre de recherche de l'Hôpital Notre-Dame, en résumait la teneur:

> Les principaux projets en cours sont surtout dans le domaine de l'endocrinologie, soit l'étude du mécanisme de l'ovulation, de la biochimie comparée des hormones stéroïdes, du diabète, de l'obésité, des tumeurs hypophy-

saires sécrétantes et de l'infertilité. Il y a aussi d'autres projets en néphrologie, en physiologie respiratoire, en physiologie digestive, en cardiologie, en neurologie, en ophtalmologie et en oncologie. D'importants travaux sont aussi en cours dans la transplantation rénale et hépatique de même qu'en microchirurgie vasculaire cérébrale[16].

La fondation Notre-Dame répondait encore, 20 ans après sa formation, au souhait exprimé par les autorités de l'hôpital: engager de jeunes chercheurs, démarrer de nouveaux projets et consolider les recherches en cours.

Notes

1. RAHND, 1970, p. 6.
2. *Ibid.*, 1971-1973, p. 8.
3. *Ibid.*, 1979-1980, p. 22.
4. *Ibid.*, 1971-1973, p. 5.
5. P. Bourgeois, *L'Hôpital Notre-Dame en 1963*, p. 2-3.
6. Il utilisa en premier lieu la 6-mercaptopurine, puis un composé proche, l'azathioprine. Expérimentée au début des années soixante-dix, la cyclosporine deviendra un immunosuppresseur couramment utilisé à partir de 1983.
7. En 1958, l'Écossais I. Donald est le premier médecin à utiliser les ultrasons pour examiner le fœtus.
8. L. Deslauriers, *Essai sur l'histoire de l'Hôpital Notre-Dame, 1880-1980.*
9. Cahier Hôpital Notre-Dame, *Régie interne*, 5ᵉ partie, p. 10.
10. *Ibid.*
11. A. Petitat, *Les infirmières. De la vocation à la profession*, p. 203 et 205.
12. L.-H. Trottier, *L'évolution de la profession d'infirmière au Québec, 1920 1980*, p. 151.
13. AHND, *Régie interne*, 5ᵉ partie, p. 1.
14. L. Deslauriers, *Essai sur...*, *op. cit.*
15. *La recherche médicale à l'Hôpital Notre-Dame*, Rapport du comité de la recherche médicale, 7 avril 1969.
16. *Ibid.*

Conclusion

Nous nous sommes proposés de reconstituer les grandes périodes qui ont scandé l'histoire de l'Hôpital Notre-Dame, non pas en la présentant de manière anecdotique ou du point de vue d'une histoire institutionnelle purement interne, mais plutôt en la situant dans son contexte social, culturel et scientifique, c'est-à-dire dans le cadre des transformations de la ville de Montréal, de la société québécoise et de l'évolution du savoir médical et des modes de soins. Dès ses débuts, l'institution a subi très fortement les pressions exercées par la hausse constante des besoins hospitaliers de la population, conséquence de la croissance démographique liée au processus d'industrialisation de Montréal. Cette progression de la clientèle exigeait une expansion de l'espace d'accueil, une augmentation et une spécialisation continues du personnel médical et paramédical ainsi qu'une amélioration de la gestion et des structures administratives allant de pair avec une croissance du budget de l'hôpital.

Plutôt que de revenir sur ces points, systématiquement traités dans cette étude, nous nous proposons, en conclusion, de situer l'histoire de l'Hôpital Notre-Dame dans le cadre plus large de l'évolution générale du milieu hospitalier, plus particulièrement au Canada, au Québec et à Montréal, de manière à relever les caractéristiques qui lui sont propres. Cette histoire remet en cause une certaine vision quelque peu caricaturale de l'évolution du système hospitalier au Québec. Elle présente donc une intérêt historiographique tout particulier.

Dès sa fondation, l'hôpital s'est défini comme étant strictement un centre de soins et d'activités médicales et n'a donc jamais constitué un lieu de refuge ou d'hébergement, fonctions que pouvaient encore remplir, parallèlement aux soins médicaux qu'ils prodiguaient, certains hôpitaux jusqu'au début du xxe siècle. Du reste, l'Hôpital Notre-Dame a toujours été l'un des pivots de l'action sanitaire et préventive de la ville de Montréal, ainsi que de la distribution de soins spécialisés: services externes et dispensaires spécialisés, prévention des maladies contagieuses et vénériennes, centre d'action sanitaire en périodes d'épidémies, spécialisation dans le secours aux victimes d'accident, prise en charge de la santé des femmes et de la prévention des maladies féminines par le développement de la gynécologie. Dès les premières années de son existence, l'Hôpital Notre-Dame s'est donné pour mission de lutter contre la maladie et de réduire la mortalité infantile. Cela sera mis tout particulièrement en évidence lors de l'ouverture de l'Hôpital Saint-Paul en 1905, établissement réservé aux malades contagieux[1].

Parallèlement, l'Hôpital Notre-Dame, en resserrant ses liens avec l'Université de Montréal, assurait une fonction très importante de centre d'enseignement, de recherche et de développement des connaissances médicales. Nous avons montré que, dès l'origine, des liens étroits s'étaient créés avec le milieu universitaire. Ces liens se sont maintenus de façon constante, et les progrès accomplis à l'hôpital ou à l'université rejaillissaient sur l'une et l'autre de ces institutions. Rappelons par ailleurs que, tout au long de l'histoire de l'hôpital, un grand nombre de professeurs de la faculté de médecine de l'Université de Montréal ont été médecins et professeurs à l'Hôpital Notre-Dame. Résultat d'une longue tradition de collaboration étroite avec l'université, l'Hôpital Notre-Dame est aujourd'hui le plus important centre hospitalier affilié à l'Université de Montréal. Le fait que l'Hôpital Notre-Dame soit en voie de devenir un centre hospitalier universitaire constitue donc le prolongement d'une longue évolution dont les bases avaient été posées dès la fondation de l'institution.

Les historiens de la médecine cherchent généralement à comprendre la réponse de la société à la maladie — particulièrement en ce qui concerne l'interaction entre ceux qui demandent des soins de santé et ceux qui les dispensent — comme un microcosme ou un paradigme de la société moderne. On a observé, en effet, à la suite d'un auteur comme Rosen[2], que les facteurs de transformation sociale — croissance démographique, domination des élites professionnelles, bureaucratisation des relations humaines, tendance à aborder par des approches technologiques les problèmes sociaux, légitimation des rôles et politiques sociales en termes technologiques — se retrouvent dans l'histoire sociale de la médecine, et particulièrement dans l'histoire du développement des hôpitaux modernes. En effet, c'est en grande partie dans le cadre de cet «univers», de cette micro-société que constitue l'institution clinique hospitalière ou le centre institutionnel de soins, que s'est installé le «dialogue» entre la médecine scientifique et la médecine sociale, entre les besoins sociaux et la politique sociale.

Plusieurs auteurs ont dégagé les grands traits d'un modèle de l'émergence de l'hôpital moderne pour la Grande-Bretagne et les États-Unis. Ce modèle a été repris d'une manière systématique par un auteur comme Gagan, qui considère qu'il s'applique aussi à l'évolution des hôpitaux en Ontario et, semble-t-il, dans le reste du Canada[3]. Cet auteur expose son modèle de la manière suivante. Jusqu'à l'ère victorienne tardive, soit avant l'avènement du listérisme (antisepsie), des standards professionnels des soins infirmiers et des techniques modernes de diagnostic et de chirurgie, les hôpitaux inspiraient plus de craintes qu'ils ne suscitaient de confiance parmi la population. Il s'agissait essentiellement de lieux de garde ou de confinement, maintenus comme institutions de charité ou de philanthropie par des «patrons» ou des bienfaiteurs nantis contrôlant les admissions. Ces institutions servaient en fait à exercer un contrôle social sur les pauvres travailleurs ou les indigents en milieu urbain; elles étaient donc mieux équipées pour promouvoir les vertus sociales victoriennes que pour traiter la maladie dans les sociétés urbaines industrielles. Les classes plus favorisées ne recouraient guère à ces établissements qui, à leurs yeux, n'offraient que peu de garantie quant à l'amélioration de l'état de santé. Le foyer familial demeurait un lieu privilégié de soins et de convalescence.

Vers la fin du siècle dernier, cette image de l'hôpital a cependant commencé à se transformer radicalement. La mise en œuvre de procédures aseptiques et antiseptiques, la profession-nalisation des soins infirmiers et de l'administration hospitalière enclenchée par Florence Nightingale[4] et ses disciples après 1870, l'avènement d'une nouvelle technologie diagnostique, l'amélioration des techniques chirurgicales et le regroupement en un seul lieu de toute une gamme d'expertises médicales ont contribué à modifier la perception de l'hôpital. Graduellement donc, tant les médecins que leurs patients privés en sont venus à comprendre que l'hôpital, et non pas le foyer domestique, était l'endroit le plus adéquat pour le traitement de la maladie aiguë. Cette transformation s'acheva pour l'essentiel vers la fin de la Première Guerre mondiale et se matérialisa dans les hôpitaux par un nombre de plus en plus grand de chambres privées et semi-privées. Les soins différenciés prodigués dans les hôpitaux, de même que le coût de ces soins, ont amené les individus de la classe moyenne à voir que les hôpitaux n'étaient plus des institutions charitables ou de contrôle de la déviance sociale, mais plutôt les incarnations institutionnelles incontournables de la science médicale moderne. Avec le désir croissant de la classe moyenne de se faire soigner à l'hôpital et sa capacité à payer le traitement médical complet, une économie de marché pour les soins de santé s'est progressivement constituée. Selon Shortt, qui donne un aperçu synthétique de l'histoire des hôpitaux au Canada anglais au xixe siècle, ces institutions doivent être considérées comme des instutions de bienfaisance et de contrôle social plutôt que comme des institutions de soins médicaux, et ce jusqu'aux deux dernières décennies du xixe siècle environ[5].

D'après notre analyse, l'Hôpital Notre-Dame s'inscrit presque dès les premières décennies de son existence dans la période de l'émergence du système moderne des soins hospitaliers, système qui, selon Gagan et Shortt, se met en place au Canada anglophone à partir des années 1870. Cependant, un certain nombre de caractéristiques de l'histoire de l'Hôpital Notre-Dame le distinguent du modèle d'évolution hospitalière présenté ci-haut. Le contexte socio-culturel du Québec diffère à maints égards de celui des provinces anglophones du Canada ou de celui des pays anglo-saxons.

La tradition hospitalière québécoise s'inspire de deux modèles. En ce qui regarde les hôpitaux francophones, elle prend ses origines en Nouvelle-France et s'inspire largement des institutions de soins françaises où les religieuses et religieux occupent une place importante dans l'administration et la structuration des soins. Du reste, certaines institutions religieuses sont souvent propriétaires des hôpitaux. Quant aux hôpitaux laïques anglo-saxons du Québec — comme l'Hôpital général de Montréal — reposant sur la tradition philanthropique anglo-saxonne, ils sont créés et administrés par des bienfaiteurs et souscripteurs privés.

L'Hôpital Notre-Dame apparaît comme une combinaison originale de ces deux modèles hospitaliers: d'une part, le clergé y tient une place importante et, d'autre part, l'institution est une corporation laïque, administrée et financée — en grande partie — sur une base volontaire, surtout par des bienfaiteurs et souscripteurs. Fondé à une période où les hôpitaux, dans la plupart des pays, ont commencé à amorcer le processus de transformation et de spécialisation des soins, et au moment où l'enseignement médical accentue son orientation clinique, l'Hôpital Notre-Dame est devenu un centre d'activités médicales (soins, enseignement, recherche), apte à remplir des fonctions sociales de prise en charge de la santé de la population sans pour autant négliger l'esprit humanitaire et la générosité caractéristiques des institutions où œuvrent des religieuses. En raison du contexte socio-médical, socio-culturel et socio-politique spécifique du Québec et de la tradition hospitalière locale, l'Hôpital Notre-Dame s'est distingué du modèle de l'hôpital anglo-saxon ou canadien anglais du XIXe siècle tel qu'il est présenté par des auteurs comme Gagan ou Shortt.

L'Hôpital Notre-Dame aura une fonction sociale différente de la fonction traditionnelle de centre d'hébergement et de contrôle social pour les improductifs, les pauvres ou les démunis de la société[6]. Certes, l'Hôpital Notre-Dame assure dès sa fondation une fonction humanitaire, surdéterminée par les valeurs religieuses de la société québécoise catholique de l'époque, mais c'est dans le cadre d'une volonté de prise en charge médicale et non pas dans le cadre d'une lutte contre la pauvreté, d'assistance économique ou de contrôle social d'individus non malades. Ces derniers pouvaient alors avoir recours à Montréal à tout un réseau d'institutions de bienfaisance, de lutte contre la pauvreté ou de contrôle social[7]. Par ailleurs, cette fonction religieuse-humanitaire y est assurée de manière subsidiaire, dans une perspective de régulation socio-économique, c'est-à-dire de réparation et d'entretien des forces de travail et de réinsertion des membres actifs (travailleurs, gens de métier, employés, etc.) dans les circuits des activités de production et des activités sociales.

Les fonctions de soins médicaux et de régulation sociale ont été étroitement associées tout au long de l'expansion de l'institution, et ce même en ce qui touche les clientèles semi-privées et privées. En effet, il devenait de plus en plus clair que, si la santé est un paramètre essentiel de la croissance démographique — sujet sur lequel le courant nationaliste était très sensible au Québec — et du développement socio-économique, les soins hospitaliers devaient s'appliquer non seulement à l'état de santé des individus défavorisés et des travailleurs «manuels», mais plus généralement à toute la population et aux membres actifs de toutes les couches sociales[8].

Dès les débuts de l'hôpital, la fonction de protection et de gestion de la santé de la population est plus limitée et est généralement entendue au sens de fonction sociale de régulation qui assure l'entretien et la reproduction des capacités physiques de travail des travailleurs et employés urbains, voire des chômeurs temporaires, par d'intenses activités de soins médicaux. Ainsi, nous l'avons vu, un grand nombre de travailleurs ou d'accidentés du travail qui ont reçu des soins gratuits à l'Hôpital Notre-Dame peuvent reprendre leurs activités, même s'ils sont parfois partiellement mutilés ou diminués. À cet égard, et sans exagérer l'efficacité des soins dispensés à l'hôpital durant les premières décennies d'existence de l'institution, il demeure que leur condition se serait certes aggravée faute de soins médicaux.

Selon une perspective liée à celle des autres institutions francophones et anglophones québécoises, l'histoire de l'Hôpital Notre-Dame permet, croyons-nous, de nuancer et de rectifier une conception trop unilatérale de l'histoire des hôpitaux au Québec selon laquelle la plupart de ces institutions seraient encore, jusque vers 1910, des lieux d'hébergement ayant une clientèle de pensionnaires résidents. Ainsi, pour Normand

Perron, ce serait seulement vers le début de la décennie 1910 que l'hôpital serait devenu une institution de soins médicaux: «Une nouvelle institution vient de naître. De lieu d'hébergement et de garde des malades, l'hôpital devient un lieu de guérison, puis de prévention[9].»

On peut noter qu'une telle périodisation de l'histoire hospitalière est décalée de trois ou même de quatre décennies par rapport à celle qui est retenue pour les hôpitaux canadiens anglais ou, plus généralement, anglo-saxons, par des auteurs comme Gagan ou Shortt[10]. C'est abusivement, selon nous, que Perron extrapole à partir de la situation particulière d'un hôpital régional:

> Vers 1910, naît la médecine hospitalière. L'habitude de soigner à l'hôpital constitue un tournant majeur dans l'histoire de l'hôpital de Chicoutimi et dans *celle de l'hospitalisation en général*. Les usagers ne viennent plus à l'hôpital surtout pour y résider, mais surtout pour y recevoir des soins. La fonction de l'hôpital au XXe siècle se modifie radicalement. De lieu d'attente, il devient lieu actif de traitement et de guérison. La médecine hospitalière récupère alors l'ancien hôpital en l'adaptant à ses exigences propres[11].

Si une telle périodisation est valable pour l'Hôtel-Dieu de Chicoutimi, ce dont nous ne doutons pas, elle n'est certes pas adéquate pour les grands hôpitaux de Montréal et de Québec. Le rythme de l'évolution de l'Hôtel-Dieu de Chicoutimi, comme celui de certains autres établissements, a été, en effet, déterminé par une situation régionale d'isolement et par le fait que cet hôpital remplissait simultanément des fonctions d'assistance sociale en accueillant aussi bien les orphelins, les handicapés, les infirmes que les aliénés mentaux et les vieillards[12].

De plus, Perron semble considérer qu'une telle analyse est valable non seulement pour le Québec, mais pour l'histoire des hôpitaux en général. Or il est bien établi en histoire de la médecine que la médecine hospitalière (*hospital medicine*) — dans laquelle l'hôpital constitue un centre d'observation des maladies, d'enseignement et de recherche en pathologie — émerge en Europe à la fin du XVIIIe siècle et au début du XIXe.

Bien entendu, ce phénomène a été très inégal, selon les pays, les régions et les institutions, mais, néanmoins, le secteur avancé des institutions hospitalières et de soins se distingue par le fait que le processus de médicalisation y est déjà très marqué. En tout cas, il est certain qu'à partir de la seconde moitié du xviiie siècle et de plus en plus au cours de xixe siècle, un nombre important d'institutions hospitalières remplissaient des fonctions de soins médicaux, d'enseignement clinique et de recherche. Par rapport à la périodisation établie pour l'histoire des hôpitaux en Europe (et d'ailleurs également aux États-Unis et au Canada), il est donc inadéquat et anachronique de parler de naissance de la médecine hospitalière en 1910. Il s'agit plutôt de l'essor d'une médecine reposant sur une instrumentation technologique sophistiquée.

Il est reconnu, par ailleurs, en histoire de la médecine, que l'étape suivante du développement de l'hôpital en tant qu'institution centrale et essentielle de soins médicaux fréquentée par toutes les couches de la société et en tant que catalyseur du traitement médical moderne, a été franchie selon un long processus s'étendant du milieu du xixe siècle jusqu'au début de la Seconde Guerre mondiale. C'est à partir de 1850 — et non à partir de 1910 — que s'affirment les caractéristiques qui vont faire de l'hôpital un centre de soins sophistiqués.

Nous avons montré tout au long de cet ouvrage que l'Hôpital Notre-Dame s'orientera, malgré les contraintes financières, vers la mise en place d'un système de soins spécialisés. Or la structure des soins, de l'administration médicale et de l'administration financière correspondait dès le début à l'émergence d'un système hospitalier professionnel libéral tel que le définit François Steudler[13]. De fait, l'évolution de l'Hôpital Notre-Dame correspond parfaitement aux caractéristiques de ce système: présence importante des médecins dans la structure de soins et d'administration des hôpitaux; introduction des savoirs médicaux issus des progrès des sciences fondamentales; transmission des savoirs par l'enseignement clinique; recherche et utilisation de nouveaux procédés diagnostiques et thérapeutiques et spécialisation des soins.

En somme, l'Hôpital Notre-Dame intègre, dès sa fondation, deux des trois grandes caractéristiques de la structure hospitalière moderne définies par Steudler: lieu de guérison et centre d'enseignement de la médecine. Quant à la troisième — centre de recherche médicale — et malgré les intentions exprimées par les fondateurs de l'hôpital, elle ne sera vraiment intégrée, nous l'avons montré, que peu avant le second conflit mondial pour ensuite prendre de l'importance durant les décennies subséquentes. En outre, l'Hôpital Notre-Dame devient une pièce de plus en plus essentielle dans la mise en place d'un certain système de protection sociale par lequel l'État commence à intervenir dans le domaine de la santé[14]. Les caractéristiques propres à ce système défini par Steudler s'accentueront, au sein de l'Hôpital Notre-Dame, tout au long du xxe siècle. À cet égard, notre étude a montré amplement comment s'est développé, à partir d'un hôpital d'une cinquantaine de lits fondé en 1880, le gigantesque complexe de soins et l'imposante industrie de guérison que constitue aujourd'hui l'Hôpital Notre-Dame, un des plus importants dispensateurs de soins spécialisés et ultra-spécialisés au Québec.

Déjà, voilà 30 ans, Jean Imbert soulignait que les fonctions des hôpitaux étaient de plus en plus importantes et diversifiées dans la société actuelle:

> Il semble bien que de plus en plus l'hôpital devienne le pivot de toute l'action sanitaire du pays, dans la mesure où les lois récentes l'associent à des tâches aussi diverses que l'enseignement universitaire et post-universitaire, la coordination des actions de médecine préventive, la recherche médicale et pharmaceutique, l'éducation sanitaire[15].

Il est intéressant de remarquer qu'une telle caractérisation des fonctions de l'hôpital contemporain, si elle convient parfaitement à l'Hôpital Notre-Dame d'aujourd'hui, était déjà inscrite en filigrane dans les gigantesques efforts des acteurs qui ont façonné son histoire.

Notes

1. On peut souligner à ce propos que le docteur Lachapelle, surintendant de l'Hôpital Notre-Dame, s'est distingué tout au long de sa carrière par son action militante dans le domaine de la prévention et de la santé publique. Il a fait campagne résolument pour la vaccination et pour l'assainissement de l'hygiène publique et a exercé une grande influence à ce niveau, surtout à partir de 1888, année où il a été nommé président du Conseil d'hygiène de la province. Il n'est pas étonnant dans ces conditions, vu l'influence que Lachapelle avait dans l'institution, que l'Hôpital Notre-Dame ait été investi dès ses débuts d'une mission de lutte sociale contre la maladie.

2. Voir G. Rosen, «People, disease and emotion: Some newer problems for research in medical history». Voir aussi G. Rosen, *From Medical Police to Social Medicine: Essays on the History of Health Care*, p. 274-303, et surtout p. 295 et suiv.; M.-J. Vogel, «The tranformation of the American Hospital, 1850-1920» dans S. Reverby et D. Rosner (dir.), *Health Care in America: Essays in Social History*; C. Rosenberg, *The Care of Strangers. The Rise of America's Hospital System*; D. Gagan, «For "patients of moderate means": The transformation of Ontario's public general hospitals, 1880-1950».

3. D. Gagan, *op. cit.*

4. Florence Nightingale est considérée comme la réformatrice du champ des soins infirmiers qui, avant son époque, étaient le plus souvent donnés par un personnel sans formation préalable dans le domaine du nursing. Elle est perçue comme la fondatrice du premier enseignement professionnel d'infirmières et de la carrière spécialisée moderne dans ce domaine. Les premiers cours débutèrent à l'Hôpital Saint-Thomas à Londres en 1860. Les écoles Nightingale servirent de modèle aux enseignants et aux administrateurs des hôpitaux qui étendirent le système à toute la Grande-Bretagne et à l'Empire, en particulier le Canada, l'Australie et la Nouvelle-Zélande. Ce système eut aussi une grande influence aux États-Unis, bien que sous une forme modifiée. (Voir B. Abel-Smith, *A History of the Nursing Profession*; V. B. Bullough, *The Care of the Sick: The Emergence of Modern Nursing*.)

5. Voir S. E. D. Shortt, «The hospital in the nineteenth century».

6. *Custodial institution* et *Charity* sont les termes employés par Shortt, *op. cit.*

7. Sur ce réseau, voir l'étude de H. Lapointe-Roy, *Charité bien ordonnée. Le premier réseau de lutte contre la pauvreté à Montréal au 19ᵉ siècle.*

8. On trouve un écho intéressant de cette «mission» nationale de protection de la santé de la population que l'Hôpital Notre-Dame aurait remplie, sous l'impulsion de ses fondateurs, dans le passage suivant de la nécrologie du docteur Lachapelle: «L'Hôpital est devenu une œuvre nationale et on ne concevrait pas aujourd'hui la population canadienne-française sans lui» (L.-E. Fortier, «Nécrologie. Le professeur Emmanuel-Persillier Lachapelle, doyen de la Faculté de Médecine, 1845-1918», p. 461).

9. N. Perron, *Un siècle de vie hospitalière au Québec. Les Augustines et l'Hôtel-Dieu de Chicoutimi, 1884-1984*, p. 94.

10. On peut souligner que certains historiens du Québec présentent une périodisation de l'histoire hospitalière qui diffère de celle de Perron et qui correspond en gros à celle qui est faite pour les hôpitaux anglais par des auteurs comme Gagan. En effet, selon Linteau *et al.*, alors que «encore au milieu du 19ᵉ siècle, l'hôpital est un lieu réservé aux pauvres qui n'ont pas les moyens de se faire soigner à domicile» dans les dernières décennies du siècle, «cette conception est en voie de changer, sous l'impact des progrès de la médecine et de la chirurgie, alors que les hôpitaux deviennent davantage des centres de soins et de lutte contre la maladie». (Voir P.-A. Linteau *et al.*, *Histoire du Québec contemporain. De la Confédération à la crise, 1867-1929*, p. 228.)

11. *Ibid.* L'italique est de nous.

12. Voir N. Perron, *op. cit.*, p. 77. Soulignons qu'il s'agit, au demeurant, d'une très bonne étude.

13. F. Steudler, *L'hôpital en observation*. Dans cet ouvrage, l'auteur distingue: 1) l'hôpital du système traditionnel avant 1850; 2) l'hôpital du système professionnel libéral qui se met en place entre 1850-1940. Selon lui, l'hôpital traditionnel, ayant ses origines au Moyen Âge, est une institution philanthropique et spirituelle, fondée pour les malades pauvres et pris en charge par une communauté religieuse. Elle est financée presque exclusivement par la charité publique et les grands principes thérapeutiques y sont inconnus.

14. À noter que la périodisation de l'histoire des hôpitaux en Europe présentée par Steudler n'est pas non plus entièrement satisfaisante du point de vue de l'histoire de la médecine clinique. En effet, comme nous l'avons vu, un bon nombre d'hôpitaux sont devenus des centres d'enseignement et de recherche depuis la fin du XVIIIᵉ siècle. Et, dès cette époque dans certains pays, l'État considère les hôpitaux comme un pilier central d'une politique de la santé.

15. J. Imbert, *Les hôpitaux en France*, p. 64.

Bibliographie

ABBOTT, M., *A History of Medicine in the Province of Québec*, Montréal, McGill University Press, 1931.

ABEL-SMITH, B., *A History of the Nursing Profession*, New York, 1960.

ACKERKNECHT, E. H., *A Short History of Medicine*, New York, The Ronald Press Co., 1968.

————, *Medicine at the Paris Hospital, 1794-1848*, Baltimore, The Johns Hopkins University Press, 1967.

AGNEW, G. H., *Canadian Hospitals, 1920 to 1970, A Dramatic Half Century*, Toronto, University of Toronto Press, 1974.

ALLARD, M., R. Lahaise et E. Desjardins, *L'Hôtel-Dieu de Montréal, 1642-1973*, Montréal, Hurtubise HMH, 1973.

Ames, H.-B., The City Below the Hill, Toronto, University of Toronto Press, 1972.

ANCTIL, H. et M.-A. BLUTEAU, «La santé et l'assistance publique au Québec, 1886-1986», *Santé et société*, Québec, numéro spécial, 1986.

Annuaire Lovell 1892-1893, Montréal, Lovell Press, 1892.

ATHERTON, W. H., *Montréal, 1535-1914*, Montréal, The S. J. Clarke Publishing Co., 1914, 3 vol.

BARIÉTY, M. et C. COURY, *Histoire de la médecine*, Paris, Fayard, 1963.

BELZILE, Y., *Syndicalisme et conditions de travail chez les employés de l'Hôpital Notre-Dame de Montréal (1935-1980)*, mémoire de maîtrise, Département d'histoire, Université de Montréal, 1992.

BENOÎT, E.-P., *Histoire de l'Hôpital Notre-Dame*, Montréal, Hôpital Notre-Dame, 1924.

BERNIER, J., *La médecine au Québec: naissance et évolution d'une profession*, Québec, PUL, 1989.

BERTRAND, A., *Les laboratoires de l'Hôpital Notre-Dame, 1886-1961*, Montréal, s.é., 1961.

BLANCHARD, R., *Le Canada français. Province de Québec. Étude géographique*, Paris, Fayard, 1960.

BOISSONNAULT, C. M., *Histoire de la faculté de médecine de Laval*, Québec, PUL, 1953.

BOURGEOIS, P., *L'Hôpital Notre-Dame en 1963*, texte ronéotypé, juin 1963.

BRODEUR, L., *Les débuts de la spécialisation de la gynécologie au Québec, 1880-1920. Médicalisation de la femme et consolidation de la profession médicale*, mémoire de maîtrise, Département d'histoire, Université de Montréal, 1991.

BROSSEAU, A. T., «Ce que doit être la clinique», *L'Union médicale du Canada*, vol. VIII, 1880.

Bulletin de l'exécutif du Conseil des médecins et dentistes de l'Hôpital Notre-Dame, 1918.

BULLOUGH, V. B., *The Care of the Sick: The Emergence of Modern Nursing*, New York, 1978.

BYNUM, W. et R. PORTER (dir.), *William Hunter and the Eighteenth Century Medical World*, Cambridge, Cambridge University Press, 1985.

CASSEL, J. *The Secret Plague. Veneral Diseases in Canada 1838-1839*, Toronto, University of Toronto Press, 1987.

CHARLES, A., *Travail d'ombre et de lumière: le bénévolat féminin à l'Hôpital Sainte-Justine, 1907-1960*, Québec, IQRC, coll. «Edmond de Nevers», n° 9, 1990.

CHARTRAND, L., R. Duchesne et Y. GINGRAS, *Histoire des sciences au Québec*, Montréal, Boréal, 1987.

Classification internationale des maladies, 8e révision, Ottawa, Imprimeur de la reine, vol. I, 1970.

COMEAU, R. (dir.), *Jean Lesage et l'éveil d'une nation. Les débuts de la révolution tranquille*, Québec, Presses de l'Université du Québec, 1989.

COPP, J. T., *Classe ouvrière et pauvreté, les conditions de vie des travailleurs montréalais, 1897-1929*, Montréal, Boréal Express, 1978.

CUSHING, H., *The Life of Sir William Osler*, London, New York, Toronto, Oxford University Press, 1925.

DAGNEAU, G.-H. (dir.), *La ville de Québec, histoire municipale. De la Confédération à la charte de 1929*, Québec, La Société historique de Québec, 1983.

DAIGLE, J., *L'émergence et l'évolution de l'Alliance des infirmières de Montréal, 1946-1966*, mémoire de maîtrise, Département d'histoire, Université du Québec à Montréal, 1983.

D'ALLAIRE, M., *L'Hôpital général de Québec: 1692-1764*, Montréal, 1971.

DAOUST, R., «Antonio Cantero 1902-1977», *Délibérations de la Société royale du Canada*, t. XVII, 1979.

DAVIS, L. (dir.), *Fifty Years of Surgical Progress, 1905-1955*, Chicago, The Franklin H. Martin Memorial Foundation, 1955.

———, *Surgery, Gynecology & Obstetrics with International Abstracts of Surgery*, Chicago, The Franklin H. Martin Memorial Foundation, 1955.

DE BONVILLE, J., *Jean-Baptiste Gagnepetit: les travailleurs montréalais à la fin du XIXe siècle*, Montréal, L'Aurore, 1975.

DESJARDINS, E., *L'enseignement au second demi-siècle*, texte ronéotypé, s.d.

DESJARDINS, R., *Hôpital Sainte-Justine, Montréal, Québec, 1907-1921*, mémoire de maîtrise, Département d'histoire, Université de Montréal, 1989.

DESLAURIERS, L., *Histoire de l'Hôpital Notre-Dame, 1880-1924*, mémoire de maîtrise, Département d'histoire, Université de Montréal, 1985.

———, *Essai sur l'histoire de l'Hôpital Notre-Dame, 1880-1980*, texte ronéotypé, 1980.

DES RIVIÈRES, M., *Une femme, mille enfants, Justine Lacoste Beaubien, 1877-1967*, Montréal, Bellarmin, 1987.

DESROSIERS, G., B. GAUMER et O. KEEL, *Vers un système de santé publique au Québec. Histoire des unités sanitaires de comté: 1926-1975*, rapport de recherche, Département d'histoire et Département de médecine sociale et préventive, Université de Montréal, 1990.

———, «L'évolution des structures de l'enseignement universitaire spécialisé de santé publique au Québec: 1899-1970», *Canadian Bulletin of Medical History*, vol. VI, n° 1, été 1989.

DESROSIERS, H. E., «Cliniques thérapeutiques», *L'Union médicale du Canada*, vol. XIV, 1885.

DÉZIEL, C. *L'enseignement clinique à l'Hôpital Notre-Dame de 1880 à 1924*, mémoire de maîtrise, Département d'histoire, Université de Montréal, 1992.

DOUSSET, J.-C., *Histoire des médicaments des origines à nos jours*, Paris, Payot, 1985.

DUBÉ, J.-E., «De la spécialisation médicale», *L'Union médicale du Canada*, vol. LXIII, 1935.

DUPONT, A. *Les relations entre l'Église et l'État sous Louis-Alexandre Taschereau, 1920-1936*, Montréal, Guérin éditeur, 1972.

DUVAL, J., *Vingt-cinq ans de syndicalisme chez les employés d'hôpitaux de Montréal*, Montréal, Presses sociales de la Confédération des syndicats nationaux, 1962.

FARLEY, M., O. KEEL et C. LIMOGES, «Les commencements de l'administration montréalaise de la santé publique (1865-1885)», *Bulletin HSTC*, nos 20-21, 1982.

FECTEAU, J. M., *Un nouvel ordre des choses: la pauvreté, le crime, l'État au Québec, de la fin du XVIIIe siècle à 1840*, Outremont, VLB éditeur, coll. «Études québécoises», 1989.

FERLAND-ANGERS, A., *L'École d'infirmières de l'Hôpital Notre-Dame, 1898-1948*, Montréal, Éditions Contrecœur, 1948.

FLEURY, M.-J., *L'Hôpital Saint-Paul (1905-1934) et sa contribution à la prévention et à la lutte contre les maladies contagieuses*, mémoire de maîtrise, Département d'histoire, Université de Montréal, 1993.

FORTIER, L.-E., «Nécrologie. Le professeur Emmanuel-Persillier Lachapelle, doyen de la Faculté de médecine, 1845-1918», *Union médicale du Canada*, vol. XLVII, 1918.

FOUCAULT, M., *Surveiller et punir. Naissance de la prison*, Paris, Gallimard, 1975.

————, *Naissance de la clinique*, Paris, Gallimard, 1963.

FOUCAULT, M., B. BARRET-KRIEGEL, A. THALAMY, F. BEGUIN et B. FORTIER, *Les machines à guérir. Aux origines de l'hôpital moderne*, Bruxelles, Pierre Mardaga, 1979.

FOUCHER, A. A., «Clinique thérapeutique», *L'Union médicale du Canada*, vol. XIV, 1885.

FOURNIER, M., Y. Gingras et O. Keel (dir.), *Science et médecine au Québec: perspectives sociohistoriques*, Québec, IQRC, 1987.

FROST, S. B., *McGill University for the Advancement of Learning*, Kingston et Montréal, 1984, 2 vol.

GAGAN, D., «For "patients of moderate means": The Transformation of Ontario's Public General Hospitals, 1880-1950», *Canadian Historical Review*, vol. LXX, no 2, 1989, p. 151-179.

GAGNON, H., «Les hospitalières de Saint-Joseph et les premiers pas de Montréal: vie quotidienne et soins des malades au XVIIe siècle», *Cahiers d'histoire*, vol. X, n° 3, 1990, p. 5-47.

GELFAND, T., *Professionalizing Modern Medicine. Paris Surgeons and Medical Science and Institutions in the 18th Century*, Wesport et Londres, 1980.

GÉLINAS, M., *Les travailleuses de soutien des hôpitaux du Québec*, mémoire de maîtrise, Département d'histoire, Université de Montréal, 1985.

GOULET, D., *Histoire de la faculté de médecine de l'Université de Montréal (1843-1993)*, Montréal, VLB éditeur, coll. «Études québécoises», 1993.

————, *Des miasmes aux germes. L'impact de la bactériologie sur la pratique médicale au Québec (1870-1930)*, thèse de doctorat, Département d'histoire, Université de Montréal, 1992.

GOULET, D. et A. PARADIS, *Trois siècles d'histoire médicale au Québec. Chronologie des institutions et des pratiques au Québec (1639-1939)*, Montréal, VLB éditeur, coll. «Études québécoises», 1992.

GOULET, D. et O. KEEL, «Les hommes-relais de la bactériologie et l'introduction de nouvelles pratiques diagnostiques et thérapeutiques (1890-1920)», *Revue d'histoire de l'Amérique française*, vol. XLVI, n° 3, 1993, p. 417-442.

————, «Généalogie des représentations et attitudes face aux épidémies au Québec depuis le XIXe siècle», *Anthropologie et sociétés*, (L'univers du sida), vol. XV, n°s 2-3, 1991, p. 205-228.

————, «L'introduction du listérisme au Québec: entre les miasmes et les germes», *Actes du XXXIIe congrès international d'histoire de la médecine*, Bruxelles, Fierens éditeur, 1991.

————, «Santé publique, histoire des travailleurs et histoire hospitalière: sources et méthodologie», *Bulletin du Regroupement des chercheurs-chercheuses en histoire des travailleurs et travailleuses du Québec*, vol. XVI, n°s 2-3, 1990.

GOULET, D. et G. ROUSSEAU, «L'émergence de l'électrothérapie au Québec, 1890-1910», *Bulletin d'histoire de l'électricité*, Paris, juin 1987.

GOW, J. I., *Histoire de l'administration publique au Québec, 1867-1970*, Montréal, PUM, 1986.

GUSDORF, G., *Dieu, la nature et l'homme au siècle des Lumières*, Paris, 1972.

HAMELIN, J. et N. GAGNON, *Le XXe siècle: 1898-1940*, dans *Histoire du catholicisme québécois*, Montréal, Boréal Express, vol. III, t. 1, 1984.

HAMELIN, J. et Y. ROBY, *Histoire économique du Québec, 1851-1896*, Montréal, Fides, 1971.

HEAGERTY, J. J., *Four Centuries of Medical History in Canada*, Toronto, The Macmillan Co. of Canada Ltd., 1928, 2 vol.

Histoire du mouvement ouvrier, Montréal, CSN-CEQ, 1984.

HOWELL, W. B., *F. J. Shepherd — Surgeon. His Life and Time*, Toronto, J. M. Dent, 1934.

IMBAULT-HUARD, M.-J., *L'École pratique de dissection de Paris de 1750 à 1822, ou l'influence du concept de médecine pratique et de médecine d'observation dans l'enseignement médico-chirurgical au XVIIIe siècle et au début du XIXe siècle*, thèse de doctorat, Université de Paris I, 1973.

IMBERT, J., *Les hôpitaux en France*, Paris, PUF, coll. «Que sais-je?», n° 795, 1974.

JANSON, G. et O. KEEL, «La mise en place d'une organisation sanitaire face aux épidémies véhiculées par l'immigration au Québec de 1800 au choléra de 1832», communication à la Société canadienne d'histoire de la médecine, Congrès des sociétés savantes, Montréal, 1985, texte inédit.

JARRELL, R. A. et A. E. ROOS (dir.), *Critical Issues in the History of Canadian Science, Technology and Medicine*, Ottawa, HSTC Publications, 1983.

JOERGER, M., «La structure hospitalière de la France à la fin de l'Ancien Régime», *Annales ESC*, vol. XXXII, n° 5, 1977.

KEATING, P. et O. KEEL (dir.), *Médecine, santé et société au Québec: XIXe-XXe siècles*, Montréal, Boréal (sous presse).

KEEL, O., «Les rapports entre médecine et chirurgie dans la grande école anglaise de William et John Hunter», *Gesnerus. Swiss Journal of the History of Medicine and Sciences*, vol. XLV, n°s 3-4, 1988, p. 323-343.

———, Percussion et diagnostic physique en Grande-Bretagne au XVIIIe siècle: l'exemple d'Alexander Monro Secundus», *Actes du XXXIe congrès international d'histoire de la médecine*, Monduzzi editors, 1988, p. 869-875.

———, «La place et la fonction des modèles étrangers dans la constitution de la problématique hospitalière de l'École de

Paris», *History and Philosophy of the Life Sciences*, vol. VI, n° 1, 1984, p. 41-73.

———, «La pathologie tissulaire de John Hunter», *Gesnerus*, vol. XXXVII, n°s 1-2, 1980, p. 57-61.

———, *La généalogie de l'histopathologie*, Paris, Vrin, 1979.

———, *Cabanis et la généalogie de la médecine clinique*, thèse de doctorat, Département de philosophie, Université McGill, 1977.

KENNEALLY, R. R., *The Montreal Maternity, 1843-1926: Evolution of a Hospital*, mémoire de maîtrise, Université McGill, 1983.

KERR, D. et D. W. HOLDSWORTH (dir.), *Atlas historique du Canada III. Jusqu'au coeur du XXe siècle, 1891-1961*, Montréal, PUM, 1990.

LACHAPELLE, E.-P., S. LACHAPELLE et A. LAMARCHE, «L'Hôpital Notre-Dame», *L'Union médicale du Canada*, vol. IX, 1880.

LAMONDE, Y., L. FERRETTI et D. LEBLANC, *La culture ouvrière à Montréal (1880-1920): bilan historiographique*, Québec, IQRC, coll. «Culture populaire», 1982.

LAPOINTE-ROY, H., *Charité bien ordonnée. Le premier réseau de lutte contre la pauvreté à Montréal au 19e siècle*, Montréal, Boréal, 1987.

LARAMÉE, A., «Clinique médicale», *L'Union médicale du Canada*, vol. XV, 1884.

LAVALLÉE, A., *Québec contre Montréal. La querelle universitaire 1876-1891*, Montréal, PUM, 1974.

LEBLOND, S., *Médecine et médecins d'autrefois, pratiques traditionnelles et portraits québécois*, Québec, PUL, 1986.

LE GOFF, J. et J.-C. SOURNIA, *Les maladies ont une histoire*, Paris, Seuil, 1985.

Le mémorial du Québec, 1534-1976, Montréal, Éditions du Mémorial, 1979-1980, 8 vol.

LESAGE, A., «L'odyssée d'une typhoïdique», *L'Union médicale du Canada*, vol. XXXI, 1902.

LESEMANN, F., *Du pain et des services: la réforme de la santé et des services sociaux au Québec*, Laval, Éditions coopératives Albert Saint-Martin, 1981.

LESKY, E., «American medicine as viewed by Viennese physicians, 1893-1912», *Bulletin of the History of Medicine*, vol. LVI n° 3, 1982.

———, *Meilensteine der Wiener Medizin*, Vienne, Verlag Wilhem Mandrich, 1981.

LESSARD, R., *Se soigner au Canada aux XVIIe et XVIIIe siècles*, Hull, Musée canadien des civilisations, 1989.

LEWIS, D. S., *History of the Royal Victoria Hospital, 1887-1947*, Montréal, McGill University Press, 1969.

Linteau, P-A., *Histoire de la ville de Maisonneuve, 1883-1914*, thèse de doctorat, Université de Montréal, 1975.

LINTEAU, P.-A., R. DUROCHER et J.-C. ROBERT, *Histoire du Québec contemporain: de la Confédération à la crise, 1867-1929*, Montréal, Boréal Express, 1979.

LINTEAU, P-A., R. DUROCHER, J.-C. ROBERT et F. RICARD, *Histoire du Québec contemporain: le Québec depuis 1930*, Montréal, Boréal Express, 1986.

LONG, E. R., *A History of Pathology*, Chicago, Dover, 1955.

LUDMERER, K. M., *Learning to Heal. The Development of American Medical Education*, New York, Basic Books, 1985.

MACDERMOT, H. E., *An History of the Montreal General Hospital*, Montréal, 1950.

MASSICOTTE, E. Z., «Les mutations d'un coin de rue», *Le Devoir*, 30 octobre 1939.

MCINNIS, E., *Canada: A Political and Social History*, 3e éd., Toronto, Holt, Rinehart and Winston of Canada, 1969.

MERCIER, O., «Cures radicales des hernies», *L'Union médicale du Canada*, vol. XXVII, 1896.

MEUNIER, P., *La chirurgie à l'Hôtel-Dieu de Montréal au XIXe siècle*, Montréal, PUM, 1989.

MIGNAULT, L. D., «Histoire de l'École de médecine et de chirurgie de Montréal», *L'Union médicale du Canada*, vol. LV, octobre 1926.

NAGANT, F., *La politique municipale à Montréal de 1910 à 1914: l'échec des réformistes et le triomphe de Médéric Martin*, mémoire de maîtrise, Département d'histoire, Université de Montréal, 1982.

NIOSI, J., *La bourgeoisie canadienne: la formation et le développement d'une classe dominante*, Montréal, Boréal Express, 1980.

PELLETIER-BAILLARGEON, H., *Marie Gérin-Lajoie. De mère en fille, la cause des femmes*, Montréal, Boréal Express, 1985.

PÉPIN, M., *Histoire et petites histoires des vétérinaires du Québec*, Montréal, Éditions François Lubrina, 1986.

PERRON, N., *Un siècle de vie hospitalière au Québec. Les Augustines et l'Hôtel-Dieu de Chicoutimi, 1884-1984*, Québec, Presses de l'Université du Québec, 1984.

Petitat, A., *Les infirmières. De la vocation à la profession*, Montréal, Boréal, 1989.

Pinard, G., *Montréal: son histoire; son architecture*, Montréal, Éditions La Presse, 1988-1993, 5 vol.

Poulin, G., «L'assistance sociale dans la province de Québec, 1608-1951», Commission royale d'enquête sur les problèmes constitutionnels, 1955, annexe 2.

Prince, L., *Montreal, Old and New*, Montréal, International Press Syndicate, 1915.

Reiser, S.-J., *Medicine and the Reign of Technology*, Cambridge, Londres et New York, Cambridge University Press, 1978.

Reverby, S. et D. Rosner (dir.), *Health Care in America: Essays in Social History*, Philadelphie, 1979.

Ritchie, L., *Histoire du syndicat de l'Hôpital Notre-Dame, 1935-1989*, Montréal, Métropole Litho, 1989.

Rosen, G., *From Medical Police to Social Medicine: Essays on the History of Health Care*, New York, Science History Publications, 1974.

————, *The Specialization of Medicine*, New York, Arno Press & The New York Times, 1972.

————, «People, disease and emotion: Some newer problems for research in medical history», *Bulletin of the History of Medicine*, vol. XLI, 1967.

————, *The Specialization of Medicine, with Particular Reference to Ophtalmology*, New York, Froben Press, 1944.

Rosenberg, C. E., *The Care of Strangers: The Rise of America's Hospital System*, New York, Basic Books, 1987.

Rousseau, F., *La croix et le scalpel. Histoire des Augustines et de l'Hôtel-Dieu de Québec (1639-1892)*, Québec, Septentrion, 1989.

Rumilly, R., *Histoire de Montréal*, Montréal, Fides, 1970-1974, 5 vol.

————, *Histoire de la province de Québec*, Montréal, divers éditeurs, 1943-1969, 41 vol.

Salomon-Bayet, C. (dir.), *Pasteur et la révolution pasteurienne*, Paris, Payot, 1986.

Scriver, J. B., *The Montreal Children's Hospital: Years of Growth*, Montréal, McGill-Queen's University Press, 1979.

Segall, H. N., «Introduction of the stethoscope and clinical auscultation in Canada», *Journal of the History of Medicine*, vol. XXII, 1967.

SHORTT, S. E. D., «The hospital in the nineteenth century», *Revue d'études canadiennes/Journal of Canadian Studies*, vol. XVIII, n° 4, 1983-1984, p. 1-14.

SIMARD, L.-C., «Sur la fréquence du cancer du sein chez les femmes dans la province de Québec», *L'Union médicale du Canada*, vol. XLVII, 1938.

——, «La lutte contre le cancer», *L'Union médicale du Canada*, vol. LXVI, 1937.

STARR, P., *The Social Transformation of American Medicine*, New York, Basic Books, 1982.

STEUDLER, F., *L'hôpital en observation*, Paris, Colin, 1974.

TEMKIN, O., «The role of surgery in the rise of modern medical thought», *Bulletin of the History of Medicine*, 1951.

TÉTRAULT, M., *L'état de santé des Montréalais 1880 à 1914*, Montréal, Coll. «RCHTQ», Études et documents, 1991.

Traité élémentaire de matière médicale et guide pratique des sœurs de Charité de l'Asile de la Providence, Montréal, Eusèbe Sénécal, 1870.

TROTTIER, L.-H., *L'évolution de la profession d'infirmière au Québec, 1920-1980*, mémoire de maîtrise, Département de sociologie, Université de Montréal, 1982.

VAILLANCOURT, Y., *L'évolution des politiques sociales au Québec, 1940-1960*, Montréal, PUM, 1988.

VALIQUETTE, A., *L'essor du syndicalisme catholique chez les employés(ées) d'hôpitaux du Québec dans les années trente et quarante*, mémoire de maîtrise, Département d'histoire, Université du Québec à Montréal, 1982.

VIGOD, B. L., *Quebec before Duplessis: The Political Career of Louis-Alexandre Taschereau*, Montréal, McGill-Queen's University Press, 1986.

VOGEL, M. J., *The Invention of the Modern Hospital: Boston 1870-1930*, Chicago and London, University of Chicago Press, 1980.

VOISINE, N. (dir.), *Histoire du catholicisme québécois. Le XXᵉ siècle, tome I: 1898-1940*, Montréal, Boréal, 1984.

WANGENSTEEN, O. et S. WANGENSTEEN, *The Rise of Surgery. From Empiric Craft to Scientific Discipline*, Minneapolis, University of Minnesota Press, 1978.

WESTLEY, M. W., *Grandeur et déclin. L'élite anglo-protestante de Montréal, 1900-1950*, Montréal, Libre Expression, 1990.

Table

DEUXIÈME PARTIE

L'hôpital de la rue Sherbrooke, un nouvel essor: 1924-1960

Jean-Marie Fecteau, UN NOUVEL ORDRE DES CHOSES: LA PAUVRETÉ, LE CRIME, L'ÉTAT AU QUÉBEC DE LA FIN DU XVIIIe SIÈCLE À 1840

Pierre Fournier, AUTOPSIE DU LAC MEECH. L'INDÉPENDANCE EST-ELLE INÉVITABLE?

Alain-G. Gagnon et Mary Beth Montcalm, QUÉBEC: AU-DELÀ DE LA RÉVOLUTION TRANQUILLE

Alain-G. Gagnon et François Rocher (dir.), RÉPLIQUES AUX DÉTRACTEURS DE LA SOUVERAINETÉ DU QUÉBEC

Gilles Gougeon (dir.), HISTOIRE DU NATIONALISME QUÉBÉCOIS. ENTREVUES AVEC SEPT SPÉCIALISTES

Denis Goulet, HISTOIRE DE LA FACULTÉ DE MÉDECINE DE L'UNIVERSITÉ DE MONTRÉAL (1843-1993)

Denis Goulet et André Paradis, TROIS SIÈCLES D'HISTOIRE MÉDICALE. CHRONOLOGIE DES INSTITUTIONS ET DES PRATIQUES (1639-1939)

Donald Guay, INTRODUCTION À L'HISTOIRE DES SPORTS AU QUÉBEC

Jean-Guy Lacroix, LA CONDITION D'ARTISTE: UNE INJUSTICE

Georges-Émile Lapalme, POUR UNE POLITIQUE. LE PROGRAMME DE LA RÉVOLUTION TRANQUILLE

Jean-Marc Larouche, ÉROS ET THANATOS SOUS L'ŒIL DES NOUVEAUX CLERCS

André Laurendeau, JOURNAL TENU PENDANT LA COMMISSION ROYALE D'ENQUÊTE SUR LE BILINGUISME ET LE BICULTURALISME

Claude-V. Marsolais, LE RÉFÉRENDUM CONFISQUÉ

Claude-V. Marsolais, Luc Desrochers et Robert Comeau, HISTOIRE DES MAIRES DE MONTRÉAL

Sylvie Murray et Élyse Tremblay, CENT ANS DE SOLIDARITÉ. HISTOIRE DU CONSEIL DU TRAVAIL DE MONTRÉAL 1886-1986 (FTQ)

Robin Philpot, OKA: DERNIER ALIBI DU CANADA ANGLAIS

Jean-Marc Piotte, LA COMMUNAUTÉ PERDUE. PETITE HISTOIRE DES MILITANTISMES

François Rocher (dir.), BILAN QUÉBÉCOIS DU FÉDÉRALISME CANADIEN

Guy Rocher, ENTRE LES RÊVES ET L'HISTOIRE. Entretiens avec Georges Khal

Merrily Weisbord, LE RÊVE D'UNE GÉNÉRATION. LES COMMUNISTES CANADIENS, LES PROCÈS D'ESPIONNAGE ET LA GUERRE FROIDE

CET OUVRAGE
COMPOSÉ EN PALATINO 11 POINTS SUR 13
A ÉTÉ ACHEVÉ D'IMPRIMER
LE DIX-HUIT NOVEMBRE
MIL NEUF CENT QUATRE-VINGT-TREIZE
PAR LES TRAVAILLEURS ET TRAVAILLEUSES DES PRESSES
DE L'IMPRIMERIE GAGNÉ
À LOUISEVILLE
POUR LE COMPTE DE
VLB ÉDITEUR.

IMPRIMÉ AU QUÉBEC (CANADA)